Galleria

Gianrico Carofiglio

I casi dell'avvocato Guerrieri

Testimone inconsapevole
Ad occhi chiusi
Ragionevoli dubbi

Sellerio editore
Palermo

e-mail: info@sellerio.it
www.sellerio.it

Testimone inconsapevole
2002 Prima edizione «La memoria»

Ad occhi chiusi
2003 Prima edizione «La memoria»

Ragionevoli dubbi
2006 Prima edizione «La memoria»

Carofiglio, Gianrico <1961->

I casi dell'avvocato Guerrieri / Gianrico Carofiglio. - Palermo: Sellerio, 2007
EAN 978-88-389-2260-2
853.914 CDD-21 SBN Pal0209827

CIP - *Biblioteca centrale della Regione siciliana «Alberto Bombace»*

I casi dell'avvocato Guerrieri

Testimone inconsapevole

Quella che il bruco chiama fine del mondo, il resto del mondo chiama farfalla.

LAO-TZE, *Il libro della Via e della Virtù*

Parte prima

1

Ricordo molto bene il giorno prima - anzi il pomeriggio prima - che tutto cominciasse.

Ero arrivato in studio da un quarto d'ora e non avevo nessuna voglia di lavorare. Avevo già controllato la posta elettronica, la posta cartacea, riordinato qualche carta fuori posto, fatto un paio di telefonate inutili. Insomma avevo esaurito tutti i pretesti e quindi mi ero acceso una sigaretta.

Adesso mi godo tranquillamente la sigaretta e poi comincio.

Finita la sigaretta avrei trovato qualcos'altro. Magari sarei sceso ricordandomi di un certo libro che dovevo andare a prendere da Feltrinelli e, insomma, avevo rinviato troppe volte.

Mentre fumavo squillò il telefono. Era la linea interna, la mia segretaria dall'anticamera.

C'era un signore che non aveva appuntamento, ma diceva che era urgente.

Quasi nessuno ha mai appuntamento. La gente va dall'avvocato penalista quando ha problemi seri e urgenti, o è convinta di averli. Il che ovviamente è lo stesso.

In ogni caso nel mio studio funzionava così: la mia segretaria mi chiamava, in presenza del signore o della signora che aveva urgente bisogno di parlare con l'avvocato. Se ero impegnato - per esempio con un altro cliente - facevo aspettare fin quando non finivo.

Se non ero impegnato, come quel pomeriggio, facevo aspettare lo stesso.

Sia chiaro che in questo studio si lavora, e la ricevo solo perché è una cosa urgente.

Dissi a Maria Teresa di comunicare al signore che avrei potuto riceverlo fra dieci minuti, ma non avrei avuto molto tempo da dedicargli perché dopo avevo una riunione importante.

Gli avvocati – pensa la gente – hanno spesso riunioni importanti.

Dieci minuti dopo il signore entrò. Aveva i capelli lunghi neri, la barba lunga nera e gli occhi sbarrati. Si sedette e si appoggiò sulla scrivania, protendendosi verso di me.

Per un attimo fui certo che dicesse: «Ho appena ucciso mia moglie e mia suocera. Sono giù in macchina, nel bagagliaio. Fortunatamente ho una station wagon. Che *dobbiamo* fare adesso, avvocato?».

Non disse così. Aveva un camper su cui arrostiva würstel ed hamburger. Gli ispettori della ASL lo avevano sequestrato perché le condizioni igieniche erano più o meno quelle delle fogne di Benares.

Il barbuto rivoleva indietro il suo camper. Sapeva che ero un bravo avvocato perché glielo aveva detto un suo amico che era mio cliente. Con una specie di schifoso sorriso di intesa disse il nome di uno spacciatore, per il quale ero riuscito a patteggiare una pena vergognosamente bassa.

Gli chiesi un anticipo spropositato e lui tirò fuori dalla tasca dei pantaloni un rotolo di banconote da cento e da cinquanta.

Non mi dia quelli con le macchie di maionese per piacere, pensai rassegnato.

Lui contò fra indice e pollice la somma che gli avevo chiesto. Mi lasciò il verbale di sequestro e tutte le altre carte. No, non voleva la ricevuta, e che me ne faccio avvocato. Altro sorriso di intesa. Certo, fra noi evasori fiscali ci intendiamo.

Anni prima il mio lavoro mi piaceva abbastanza. Adesso invece mi dava un vago senso di nausea. Quando poi incontravo soggetti come il venditore di hamburger la nausea aumentava.

Pensai che meritavo una cena con i würstel del signor Rasputin e poi di finire al pronto soccorso. Lì avrei trovato ad attendermi il dottor Carrassi.

Il dottor Carrassi, aiuto primario del pronto soccorso, aveva fatto morire una ragazza di ventun anni, con la peritonite, dicendo che erano dolori mestruali.

Il suo avvocato – io – lo aveva fatto assolvere senza fargli perdere nemmeno un giorno di servizio e una lira di stipendio. Non era stato un processo difficile. Il pubblico ministero era una idiota e l'avvocato di parte civile un analfabeta terminale.

Quando fu assolto Carrassi mi abbracciò. Aveva l'alito pesante, era accaldato e pensava che fosse stata fatta giustizia.

Uscendo dall'aula avevo evitato lo sguardo dei genitori della ragazza.

Il barbuto andò via ed io, soffocando la nausea, preparai il ricorso contro il sequestro del suo pregevole ristorante mobile.

Poi andai a casa.

Il venerdì sera, di regola, andavamo al cinema e poi a cena, sempre con lo stesso gruppo di amici.

Non partecipavo mai alla scelta del cinema e del ristorante. Facevo quello che decidevano Sara e gli altri e passavo la serata in apnea, aspettando che finisse. Era diverso solo quando capitava un film che mi piacesse davvero, ma era una eventualità sempre più rara.

Quel venerdì, quando rientrai, Sara era già pronta per uscire. Dissi che avevo bisogno di almeno un quarto d'ora, il tempo di fare una doccia e cambiarmi.

Ah, lei usciva con i suoi amici. Quali amici? Quelli del corso di fotografia. Poteva dirmelo prima, che mi sarei organizzato. Me lo aveva detto da ieri e non poteva farci niente se non ascoltavo quando parlava. Va bene, non c'era bisogno di arrabbiarsi, avrei visto di combinare qualcosa per conto mio, se avessi fatto in tempo. No, non avevo nessuna intenzione di farla sentire in colpa, volevo dire solo ed esattamente quello che avevo detto. Va bene era meglio chiudere la discussione.

Lei uscì ed io rimasi a casa. Pensai di chiamare i soliti amici e di uscire con loro. Poi mi sembrò assurdamente difficile spiegare perché Sara non c'era, e dove era andata, e pensai che mi avrebbero guardato con aria strana e, insomma, lasciai stare.

Provai a chiamare una mia amica con cui qualche volta mi vedevo – clandestinamente – in quel periodo, ma lei mi disse, parlando sottovoce al cellulare, che era con il fidanzato. Che mi aspettavo, di venerdì? Mi sentii a disagio e allora pensai che noleggiavo un bel film poliziesco, tiravo fuori una pizza surgelata, una birra grande, fredda e in un modo o nell'altro quel venerdì sera sarebbe passato.

Presi *Black Rain*, anche se l'avevo già visto due volte. Lo rividi per la terza e mi piacque ancora. Mangiai la pizza, bevvi tutta la birra. Poi bevvi anche un whisky e fumai diverse sigarette. Mi feci un giro di canali, scoprendo che sulle televisioni locali avevano ripreso a dare i film hard. Questo mi fece notare che era l'una passata e così andai a dormire.

Non so quando mi addormentai e non so quando Sara rientrò, perché non la sentii.

La mattina dopo mi svegliai che lei si era già alzata. Entrai in cucina con la faccia del sonno e lei, senza dire niente mi versò una tazza di caffè americano. Il caffè americano, lungo, era sempre piaciuto a tutti e due.

Bevvi due sorsi e stavo per domandarle a che ora fosse rientrata la notte prima, quando mi disse che voleva la separazione.

Disse così, semplicemente: «Guido, voglio che ci separiamo».

Dopo molti secondi di silenzio assordante fui costretto alla domanda più banale.

Perché?

Me lo disse il perché. Fu calma, e implacabile. Forse pensavo che non si fosse accorta di come era stata la mia vita degli ultimi, diciamo almeno due anni. Invece se ne era accorta e non le era piaciuta. Quello che l'aveva più umiliata non era la mia *infedeltà* – quella parola mi colpì in faccia come uno sputo – ma il fatto che le avessi veramente mancato di rispetto trattandola come fosse una stupida. Lei non sapeva se ero sempre stato così o se lo ero diventato. Non sapeva quale ipotesi preferire e forse non gliene importava nemmeno.

Mi stava dicendo che ero diventato un uomo mediocre o che forse lo ero sempre stato. E lei non aveva voglia di vivere con un uomo mediocre. Non più.

Da vero uomo mediocre non trovai niente di meglio che chiederle se aveva un altro. Lei rispose semplicemente di no e che comunque, da quel momento, non erano più affari miei.

Giusto.

La conversazione non proseguì a lungo e dieci giorni dopo ero fuori di casa.

2

Dunque fui – civilmente – cacciato di casa e la mia vita cambiò. Non in meglio, anche se non me ne resi conto subito.

Per i primi mesi anzi, ebbi una sensazione di sollievo e un sentimento quasi di gratitudine nei confronti di Sara. Per il coraggio che aveva avuto e che a me era sempre mancato.

Insomma, mi aveva tolto le castagne dal fuoco, come si usa dire.

Avevo pensato tante volte che quella situazione non poteva durare e che dovevo fare qualcosa. Dovevo prendere una iniziativa, trovare una soluzione, parlarle onestamente. Fare qualcosa.

Però, siccome ero un vigliacco non avevo fatto niente, a parte afferrare le occasioni clandestine che mi erano capitate.

Certo se ci pensavo, le cose che aveva detto quella mattina mi bruciavano. Mi aveva trattato da mediocre e da piccolo vigliacco ed io avevo subito senza reagire.

Ecco, nei giorni successivi a quel sabato, anzi quando già ero andato a stare nella mia nuova casa, pensai più volte a quello che avrei potuto rispondere, insomma, per mantenere un po' di dignità.

Mi venivano in mente frasi del tipo: «Non voglio negare le mie responsabilità, ma ricordati che le colpe non sono mai tutte da una sola parte». E cose simili.

Fortunatamente ciò accadde solo a distanza di giorni, appunto. Quel sabato mattina rimasi in silenzio e, perlomeno, evitai il ridicolo.

Dopo un po' comunque smisi e mi rimaneva solo qualche fitta, dentro. Quando pensavo a dove poteva essere Sara in quel momento, a cosa stava facendo, a con *chi* si trovava.

Ero molto bravo ad anestetizzare queste fitte e a farle sparire rapidamente. Le ricacciavo là dentro da dove erano venute, anzi più in profondità, più nascoste.

Per qualche mese feci una vita senza regole, da single di prima nomina. Una cosiddetta vita brillante.

Frequentavo compagnie improbabili, partecipando a feste insulse, bevendo troppo, fumando troppo, eccetera.

Uscivo tutte le sere. Rimanere solo a casa era un'idea insopportabile.

Ebbi alcune fidanzate, naturalmente.

Non ricordo una sola conversazione avuta con una sola di queste ragazze.

In mezzo a tutto questo si tenne l'udienza per l'omologa della separazione consensuale. Non ci furono problemi. Sara era rimasta nella casa, che era sua. Io avevo cercato di tenere un atteggiamento dignitoso rifiutando di portare via mobili, elettrodomestici, insomma qualsiasi cosa non fossero i miei libri, e nemmeno tutti.

Ci incontrammo nell'anticamera del presidente del tribunale, che si occupava delle separazioni. Era la prima volta che la vedevo da quando ero andato via di casa. Aveva tagliato i capelli, era un po' abbronzata ed io pensai a dove poteva essersi abbronzata e con *chi* potesse essere andata ad abbronzarsi.

Non fu un pensiero piacevole.

Prima che potessi dire nulla lei si avvicinò e mi diede un bacio leggero sulla guancia. Questo, più di ogni altra cosa, mi diede la sensazione dell'irrimediabile. A trentotto anni appena compiuti stavo scoprendo per la prima volta che le cose finiscono davvero.

Il presidente cercò di farci riconciliare, come gli imponeva la legge. Noi fummo molto educati e civili. Parlò – poco – solo lei. Avevamo deciso, disse. Era un passo che facevamo con rispetto reciproco, serenamente.

Io stavo zitto, annuivo e, in quel film, mi sentivo l'attore non protagonista. Tutto finì molto rapidamente, visto che non c'erano problemi di soldi, di case, di bambini.

Una volta fuori dalla stanza del giudice, di nuovo lei mi diede un bacio, quasi sull'angolo della bocca questa volta. «Ciao» disse.

«Ciao» dissi, quando lei già si era girata e andava via.

«Ciao» dissi di nuovo al niente, dopo aver fumato una sigaretta appoggiato al muro.

Me ne andai quando mi accorsi degli sguardi degli impiegati che passavano.

Fuori era primavera.

3

La primavera si trasformò rapidamente in estate ma i giorni scorrevano sempre tutti uguali.

Anche le notti erano tutte uguali. Buie.

Fino ad una mattina di giugno.

Ero in ascensore, di ritorno dal tribunale e salivo al mio studio, all'ottavo piano quando, d'improvviso e senza una ragione, fui assalito dal panico.

Uscito dall'ascensore, rimasi sul pianerottolo per un tempo indefinito, col respiro affannoso, sudori freddi, nausea, lo sguardo fisso su un estintore. E una paura terribile.

«Sta bene avvocato?». Il tono del signor Strisciuglio, impiegato delle finanze in pensione, inquilino dell'altro appartamento al piano, era un po' perplesso, un po' preoccupato.

«Sto bene, grazie. Sono completamente fuori di testa, ma non credo che questo sia un problema. E lei come sta?».

Non è vero. Dissi che avevo avuto un leggero capogiro ma che adesso era tutto a posto, grazie, buongiorno.

Naturalmente non era tutto a posto, come avrei capito fin troppo bene nei giorni e nei mesi successivi.

Prima di tutto non sapendo cosa mi fosse capitato, quella mattina in ascensore, cominciai ad essere ossessionato dall'idea che potesse succedere di nuovo.

Così smisi di prendere l'ascensore. Fu una scelta stupida, che contribuì ad aggravare le cose.

Dopo qualche giorno, invece di stare meglio cominciai a temere che il panico potesse assalirmi dappertutto e in qualsiasi momento.

Quando mi fui preoccupato abbastanza riuscii a farmi venire un nuovo attacco, per strada questa volta. Fu meno violento del primo ma gli effetti, nei giorni successivi, furono ancora più devastanti.

Per almeno un mese vissi nel terrore costante di essere colpito di nuovo dal panico. È buffo, a ripensarci adesso. Vivevo nella paura di essere assalito dalla paura.

Pensavo che quando mi fosse ricapitato, sarei potuto impazzire ed eventualmente anche morire. Morire pazzo.

Questo mi fece ricordare, con sgomento superstizioso, un fatto successo molti anni prima.

Ero all'università e avevo ricevuto una lettera, scritta su un foglio a quadretti con grafia rotonda e quasi infantile.

Caro amico, dopo avere letto questa lettera fanne dieci copie di tuo pugno e spediscile a dieci amici. Questa è la vera catena di Sant'Antonio: se la farai proseguire, nella tua vita entreranno fortuna, denaro, amore, serenità e gioia; se la interromperai potranno accaderti orribili sventure. Una giovane sposa che da due anni desiderava un figlio senza riuscire a rimanere incinta ricopiò la lettera e la spedì a dieci amici. Tre giorni dopo seppe di essere in dolce attesa. Un umile impiegato delle poste ricopiò la lettera, la spedì a dieci fra amici e parenti ed una settimana dopo vinse una grossa somma al gioco del lotto.

Un professore di liceo invece ricevuta questa lettera, ne rise e la strappò. Pochi giorni dopo ebbe un incidente, si spezzò una gamba ed inoltre fu sfrattato da casa.

Una casalinga ricevette la lettera e decise di non rompere la catena. Purtroppo però smarrì la lettera e, di fatto, ruppe la catena. Si ammalò di meningite dopo pochi giorni e, pur se guarita, rimase invalida per tutta la vita.

Un medico, ricevuta la lettera la strappò esclamando, con tono sprezzante, che non bisognava credere a simili superstizioni. Nei mesi successivi fu licenziato dalla clinica in cui lavorava, fu abbandonato dalla moglie, si ammalò e infine morì pazzo.

Non interrompere la catena!

Lessi la lettera ai miei amici, che la trovarono esilarante. Quando si furono ripresi dalle risate mi chiesero se intendevo strapparla e morire pazzo. O mettermi diligentemente a fare le dieci copie in bella grafia, cosa che non avrebbero mancato di ricordarmi – con poco garbo, presumo – almeno per i successivi dieci anni.

Ciò mi diede sui nervi, pensai che non sarebbero stati così illuministi se la lettera fosse arrivata a loro e dissi che ovviamente l'avrei strappata. Quelli pretesero che lo facessi davanti a loro. Insinuarono che potessi ripensarci e, lontano da occhi indiscreti, potessi fare le famose dieci copie eccetera.

Insomma, fui costretto a strapparla, e quando ebbi finito il più spiritoso dei tre disse che comunque non dovevo preoccuparmi: al momento opportuno sarebbe stata loro premura farmi ricoverare in un manicomio accogliente.

Più o meno diciotto anni dopo mi sarei ritrovato a pensare – seriamente – che la profezia si stava avverando.

In ogni caso la paura di avere un nuovo attacco di panico e di impazzire non era il mio unico problema.

Cominciai a soffrire di insonnia. Passavo le notti quasi completamente in bianco, addormentandomi solo poco prima dell'alba.

Qualche rara volta prendevo sonno in orari più normali. In questi casi però mi svegliavo immancabilmente due ore dopo, e non potevo restare a letto. Se ci provavo, venivo assalito da pensieri tristissimi, insopportabili. Su come avevo sprecato la mia vita, sulla mia infanzia. E su Sara.

Allora ero costretto ad alzarmi e vagavo nel mio appartamento. Fumavo, bevevo, guardavo la televisione, accendevo il cellulare nell'assurda speranza che qualcuno mi chiamasse nel cuore della notte.

Cominciai a preoccuparmi che la gente si accorgesse delle mie condizioni.

Soprattutto cominciai a preoccuparmi di poter perdere il controllo e in queste condizioni trascorsi tutta l'estate.

Quando arrivò agosto non trovai nessuno che partisse con me – per la verità non lo cercai – e non ebbi il coraggio di partire da solo. Così vagabondai, facendomi ospitare, per le ville e i trulli di amici, al mare o in campagna. Escludo di essermi guadagnato molte simpatie, durante questi vagabondaggi.

La gente mi chiedeva se ero un po' giù ed io dicevo che sì,

un pochino e di solito la conversazione non durava molto a lungo. Dopo qualche giorno capivo che era il momento di fare le valigie e trovare un altro rifugio, cercando il più possibile di evitare il rientro in città.

A settembre, visto che le cose non miglioravano, e in particolare che non ce la facevo più a passare le notti in bianco, andai dal mio medico che poi era anche un mio amico. Volevo qualcosa per dormire.

Lui mi visitò, mi fece parlare dei miei sintomi, misurò la pressione, guardò negli occhi con una lampadina, mi fece fare degli esercizi un po' dementi di equilibrio e alla fine disse che avrei fatto meglio a farmi vedere da uno *specialista*.

«Che vuoi dire, scusa? Che specialista?».

«Beh, uno specialista di questi problemi».

«*Quali* problemi? Dammi qualcosa per dormire e facciamola finita».

«Guido, la situazione è un po' più complessa. Hai un'aria molto tirata. Non mi piace il modo in cui ti guardi attorno. Non mi piace come ti muovi, non mi piace come respiri. Io devo dirtelo: tu non stai bene. Devi farti vedere da uno specialista».

«Vuoi dire uno...». Avevo la bocca secca. Per la testa mi passavano pensieri sconnessi. Forse vuol dire che devo farmi vedere da un internista. O da un omeopata. Un massoterapeuta. Anche un ayurvedico.

Ah va bene se devo andare da un internista, massoterapeuta, ayurvedico, omeopata e vaffanculo non c'è problema, ci vado. Non mi sottraggo mica alle cure io.

Mica ho paura, perché... UNO PSICHIATRA? Hai detto uno psichiatra?

Mi veniva da piangere. Ero diventato pazzo, adesso lo diceva anche un medico. La profezia si stava avverando.

Gli dissi che va bene per ora poteva darmi un maledetto sonnifero, e poi ci avrei pensato su. Che sì, va bene, non avevo nessuna intenzione di sottovalutare il problema, ci vediamo, no no, non c'è bisogno che mi indichi uno – bocca secchissima – uno di quelli. Ti richiamo e me lo dici.

Scappai via, evitando di prendere l'ascensore.

4

Il mio medico aveva accettato di prescrivermi qualcosa per dormire e con quelle pillole la situazione sembrò migliorare, un poco.

L'umore era sempre grigio topo ma almeno non mi trascinavo distrutto dall'insonnia, come uno spettro.

In ogni caso la mia produttività sul lavoro, e la mia affidabilità professionale erano pericolosamente sotto il livello di guardia. C'erano diverse persone la cui libertà dipendeva dal mio lavoro e dalla mia concentrazione. Suppongo che avrebbero trovato interessante scoprire che trascorrevo i pomeriggi sfogliando distrattamente i loro fascicoli, che di loro e del contenuto di quei fascicoli non poteva importarmi meno, che andavo in udienza del tutto impreparato, che l'esito dei processi era affidato praticamente al caso e che, insomma, il loro destino era nelle mani di un irresponsabile psichicamente disturbato.

Quando ero costretto a ricevere, la situazione era surreale.

I clienti parlavano, io non ascoltavo una parola ma facevo sì con la testa. Loro continuavano a parlare, rassicurati. Alla fine stringevo loro la mano con un sorriso di comprensione.

Sembravano apprezzare che l'avvocato li avesse lasciati sfogare così, senza interrompere e che evidentemente avesse compreso il loro problema e le loro esigenze.

Ero proprio una brava persona, fu il commento fatto con la mia segretaria da una pensionata che voleva querelare il vicino che le metteva biglietti osceni nella cassetta delle lettere. Non sembravo neanche un avvocato, disse. Era vero.

Loro erano soddisfatti, ed io, nel migliore dei casi, avevo solo una vaga idea del problema. Insieme, procedevamo verso la catastrofe.

Fu in questa fase – dopo essere riuscito a dormire per qualche notte – che intervenne un fatto nuovo. Cominciò a venirmi da piangere. All'inizio succedeva a casa, la sera appena rientrato o la mattina al momento di alzarmi. Poi, fuori di casa. Camminavo per strada, i miei pensieri se ne andavano via senza controllo, e mi veniva da piangere. Riuscivo a controllare la situazione però, sia a casa che soprattutto per strada anche se ogni volta era un po' più difficile. Mi concentravo sulle mie scarpe o sulle targhe delle macchine e soprattutto evitavo di guardare in faccia i passanti che – ne ero convinto – si sarebbero accorti di quello che mi stava succedendo.

Alla fine mi capitò in studio. Era un pomeriggio e parlavo di qualcosa con la mia segretaria quando sentii le lacrime arrivare e una sensazione dolorosa in gola.

Cominciai a fissare ottusamente una piccola macchia di umidità sul muro e intanto rispondevo con cenni del capo, terrorizzato che Maria Teresa capisse cosa stava succedendo.

Effettivamente capì benissimo, si ricordò ad un tratto che doveva fare delle fotocopie e con molto garbo uscì dalla stanza.

Passò solo qualche secondo, scoppiai a piangere e non smisi tanto facilmente.

Pensai che non era il caso di aspettare che il fenomeno si ripetesse, per esempio durante un processo.

Il giorno dopo chiamai il mio medico e mi feci dare il nome di quello specialista.

5

Lo psichiatra era alto, massiccio, imponente, con la barba e mani come badili. Me lo immaginai mentre immobilizzava a ceffoni un pazzo scatenato e gli metteva la camicia di forza.

Fu abbastanza gentile, considerate la barba e la mole. Mi fece raccontare tutto e faceva sì con la testa. Questo mi parve rassicurante. Poi pensai che anch'io facevo sì con la testa, quando i clienti parlavano e mi sentii meno rassicurato.

Comunque disse che soffrivo di una forma particolare di disturbo dell'adattamento. La separazione aveva funzionato nella mia psiche come una bomba ad orologeria e a un certo punto aveva prodotto un effetto di rottura. Anzi una serie di rotture a catena. Avevo fatto male a trascurare il problema per tanti mesi. C'era stata una degenerazione del disturbo di adattamento, che rischiava di trasformarsi in una depressione di media severità. Queste situazioni non andavano sottovalutate. Non dovevo preoccuparmi però perché il fatto di essere andato dallo psichiatra costituiva un segno positivo di autoconsapevolezza e una premessa per guarire. Certo era necessario un trattamento farmacologico, ma insomma nel giro di qualche mese la situazione sarebbe migliorata decisamente.

Pausa e sguardo intenso. Doveva far parte della terapia.

Poi si mise a scrivere, riempiendo una pagina di ricettario con nomi di ansiolitici e antidepressivi.

Dovevo prendere quella roba per due mesi. Dovevo cercare di distrarmi. Dovevo evitare di rimuginare su me stesso. Dovevo cercare di cogliere gli aspetti positivi delle cose evitando di pensare che la mia situazione fosse senza sbocco. Dovevo dargli trecentomila, di ricevuta non parliamone e ci vediamo di qui a due mesi per il controllo.

Salutandomi, sulla porta, mi sconsigliò di leggere i foglietti illustrativi dei farmaci. Era un vero conoscitore della psiche umana.

Cercai una farmacia lontana dal centro, per non fare incontri. Volevo evitare che davanti a qualche mio cliente, o a qualche mio collega il farmacista gridasse al commesso nel retro frasi del tipo: «controlla nell'armadio degli psicofarmaci se abbiamo il valium psichiatrico extraforte per questo signore».

Dopo aver girato un po' in macchina scelsi una farmacia del rione Japigia, ai confini della città. La farmacista era una ragazza ossuta, dall'aria poco socievole e le diedi la ricetta senza guardarla in faccia. Mi sentivo a mio agio come un seminarista in un porno shop.

La farmacista ossuta stava già facendo il conto quando recitai la parte che avevo preparato: «Giacché ci sono prendo anche una cosa per me. Ha della vitamina C effervescente?».

Mi guardò un secondo, senza dire niente. Conosceva il copione. Poi mi diede la vitamina C, assieme a tutto il resto. Pagai e scappai come un ladro.

Arrivato a casa, scartai, aprii le scatole e lessi i foglietti illustrativi dei medicinali. Erano tutti interessanti, ma la mia attenzione fu attratta in modo ipnotico dagli effetti collaterali dell'antidepressivo: il Trittico a base di trazodone.

Si cominciava da semplici vertigini per passare rapidamente a secchezza delle fauci, visione confusa, stipsi, ritenzione urinaria, tremori e alterazione della libido.

Pensai che per l'alterazione della libido avevo provveduto da solo e seguitai a leggere. Così scoprii che un numero ridotto di uomini che assumono trazodone sviluppa erezioni prolungate e dolorose, cioè il cosiddetto priapismo.

Questo problema poteva anche richiedere un intervento chirurgico di emergenza, il quale a sua volta poteva determinare una menomazione sessuale permanente.

Il finale però era rassicurante: il rischio di overdose mortali per assunzione di trazodone era fortunatamente più basso rispetto a quello connesso all'assunzione di antidepressivi triciclici.

Finito di leggere, presi a meditare.

Che si fa nel caso di una erezione prolungata e dolorosa? Si va in ospedale tenendoselo in mano? Si mettono delle mutande *molto* comode? Cosa si dice al dottore? Qual è la menomazione sessuale permanente?

E ancora: cosa ci vuole per una overdose mortale di trazodone? Bastano due pillole? Bisogna farsi l'intera scatola?

Non trovai risposte a quelle domande ma il Trittico finì nel cesso insieme a tutti gli altri medicinali che mi aveva prescritto il mio psichiatra. Il mio ex psichiatra.

Svuotai coscienziosamente tutte le confezioni e tirai la catena. Poi buttai nella spazzatura le scatole, i flaconi, le fiale e i foglietti illustrativi.

Quando ebbi finito mi versai mezzo bicchiere abbondante di whisky – *eviti gli alcolici* – e misi nel videoregistratore la cassetta di *Momenti di gloria*. Una delle poche che avevo portato via con me.

Mentre cominciavano a scorrere le prime immagini accesi una marlboro – *eviti la nicotina, almeno di sera* – e per la prima volta, dopo molto tempo, mi sentii quasi di buon umore.

6

Da ragazzo avevo fatto pugilato.

Mi ci aveva portato mio nonno dopo avermi visto tornare a casa con la faccia gonfia per le botte. Le avevo prese da un tipo più grande – e più cattivo – di me.

Avevo quattordici anni, ero magrissimo, con il naso rosso e lucido per l'acne, facevo il quarto ginnasio e avevo la convinzione che la felicità non esistesse. Non per me, almeno.

La palestra era in uno scantinato umido, il maestro era un signore magro sulla settantina, le braccia ancora secche e muscolose, la faccia di Buster Keaton. Era amico di mio nonno.

Mi ricordo precisamente quando entrammo, dopo avere disceso una scala stretta e male illuminata. Nessuno parlava e si sentivano solo i piccoli tonfi sordi dei pugni sul sacco, gli schiocchi delle corde, il ritmo dei punching ball. C'era un odore che non sono capace di descrivere, ma lo sento nel naso, adesso che scrivo, e mi dà i brividi.

Che io facessi il pugilato rimase a lungo un segreto per mia madre. Lo seppe solo quando, a diciassette anni e mezzo, vinsi la medaglia d'argento ai campionati regionali juniores, categoria welter.

Il nonno però non riuscì a vedermi su quel podio di truciolato.

Tre mesi prima stava passeggiando in pineta con il suo pastore tedesco, quando si fermò e si sedette con calma su una panchina.

Un ragazzo che era lì vicino disse che qualche istante dopo aveva appoggiato la testa alla spalliera, in modo strano, dopo avere accarezzato il cane.

Il cane dovettero abbatterlo, i carabinieri, prima di potersi avvicinare al corpo di quel signore e identificarlo per Guido Guerrieri, professore ordinario in pensione di storia della filosofia medioevale.

Mio nonno.

Vinsi altre medaglie, dopo quei campionati regionali. Anche una di bronzo ai campionati italiani universitari, nei pesi medi.

Non ho mai avuto il pugno pesante, ma avevo imparato bene la tecnica, ero magro e alto, con le braccia più lunghe dei miei pari peso.

Poco prima di laurearmi smisi, perché il pugilato puoi farlo a lungo solo se sei un campione o se hai qualcosa da dimostrare.

Io non ero un campione e mi sembrava di avere dimostrato quello che dovevo dimostrare.

Dopo aver deciso di fare a meno della moderna psichiatria mi sforzai di cercare qualcosa, come alternativa. Trovai che avevo voglia di fare a pugni.

Pensandoci mi resi conto che era stata una delle poche cose reali della mia vita. L'odore del cuoio dei guantoni, le botte – darle e prenderle –, la doccia calda dopo, quando ti accorgevi che per due ore nella tua testa non era passato un solo pensiero.

La paura quando camminavi verso il ring, la paura dietro i tuoi occhi inespressivi, dietro gli occhi inespressivi dell'altro. Saltare, colpire, cercare di schivare, prenderle, darle, braccia che non riesci a tenere alte in guardia, per la stanchezza, respirare con la bocca, pregare che finisca perché non ce la fai più, voler colpire e non riuscirci – ti sembra –, pensare che non ti importa niente di vincere o perdere purché finisca, pensare che hai voglia di buttarti a terra e non lo fai e non sai perché e che cosa ti tiene ancora in piedi e poi suona la campana e pensare che hai perso e non te ne importa e poi l'arbitro alza il tuo braccio e capisci che hai vinto e non esiste niente altro in quel momento, niente altro *che* quel momento. Nessuno te lo potrà togliere. Mai più.

Cercai una palestra dove facessero il pugilato. Il vecchio scantinato di quasi 25 anni prima non esisteva più da tempo. Il maestro era morto. Consultai le pagine gialle e mi accorsi che la città era piena di palestre di arti marziali giapponesi, tailandesi, coreane, cinesi, persino vietnamite. La scelta era molto vasta: judo, ju-jutsu, aikido, karate, thai boxing, taekwondo, thai chi chuan, wing chun, kendo, viet vo dao.

Il pugilato sembrava scomparso, ma non mi rassegnai. Telefonai al comitato provinciale del CONI e chiesi se esistessero a Bari palestre dove si praticava la boxe. L'impiegato fu gentile ed efficiente. Sì, esistevano due società pugilistiche a Bari; una era presso il nuovo stadio, ospite del comune, l'altra si appoggiava alla palestra di una scuola media, proprio a due passi da casa mia.

Andai a vedere e scoprii che il maestro era uno che conoscevo, uno della vecchia palestra, Pino. Ricordarmi il cognome, ovviamente, neanche a parlarne. Aveva cominciato a frequentare lo scantinato poco prima che io lasciassi. Era un peso massimo, poca tecnica ma pugni veramente pesanti. Aveva fatto anche qualche incontro da professionista, senza grandi risultati. Adesso aveva diversi lavori. Maestro di pugilato, buttafuori nelle discoteche, capo del servizio d'ordine a concerti, grandi feste, spettacoli.

Era contento di vedermi, certo che potevo iscrivermi, ero suo ospite, non se ne parlava nemmeno che pagassi. Che poi un avvocato può sempre servire.

Insomma dalla settimana dopo, il lunedì e il giovedì lasciavo lo studio alle sei e mezza, alle sette ero in palestra e per quasi due ore facevo la boxe.

Questo mi fece stare un po' meglio. Non bene, ma un po' meglio. Saltavo la corda, facevo flessioni, addominali, il sacco e facevo a pugni con ragazzi vent'anni più giovani di me.

Qualche notte riuscivo a prendere sonno da solo, senza pillole; qualche altra no.

Qualche volta riuscivo perfino a dormire cinque o sei ore di seguito.

Qualche sera uscii con degli amici e mi sentii quasi a mio agio.

Mi veniva ancora da piangere, ma meno spesso, e comunque riuscivo a controllarmi.

Continuavo a non prendere gli ascensori, ma non era un grosso problema e comunque nessuno ci faceva caso.

Passai quasi indenne attraverso le vacanze di Natale, anche se un giorno, forse il 29 o il 30 vidi Sara per strada, in centro. Era con una sua amica e uno che non avevo mai visto. Lui poteva benissimo essere il fidanzato dell'amica, o lo zio, o un gay, per quanto ne sapevo. Io però fui subito convinto che fosse il nuovo fidanzato di Sara.

Ci salutammo con la mano dai due marciapiedi. Io camminai ancora qualche decina di metri e poi mi accorsi che stavo trattenendo il respiro. Il diaframma era bloccato. Sentii qualcosa, come un calore, salirmi da sotto fino a tutta la faccia, fino alla radice dei capelli. Il cervello non funzionò per diversi minuti.

Ebbi difficoltà a respirare per tutto il giorno, e la notte non dormii.

Poi passò anche quello.

Dopo le vacanze di Natale ricominciai a lavorare, un poco. Mi resi conto del disastro incombente sul mio studio e soprattutto sui miei clienti ignari e, arrancando, cercai di riprendere un minimo di controllo della situazione.

Ricominciai a preparare i processi, ricominciai ad ascoltare – un poco – quello che dicevano i clienti, ricominciai ad ascoltare quello che diceva la mia segretaria.

Lentamente, a sbalzi come una macchina scassata, il mio tempo ricominciava a muoversi.

Parte seconda

1

Era un pomeriggio di febbraio, ma non faceva freddo. Non aveva fatto mai freddo, quell'inverno.

Passai davanti al bar sotto lo studio e non entrai. Mi vergognavo a chiedere il caffè decaffeinato e così andavo in uno squallido bar a cinque isolati di distanza.

Da quando avevo cominciato a soffrire di insonnia non bevevo caffè normale, il pomeriggio. Avevo provato qualche volta il caffè d'orzo ma fa veramente schifo. Il caffè decaffeinato invece sembra vero. L'importante è non farsi notare quando lo si ordina.

Io avevo sempre guardato con un certo compatimento quelli che ordinavano il decaffeinato. Non volevo essere guardato, ora, allo stesso modo. Non da gente che mi conosceva, almeno. Per questo evitavo di andare al mio solito bar, il pomeriggio.

Presi il caffè, accesi una marlboro e la fumai seduto ad un vecchio tavolino con la superficie di formica. Poi rifeci i cinque isolati ed andai in studio.

Per quanto mi ricordavo doveva essere un pomeriggio abbastanza tranquillo: un solo appuntamento. Con la signora Cassano, che l'indomani sarebbe stata processata per maltrattamenti al marito.

Per anni questo signore, secondo l'accusa, era rientrato a casa dal lavoro e si era sentito chiamare, nel migliore dei casi, pezzente fallito di merda. Per anni era stato costretto a consegnare lo stipendio potendo trattenere solo qualche spicciolo per le sigarette e altre piccole spese personali. Per anni era stato umiliato nelle riunioni di famiglia e davanti ai suoi pochi amici. In parecchie occasioni era stato picchiato e si era preso anche degli sputi in faccia.

Un giorno lui non ce l'aveva fatta più. Aveva trovato il coraggio di andare via di casa e l'aveva denunciata, chiedendo la separazione con addebito.

Lei aveva scelto me come avvocato e quel pomeriggio l'aspettavo per definire i dettagli della difesa.

Quando arrivai Maria Teresa mi disse che la megera non era ancora arrivata. Invece da almeno mezz'ora mi aspettava una donna di colore. Non aveva appuntamento ma – diceva – si trattava di una cosa molto importante. Come sempre.

Aspettava nella saletta. Sbirciai dalla porta socchiusa e vidi una ragazza imponente, con una faccia bella ma severa. Non doveva avere più di trent'anni.

Dissi a Maria Teresa di farla passare nella mia stanza di lì a due minuti. Mi tolsi la giacca, raggiunsi la scrivania, accesi una sigaretta e la donna entrò.

Aspettò che le dicessi di sedersi e con voce quasi priva di accento disse «grazie avvocato». Ero sempre in dubbio, con i clienti stranieri se usare il *tu* o il *lei*. Molti non capiscono il lei e la conversazione diventa surreale.

Dal modo in cui la donna disse «grazie avvocato» seppi subito che avrei potuto usare il *lei* senza alcuna preoccupazione di non essere compreso.

Quando le chiesi quale fosse il suo problema mi passò dei fogli spillati, con intestazione «Ufficio del giudice per le indagini preliminari, ordinanza di custodia cautelare in carcere».

Droga, pensai immediatamente. Il suo uomo è uno spacciatore. Poi però, quasi altrettanto rapidamente, mi parve impossibile.

Tutti noi procediamo per stereotipi. Chi dice che non è vero è un bugiardo. Il primo stereotipo mi aveva suggerito la seguente sequenza: africano, custodia cautelare, droga. Gli africani vengono arrestati soprattutto per questo motivo.

Subito però era entrato in azione il secondo stereotipo. La donna aveva un aspetto aristocratico e non sembrava la donna di uno spacciatore.

Avevo ragione. Il suo compagno non era stato arrestato per droga ma per il sequestro e l'omicidio di un bambino di nove anni.

I capi di imputazione dell'ordinanza erano brevi, burocratici ed agghiaccianti.

Abdou Thiam, cittadino del Senegal era accusato:

a) *del reato di cui all'art. 605 c. p. per avere deliberatamente privato della libertà personale il minore Rubino Francesco inducendolo a seguirlo con l'inganno e trattenendolo in seguito contro la sua volontà.*

b) *del reato di cui all'art. 575 c. p. per avere cagionato la morte del minore Rubino Francesco, esercitando su di lui imprecisati atti di violenza e successivamente soffocandolo con modalità e mezzi altresì imprecisati.*

Entrambi in agro di Monopoli dal 5 al 7 agosto 1999.

c) *del reato di cui all'art. 412 c. p. per avere occultato – buttandolo in un pozzo – il cadavere del minore Rubino Francesco.*

In agro di Polignano, 7 agosto 1999.

Francesco, nove anni, era scomparso un pomeriggio mentre giocava a calcio da solo, in uno spiazzo davanti alla villa al mare dei nonni, in una contrada di Monopoli, nel sud della provincia.

Due giorni dopo il cadavere del bambino era stato ritrovato in un pozzo, una ventina di chilometri più a nord, nelle campagne di Polignano.

Il medico legale che aveva effettuato l'autopsia non era stato in grado di affermare né di escludere che il bambino avesse subito violenza sessuale.

Conoscevo quel medico legale. Non sarebbe stato in grado di dire se un bambino – ma anche un adulto o un vecchio – aveva subito violenza sessuale neanche se avesse assistito allo stupro.

Le indagini comunque si erano subito orientate sulla pista dell'omicidio a sfondo sessuale. La pista della pedofilia.

Quattro giorni dopo la scoperta del corpo, carabinieri e pubblico ministero avevano trionfalmente raccontato in conferenza stampa che il caso era risolto.

Il responsabile era Abdou Thiam, ambulante senegalese di 31 anni. Era in Italia con regolare permesso di soggiorno, aveva qualche piccolo precedente per reati in materia di marchi contraffatti. In concreto: oltre alla merce regolare vendeva false Vuitton, false Hogan, falsi Cartier. D'estate sulle spiagge, d'inverno nei mercati e per le strade.

Gli elementi a suo carico erano schiaccianti, secondo gli inquirenti. Numerosi testi avevano detto di averlo visto parlare, in più occasioni e anche a lungo sulla spiaggia, con il piccolo Francesco. Il gestore di un bar, vicinissimo alla casa dei nonni del bambino, aveva visto Abdou passare a piedi, senza il suo solito sacco di merce più o meno contraffatta, pochi minuti prima della scomparsa del bambino.

Il senegalese che divideva la casa con Abdou, interrogato dai carabinieri, aveva riferito che in quei giorni – non era stato in grado di dire con precisione in *che* giorno – l'indagato aveva portato la macchina a lavare. Per quello che ricordava era la prima volta che ciò accadeva. Ovviamente questo fu considerato un utile elemento per l'accusa: l'indagato aveva lavato la macchina per eliminare ogni possibile traccia e dunque per eludere le investigazioni.

Un altro senegalese, anche lui venditore ambulante, aveva detto che il giorno dopo la sparizione del bambino, Abdou non si era visto alla solita spiaggia. Anche questo fu considerato – giustamente – un dato indiziante.

Abdou fu interrogato dal pubblico ministero e cadde in numerose, gravi contraddizioni. Alla fine dell'interrogatorio fu fermato per sequestro di persona ed omicidio. Non gli contestarono la violenza carnale perché non c'erano prove che il bambino fosse stato violentato.

I carabinieri avevano perquisito la sua stanza e avevano trovato libri per bambini, tutti in versione originale. I romanzi di *Harry Potter*, *Il piccolo principe*, *Pinocchio*, *Il dottor Dolittle* e altro. Soprattutto, insieme ai libri, avevano trovato e sequestrato una foto del bambino alla spiaggia, in costume da bagno.

I libri e la foto erano considerati, nell'ordinanza che la donna mi aveva passato attraverso la scrivania, «significativi elementi di integrazione del quadro indiziario».

Quando rialzai lo sguardo sulla donna – Abagiage Deheba era il suo nome – lei cominciò a parlare.

Abdou nel suo paese – il Senegal – era un maestro e guadagnava l'equivalente di circa duecentomila lire al mese. Vendendo le borse, le scarpe e i portafogli guadagnava dieci volte di più. Parlava tre lingue, voleva studiare psicologia e voleva restare in Italia.

Lei era una agronoma e veniva da Assuan. Nubia. Egitto, al confine con il Sudan.

Era a Bari da quasi un anno e mezzo e stava terminando un corso di specializzazione in gestione del suolo e delle risorse irrigue. Di ritorno nel suo paese si sarebbe occupata, per conto del governo, di portare l'acqua nel deserto del Sahara per trasformare le dune in campi coltivati.

Chiesi cosa c'entrava Bari con l'irrigazione del deserto.

A Bari – mi spiegò – esisteva un istituto superiore di ricerca e di formazione agronomica. *Centre International Hautes Etudes Agronomiques Mediterraneennes* si chiamava e ci veniva gente a specializzarsi da tutti i paesi in via di sviluppo del Mediterraneo. Libanesi, tunisini, marocchini, maltesi, giordani, siriani, turchi, egiziani, palestinesi. Abitavano tutti nel college annesso all'istituto, studiavano tutto il giorno e di notte sciamavano per la città.

Aveva conosciuto Abdou ad un concerto. In un locale della città vecchia – disse un nome che non conoscevo – dove la sera si incontravano, greci, neri, asiatici, nordafricani ed anche qualche italiano.

Era un concerto *wolof*, la musica tradizionale del Senegal e Abdou suonava le percussioni, con altri suoi connazionali.

Si fermò qualche secondo, guardando da qualche parte fuori dalla mia stanza, fuori dal mio studio. Fuori.

Poi riprese e mi resi conto che non stava parlando con me.

Abdou era un maestro, disse senza guardarmi.

Era un maestro anche se adesso vendeva le borse. Lui amava i bambini e non era capace di far del male ad uno di loro.

Non era capace di far del male a nessuno.

Fu a questo punto che la voce controllata di Abagiage Deheba si incrinò. La sua faccia di principessa nubiana si contrasse nello sforzo di non piangere.

Ci riuscì, ma rimase in silenzio per un minuto molto lungo.

Subito dopo l'arresto avevano incaricato un altro avvocato e fece il nome di uno che conoscevo fin troppo bene. Una volta, chiacchierando, si era vantato di dichiarare diciotto milioni di reddito annuo.

Di milioni ne aveva chiesti dieci solo per il ricorso al tribunale della libertà. Gli amici di Abdou avevano fatto una colletta e avevano raccolto quasi tutta la cifra richiesta. Il mio – diciamo così – collega si era accontentato e aveva intascato i soldi. Anticipati e in contanti. Ovviamente senza fattura.

Il ricorso era andato male. Per la cassazione ci volevano venti milioni. Non li avevano venti milioni e Abdou era rimasto in carcere.

Adesso che il processo si avvicinava avevano deciso di venire da me. Un ragazzo della comunità senegalese mi conosceva – la donna disse un nome che non ricordavo affatto – sapevano che non ero uno che faceva questione di soldi e comunque per adesso, potevano darmi due milioni, che era quanto erano riusciti a raccogliere.

Abagiage Deheba aprì la sua borsa, tirò fuori un mazzetto di banconote tenuto con l'elastico, lo poggiò sulla scrivania, lo spinse verso di me. Non era in discussione che potessi rifiutare o discutere. Dissi che avrei fatto preparare dalla mia segretaria una ricevuta per quell'acconto. No grazie, non la voleva la ricevuta, non sapeva che farsene. Voleva che andassi subito a trovare Abdou in carcere.

Dissi che non potevo, che occorreva che il signor Thiam mi nominasse, anche solo facendo una dichiarazione alla matricola del carcere. Rispose che, va bene, glielo avrebbe detto nel prossimo colloquio. Si alzò, mi diede la mano – non lo aveva fatto quando era entrata – e mi guardò negli occhi. «Abdou non ha fatto quello che dicono».

La sua stretta era forte come mi aspettavo che fosse.

Aprendo la porta sentii la mia segretaria che cercava di spiegare ad una signora Cassano alquanto alterata per l'attesa, che l'avvocato aveva avuto un'emergenza ma che l'avrebbe ricevuta al più presto.

Immaginai vagamente i pensieri della mia cliente quando – vedendo Abagiabe Deheba passare – si rese conto di aver dovuto aspettare a causa di una *negra*.

Entrò nella mia stanza guardandomi con disgusto. Sono sicuro che mi avrebbe sputato in faccia, se avesse potuto.

Il giorno dopo fu condannata e per l'appello cambiò avvocato. Ovviamente non saldò il mio onorario, ma forse aveva ragione: non avevo fatto del mio meglio per farla assolvere.

2

Parcheggiai la macchina in divieto di sosta, come al solito di venerdì. Vicino al carcere è impossibile trovare un posto regolare quando è giorno di visita per i detenuti.

Il venerdì è giorno di visita.

Comunque non c'è problema perché difficilmente si prende la multa. Nessun vigile urbano ha troppa voglia di discutere con i parenti dei detenuti in visita; in generale nessun vigile urbano ha voglia di fare servizio vicino al carcere.

Insomma parcheggiai in divieto di sosta su un marciapiede, scesi dalla macchina, mi aggiustai la cravatta, tirai fuori una sigaretta dal pacchetto, la misi in bocca e, senza accenderla, mi diressi verso il portone.

L'agente all'ingresso mi conosceva e non dovetti esibire il tesserino di avvocato.

Attraversai i soliti portoni metallici, poi le inferriate, poi ancora altri portoni. Infine entrai nella stanza riservata agli avvocati.

Sono sicuro che in tutte le carceri si concentrino per scegliere apposta quella più fredda d'inverno e più calda d'estate.

Era inverno e anche se fuori l'aria era mite, in quella stanza arredata con un tavolo, due sedie e una poltrona sfondata faceva un freddo umiliante.

Gli avvocati non sono molto amati nelle carceri.

Gli avvocati non sono molto amati in genere.

Mentre andavano a prendere Abdou Thiam accesi la sigaretta e tirai fuori dalla borsa, tanto per fare qualcosa, l'ordinanza di custodia cautelare.

Rilessi che «*...l'imponente materiale probatorio acquisito a carico del Thiam Abdou forma un quadro tranquillizzante idoneo non solo a giustificare la restrizione della libertà personale nella presente* *fase procedimentale ma anche, in prospettiva, a far ragionevolmente prevedere un esito di condanna per l'instaurando processo».*

Detta in italiano: Abdou era seppellito di prove, doveva essere arrestato, tenuto dentro e quando ci fosse stato il processo certamente sarebbe stato condannato.

Mentre riguardavo l'ordinanza si aprì la porta ed un appuntato introdusse il mio cliente.

Abdou Thiam era un uomo molto bello, con una faccia da cinema e occhi profondi. Tristi e distanti.

Rimase in piedi davanti alla porta fino a quando mi avvicinai, gli diedi la mano e gli dissi che ero il suo avvocato.

La stretta di mano di una persona dice un sacco di cose, se uno ha voglia di farci attenzione. La stretta di Abdou diceva che non si fidava di me e, forse, che non si fidava più di nessuno.

Ci sedemmo sulle due sedie e mi accorsi quasi subito che non sarebbe stata una conversazione facile.

Abdou parlava bene l'italiano, anche se non nel modo quasi perfetto, senza accento di Abagiage. Comunque mi venne naturale dargli del tu, e la stessa cosa fece lui.

Sbrigammo in fretta la questione di come lo trattavano e se gli occorreva qualcosa. Poi cercai di farmi dare la sua versione di tutta la storia, per cominciare ad orientarmi visto che non avevo ancora esaminato il fascicolo.

Non era collaborativo. Parlava con aria assente, senza guardarmi e rispondeva alle mie domande in modo vago. Sembrava quasi che la faccenda non lo riguardasse.

Mi innervosii molto presto, anche perché dietro quella assurda vaghezza si percepiva chiaramente un atteggiamento di ostilità. Nei miei confronti.

Feci uno sforzo per non mostrare la mia irritazione.

«Allora Abdou, cerchiamo di intenderci. Io sono il tuo avvocato. Sei tu che mi hai nominato – tirai fuori il telegramma che mi era arrivato dal carcere il giorno prima e lo agitai per qualche istante – e io sarei qui per aiutarti, o per cercare di farlo. Per questo ho bisogno del tuo aiuto. Altrimenti non posso fare niente. Mi segui?».

Fino a quel momento era stato curvo, con la testa leggermente inclinata verso il tavolo. Prima di rispondere si raddrizzò e mi guardò in faccia.

«Ho fatto il telegramma solo perché me lo ha detto Abagiage. Forse proverai a fare qualcosa, come l'altro avvocato, o forse no. Ma io comunque resto qui dentro. Quando ci sarà il processo io sarò condannato. Tutti lo sappiamo. Abagiage crede che tu sei diverso dall'altro avvocato e puoi fare qualcosa. Io non ci credo».

«Ascoltami Abdou» dissi sforzandomi ancora di mantenere un tono calmo «se ti tagli, la tua ferita è profonda e sanguina, cosa fai?».

Non aspettai la risposta. «Vai dal medico e ti fai mettere dei punti. È giusto? Tu non sai come mettere dei punti, perché non sei medico». Mi sembrava una metafora ben scelta per cercare di spiegargli che ci sono casi in cui è indispensabile servirsi di uno specialista e che, in quel caso, lo specialista ero io.

«Io lo so come mettere i punti perché ho fatto l'infermiere nell'esercito, nel servizio militare».

Al quel punto non mi sforzai più di apparire tranquillo. Non serviva, evidentemente.

«Ascoltami bene. Ascoltami molto bene perché se mi dai un'altra risposta di cazzo esco di qui, richiamo la tua donna, le restituisco i soldi – pochi – che mi ha dato e tu ti trovi un altro avvocato. Altrimenti ti nomineranno un difensore di ufficio che non farà niente se non lo paghi. E probabilmente non farà niente anche se lo paghi, visto quello che puoi spendere. Ovviamente se ti comporti in questo modo idiota perché hai ammazzato veramente quel bambino e vuoi scontarla, beh, questo è un motivo di più perché io mi tolga di mezzo...».

Silenzio.

Poi per la prima volta, da quando eravamo insieme in quella stanza Abdou Thiam mi guardò come se esistessi realmente. Parlò a voce bassa.

«Non ho ucciso Ciccio. Lui era mio amico».

Mi fermai qualche secondo per riprendere l'equilibrio.

Era come se mi fossi lanciato su una porta chiusa per cercare di sfondarla e chi c'era dietro l'avesse aperta, con calma. Respirai a fondo e mi venne voglia di una sigaretta. Tirai fuori il pacchetto morbido dalla giacca e lo allungai ad Abdou. Lui non disse niente, ne prese una ed aspettò che gliela accendessi. Anch'io accesi la mia.

«Va bene Abdou. Io dovrò leggere le carte del pubblico ministero, ma prima mi serve sapere bene tutto quello che ti ricordi di quei giorni. Vuoi che cominciamo a parlarne?».

Lasciò passare qualche secondo e poi fece sì con la testa.

«Quando hai saputo della scomparsa del bambino?».

Aspirò forte la sigaretta prima di rispondere.

«Ho saputo che il bambino era scomparso quando mi hanno arrestato».

«Ti ricordi cosa avevi fatto il giorno in cui il bambino è scomparso?».

«Ero andato a Napoli, a prendere merce. L'ho detto quando mi hanno interrogato. Cioè ho detto che ero andato a Napoli, ma non che ero andato a comprare le borse, per non mettere in mezzo quelli che me le vendevano».

«Ci sei andato da solo?».

«Sì».

«Quando sei tornato da Napoli?».

«Il pomeriggio, la sera. Non mi ricordo bene».

«E il giorno dopo?».

«Non mi ricordo. Sono andato in qualche spiaggia ma non mi ricordo in quale».

«Ti ricordi di qualcuno che hai incontrato? Voglio dire tanto il cinque agosto che la mattina dopo. Qualcuno che può ricordarsi di averti visto e che possiamo chiamare a testimoniare».

«Tu dov'eri quella mattina, avvocato?».

Ero nella cacca, avrei voluto rispondere. Ero nella cacca anche la mattina prima e la mattina dopo. Ci sono abbastanza anche adesso. Solo un pochino di meno.

Abdou non era interessato a questo però, e non dissi niente. Mi strofinai la fronte con la mano, poi me la passai sulla faccia e alla fine accesi un'altra sigaretta.

«Okappa. Hai ragione. Non è facile ricordarsi un pomeriggio, una mattina o un giorno uguale a tanti altri. Dovremo fare uno sforzo per ricostruire quelle giornate però. Adesso vuoi dirmi qualcosa del bambino? Lo conoscevi?».

«Certo che lo conoscevo. Dall'altro anno, cioè da quando andavo a quella spiaggia».

«Ti ricordi quando è stata l'ultima volta che lo hai visto?».

«No. Di preciso no. Ma lo vedevo tutti i giorni che andavo a quella spiaggia. Lui c'era sempre o con i nonni o con la mamma. Qualche volta con gli zii».

«Lo hai mai visto vicino alla casa dei nonni, o in altri posti diversi dalla spiaggia? Sei mai passato dalla casa dei nonni?».

«Io non so nemmeno dov'è la casa dei nonni e il bambino l'ho visto solo alla spiaggia».

«Il padrone del bar Maracaibo dice che ti ha visto il pomeriggio della scomparsa del bambino e che non avevi la sacca con la merce, e che andavi in direzione della casa dei nonni».

«Io non lo so qual è la casa dei nonni» ripeté esasperato «e quel pomeriggio non sono andato a Monopoli. Quando sono tornato da Napoli sono rimasto a Bari. Non mi ricordo cosa ho fatto ma non sono andato a Monopoli».

Con un gesto rabbioso prese il pacchetto di sigarette e la scatoletta di fiammiferi svedesi che erano rimasti sul tavolo e ne accese un'altra.

Gli feci fare qualche boccata in pace e poi ripresi.

«Come mai avevi una fotografia del bambino a casa?».

«Ciccio ha voluto darmela quella foto. Il nonno, credo, aveva la polaroid e fece diverse foto alla spiaggia. Il bambino me ne ha data una. Eravamo amici. Ogni volta che passavo mi fermavo a parlare con lui. Voleva sapere dell'Africa, degli animali, se avevo mai visto i leoni. Queste cose. Fui contento quando mi diede la foto, perché eravamo amici. E poi a casa ne avevo tante di fotografie, anche con persone delle spiagge perché con tanti clienti siamo amici. I carabinieri hanno preso solo quella. È chiaro che così sembra una prova. Perché non hanno preso tutte le foto? Perché hanno preso solo alcuni libri? Io mica avevo solo libri per bambini. Ho manuali, ho libri di storia, ho libri di psicologia, loro hanno preso solo i libri per bambini. È chiaro che così sembro un maniaco, come dite: un pedofilo».

«Le hai dette al giudice queste cose?».

«Avvocato, lo sai come stavo quando mi hanno portato dal giudice? Non potevo respirare per le botte, non ci sentivo da un orecchio. Prima mi hanno dato le mazzate i carabinieri, poi mi hanno dato le mazzate i secondini, quando sono entrato in carcere. Proprio i secondini mi hanno detto che era molto meglio per me se non dicevo niente al giudice. Poi l'avvocato mi ha detto che non dovevo rispondere, perché c'era solo il rischio di complicare la situazione e che già avevo fatto male a rispondere al pubblico ministero. Lui si doveva leggere bene le carte, prima. Allora sono andato dal giudice e ho detto che non volevo rispondere. Ma anche se rispondevo non cambiava niente perché al giudice non gliene importava niente di quello che dicevo io. Comunque rimanevo in carcere».

Aspettai qualche secondo prima di parlare di nuovo.

«Dove sono tutte le tue cose, queste che hai detto, libri, foto, tutto?».

«Non lo so. Hanno svuotato la mia stanza e il padrone l'ha affittata a qualcun altro. Devi chiedere ad Abagiage».

Rimanemmo in silenzio per qualche minuto. Io a cercare di riordinare le informazioni che avevo raccolto, lui chissà dove.

Poi parlai di nuovo io.

«Va bene, per oggi può bastare. Domani, anzi lunedì vado in procura e vedo quando si può fare la copia degli atti. Poi li studio e appena mi sono chiarito meglio le idee torno a trovarti e vediamo di organizzare una difesa che abbia un senso».

Lasciai la frase in sospeso, come se ci fosse qualcosa da aggiungere.

Abdou se ne accorse e mi guardò, una sfumatura interrogativa negli occhi. Poi fece cenno di sì con il capo. Esitò un attimo ma fu lui il primo ad allungare la mano per stringere la mia. La stretta era leggermente, solo leggermente diversa da quella di circa un'ora prima.

Poi aprì la porta e chiamò l'appuntato che doveva riaccompagnarlo in cella, sezione speciale per stupratori, pedofili e pentiti. Tutti soggetti che non sarebbero durati a lungo in compagnia degli altri detenuti.

Io presi il pacchetto delle sigarette e mi accorsi che era vuoto.

3

Il lunedì come al solito mi svegliai verso le cinque e mezza.

I primi tempi avevo cercato di restare a letto, sperando di riaddormentarmi. Non mi riaddormentavo, però e finivo avviluppato in pensieri ossessivi e tristi.

Così mi resi conto che era meglio non restare a letto e accontentarmi di quattro, cinque ore di sonno. Quando andava bene.

Presi l'abitudine di alzarmi appena sveglio. Facevo ginnastica, facevo la doccia, mi radevo, preparavo la colazione, mettevo in ordine casa. Insomma facevo passare almeno un'ora e mezza riuscendo a non pensare quasi per niente.

Poi uscivo e c'era la luce del giorno e facevo una lunga passeggiata. Anche questo serviva a non farmi pensare.

Così feci quella mattina. Arrivai in studio verso le otto, diedi una occhiata all'agenda e la misi in borsa assieme a qualche penna, carta uso bollo, telefonino. Scrissi un bigliettino per la mia segretaria e lo lasciai sulla sua scrivania.

Poi uscii per andare in tribunale. Svegliarsi così presto e arrivare così presto in tribunale comportava qualche vantaggio. Gli uffici erano pressoché deserti e allora era possibile sbrigarsi più velocemente per tutti gli affari di cancelleria.

Avevo udienza quella mattina, ma prima dovevo andare a parlare con il consigliere Cervellati. Il pubblico ministero che si occupava del caso di Abdou.

Non era propriamente il magistrato più simpatico degli uffici giudiziari.

Non era alto e nemmeno basso. Non magro e nemmeno esattamente grasso. La pancetta comunque era sempre coperta, d'inverno e d'estate da orribili gilet marroni. Occhiali spessi, pochi capelli, lasciati sempre un po' troppo lunghi, giacche grigie, calzini grigi, colorito grigio.

Una volta una mia collega simpatica, parlando di Cervellati disse che era *uno con la canottiera*. Le chiesi cosa significasse e mi spiegò che si trattava di una categoria dell'umanità che aveva elaborato lei.

Uno con la canottiera - metaforica - è innanzitutto uno che in piena estate, a 35 gradi, indossa la canottiera - vera - sotto la camicia, «perché assorbe il sudore e non mi prendo un accidente con certi spifferi». Una variante estrema di questa categoria è costituita da quelli che mettono la canottiera sotto la t-shirt.

Uno con la canottiera ha il copricellulare di finta pelle con gancio per la cintura, il pomeriggio arriva a casa e si mette in pigiama, conserva il suo vecchio cellulare e-tacs perché sono sempre quelli che funzionano meglio. Usa le mentine per profumare l'alito, il borotalco e il collutorio.

Talvolta ha un preservativo nascosto nel portafoglio, non lo usa mai e però prima o poi la moglie lo scopre e gli fa il culo.

Uno con la canottiera dice frasi come: pestare una cacca porta fortuna; oggigiorno è impossibile trovare parcheggio in centro; oggigiorno i ragazzi non hanno interessi a parte la discoteca e i videogiochi; io non ho niente contro gli omosessuali / i gay / i ricchioni / i froci / i finocchi, basta che a me mi lasciano stare; se uno è omosessuale / gay / ricchione / frocio / finocchio sono fatti suoi ma non può mica fare il maestro; condoglianze vivissime; destra e sinistra sono tutti la stessa cosa, sono tutti ladri; io lo capisco in anticipo quando cambia il tempo: mi fa male il gomito / il ginocchio / la caviglia / il callo; sbagliando si impara; a buon rendere; io non parlo da dietro, le cose le dico in faccia; sbaglia chi lavora; peggio che andar di notte; bisogna alzarsi da tavola con un po' di appetito; finché c'è vita c'è speranza; mi sembra ieri; devo decidermi a imparare internet / andare in palestra / mettermi a dieta / rimettere a posto la bicicletta / smettere di fumare eccetera eccetera, eccetera.

Ovviamente uno con la canottiera dice che non esistono più le stagioni intermedie e che il caldo / il freddo secco non è un problema, è il caldo / il freddo umido che è insopportabile.

Le imprecazioni dell'uomo con la canottiera: porco zio; porca pupazza; porca madosca; porca trota; porca paletta; perdindirindina; non rompere le spalle; mannaggia a li pescetti; non mi prendere per i fondelli; vaffanbagno; vaffatica; vaffancapo.

Chiunque lo avesse conosciuto sarebbe stato d'accordo. Cervellati era uno con la canottiera.

Fra i suoi non molti pregi c'era quello di essere in ufficio, tutte le mattine, già dalle otto e mezza. A differenza di quasi tutti i suoi colleghi.

Bussai alla porta, non sentii nessun invito ad entrare, aprii e mi affacciai.

Cervellati alzò lo sguardo da un faldone squadernato, su una scrivania coperta di altri faldoni un po' lerci, codici, fascicoletti, un portacenere con un mezzo toscano spento. La stanza come al solito puzzava un po'; di polvere e fumo freddo di toscano.

«Buongiorno consigliere» dissi con tutta la finta affabilità di cui ero capace.

«Buongiorno, avvocato». Non disse di entrare. Attraverso gli occhiali, dietro la barriera di faldoni il viso era privo di qualsiasi espressione.

Entrai, chiedendo se potevo e non aspettandomi una risposta, che infatti non arrivò.

«Consigliere, sono stato nominato dal signor Thiam che lei certamente ricorderà...».

«Il negro che ha ammazzato il bambino di Monopoli».

Ovviamente si ricordava. Nel giro di qualche giorno avrebbe fatto l'avviso di conclusione delle indagini preliminari ed io avrei potuto visionare il fascicolo e fare le copie. Era sicuro che avrei chiesto il giudizio abbreviato, così tutti avremmo risparmiato tempo. Se ci avevo fatto caso, per una mera svista, non era stata contestata l'aggravante del nesso teleologico che poteva far scattare la condanna all'ergastolo. Se facevamo il giudizio abbreviato, e senza quell'aggravante, il mio cliente poteva cavarsela con vent'anni. Se andavamo in corte d'assise lui – Cervellati – avrebbe dovuto contestare quell'aggravante e per Abdou Thiam si sarebbe spalancata la porta del carcere a vita.

Lui diceva di essere innocente? Tutti lo dicono.

Mi considerava una persona seria ed era certo che non mi sarei fatto venire idee sbagliate, del tipo di andare in corte di assise nella assurda speranza di ottenere una assoluzione. Abdou Thiam sarebbe stato condannato comunque e una corte con giudici popolari lo avrebbe fatto a pezzi. D'altro canto lui – Cervellati – non aveva nessuna intenzione di andare a perdere settimane, o addirittura mesi in corte d'assise.

Il giudizio abbreviato è uno di quelli che nel gergo degli addetti ai lavori si chiamano riti speciali. Di regola, quando il pubblico ministero finisce le indagini, in un procedimento per omicidio, chiede al giudice per l'udienza preliminare il rinvio a giudizio.

L'udienza preliminare serve a verificare se ci sono le condizioni per fare un processo che, per il caso dell'omicidio, è competenza della corte di assise, composta di giudici professionisti e di giurati popolari. Se il giudice per l'udienza preliminare ritiene che queste condizioni esistano, ordina il rinvio a giudizio.

L'imputato però ha la possibilità di evitare il rinvio a giudizio dinanzi alla corte di assise e ottenere un processo semplificato, il rito abbreviato, appunto.

All'udienza preliminare può chiedere, direttamente o attraverso il suo difensore, che il processo sia definito – si dice – allo stato degli atti. Questo significa che il giudice dell'udienza preliminare, basandosi sugli atti di indagine del pubblico ministero, decide se ci sono prove sufficienti per condannare l'imputato. Se queste prove ci sono, appunto, lo condanna.

È un processo molto più veloce di quello ordinario. Non si interrogano i testi e, salvi casi eccezionali, non si acquisiscono nuove prove. Non c'è pubblico ed è un giudice da solo a decidere. Insomma è un giudizio abbreviato in cui lo stato risparmia un sacco di tempo e denaro.

Ovviamente anche l'imputato ha il suo interesse a scegliere questo tipo di processo. Se viene condannato ha diritto ad un grosso sconto di pena. In breve: lo stato risparmia tempo e denaro, l'imputato risparmia anni di galera.

Il giudizio abbreviato ha un altro pregio. È l'ideale quando un imputato ha pochi soldi e non può permettersi di pagare un lungo dibattimento, con interrogatori, controinterrogatori, testimoni, periti, requisitorie, lunghe arringhe eccetera, eccetera, eccetera.

È chiaro che scegliendo il giudizio abbreviato l'imputato perde molte possibilità di essere assolto, perché tutto si basa sugli atti di indagine del pubblico ministero e della polizia che, di regola, lavorano per incastrare l'indagato e non per scagionarlo.

Quando però le possibilità di essere assolto, per l'imputato, sarebbero pochissime o nulle anche scegliendo il normale dibattimento, allora lo sconto di pena è una prospettiva davvero appetibile.

Da tutti i punti di vista, insomma, il processo abbreviato sembrava l'ideale per Abdou Thiam che aveva davvero poche possibilità di essere assolto.

«Legga gli atti e si renderà conto che è meglio per tutti fare un bell'abbreviato» concluse Cervellati, congedandomi.

Fuori cominciava a piovere. Una pioggia fitta, sottile, odiosa.

Mi stavo alzando quando Cervellati lo disse: «Tempaccio. A me il freddo secco, con una bella tramontana magari, non dà nessun fastidio. È questo freddo umido che ti entra nelle ossa...». Mi guardò. Avrei potuto dire molte cose, alcune anche divertenti, dal mio punto di vista. Invece sospirai: «È come per il caldo consigliere, quello secco si sopporta molto meglio».

4

Dopo l'incontro con Cervellati andai in udienza e patteggiai per una signora accusata di bancarotta fraudolenta.

A dire il vero la signora non c'entrava niente con la bancarotta, con il fallimento, con l'azienda e con la giustizia. Il titolare occulto dell'azienda era il marito già fallito una volta, con precedenti per truffa, appropriazione indebita e atti osceni.

Aveva intestato l'azienda – commercio di concime – alla moglie, le aveva fatto firmare montagne di cambiali, non aveva pagato i dipendenti, non aveva pagato l'Enel, non aveva pagato il telefono, aveva fatto sparire la cassa.

Ovviamente la ditta era fallita e la titolare era stata accusata di bancarotta fraudolenta. Cavallerescamente il marito aveva lasciato che la giustizia facesse il suo corso e che la moglie fosse condannata, anche se solo con il patteggiamento della pena.

Ero stato pagato la settimana prima, senza emissione di fattura. Con i soldi della cassa scomparsa o con quelli provenienti da chissà quale altro imbroglio del signor De Carne.

Una delle cose che si imparano subito facendo l'avvocato penalista è che, specialmente avendo a che fare con soggetti come De Carne, ci si fa pagare in anticipo.

Ovviamente si viene pagati quasi sempre, o almeno molto spesso, con soldi che provengono da qualche reato.

Queste cose non si devono dire, ma quando difendi uno spacciatore professionale che ti paga dieci, venti, anche trenta milioni se riesci a farlo uscire di galera, beh un vago dubbio sulla provenienza di quei soldi dovrebbe venirti.

Se difendi un signore arrestato per estorsione continuata in concorso con ignoti e suoi amici vengono in studio e ti dicono di non preoccuparti per l'onorario, ché ci pensano loro, anche qui potresti supporre che *quell'*onorario non sarà composto di soldi pulitissimi.

Sia chiaro: io non ero migliore degli altri anche se qualche volta cercavo di darmi un po' di contegno. Non con tipi come De Carne però.

Insomma comunque ero stato pagato in anticipo con soldi di ignota – e dubbia – provenienza, avevo concluso un decoroso patteggiamento che almeno aveva garantito alla povera signora la sospensione condizionale della pena e, per quella mattina potevo andarmene a casa.

Approfittai di una pausa della pioggia, feci la spesa, rientrai nel mio appartamento e avevo appena cominciato a prepararmi un'insalata quando il cellulare squillò.

Sì ero Guido. Certo che mi ricordavo di lei, Melissa. Sì, a cena da Renato. Era stata una serata molto piacevole. Bugiardo. No, non mi seccava che si fosse procurata il numero del mio cellulare, anzi. Se sapevo chi erano gli *Acid Steel*? No, mi dispiaceva. Ah, c'era un concerto di questi *Acid Steel*, questa sera a Bari, insomma vicino Bari. Se volevo andarci con lei? Sì, ma i biglietti? Ah, aveva due biglietti, in realtà due inviti. Va bene. Allora siamo d'accordo, dimmi il tuo indirizzo che passo a prenderti. Passi tu? Va bene. Ah, sai già dove abito. Va bene, stasera alle otto, sì non preoccuparti non mi vesto da avvocato. Ciao. Ciao.

Melissa la ricordavo molto bene. Forse dieci giorni prima il mio amico Renato ex alternativo ora nel campo della cartellonistica pubblicitaria festeggiava i quarant'anni. Melissa era arrivata insieme ad un ragioniere bassotto, vestito con pantaloni neri, maglietta elasticizzata nera, giacca stile Armani nera, capelli neri lunghi sulle orecchie, inesistenti sulla calotta.

Lei non era passata inosservata. Faccia mediorientale, unoesettantacinque, pieni e vuoti inquietanti. Persino uno sguardo intelligente, all'apparenza.

Il ragioniere pensava di avere pescato l'asso quella sera. Invece aveva il due di coppe con la briscola a bastoni. Appena entrata Melissa aveva fatto amicizia praticamente con tutti i maschi della festa.

Aveva chiacchierato anche con me, non di più né di meno che con gli altri, mi era parso. Si era mostrata interessata al fatto che facevo il pugilato. Mi aveva detto che si stava laureando in biologia, che sarebbe andata a specializzarsi in Francia, che ero molto simpatico, che non sembravo un avvocato e che sicuramente ci saremmo rivisti.

Poi era passata ad un altro.

In altri tempi – un anno prima – mi sarei lanciato a cercare di recuperarla nella giungla di maschi malintenzionati che popolavano la festa. Avrei inventato qualcosa, le avrei dato il mio numero di cellulare, avrei cercato di creare le condizioni per rivederci al più presto. E crepasse il ragioniere dark. Il quale peraltro si stava dedicando attivamente ad ingoiare un cocktail dopo l'altro e quindi presto sarebbe comunque crepato di cirrosi.

Quella sera invece non avevo fatto niente.

Quando la festa era finita me ne ero andato a casa e mi ero messo a dormire. Al risveglio, dopo le solite quattro ore, Melissa era già lontanissima, praticamente scomparsa.

Adesso, dieci giorni dopo, mi telefonava sul cellulare per invitarmi ad un concerto degli *Acid Steel*, che suonavano a Bari, anzi vicino a Bari. Così.

Mi sentii strano. Per un attimo ebbi l'impulso di richiamare e dire che no, purtroppo avevo un altro impegno. Scusami mi era sfuggito, magari un'altra volta.

Poi dissi ad alta voce: «Fratello, stai diventando *veramente* pazzo. *Veramente* pazzo. Vai a questo cazzo di concerto e cerchiamo di farla finita con le buffonate. Hai trentotto anni ed una aspettativa di vita piuttosto lunga. Pensi di passartela tutta in questo modo? Vai a questo cazzo di concerto e ringrazia».

Melissa passò da casa puntuale, pochi minuti dopo le otto. Era a piedi e il suo abbigliamento era una istigazione a delinquere.

Disse che la sua macchina non partiva ma che comunque era venuta in centro e si chiedeva se facevamo a tempo a prendere la mia. Facevamo in tempo. Prendemmo la macchina e ci avviammo in direzione Taranto.

Il concerto era in un piccolo capannone industriale dismesso nella campagna fra Turi e Rutigliano. Non sarei mai stato capace di arrivarci da solo.

L'ambiente aveva un'aria semiclandestina. Alcuni degli spettatori avevano un'aria decisamente clandestina.

All'interno non era vietato fumare per fortuna.

Non era vietato fumare *niente*.

E infatti fumavano di tutto e bevevano birra. L'aria era densa di odore di fumo, di birra, di aliti di birra, di ascelle. Nessuno rideva e molti sembravano intenti ad un cupo, misterioso rituale dal quale ero – fortunatamente – escluso.

Cominciai a sentirmi a disagio, con l'impulso di fuggire via che cresceva e cresceva.

Melissa parlava con tutti e conosceva tutti. O forse semplicemente replicava il copione della festa di Renato. In quel caso *io* ero al posto del ragioniere, pensai. Impulso di fuga decuplicato. Ansia. Ansia. Mi sentivo osservato. Ansia.

Poi per fortuna il concerto degli *Acid Steel* cominciò.

Non ho voglia di parlare delle due ore ininterrotte di cosiddetta musica, anche perché il mio ricordo più intenso non è per i rumori ma per gli odori. La birra, le sigarette, le canne, i sudori e non so cos'altro sembravano riempire sempre di più l'aria di quel tetro capannone. Per un attimo ebbi anche il pensiero assurdo che da un momento all'altro tutto sarebbe esploso, scaraventando nello spazio quel cocktail micidiale di puzze. L'aspetto positivo di questa eventualità era che gli *Acid Steel* – la cui visibile sudorazione lasciava supporre che contribuissero in modo determinante alla puzza – sarebbero stati scaraventati nello spazio e nessuno avrebbe mai più sentito parlare di loro.

Il capannone non esplose. Melissa bevve cinque o sei birre e fumò diverse sigarette. Non sono sicuro che si trattasse solo di sigarette perché il buio era pesto e la provenienza degli odori – incluso quello delle canne – imprecisabile. Ad un certo punto mi sembrò che trangugiasse qualche pasticca, insieme alla birra.

Io mi limitai a fumare le mie sigarette, e bevvi qualche sorso dalle bottiglie che ogni tanto Melissa mi porgeva.

Il concerto finì ed io non comprai il cd degli *Acid Steel* in vendita all'uscita.

Melissa salutò un gruppetto di personaggi con i quali temevo avremmo potuto proseguire la serata e poi mi prese la mano. Nell'oscurità del campo sterrato che faceva da parcheggio sentii il sangue che mi affluiva alla faccia, e altrove.

«Andiamo a bere qualcosa?». Gorgogliò con un tono stranamente allusivo, mentre mi strofinava il dorso della mano con il pollice.

«Magari *mangiamo* anche qualcosa». Pensavo ai litri di birra che aveva già in corpo ed alle altre imprecisate sostanze psicoattive che le circolavano nel sangue e fra i neuroni.

«Sì, sì, ho proprio voglia di qualcosa di dolce. Una crêpe alla nutella, o alla crema con il cioccolato fondente fuso».

Rientrammo a Bari e andammo al Gaugin. Facevano delle crêpe molto buone, erano educati e simpatici, avevano belle fotografie alle pareti. Era un posto che frequentavo quando stavo con Sara e non c'ero più tornato. Quella sera era la prima volta.

Non appena dentro mi pentii di esserci andato. Ai tavoli facce note. Qualcuno da salutare, tutti che mi conoscevano.

Fra i tavoli il titolare e i camerieri che ci guardavano. Che *mi* guardavano. Potevo sentire il rumore dei loro pensieri. *Sapevo* che adesso avrebbero parlato di me. Mi sentivo uno squallido quarantenne che esce con le ragazzine.

Melissa intanto era a suo agio e parlava senza sosta.

Io presi una crêpe al prosciutto, noci e mascarpone e una birra piccola. Melissa prese due crêpe dolci, alla nutella nocciole e banana la prima; alla ricotta uvetta e cioccolato fuso la seconda. Bevve tre calvados. Parlò molto. Due o tre volte mi toccò la mano. Una volta, mentre parlava, si fermò bruscamente, mi fissò, mordendosi impercettibilmente il labbro inferiore.

Stanno girando una candid camera, pensai. Questa è un'attrice, da qualche parte c'è la telecamera nascosta, adesso io dirò o farò qualcosa di ridicolo, qualcuno salterà fuori e mi dirà di sorridere ai telespettatori.

Non saltò fuori nessuno. Pagai il conto, uscimmo, raggiungemmo la macchina, misi in moto e Melissa mi disse che potevamo terminare la serata bevendo qualcosa a casa sua.

«No grazie. Sei una alcolizzata o peggio. Adesso ti accompagno a casa, *non salgo*, e me ne vado a dormire». Avrei dovuto dire.

«Volentieri, magari solo un goccetto e poi andiamo a dormire che domani si lavora». Dissi proprio così: «magari solo un goccetto».

Melissa mi diede un bacio sull'angolo della bocca, indugiando qualche secondo. Dava di alcol, fumo e di una essenza intensa che mi ricordava qualcosa. Poi disse che a casa non aveva un granché e quindi era meglio passare da un bar e comprare qualche birra.

Non ero proprio a mio agio ma comunque mi fermai davanti a un bar che era aperto tutta la notte, scesi e comprai *due* birre. Per evitare che la situazione degenerasse.

Abitava in un vecchio palazzo popolare, dalle parti della sede RAI. Il tipico palazzo dove stanno gli stranieri in sei o sette in una stanza, i vecchi assegnatari degli alloggi popolari, categoria ad esaurimento anagrafico e gli studenti fuori sede. Melissa era di Minervino Murge.

Nell'androne c'era una lampadina molto piccola, che non illuminava niente. Melissa stava al primo piano e nelle scale si sentiva puzza di pipì di gatto.

Lei aprì la porta ed entrò per prima e io la seguii, prima che fosse accesa la luce. Odore di chiuso e fumo freddo.

Ad ambiente illuminato mi accorsi di essere in un minuscolo ingresso che a sinistra dava su una stanza da letto-studio. A destra c'era una porta chiusa che pensai fosse del bagno.

«Dov'è la cucina?» pensai insensatamente in quel momento. Sempre in quel momento lei mi prese per mano e mi guidò nella stanza da letto/soggiorno/studio. C'era un letto accostato alla parete opposta alla porta, una scrivania, libri dappertutto. Libri su scaffali, colonne di libri per terra, libri sulla scrivania, libri sparsi. C'era un vecchio radioregistratore, un posacenere con due filtri schiacciati, alcune bottiglie di birra vuote, una bottiglia di whisky J&B quasi vuota.

I libri avrebbero dovuto rassicurarmi.

Quando vado in una casa per la prima volta controllo se ci sono libri, se sono pochi, se sono molti, se sono troppo ordinati

– il che non depone bene – se sono dappertutto – il che depone bene – eccetera, eccetera.

I libri nella piccola casa di Melissa avrebbero dovuto darmi sensazioni positive. Non fu così.

«Siediti» fece Melissa indicando il letto. Mi sedetti, lei aprì le birre, me ne passò una e bevve più di metà della sua senza staccare la bocca dal collo della bottiglia. Io diedi un sorso, così per fare. Il mio cervello cercava freneticamente una scusa per scappare. In fondo erano quasi le due di notte, io dovevo lavorare il giorno dopo, avevamo passato una bella serata, sicuramente ci saremmo rivisti, non ti preoccupare ti richiamo io, poi ho anche un leggero mal di testa. No, non c'è nulla che non va a parte il fatto che sei una alcolizzata, drogata, probabilmente ninfomane e a me viene da piangere. Davvero ti richiamo.

Mentre tentavo di pensare qualcosa di meno patetico, Melissa – che intanto aveva finito in un altro sorso la sua birra – si sfilò le mutandine, nere, da sotto la gonna.

Non voleva sprecare troppo tempo in preliminari ed altre noiose formalità. Evidentemente.

In effetti non ci furono formalità.

Rimasi in quel posto, a fare delle cose, fin quasi al mattino.

Fumando e finendo la bottiglia di whisky lei mi parlò delle difficoltà di essere una fuorisede, cui i genitori non davano quasi nulla. Ogni mese pagare l'affitto, comprare da mangiare – e *da bere*, pensai io – fumare, vestirsi, il cellulare, uscire la sera qualche volta. I libri, ovviamente. Qualche lavoro occasionale – hostess, pierre – non bastava quasi mai.

Quel mese per esempio era già in ritardo per pagare l'affitto, con un esame da preparare, la padrona che non aspettava altro che un'occasione per buttarla fuori.

Se non si offendeva io potevo prestarle qualcosa. No, non si offendeva, ma dovevo promettere che me li sarei fatti restituire. Certo, non ti preoccupare. No, cinquecentomila non le ho in contanti, ecco, sono duecentoventi nel portafogli, venti le tengo, caso mai. Non ti preoccupare, quando puoi me li restituisci, senza fretta. Adesso devo proprio andare, sai domani, cioè adesso, fra poco lavoro.

Mi diede il suo numero di cellulare. Sicuramente ti chiamo le dissi, mentre appallottolavo il bigliettino nella tasca e aprivo la porta con la fretta di uno che è inseguito.

Fuori l'alba era livida, il cielo color topo. Le pozzanghere erano così nere che non riflettevano niente.

I miei occhi non riflettevano niente.

Mi venne in mente un film che avevo visto un paio di anni prima. *Spiriti nelle tenebre*, una storia bellissima di cacciatori e di leoni.

Val Kilmer chiede a Michael Douglas: «Hai mai fallito?».

Risposta: «Solo nella vita».

Il giorno dopo cambiai scheda e numero del mio cellulare.

5

I giorni che vennero dopo quella notte non furono memorabili.

Passò una settimana, forse, e arrivò l'avviso di chiusura delle indagini.

Alle otto e trenta del giorno dopo ero nella segreteria di Cervellati per chiedere le copie del fascicolo. Feci l'istanza, mi dissero che avrei avuto le copie entro tre giorni e andai via in preda a sensazioni negative.

Il venerdì la mia segretaria passò dalla procura, pagò i diritti per le copie, ritirò e portò tutto in studio.

Passai il sabato e la domenica a leggere e rileggere quelle carte.

Leggevo, fumavo e bevevo caffè lungo decaffeinato in grosse tazze.

Leggevo e fumavo e quello che leggevo non mi piaceva per niente. Abdou Thiam era in una brutta situazione.

Addirittura più brutta di quanto mi era sembrato leggendo l'ordinanza di custodia cautelare.

Sembrava uno di quei processi senza prospettive, nei quali andare a dibattimento significa solo un inutile massacro.

Sembrava che Cervellati avesse ragione e che l'unica soluzione per limitare i danni fosse quella di scegliere il giudizio abbreviato.

Ciò che più di tutto inchiodava il mio cliente erano le dichiarazioni del barista. Era stato sentito a verbale, dai carabinieri, il giorno prima del fermo di Abdou. Poi era stato risentito, ancora, a qualche giorno di distanza, dallo stesso pubblico ministero.

Un teste perfetto, per l'accusa.

Lessi e rilessi i due verbali alla ricerca di punti deboli, ma non trovai quasi nulla.

Quello dei carabinieri era un verbale riassuntivo, nel più classico gergo da caserma.

In data 10 agosto 1999 alle ore 19.30, nei locali della Compagnia Carabinieri di Monopoli, Nucleo Operativo, dinanzi a noi ufficiali ed agenti di p. g. Maresciallo Capo Lorusso Antonio, Maresciallo Ordinario Sciancalepore Pasquale e Carabiniere scelto Amendolagine Francesco tutti in forza al suddetto Comando è comparso Renna Antonio nato a Noci (BA) il 31-3-1953, residente in Monopoli, Contrada Gorgofreddo 133/c il quale opportunamente interrogato su fatti a sua conoscenza dichiara:

A Domanda Risponde: Sono titolare dell'esercizio commerciale denominato «Bar Maracaibo» sito in Monopoli alla contrada Capitolo. Osservo un orario di apertura continuato, dalle sette del mattino alle ventuno di sera. D'estate l'esercizio commerciale rimane aperto fino alle dieci di sera. Sono coadiuvato, nella conduzione del prefato esercizio, da mia moglie e da due dei miei figli.

A.D.R.: Conoscevo il piccolo Rubino Francesco e soprattutto i suoi nonni che hanno una villa a circa trecento metri dal mio bar. I nonni vengono a villeggiare in contrada Capitolo da moltissimi anni. Spesso il nonno del bambino si intrattiene nel mio bar a sorbire un caffè e a fumare una sigaretta.

A.D.R.: Conosco l'extracomunitario che voi carabinieri mi dite chiamarsi Abdou Thiam e che riconosco nella foto che mi viene esibita. È un venditore ambulante di pelletteria con marchi contraffatti e passa quasi tutti i giorni davanti al mio bar per andare sulle spiagge dove vende la sua merce. A volte si ferma presso il mio bar per una consumazione.

A.D.R.: Ricordo di avere visto il predetto extracomunitario il pomeriggio della scomparsa del bambino. È passato davanti al mio esercizio commerciale senza la sacca che porta abitualmente con sé e camminava velocemente come se avesse fretta. Non si è fermato presso il bar.

A.D.R.: Il cittadino extracomunitario procedeva in direzione da nord a sud. In pratica proveniva da direzione Monopoli città e si dirigeva verso le spiagge.

A.D.R.: La casa dei nonni del bambino scomparso è circa trecento metri più a sud rispetto al mio bar. Se non sbaglio si trova quasi di fronte al lido Duna Beach.

A.D.R.: Non sono in grado di indicare con precisione l'ora in cui ho visto passare il cittadino extracomunitario. Potevano essere le 18.00/18.30, o forse anche le 19.00.

A.D.R.: Non ho rivisto il cittadino extracomunitario ripassare di ritorno nella direzione opposta. Quel giorno non l'ho rivisto proprio.

A.D.R.: Se non sbaglio appresi della scomparsa del bambino il giorno dopo il fatto. Prima di essere convocato da voi carabinieri non avevo pensato di essere in possesso di informazioni rilevanti per le indagini e cioè non avevo pensato di ricollegare il passaggio del Thiam, quel pomeriggio, alla scomparsa del bambino. Se me ne fossi reso conto mi sarei presentato spontaneamente per collaborare con la giustizia.

Non ho altro da aggiungere ed in fede mi sottoscrivo.

Si dà atto che il presente verbale, per indisponibilità di strumenti di registrazione, è stato redatto solo in forma riassuntiva.

Letto, confermato e sottoscritto.

Il verbale dinanzi a Cervellati era integrale, cioè registrato e stenotipato. Qui la persona informata sui fatti Renna Antonio non usava improbabili espressioni del tipo «sono coadiuvato», «prefato esercizio» o «sorbire un caffè». Il senso però non cambiava.

Il giorno 13 agosto 1999 alle ore 11.00, nei locali della Procura della Repubblica, dinanzi al Pubblico Ministero dott. Giovanni Cervellati, assistito per la redazione del presente atto dall'assistente giudiziario Biancofiore Giuseppe è comparso Renna Antonio, già generalizzato in atti.

Si dà atto che il presente verbale viene documentato in forma integrale con il mezzo della stenotipia.

Domanda: Allora signor Renna, lei qualche giorno fa ha reso delle dichiarazioni ai carabinieri. Come prima cosa volevo chiederle se le conferma. Si ricorda quello che ha detto no?

Risposta: Sì, sì signor giudice.

Domanda: Allora conferma?

Risposta: Sì, confermo.

Domanda: Vediamo comunque di riepilogare quello che lei ha detto. In primo luogo lei conosceva già il cittadino extracomunitario Abdou Thiam?

Risposta: Sì signor giudice. Non di nome però. Il nome l'ho saputo dai carabinieri. Io l'ho riconosciuto dalla fotografia che mi hanno fatto vedere.

Domanda: Lo conosceva perché passava spesso davanti al suo bar e a volte consumava qualcosa. È così?

Risposta: Sì signor giudice.

Domanda: Mi vuol raccontare del giorno in cui è scomparso il bambino? Quel giorno, quel pomeriggio lei ha visto il Thiam?

Risposta: Sì signor giudice. È passato davanti al mio bar verso le sei e mezza le sette.

Domanda: Era con la sacca della merce?

Risposta: No, non aveva la sacca e andava scappando.

Domanda: Vuol dire che correva o che andava di fretta?

Risposta: No, no andava di fretta. Non è che correva proprio, camminava veloce.

Domanda: In che direzione andava?

Risposta: Verso le spiagge, che poi è in pratica la direzione per andare a casa dei nonni del bambino...

Domanda: Va bene, la direzione delle spiagge. Vale a dire da nord verso sud se ho capito bene.

Risposta: Sì, da Monopoli verso le spiagge.

Domanda: Lo ha visto ripassare di ritorno?

Risposta: No.

Domanda: Lei ha detto ai carabinieri che conosceva il bambino e anche la sua famiglia, i nonni in particolare. Conferma?

Risposta: Confermo sì. I nonni hanno la villa quei tre, quattrocento metri dopo il mio bar, praticamente nella direzione che stava andando quel ragazzo marocchino.

Domanda: Marocchino?

Risposta: Extracomunitario. Noi diciamo marocchino per dire questi ragazzi negri.

Domanda: Ah, va bene. Le viene in mente qualche altro dettaglio, qualche altro fatto rilevante ai fini delle indagini?

Risposta: No signor giudice, però secondo me deve essere stato per forza quel marocchino perché...

Domanda: No signor Renna, lei non deve esprimere opinioni personali. Se c'è qualche altro fatto che le viene in mente va bene, se no possiamo chiudere il verbale. Le viene in mente qualche altro fatto specifico?

Risposta: No.

L'interrogatorio di Abdou davanti al pubblico ministero era poco meno che catastrofico.

Si era svolto nella notte, presso la caserma dei carabinieri di Bari, con un difensore d'ufficio. Il verbale era riassuntivo, senza registrazione, senza stenotipia.

Il giorno 11 agosto 1999 alle ore 1.30, nei locali del Reparto Operativo dei Carabinieri di Bari, dinanzi al Pubblico Ministero dott. Giovanni Cervellati, assistito per la redazione del presente verbale dal maresciallo ordinario Sciancalepore Pasquale in forza alla Compagnia Carabinieri di Monopoli è comparso Thiam Abdou, nato il 4 marzo 1968 a Dakar, Senegal, domiciliato in Bari via Ettore Fieramosca 162.

Si dà atto che è presente l'avvocato Giovanni Colella che viene in questa sede nominato difensore di ufficio del sopraindicato Thiam non avendo questi inteso nominare un difensore di fiducia.

Il Pubblico Ministero contesta a Thiam Abdou i reati di sequestro di persona e di omicidio in danno di Rubino Francesco e gli indica sinteticamente gli elementi di prova a suo carico.

Lo avverte che ha facoltà di non rispondere alle domande ma che, anche se non risponde le indagini proseguiranno.

L'indagato dichiara: intendo rispondere e rinuncio espressamente ad ogni termine a difesa.

Il difensore sul punto nulla osserva.

A.D.R.: Nego l'addebito. Non conosco nessun Rubino Francesco; questo nome non mi dice niente.

A.D.R.: Il pomeriggio del 5 agosto credo di essere andato a Napoli a bordo della mia autovettura. Sono andato a trovare dei connazionali dei quali però non so indicare i nomi. Ci siamo visti, come altre volte, nei paraggi della stazione centrale. Non so fornire utili indicazioni per individuare questi miei connazionali e non so indicare qualcuno che potrebbe confermare che quel giorno sono stato a Napoli.

A.D.R.: Escludo di essere stato a Monopoli quel giorno. Tornato da Napoli sono rimasto a Bari.

A.D.R.: Prendo atto che la Signoria Vostra mi fa notare che la versione da me fornita appare del tutto inattendibile. Non posso che confermare di essere stato a Napoli, quel giorno e di non essere affatto passato da Monopoli e zone limitrofe.

A.D.R.: Prendo atto che vi è un testimone che mi ha visto nella zona di Capitolo, proprio il pomeriggio del 5 agosto. Prendo atto dell'invito a confessare che la Signoria Vostra mi rivolge. Prendo atto che confessando potrei alleggerire la mia posizione. Devo però confermare che non ho commesso l'omicidio che mi viene attribuito e che non capisco come sia possibile che qualcuno dica di avermi visto il giorno 5 nella zona di Capitolo.

A questo punto si dà atto che viene mostrata all'indagato una fotografia ritrovata nell'abitazione del predetto nel corso della perquisizione ivi effettuata.

Dopo aver visionato la foto il Thiam dichiara:

Conosco il bambino effigiato nella foto ma apprendo solo adesso che il suo nome è Rubino Francesco. Io lo conoscevo con il nome Ciccio.

A.D.R.: La fotografia è stato il bambino a darmela. Non sono stato io a scattarla. Non ho nemmeno una macchina fotografica.

Alle ore 2.30 la verbalizzazione viene sospesa per consentire all'indagato di conferire con il suo difensore.

Alle ore 3.20 il verbale viene riaperto.

A.D.R.: Anche dopo aver parlato con l'avvocato – che mi ha consigliato di dire la verità – non ho niente da aggiungere alle dichiarazioni che ho già reso.

Il difensore nulla osserva.

Letto, confermato e sottoscritto.

Due giorni dopo il fermo si era tenuta l'udienza di convalida davanti al giudice per le indagini preliminari. Abdou si era avvalso della facoltà di non rispondere.

Da allora non era stato più interrogato.

Rilessi l'ordinanza che applicava la custodia cautelare. Lessi il provvedimento del tribunale della libertà con cui veniva – giustamente, considerati gli elementi – rigettato il ricorso di Abdou.

Lessi e rilessi tutti gli atti.

Le dichiarazioni della gente che frequentava la spiaggia e che diceva di avere visto spesso Abdou fermarsi a parlare con il bambino. Le dichiarazioni del senegalese che parlava del lavaggio della macchina e dell'altro senegalese, che raccontava di non aver visto Abdou alla solita spiaggia, il giorno dopo la sparizione del bambino.

Il verbale di sopralluogo e di rinvenimento del cadavere del piccolo. Il verbale di perquisizione a casa di Abdou, con l'elenco dei libri sequestrati.

La relazione del medico legale che sfogliai velocemente, evitando le fotografie.

Le inutili, tristi dichiarazioni dei genitori e dei nonni del bambino.

La sera della domenica gli occhi mi bruciavano e uscii di casa. C'era maestrale e faceva freddo.

Quel freddo spietato di marzo, che fa sembrare la primavera lontanissima.

Avevo pensato di fare due passi, ma cambiai idea, presi la macchina e andai verso nord, per la vecchia statale 16.

Bruce Springsteen batteva nelle casse e nella mia testa mentre attraversavo i paesi della costa, deserti e spazzati dal vento di nord ovest.

Mi fermai davanti alla cattedrale di Trani, davanti al mare e accesi una sigaretta. L'armonica strideva nelle orecchie e nell'anima.

Le parole terribili erano scritte per la mia solitudine disperata.

I remember us riding in my brother's car
Her body tan and wet down at the reservoir

At night on them banks I'd lie awake
And pull her close just to feel each breath she'd take
Now those memories come back to haunt me
They haunt me like a curse.

All'alba mi svegliai rabbrividendo per il freddo, in bocca l'odore del fumo. La mano era ancora stretta sul cellulare, che avevo guardato a lungo prima di crollare nel sonno, pensando di telefonare a Sara.

6

Il codice di procedura penale stabilisce che fra l'avviso di conclusione delle indagini e la richiesta di rinvio a giudizio trascorrano almeno venti giorni. Quasi sempre i pubblici ministeri ci mettono molto più tempo. Mesi a volte.

Cervellati depositò la richiesta di rinvio a giudizio il ventunesimo giorno. La puntualità ossessiva era nel suo stile. Poteva essere accusato di tutto ma non di tenere le carte ferme sulla scrivania

L'udienza preliminare fu fissata per i primi di maggio. Il giudice era la Carenza e, insomma, poteva andare peggio.

La Carenza era considerata una buona, da noi avvocati. Il giudizio abbreviato diventava una ipotesi ancora più interessante. Abdou se la sarebbe potuta cavare davvero con venti anni.

Attorno al duemiladieci, con la buona condotta, sarebbe stato fuori in semilibertà.

Mentre facevo questa riflessione, tenendo in mano l'avviso di fissazione dell'udienza, ebbi una sensazione di fastidio. Un disagio che mi rimase addosso tutto il giorno, senza che riuscissi a capirne la ragione.

Lo stesso disagio che mi prese, quando, una settimana dopo dovetti andare in carcere da Abdou per spiegargli come e perché gli conveniva accettare il giudizio abbreviato, prendersi una ventina di anni invece dell'ergastolo, e cominciare a contare i giorni sul muro della cella.

Abdou era, o sembrava, più magro rispetto all'altra volta. Non volle dirmi come si era procurato il grosso ematoma sullo zigomo destro. Mi ascoltò parlare guardando le linee di legno del tavolo, senza fare nessun gesto – ho capito, oppure: che stai dicendo? – nessun cenno col capo, niente.

Quando finii di spiegare quale fosse la migliore soluzione per il suo caso Abdou rimase in silenzio, parecchi minuti. Gli offrii una marlboro ma non la prese. Invece tirò fuori un pacchetto di Diana rosse e accese una di quelle.

Parlò solo dopo aver finito la sigaretta, quando il silenzio stava diventando insopportabile.

«Se facciamo il giudizio abbreviato, posso essere anche assolto?».

Era fin troppo intelligente. Facendo il giudizio abbreviato sarebbe stato sicuramente condannato. Non lo avevo detto ma lui lo aveva capito.

Risposi a disagio.

«Tecnicamente, teoricamente sì».

«Che vuol dire?».

«Vuol dire che in teoria potrebbe assolverti, ma in base a quello che c'è negli atti del pubblico ministero, che è ciò su cui il giudice si baserà per decidere, se scegliamo l'abbreviato, è molto improbabile».

Feci una pausa e poi pensai che non mi andava di girarci attorno.

«Diciamo che è praticamente impossibile. D'altro canto con il giudizio abbreviato, come ti dicevo, eviteresti...».

«Sì, questo l'ho capito, eviterei l'ergastolo. Insomma se scegliamo il giudizio abbreviato sono sicuro di essere condannato ma mi faranno uno sconto. È così?».

Il mio disagio aumentava. Sentii una sensazione di rossore salirmi al viso.

«È così».

«E se non scegliamo questo giudizio abbreviato, cosa succede?».

«Succede che verrai rinviato a giudizio davanti alla corte di assise. Significa che si farà un processo in pubblico davanti a otto giudici, di cui sei popolari, che significa cittadini comuni, e due giudici professionisti. Se vieni condannato dalla corte di assise rischi seriamente l'ergastolo».

«Ma ho possibilità di essere assolto?».

«Poche».

«Di più che con il giudizio abbreviato?».

Non risposi subito. Tirai un respiro lungo. Mi strofinai la faccia con la mano.

«Di più. Non molte ma di più. Tieni conto che con l'abbreviato siamo praticamente certi della condanna, mentre con il processo davanti alla corte di assise qualcosa può sempre accadere. Tutti i testimoni devono essere interrogati dal pubblico ministero e poi noi possiamo controinterrogarli. Vuol dire che io, come tuo avvocato, posso controinterrogarli. Qualcuno potrebbe non confermare, qualcuno si potrebbe contraddire, potrebbe saltare fuori qualche elemento nuovo. Ma è un rischio grossissimo».

«Quante possibilità?».

«Come si fa a dire un numero. Cinque, dieci su cento, al massimo».

«Perché tu vuoi fare il giudizio abbreviato?».

«Come sarebbe a dire perché? Perché è la cosa più conveniente. Con questa giudice te la cavi con il minimo possibile e fra...».

«Io non ho fatto quello che dicono».

Respirai a fondo di nuovo e poi presi una sigaretta. Non sapevo che dire e naturalmente dissi la cosa sbagliata.

«Ascoltami Abdou. Io non lo so cosa hai fatto. Per un avvocato però può essere meglio non sapere cosa ha fatto il suo cliente. Questo lo aiuta ad essere più lucido, a fare la scelta migliore senza farsi influenzare dall'emotività. Capisci cosa dico?».

Abdou fece un cenno impercettibile con il capo. Gli occhi sembravano sprofondati nelle orbite nere. Proseguii, distogliendo lo sguardo.

«Se non facciamo il giudizio abbreviato, se andiamo davanti alla corte di assise è come se ci giocassimo a carte la tua vita, con pochissime possibilità di vincere. E poi per fare questo gioco ci vogliono soldi, molti soldi. Un processo davanti alla corte di assise prende un sacco di tempo e costa, costa moltissimo».

Mi accorsi di avere detto una cazzata già mentre ascoltavo il suono delle mie parole. E contemporaneamente capii perché ero a disagio.

«Vuoi dire che siccome non posso pagare abbastanza è meglio fare il giudizio abbreviato?».

«Non ho detto questo». La mia voce salì leggermente di tono.

«Quanti soldi ci vogliono per fare il processo davanti alla corte di assise?».

«I soldi non sono il problema. Il problema è che se andiamo davanti alla corte di assise ti prendi l'ergastolo e la tua vita è finita».

«La mia vita è finita comunque, se mi condannano per avere ucciso un bambino. Quanti soldi?».

Mi sentii all'improvviso molto stanco. Una stanchezza enorme, invincibile. Lasciai cadere le spalle e così mi accorsi come erano state tese fino a quel momento.

«Non meno di quaranta, cinquanta milioni. Se volessimo fare delle indagini difensive – e in questo caso probabilmente ci vorrebbero – parecchio di più».

Abdou parve stordito. Deglutì faticosamente, diede l'impressione di voler dire qualcosa, senza riuscirci. Poi si mise ad inseguire un filo di pensieri da cui ero escluso. Guardava in alto, poi scuoteva il capo, poi muoveva le labbra recitando, muto, una litania misteriosa.

Alla fine si coprì il volto con le mani, le strofinò due, tre volte e poi le fece scendere per tornare a guardarmi. Rimase in silenzio.

Io avevo un ronzio insopportabile nella testa e parlai per farlo smettere.

Non eravamo costretti a decidere proprio quella mattina. Comunque mancava più di un mese all'udienza preliminare, quando avremmo dovuto eventualmente optare per il giudizio abbreviato. E poi dovevamo parlarne con Abagiage. La faccenda dei soldi era l'ultimo dei problemi. Mi sarei riguardato le carte per vedere se c'era qualche spiraglio in più. Adesso dovevo andare, ma ci saremmo rivisti presto. Se aveva bisogno di qualcosa poteva farmelo sapere, anche con un telegramma.

Abdou non disse una parola. Quando gli toccai la spalla per salutarlo sentii un corpo inerte.

Scappai via, inseguito dai suoi fantasmi. E dai miei.

7

Quando uscii di casa, la mattina dopo, mi accorsi che c'era un trasloco. Nel mio palazzo arrivavano nuovi inquilini. Registrai mentalmente la cosa e feci un rapida preghiera che non si trattasse di una famiglia con cani volpini e figli casinisti. Poi passai ad altro.

Quel giorno doveva cominciare il processo che i giornali avevano chiamato *dog fighting*.

Per la precisione non erano stati i giornali, a chiamarlo così, ma la polizia che aveva fatto l'operazione una decina di mesi prima. I giornali si erano limitati a riprendere il nome in codice della polizia per una indagine sui combattimenti di cani e sul relativo giro di scommesse clandestine.

Tutto era cominciato per una denuncia della lega anti-vivisezione ed era proseguito perché l'indagine era stata affidata a un poliziotto eccezionale: l'ispettore superiore Carmelo Tancredi.

L'ispettore Tancredi era riuscito ad infiltrarsi nel giro delle scommesse clandestine, aveva assistito ai combattimenti di cani, aveva registrato, era riuscito a risalire ai posti dove gli allevatori tenevano gli animali, aveva annotato dove e come si ricevevano le scommesse. Insomma li aveva inchiodati.

Era un omino con la faccia sparuta e due baffoni neri assolutamente fuori posto. Sembrava la persona più innocua della terra.

Invece era lo sbirro più intelligente, onesto e micidiale che io abbia mai conosciuto.

Lavorava nella sesta sezione della squadra mobile. Quella che si occupava di reati sessuali e di tutto quello che le altre sezioni – quelle più importanti – non volevano nemmeno toccare.

Non aveva mai voluto lasciare quel posto anche se gli avevano offerto tante volte di passare alla Criminalpol, o alla Dia, o anche al Sisde. Tutti posti dove avrebbe lavorato di meno e sarebbe stato pagato di più.

Una volta erano venuti da me i genitori di un bambino di nove anni che aveva subito abusi sessuali dal suo istruttore di nuoto.

Volevano un consiglio, se denunciare o no e a che cosa andavano incontro, e a che cosa andava incontro il bambino. Li accompagnai da Tancredi e vidi come parlava con il bambino, e vidi come il bambino – che fino a quel momento aveva risposto a monosillabi, con gli occhi a terra – parlava con Tancredi, lo guardava e cominciava anche a sorridere.

L'istruttore di nuoto era finito dentro e, soprattutto, ci era rimasto. Come erano finiti dentro – e ci erano rimasti – la maggior parte dei maniaci, stupratori, pedofili che avevano avuto la sfortuna di incrociare l'ispettore Tancredi.

Anche gli organizzatori dei combattimenti di cani erano stati sfortunati.

Quando scattò l'operazione furono sequestrati otto pit bull, cinque fila brasilero, tre rottweiler e tre bandog cioè un micidiale incrocio fra pastore tedesco e pit bull. Erano tutti campioni e ognuno valeva dai venti ai cento milioni. Il più prezioso era un bandog di tre anni di nome Harley-Davidson. Aveva vinto 27 combattimenti, uccidendo sempre i suoi avversari. Era considerato una specie di campione del sud Italia e le indagini accertarono che era in preparazione un incontro per il titolo italiano contro un pit bull che combatteva nella provincia di Milano. Un combattimento del valore di oltre mezzo miliardo in scommesse.

Furono sequestrate decine di videocassette con combattimenti fra cani, combattimenti fra cani e puma e addirittura combattimenti fra cani e maiali. Furono arrestati i custodi di un canile dove, oltre alle bestie, furono trovate armi e droga. Furono denunciati, fra gli altri, un veterinario molto noto, diversi allevatori e tre soggetti già arrestati e condannati per associazione mafiosa e traffico di stupefacenti. Naturalmente erano in libertà per scadenza dei termini di custodia.

Insomma, comunque, quella mattina di fine marzo sarebbe dovuto cominciare il processo nato dall'operazione *dog fighting*. La LAV intendeva costituirsi parte civile ed aveva incaricato me.

Esistevano solo due precedenti decisioni in cui era stata ammessa, in processi per maltrattamenti di animali, la costituzione di parte civile della LAV e della lega per la difesa del cane. Era una questione tutt'altro che scontata e così avevo studiato tutto il pomeriggio per trovare argomenti convincenti da proporre al tribunale. E per cancellarmi dalla testa l'incontro con Abdou.

Siccome quella mattina mi presentai ben preparato e pronto a fare in modo accettabile il mio lavoro, il processo fu rinviato preliminarmente, per – diceva la formula prestampata – «eccessivo carico dell'udienza ed impossibilità di definire in data odierna tutti i procedimenti».

Il rinvio era preliminare, ma fu disposto dopo che erano già passate più di quattro ore di udienza. E di attesa.

Insomma il presidente del collegio, verso le 14.30 lesse la formula e rinviò il processo al successivo dicembre, posto che tutti gli imputati erano a piede libero e quindi non c'era fretta.

Ci ero abituato. Infilai l'impermeabile, presi la borsa e mi avviai verso casa dopo avere attraversato il tribunale ormai deserto.

Percorrevo via Abate Gimma, in direzione di corso Cavour quando mi sentii chiamare da dietro. Avvocato, avvocato, con accento imprecisato dell'entroterra.

Erano in due e sembravano usciti da un documentario sul teppismo nelle periferie. Il piccolo parlava standomi molto vicino, mentre il grosso era un metro più indietro e mi guardava, le palpebre semichiuse.

Il piccolo era amico di uno – disse il nome – che io conoscevo bene perché era stato mio cliente.

Il tono si sforzava di essere gentile, quasi diplomatico. Dissi che non me lo ricordavo, il suo amico e che se volevano discutere di questioni di lavoro potevano venire in studio prendendo un appuntamento.

Non volevano venire in studio e, secondo il piccolo, dovevo stare calmo. Molto calmo. Il tono diplomatico era durato poco.

Sapevano che volevo costituirmi parte civile per quei pisciaturi della LAV, ma era meglio per tutti se pensavo a farmi i cazzi miei.

Feci un respiro profondo con il naso, contemporaneamente posai la borsa sul cofano di una macchina e pronunciai le due sillabe che, da quando ero bambino, avevano sempre introdotto le mazzate per strada: «se no?».

Il piccolo fece partire uno schiaffo largo e goffo con la mano destra. Parai con il sinistro e quasi contemporaneamente lo colpii con un destro al viso. Cadde all'indietro, cominciò a bestemmiare e strillò al grosso di rompermi il culo.

Era un bestione di un metro e novanta per almeno centoventi chili, perlopiù di pancia. Dal modo in cui coprì lo spazio che ci separava e si preparava all'attacco capii che era un mancino. Infatti partì con una sventola di sinistro, che probabilmente era il suo colpo migliore. Se il pugno fosse arrivato probabilmente avrebbe fatto male ma il bestione si muoveva al rallentatore. Parai con il braccio destro e, automaticamente, colpii al fegato con un gancio sinistro; doppiai con un diretto al mento.

Il grosso aveva la mascella di vetro. Rimase un attimo fermo, in piedi, con una strana espressione di stupore. Poi cadde.

Resistetti all'impulso di dargli un calcio in faccia. O di offenderlo; o di offenderli tutti e due.

Presi la borsa e me ne andai, mentre sentivo il sangue che ricominciava a pulsare, violento, nelle tempie. Il piccolo aveva smesso di bestemmiare.

Girai l'angolo, feci ancora un isolato e poi mi fermai. Non mi seguivano. Nessuno mi seguiva e, essendo le tre del pomeriggio, la strada era deserta. Poggiai la borsa, sollevai le mani davanti al viso e vidi che tremavano forte, e la destra cominciava a farmi male.

Rimasi così qualche secondo, poi scrollai le spalle, sentii affiorare alla superficie delle labbra una specie di sorriso infantile e ripresi la strada di casa.

8

Il giorno dopo trovai la macchina con le quattro ruote tagliate e un raschio – fatto con un coltello o un cacciavite – che percorreva tutta la carrozzeria.

Più che arrabbiarmi per il danno ebbi un senso di umiliazione. Mi venne di pensare a quello che prova chi torna a casa e trova tutto sottosopra per un furto. Di seguito mi venne di pensare a tutti i topi di appartamento che avevo difeso e che avevo fatto assolvere.

Alla fine pensai che il cervello mi si stava spappolando e che diventavo patetico. Così, fortunatamente, abbandonai le speculazioni morali e cercai piuttosto di essere pratico.

Chiamai un mio cliente con una certa reputazione nella malavita di Bari e provincia. Lui venne in studio e io gli raccontai l'accaduto, inclusa la storia delle mazzate. Dissi che non avevo voglia di andare dalla polizia o dai carabinieri, ma non dovevano costringermi. Per conto mio eravamo pari. Io mi pagavo i danni alla macchina e loro, chiunque fossero, si tenevano le mazzate e mi lasciavano fare in pace il mio lavoro.

Il mio cliente disse che avevo ragione. Disse anche che quelli mi dovevano riparare la macchina e dare le ruote nuove. Dissi che la macchina la facevo riparare io e che le ruote non le volevo.

Pensai che non volevo neanche una imputazione di ricettazione, visto che le ruote non sarebbero certo andati a comprarle da un rivenditore autorizzato. Ma questo non lo dissi.

Volevo solo che ognuno stesse al proprio posto e che nessuno rompesse i coglioni a qualcun altro. Lui non insistette, e annuì in segno di rispetto. Un rispetto diverso da quello che si porta di solito all'avvocato.

Disse che nel giro di due giorni mi avrebbe fatto sapere.

Fu di parola. Tornò in studio due giorni dopo e mi fece un nome importante, in certi ambienti. Quella persona mi mandava a dire che si scusava per l'accaduto. Era stato un incidente – due incidenti per la verità, pensai io, ma non ci attacchiamo ai dettagli – che non si sarebbe ripetuto. Lui era comunque a disposizione se avessi avuto bisogno di qualcosa.

La storia finì così.

A parte i due milioni che dovetti tirar fuori per rimettere a posto la macchina.

Qualche giorno dopo, scoprii chi era il nuovo inquilino del mio palazzo. La nuova inquilina.

Verso le nove e mezza di sera, ero appena tornato a casa dalla palestra e mi accingevo a scongelare due petti di pollo, farli ai ferri e a preparare un'insalata. Il campanello suonò.

Passai qualche secondo a chiedermi cosa fosse stato. Poi feci mente locale al fatto che doveva trattarsi del campanello di casa e mentre andavo alla porta pensai che quella doveva essere la prima volta che qualcuno suonava, da quando abitavo lì. Mi venne una fitta di tristezza e poi aprii.

Finalmente trovava qualcuno in casa. Era la quarta volta che provava a bussare ma non c'era mai nessuno. Abitavo da solo vero? Lei era la nuova inquilina. Si era presentata a tutti gli altri, che abitavano nel palazzo, io ero l'ultimo. Si chiamava Margherita. Margherita, e non riuscii a capire il cognome.

Allungò la mano attraversando il confine invisibile della porta. Aveva una bella mano maschile, grande e forte.

Certe donne – e soprattutto certi uomini – stringono la mano con forza ma ti accorgi subito che è una esibizione. Vogliono fare vedere di essere persone decise e schiette, ma la forza è solo nei muscoli della mano e del braccio. Voglio dire: non viene da dentro. Alcuni possono addirittura stritolare, ma è come se facessero del culturismo.

Altre persone, poche, quando ti stringono la mano dicono che c'è qualcosa, dietro i muscoli. Tenni la sua mano forse qualche secondo più del dovuto ma lei continuò a sorridere.

Poi le chiesi goffamente se voleva entrare. No, grazie, era solo passata per presentarsi. Rientrava a casa proprio in quel momento dopo tutta la giornata fuori. Aveva un sacco di cose da fare dopo il trasloco. Quando fosse stato tutto a posto mi avrebbe invitato a prendere un the.

Dava un buon odore. Un misto di aria fresca, secca e pulita, di profumo maschile e di cuoio.

«Non sia triste» disse andando verso le scale.

Così.

Quando era già scomparsa mi resi conto che non l'avevo realmente guardata. Rientrai in casa, socchiusi gli occhi e cercai di riprodurre la sua faccia nella mente, ma non ci riuscii. Non sapevo se sarei stato capace di riconoscerla per strada.

In cucina i petti di pollo si erano scongelati, nel microonde. Io però non avevo più voglia di farli semplicemente ai ferri e così aprii un libro di ricette che tenevo in cucina senza averlo mai usato.

Polpette di pollo saporite. Questo andava bene. Intendo il nome. Lessi la ricetta e fui contento di vedere che avevo gli ingredienti.

Prima di cominciare aprii una bottiglia di Salice Salentino, lo assaggiai e poi cercai un cd da ascoltare mentre facevo da mangiare.

White ladder.

Feci partire il ritmo sincopato di *Please Forgive Me* e poi, quasi subito arrivò la voce di David Gray. Rimasi ad ascoltare vicino alle casse fino a quando non arrivò la parte della canzone che mi piaceva di più.

I won't ever have to lie
I won't ever have to say goodbye
Every time I look at you
Every time I look at you.

Allora tornai in cucina e mi misi al lavoro.

Lessai il pollo e lo macinai, insieme ad un etto di prosciutto cotto che era nel frigo da qualche giorno. Poi misi tutto in una scodella con un uovo, parmigiano grattugiato, noce moscata, sale e pepe nero. Impastai, prima con un cucchiaio di legno e poi con le mani, dopo avere aggiunto del pane grattugiato. Formai delle polpette delle dimensioni di un uovo e le passai in un altro uovo che avevo sbattuto con il sale e un po' di vino. Le rotolai nel pane grattugiato cui avevo aggiunto ancora un pizzico di noce moscata e le feci crepitare in olio di oliva, a fuoco moderato.

Avvolsi le polpette – che davano un odore buonissimo – nella carta assorbente e preparai un'insalata con l'aceto balsamico. Apparecchiai la tavola, con tovaglia, veri piatti, vere posate e prima di mettermi a mangiare andai a cambiare cd.

Simon and Garfunkel. *The concert in Central Park.*

Pigiai sul tasto *skip* fino alla canzone numero 16. *The boxer.*

La ascoltai tutta in piedi, fino all'ultima strofa. La mia preferita.

In the clearing stands a boxer and a fighter by his trade
And he carries the remainders
of every glove that laid him down
or cut him, till he cried out
in his anger and his shame
I'm leaving, I'm leaving
But the fighter still remains
Just still remains.

Poi spensi lo stereo e andai a mangiare.

Le polpette erano buonissime. Anche l'insalata, e il vino era profumato e mandava riflessi nel bicchiere.

Non ero triste, quella sera.

9

«Il fatto è che abbiamo voluto il processo all'americana, ma ci manca la preparazione degli americani. Ci mancano le basi culturali per il processo accusatorio. Guardate gli esami ed i controesami che ci sono nei processi americani, o inglesi. E poi guardate i nostri. Loro sono capaci, e noi no. Non lo saremo mai, perché noi siamo figli della controriforma. Non ci si può ribellare al proprio destino culturale».

Parlava così, nella pausa di un processo in cui eravamo codifensori, l'avvocato Cesare Patrono. Principe del foro. Miliardario e massone.

Gli avevo sentito esprimere quel concetto un centinaio di volte da quando, nel 1989, era entrato in vigore il nuovo codice di procedura penale.

Era sottinteso che *gli altri* erano incapaci. Gli altri avvocati – non certo lui – e soprattutto i pubblici ministeri.

A Patrono piaceva parlare male di tutto e di tutti. Nelle conversazioni di corridoio – ma anche in udienza – gli piaceva umiliare i colleghi e, soprattutto, gli piaceva intimidire o mettere a disagio i magistrati.

Per qualche misterioso motivo io gli ero simpatico, era sempre stato cordiale con me e a volte mi associava alle sue difese. Il che era un grosso affare, dal punto di vista economico.

Aveva appena finito di esprimere il suo punto di vista sull'attuale processo penale quando dall'aula di udienza uscì, ancora con la toga sulle spalle, Alessandra Mantovani, sostituto procuratore della repubblica.

Era di Verona e aveva chiesto di venire a Bari per raggiungere un fidanzato. A Verona aveva lasciato un marito ricco e una vita molto comoda.

Quando si era trasferita il fidanzato l'aveva lasciata. Le aveva spiegato che lui aveva bisogno dei suoi spazi, che le cose fra loro erano andate bene, fino a quel punto grazie alla distanza, che impediva la noia e la routine. Che aveva bisogno di tempo per riflettere. Insomma tutto il repertorio classico delle merdate.

La Mantovani si era ritrovata a Bari, da sola, con i ponti tagliati alle spalle. Era rimasta senza fare storie.

Mi piaceva molto. Era come dovrebbe essere un bravo pubblico ministero, o un bravo poliziotto, che è più o meno la stessa cosa.

Prima di tutto era intelligente e onesta. Poi non le piacevano i delinquenti – di qualsiasi tipo – ma non passava il suo tempo a rodersi pensando che la maggior parte di loro l'avrebbe fatta franca. Soprattutto: quando aveva torto era capace di ammetterlo, senza fare storie.

Eravamo diventati amici, o qualcosa di simile. Abbastanza insomma, da andare a pranzo insieme, qualche volta e raccontarci qualcosa delle nostre storie. Non abbastanza perché succedesse altro, anche se la nostra presunta relazione era uno dei tanti pettegolezzi che circolavano nel tribunale.

Patrono detestava la Mantovani. Perché era donna, perché era magistrato e perché era più intelligente e più dura di lui. Anche se, naturalmente, non lo avrebbe mai ammesso.

«Venga signora – chiamava signora, non dottoressa o giudice, le donne magistrato per farle innervosire e metterle a disagio – senta questa storiella. È nuovissima, veramente graziosa».

La Mantovani si avvicinò di qualche passo e lo guardò negli occhi, inclinando la testa di lato, senza dire una parola. Leggero cenno di assenso – prova pure a raccontarla, la tua storiella – e ombra di un sorriso. Non era un sorriso cordiale. La bocca si era mossa ma gli occhi erano immobili. E freddi.

Patrono raccontò la sua storiella. Non era affatto nuovissima e nemmeno nuova.

Era quella del giovane di buona famiglia che parla con un amico e gli dice che sta per sposare una ex prostituta. Il giovane spiega all'amico che per lui non è un problema la precedente professione della promessa sposa. Nemmeno sono un problema i parenti della fidanzata, che sono spacciatori, ladri e magnaccia. Tutto dunque sembra andare per il meglio ma il ragazzo confida all'amico di avere una sola, grossa preoccupazione. «Quale?» gli chiede l'altro.

Come fare a dire ai genitori della sposa che suo padre è un magistrato.

Patrono ridacchiò da solo. Io ero in imbarazzo.

«Ne ho una carina anch'io. Sugli animali», fece la Mantovani.

«Ci sono Biscia e Volpe che vanno a spasso nella foresta. Ad un certo punto comincia a piovere e tutti e due, per ripararsi, si infilano – da due entrate diverse – in un cunicolo sotterraneo. Cominciano a percorrere il cunicolo – dove c'è buio pesto – andando uno nella direzione dell'altro fino a quando non si incontrano. Anzi si scontrano, sbattendo uno contro l'altro.

«Il cunicolo è molto stretto e non consente il passaggio agevole di tutti e due. Perché uno passi, l'altro si deve accostare alla parete, e cioè cedere il passo.

«Nessuno dei due però vuole cedere il passo e cominciano a litigare.

«"Spostati e lasciami passare".

«"Spostati tu".

«"Chi credi di essere".

«"Chi *sei* tu?".

«"Dimmi prima chi sei tu".

«"No mio caro, dimmi prima chi sei tu". E via discorrendo su questo tono.

«Insomma la situazione sembra ad un punto critico e i due non sanno come uscirne, anche perché nessuno dei due vuole prendere l'iniziativa di aggredire l'altro, non sapendo con chi ha a che fare.

«Volpe allora ha un'idea: "Senti, è inutile che continuiamo a litigare perché così resteremo qui dentro tutto il giorno. Facciamo un gioco per risolvere la questione. Io adesso sto fermo, tu mi tocchi e cerchi di indovinare chi sono. Poi tu stai fermo, io ti tocco e cerco di indovinare chi sei. Chi scopre l'identità dell'altro vince e può passare per primo. Che ne dici?".

«“Effettivamente” dice Biscia “può essere un’idea. D’accordo, ma comincio io”.

«E così Biscia, movendosi sinuosamente, comincia a toccare Volpe.

«“Dunque, che orecchie lunghe, appuntite che hai, che muso aguzzo, che pelo morbido, che grossa coda... tu devi essere Volpe!”.

«Un po’ seccato Volpe è costretto a riconoscere che l’altro ci ha preso.

«“Adesso comunque tocca a me, perché se indovino potremmo finire pari e dovremmo trovare un altro modo per decidere chi passa”.

«E comincia a toccare Biscia, che nel frattempo si è disteso sul pavimento del cunicolo.

«“Che testa piccola che hai, non hai le orecchie, sei viscido, lungo. Non hai i coglioni?!”.

«“E non sarai mica un avvocato?”».

Risi in silenzio socchiudendo gli occhi. Anche Patrono cercò di ridere, ma non ci riuscì. Tirò fuori una specie di ghigno forzato, cercò di dire qualcosa ma non gli venne nulla di adeguato. Non sapeva perdere.

La Mantovani si tolse la toga dalle spalle, disse che andava nel suo ufficio, che ci saremmo rivisti alla ripresa dell’udienza e andò via.

Ogni tanto, un vero uomo. Pensai.

10

Passò ancora qualche giorno e poi arrivò la telefonata di Abagiage.

Voleva incontrarmi. Presto.

Dissi che poteva venire quel giorno stesso, alle otto di sera, orario di chiusura dello studio. Così avremmo potuto parlare con più calma.

Arrivò con quasi mezz'ora di ritardo e questo fatto mi stupì: non corrispondeva all'immagine che mi ero fatto di lei.

Sentii suonare il campanello quando ormai stavo pensando di andarmene.

Attraversai lo studio deserto, aprii e la vidi. In mezzo al pianerottolo, con la luce spenta.

Entrò trascinando uno scatolone. C'erano i libri e poche altre cose di Abdou, fra cui una busta con qualche decina di fotografie.

Dissi che potevamo andare a parlare nella mia stanza e lei fece no con la testa. Aveva fretta. Rimase lì, a un metro dalla porta e aprì la borsa, tirandone fuori un rotolo di banconote simile a quello della prima volta che era venuta in studio.

Mi porse i soldi e senza guardarmi negli occhi prese a parlare velocemente. Questa volta l'accento si sentiva. Forte come un odore.

Doveva partire. Doveva tornare ad Assuan. Era obbligata, era obbligata – disse – a tornare in Egitto.

Chiesi quando e perché, e la spiegazione diventò confusa. Spezzata a tratti da parole che non capivo.

Già da più di una settimana aveva fatto l'esame di fine corso. In teoria sarebbe dovuta ripartire subito dopo e infatti tutti gli altri borsisti erano già andati via.

Era rimasta, chiedendo una proroga della borsa di studio, sostenendo di dovere approfondire alcuni argomenti. La proroga non era stata concessa e il giorno prima era arrivato un fax, dal suo paese, con cui le intimavano di rientrare. Se non lo avesse fatto, subito, avrebbe perso il suo posto di funzionario al ministero dell'agricoltura.

Non aveva scelta, disse. Se restava non avrebbe potuto comunque aiutare Abdou. Senza soldi e senza lavoro.

Senza una casa, visto che le avevano già detto che al più presto doveva liberare la stanza nella residenza dell'istituto.

Sarebbe andata in Nubia e avrebbe tentato di ottenere un periodo di aspettativa. Avrebbe fatto di tutto per ritornare in Italia.

Aveva raccolto tutti i soldi che poteva, per pagare la difesa di Abdou, cioè me. Erano quasi tre milioni. Dovevo fare il possibile, tutto il possibile per aiutarlo.

No, Abdou non lo sapeva ancora. Glielo avrebbe detto l'indomani, al colloquio.

Comunque – ripeté, troppo veloce e senza guardarmi – avrebbe fatto di tutto per ritornare presto in Italia.

Tutti e due sapevamo che non era vero.

Maledizione, pensai. Maledizione, maledizione, maledizione.

Avevo voglia di insultarla perché mi lasciava da solo con quella responsabilità.

Io non la volevo, quella responsabilità.

Avevo voglia di insultarla perché mi specchiavo nella sua inattesa mediocrità, e nella sua vigliaccheria. E mi riconoscevo con una chiarezza insopportabile.

Mi venne in mente quella volta che Sara aveva parlato della possibilità di avere un bambino. Era un pomeriggio di ottobre e io dissi che non credevo fosse ancora il momento. Lei mi guardò e annuì senza dire niente. Non ne parlò mai più.

Non insultai Abagiage. Ascoltai le sue giustificazioni senza dire nulla.

Quando ebbe finito se ne andò arretrando, come se avesse paura di darmi le spalle.

Io rimasi in piedi nell'ingresso, vicino a quella scatola di cartone con le cose di Abdou, in mano il rotolo di banconote. Poi presi il telefono che era sulla scrivania della segretaria e senza pensare feci il numero di Sara, che prima era anche il mio numero.

Ci furono cinque squilli e poi risposero.

La voce era nasale, piuttosto giovane.

«Sì?». Il tono era di uno che sta a casa sua. Magari è appena rientrato dal lavoro, quando il telefono ha squillato si stava allentando la cravatta e mentre risponde si toglie la giacca e la butta su un divano.

Inspiegabilmente non riattaccai.

«C'è Stefania?».

«No, guardi qui non c'è nessuna Stefania, ha sbagliato numero».

«Oh, mi scusi. Potrebbe dirmi per piacere che numero ho fatto?».

Me lo disse ed io lo scrissi, anche. Per essere sicuro di avere capito bene.

Riguardai a lungo quel pezzetto di carta, con il cervello che girava a vuoto attorno ad una voce nasale, senza volto, al telefono di casa mia.

11

«È stato bellissimo il film, stasera. Com'è che si chiamano gli attori?».

«Harry è Billy Cristal. Sally, Meg Ryan».

«Aspetta, com'era la frase... quella del sogno delle olimpiadi?».

«Ho rifatto quel sogno. Sto facendo l'amore e i giudici olimpionici guardano. Sono entrato in finale. Il giudice canadese mi dà 9, l'americano un 10 pieno e mia madre travestita da giudice della Germania dell'Est mi dà 3».

Lei scoppiò a ridere. Come mi piaceva la sua risata, pensai.

La risata è importante perché non si può imbrogliare. Per capire se uno è vero o è fasullo l'unico sistema sicuro è guardare – e ascoltare – la sua risata. Le persone per cui vale la pena davvero sono quelle che sanno ridere.

Mi scosse toccandomi il braccio.

«Dimmi i tuoi tre film preferiti».

«*Momenti di gloria*, *Un mercoledì da leoni*, *Picnic ad Hanging Rock*».

«Sei il primo che risponde così... velocemente. Senza pensare».

«Questa dei film preferiti è una domanda che faccio sempre io. Quindi si può dire che ero preparato. I tuoi?».

«Il primo è *Blade Runner*. Sicuramente».

«Ho visto cose che voi umani non potreste immaginare. Navi da combattimento in fiamme al largo dei bastioni di Orione. E ho visto i raggi beta balenare nel buio vicino alle porte di *Tannhäuser*. E tutti quei momenti andranno perduti nel tempo, come lacrime nella pioggia. È – tempo – di – morire. *Time – to – die*».

«Bravo. La dice proprio così. È – tempo – di – morire. Staccando le parole. E poi lascia volare la colomba».

Annuii e lei continuò a parlare.

«Ti dico gli altri film. *American Graffiti* e *Manhattan*. Magari domani ne dico due diversi – *Blade Runner* rimane sempre – ma oggi sono questi. Tante volte ho detto *Metropolis*, per esempio».

«Perché oggi sono questi?».

«Non lo so. Dai, continuiamo a giocare?».

«Va bene. Facciamo quest'altro gioco. Arriva un extraterrestre sul nostro pianeta e tu devi offrirgli un esempio del meglio che c'è sulla terra, per invogliarlo a restare. Devi dargli un oggetto, un libro, una canzone, una frase e, va beh c'era anche il film ma quello l'abbiamo già detto».

«Mi piace. La frase la so già. È di Malraux: "La patria di un uomo che può scegliere è là dove arrivano le nubi più vaste"».

Rimanemmo un attimo in silenzio. Quando lei stava per proseguire la interruppi.

«Devi farmi un piacere. Vuoi?».

«Sì. Che piacere?».

«Se ti innamori perdutamente di me, vorrei che me lo dicessi subito. Non ti affidare al mio intuito. Per piacere. Va bene?».

«Va bene. Vale anche per me?».

«Sì. Adesso dimmi le altre cose per il marziano».

«Il libro è *Il giovane Holden*. Per la canzone ho molti dubbi. *Because the night*, di Patti Smith. Oppure *Suzanne*, di Leonard Cohen. O *Ain' t no cure for love*, sempre di Leonard Cohen. Non lo so, una di queste. Forse».

«L'oggetto?».

«La bicicletta. Adesso dimmi i tuoi».

«La frase in realtà è uno scambio di battute. Da *On the road*. Fa così: "Dobbiamo andare e non fermarci finché non siamo arrivati". Risponde l'altro: "Dove andiamo amico?". "Non lo so ma dobbiamo andare"».

«Il libro».

«Sicuramente non lo conosci. *Lo studente straniero*. È di uno scrittore francese...».

«L'ho letto. È quello del ragazzo francese che va a studiare in un college in America, negli anni '50».

«Non lo conosce nessuno, questo libro. Tu sei la prima. Che strano».

I suoi occhi balenarono per un istante nel buio della macchina, come lame di coltelli.

Eravamo parcheggiati sulla scogliera, quasi a strapiombo sul mare di Polignano. Fuori era il mese di febbraio e faceva molto freddo.

Dentro la macchina no. Dentro la macchina, per quella notte, sembrava di essere al riparo da tutto.

«Sono contenta di essere uscita con te, stasera. All'ultimo ti stavo chiamando per dirti che non me la sentivo. Poi ho pensato che dovevi già essere uscito di casa e che comunque mi comportavo da maleducata. Allora mi sono detta: andiamo al cinema e poi mi faccio riaccompagnare e vado a letto presto».

«Perché non volevi più uscire?».

«Adesso non ho voglia di parlarne. Volevo solo dirti che sono contenta di essere uscita. E sono contenta di non essermi fatta riaccompagnare subito dopo il cinema. Giochiamo ancora. Mi piace. Dimmi la canzone e l'oggetto».

«L'oggetto è la penna stilografica. La canzone è *Pezzi di vetro*».

«Posso dire una cosa sul libro?».

«Sì?».

«Non sono più sicura del *Giovane Holden*».

«Vuoi cambiare?».

«Forse sì. *Il piccolo principe*. Mi sembra più adatto, forse. Come dice la volpe al piccolo principe quando vuole farsi addomesticare?».

«I campi di grano non mi ricordano nulla. E questo è triste. Ma tu hai dei capelli color dell'oro. Allora sarà meraviglioso quando mi avrai addomesticato. Il grano, che è dorato, mi farà pensare a te. E amerò il rumore del vento nel grano».

Lei mi guardò. Nei suoi occhi c'era stupore infantile. Era molto bella. «Come fai a ricordarti tutto a memoria?».

«Non lo so. È sempre stato così. Se una cosa mi piace, mi basta leggerla o sentirla una sola volta e me la ricordo. *Il piccolo principe* però l'ho letto tante volte. Così non c'è un grande merito».

«Secondo te qual è la qualità più importante per una persona?».

«Il senso dell'umorismo. Se hai senso dell'umorismo – non l'ironia, o il sarcasmo, che sono un'altra cosa – non ti prendi sul serio. E allora non puoi essere cattivo, non puoi essere stupido e non puoi essere volgare. Se ci pensi, comprende quasi tutto. Ne conosci di persone con il senso dell'umorismo?».

«Poche. In compenso ne ho incontrate tante – uomini soprattutto – che si prendevano un casino sul serio».

Ebbe un attimo di esitazione, ma poi proseguì.

«Il mio fidanzato è uno di questi».

«Che fa il tuo fidanzato?».

«È ingegnere».

«Una persona seria?».

«No. Lui è capace di farti ridere, è simpatico. Voglio dire: è intelligente, fa delle battute divertenti, e così via. Però è capace di scherzare solo sugli altri. Su se stesso è tremendamente serio. No, non ha senso dell'umorismo».

Fece una pausa e poi riprese.

«Mi piacerebbe se tu l'avessi, il senso dell'umorismo».

«Anche a me piacerebbe se io l'avessi. Per dire la verità, considerato quello che hai detto, venderei mamma e papà ai cannibali, per avercelo. Sempre senza prendermi sul serio, beninteso».

Lei rise di nuovo e poi continuammo a parlare così, nella macchina che ci proteggeva dal vento e dal fuori. Per ore.

Erano passate le quattro del mattino quando ci rendemmo conto che bisognava rientrare.

Arrivammo sotto casa sua, in centro, che il cielo cominciava a schiarirsi.

«Se domani pensi di avere ancora voglia di uscire con me, telefonami. Se mi chiami ti regalo un libro».

Sara mi prese il mento fra le dita e mi diede un bacio sulle labbra. Poi, senza dire niente, scese dalla macchina. Dopo qualche secondo era scomparsa dietro un portone di legno lucido.

Io mi diedi due piccoli pugni in faccia, da un lato e dall'altro. Poi riavviai la macchina e me ne andai, con la musica a tutto volume.

Dieci anni dopo ero da solo nel mio studio deserto, con i ricordi e la loro melodia lancinante.

Da molto tempo non ero più capace di imparare a memoria – ascoltandole o leggendole una sola volta – le canzoni, le frasi dei libri, e dei film.

Fra tutte le cose sprecate c'era anche quella.

Allora dovetti andare a casa, sperando che fra i libri che avevo preso e portato con me ci fosse *Il piccolo principe*. Perché a quell'ora non c'erano librerie aperte, ed io avevo fretta, e non potevo aspettare la mattina dopo.

C'era. Andai alle ultime pagine, quando il piccolo principe sta per essere morso dal serpente e saluta il suo amico aviatore.

«Tu, tu avrai delle stelle come nessuno ha. Quando tu guarderai il cielo, la notte, visto che io abiterò in una di esse, visto che io riderò in una di esse, allora sarà per te come se tutte le stelle ridessero. Tu avrai, tu solo, delle stelle che sanno ridere! E quando ti sarai consolato (ci si consola sempre) sarai contento di avermi conosciuto. Sarai sempre il mio amico. Avrai voglia di ridere con me. E aprirai a volte la finestra così, per il piacere. E i tuoi amici saranno stupiti di vederti ridere guardando il cielo. Allora tu dirai: "Sì, le stelle mi fanno sempre ridere!" e ti crederanno pazzo».

12

Dormii due ore esatte.

Mi infilai nel letto qualche minuto prima delle tre, aprii gli occhi alle cinque in punto e mi alzai stranamente riposato.

Quella mattina non avevo impegni e così pensai di uscire e camminare. Feci la doccia, mi rasai, misi dei vecchi pantaloni comodi di tela, una camicia di jeans e una felpa. Misi scarpe da ginnastica e una giacca di pelle.

Fuori cominciava a farsi chiaro.

Ero già sulla porta quando mi venne in mente che potevo portarmi un libro, per fermarmi a leggere da qualche parte. In un giardino o in un caffè, come facevo molti anni prima. Allora passai in rassegna i libri che non avevo mai messo in ordine e che erano nel mio appartamento. Dappertutto, sparsi e provvisori.

Per qualche secondo pensai che erano provvisori come me, in quella casa, ma subito mi dissi che era una riflessione banale e patetica. Così smisi di filosofare e tornai semplicemente a scegliere un libro.

Presi *Doppio sogno* che era in edizione economica e andava comodo nella tasca della mia giacca di pelle. Presi le sigarette, *non* presi deliberatamente il cellulare e uscii.

Casa mia era in via Putignani e, uscendo, si poteva vedere subito a destra il teatro Petruzzelli.

Da fuori, il teatro era normale, con la cupola e tutto il resto. Da dentro no. Il fuoco l'aveva sbranato, una notte di quasi dieci anni prima, e da allora era lì, in attesa che qualcuno lo ricostruisse. Intanto ci abitavano i gatti e i fantasmi.

Andai proprio verso il teatro, sentendo sulla faccia l'aria fresca e pulita della mattina presto. Pochissime macchine e niente persone.

Mi venne in mente quando, verso la fine dell'università, mi capitava spesso di rientrare a quell'ora.

La notte giocavo a poker, o uscivo con le ragazze. O semplicemente restavo a bere, a fumare e a parlare con gli amici.

Una mattina verso le sei, dopo una di queste notti, ero in cucina, per bere un bicchiere d'acqua prima di andare a dormire. Arrivò mio padre per fare il caffè.

«Perché ti sei alzato così presto?».

«No papà, sto rientrando adesso».

Mi guardò solo un secondo, con gli occhi socchiusi.

«Sfugge alla mia comprensione come ti venga voglia di fare battute idiote anche a quest'ora».

Poi si girò scrollando le spalle, rassegnato.

Arrivai fino a corso Cavour, proprio davanti al Petruzzelli e proseguii in direzione del mare. Due isolati dopo mi fermai in un bar, feci colazione e accesi la prima sigaretta della giornata.

Ero nella zona con le case più belle di Bari. Da quelle parti aveva abitato Rossana, mia fidanzata dei tempi dell'università.

Avevamo avuto una storia alquanto burrascosa, per colpa mia. Già dopo pochi mesi mi sembrava che la mia libertà fosse, come si dice, compromessa dal nostro rapporto.

Allora a volte mancavo agli appuntamenti e quasi sempre, quando non mancavo, arrivavo in ritardo. Lei si arrabbiava ed io sostenevo che non erano quelle le cose importanti. Lei diceva che la buona educazione era importante e io cominciavo a spiegarle, con ricchezza di argomenti sofistici, la differenza fra buona educazione formale – la sua – e buona educazione sostanziale. Ovviamente la mia.

All'epoca non ero nemmeno vagamente sfiorato dall'idea di essere solo un villano prepotente. Invece, siccome ero più bravo ad imbrogliare con le parole mi convincevo anche di avere ragione. Questo mi spingeva a comportarmi peggio, includendo nel concetto di peggio anche una serie di amorazzi clandestini con ragazze di dubbia moralità.

Di tutto questo mi resi conto quando oramai ci eravamo lasciati. Avevo ripensato più volte alla nostra storia e mi ero convinto di essermi comportato veramente da stronzo. Se ne avessi avuto l'occasione, avrei dovuto ammetterlo e chiedere scusa.

Poi, forse sette o otto anni dopo ritrovai per caso Rossana, che nel frattempo era andata a lavorare a Bologna.

Ci incontrammo a casa di amici durante le vacanze di Natale, e lei mi domandò se mi andava di prendere un the con lei, il giorno dopo. Mi andava. Così ci vedemmo, prendemmo il the e per almeno un'ora rimanemmo a chiacchierare.

Lei aveva avuto una bambina, si era separata dal marito, aveva un'agenzia di viaggi con cui faceva un sacco di soldi ed era ancora molto bella.

Ero contento di averla rivista e mi sentivo a mio agio. Così mi venne naturale dirle che avevo pensato spesso a quando stavamo insieme e che ero convinto di essermi comportato male. Mi andava di dirglielo, per quello che valeva. Lei sorrise e mi guardò per qualche secondo in modo un po' strano, prima di parlare. Non disse esattamente quello che mi aspettavo.

«Eri un bambino viziato. Eri così concentrato su te stesso che non ti accorgevi di quello che ti capitava attorno, anche vicinissimo».

«Cosa vuoi dire?».

«Non hai mai nemmeno sospettato che per quasi un anno io ho avuto un altro».

Avrei voluto vedere la mia faccia, in quel momento. Doveva essere una faccia buffa, perché Rossana sorrideva e sembrava si stesse divertendo, a guardarmi.

«Hai avuto *anche* un altro? In che senso scusa?».

A quel punto lei smise di sorridere e si mise a ridere. Come darle torto?

«Come in che senso? Stavamo insieme».

«Che vuol dire stavamo insieme? Tu stavi insieme a *me*. Quando vi vedevate?».

«La sera, quasi tutte le sere. Quando tu mi accompagnavi a casa. Lui mi aspettava dietro l'angolo, in macchina. Io aspettavo nel portone e quando te ne eri andato uscivo, giravo l'angolo e salivo in macchina».

Avevo una specie di strano capogiro.

«E dove... dove andavate?».

«A casa sua, sulla Muraglia a Bari Vecchia».

«A casa sua. A Bari Vecchia. E che facevate a casa sua sulla Muraglia a Bari Vecchia?».

Mi resi conto troppo tardi di avere detto una idiozia veramente troppo grossa, ma non connettevo benissimo.

Anche lei se ne rese conto e non fece nulla per non farmelo pesare.

«Che facevamo? Vuoi dire di notte, nel suo appartamento sulla Muraglia?».

Era davvero divertita. Io invece no. Ero uscito per prendere un the con una ex fidanzata e mi trovavo all'improvviso a dover riscrivere la storia.

Seppi che lui si chiamava Beppe, che faceva il rappresentante di gioielli, era sposato ed era ricco. Quella sulla Muraglia, per la precisione, non era la sua casa ma la sua garçonnière. All'epoca dei fatti aveva trentasei anni e una brava moglie.

All'epoca dei fatti io avevo ventidue anni, i miei genitori mi davano quarantamila alla settimana, dividevo la stanza da letto con mio fratello e avevo – lo stavo scoprendo con un certo ritardo – una fidanzata zoccola.

Arrivai sul mare, girai a sinistra, in direzione del teatro Margherita e di lì mi diressi verso San Nicola, costeggiando dal basso la Muraglia. Per l'appunto dove il signor Beppe aveva la sua garçonnière. Nella quale portava la *mia* fidanzata.

Ormai era giorno, l'aria era fresca e pulita ed era proprio la giornata ideale per fare una passeggiata. Continuai fino al Castello Svevo e poi oltre verso la fiera per arrivare, forse due ore e diversi chilometri dopo essere uscito di casa, alla pineta di San Francesco.

Era semideserta. Solo qualche signore che correva e qualcun altro che stava seduto e preferiva lasciar correre il suo cane.

Scelsi una buona panchina, di quelle verdi, di legno, munita di schienale ed esposta al sole. Mi sedetti e lessi il mio libro.

Quando lo finii, dopo circa due ore, pensai che mi sentivo bene e che potevo riposarmi ancora dieci minuti prima di riprendere la strada per casa. O magari per lo studio, dove certamente dovevano aver cominciato a chiedersi che fine avessi fatto.

Tolsi la giacca, ché cominciava a fare caldo, la piegai facendone una specie di cuscino e mi distesi con la faccia al sole.

Mi svegliai che era mezzogiorno passato. Quelli che facevano jogging si erano moltiplicati e c'erano coppie di ragazzini, signore con bambini e vecchietti che giocavano a carte sui tavolini di pietra. Anche due testimoni di Geova che cercavano di convertire tutti quelli che non mostravano una faccia abbastanza ostile.

Ora di andare via. Decisamente.

13

Tornando a casa vidi il cellulare e lo ignorai. Quando andai in studio, nel pomeriggio, era nella mia tasca, ma ancora spento.

Maria Teresa mi travolse nel momento stesso in cui aprivo la porta. Mi avevano cercato per tutta la mattinata, a casa e sul cellulare. A casa non rispondeva nessuno e il cellulare era sempre spento.

Certo – pensai – ero in pineta a prendere il sole, alla faccia di voi tutti e senza il maledetto telefonino.

Quella mattina era successo un casino.

Mica mi ero dimenticato qualche udienza? Ah, meno male, mi sembrava infatti. Mi aveva cercato un sacco di gente? Va beh, richiameranno. No, certo non mi ero dimenticato che l'indomani scadevano i termini per l'appello di Colaianni.

Falso, me ne ero completamente dimenticato, e meno male che avevo una segretaria che sapeva fare il suo mestiere.

Da mezzogiorno avevano chiamato tre volte dal carcere? E perché?

Maria Teresa non lo sapeva. Era una cosa urgente, avevano detto, ma non avevano spiegato cosa. L'ultima volta aveva chiamato un certo ispettore Surano. Aveva chiesto che lo chiamassi, non appena mi rintracciavano.

Chiamai il centralino della casa circondariale, chiesi dell'ispettore Surano e, dopo avere aspettato almeno tre minuti, sentii una voce bassa, roca, con l'accento della provincia di Lecce.

Sì ero l'avvocato Guerrieri. Sì l'avvocato del detenuto Thiam Abdou. Sì, potevo andare al carcere, se magari mi spiegava prima per quale motivo.

Mi spiegò il motivo. Quella mattina, dopo le visite, il detenuto Thiam Abdou aveva posto in essere un tentativo di suicidio mediante impiccagione.

Era stato salvato, quando già pendeva con una corda fatta di strisce di lenzuola lacerate, ed intrecciate fra loro. Adesso era ricoverato nell'infermeria del carcere, con sorveglianza a vista h24.

Dissi che sarei arrivato prima possibile.

Prima possibile è un concetto molto ambiguo se si parla di andare dal centro di Bari al carcere, nel pomeriggio di un giorno lavorativo.

Comunque in poco più di mezz'ora ero davanti al cancello della casa circondariale e suonavo il campanello dopo avere parcheggiato. Ovviamente in divieto di sosta.

L'agente di custodia che era al corpo di guardia era stato preavvisato del mio arrivo. Mi chiese di attendere e chiamò l'ispettore Surano, che arrivò con insolita rapidità. Disse che il direttore desiderava parlarmi e se potevamo andare da lui. Chiesi come stava il mio cliente e lui mi disse che stava abbastanza bene, fisicamente. Mi avrebbe accompagnato lui stesso in infermeria subito dopo l'incontro con il direttore.

Ci addentrammo per corridoi ingialliti, squallidamente illuminati e per i quali si spandeva l'inconfondibile odore di rancio delle carceri, delle caserme e degli ospedali. Ogni tanto incrociavamo qualche detenuto lavorante che maneggiava una scopa o spingeva un carrello. Alla fine imboccammo un corridoio che era tinteggiato di fresco, dove c'erano delle piante e in fondo al quale c'era la porta dell'ufficio del direttore.

L'ispettore Surano bussò, si affacciò nella stanza, disse qualcosa che non sentii e poi aprì la porta, facendomi entrare e seguendomi.

Il direttore era un signore sui cinquantacinque anni, dall'aria anonima, la pelle sottile e opaca, lo sguardo sfuggente.

Era dispiaciuto, disse, di quello che era successo, ma per fortuna grazie alla prontezza di spirito di uno dei suoi uomini si era evitata una tragedia.

Un'altra tragedia, pensai, ricordandomi del suicidio di un mio cliente – un tossico di vent'anni – e delle voci, mai confermate, di violenze sui detenuti per imporre la disciplina.

Il direttore voleva assicurarmi che aveva già impartito disposizioni rigorose perché il detenuto, come si chiamava, sì, il detenuto Thiam Abdou, fosse costantemente sorvegliato allo scopo di prevenire ulteriori tentativi di suicidio o comunque atti di autolesionismo.

Era convinto che questo spiacevole incidente non avrebbe avuto nessun seguito, né tantomeno pubblicità, per la serenità dell'istituto penitenziario e dello stesso detenuto. Da parte sua, era a mia disposizione, se per caso mi occorreva qualcosa.

Tradotto in italiano: non crearmi casini e sarà meglio per tutti. Incluso il tuo cliente, che è qua dentro e ci resta.

Avrei voluto dirgli di fottersi, ma avevo fretta di incontrare Abdou e poi mi sentivo improvvisamente stanco. Allora lo ringraziai per la disponibilità e lo pregai di farmi accompagnare in infermeria.

Non ci stringemmo la mano e l'ispettore Surano mi guidò nel percorso a ritroso, e poi per altri corridoi ancora più squallidi, attraverso cancellate e quella puzza di rancio che sembrava penetrare in ogni fessura.

L'infermeria era uno stanzone con una decina di letti, quasi tutti occupati. Non vidi Abdou e guardai Surano. Lui fece un cenno con il capo, per indicare in fondo allo stanzone e poi mi precedette.

Abdou era in un letto, le braccia bloccate con delle cinghie e gli occhi semichiusi. Respirava con la bocca.

Vicino a lui era seduto un agente di custodia grasso, con i baffi. Fumava con aria annoiata.

Surano volle darsi un tono:

«Cazzofumi in infermeria, Abbaticchio? Spegni, spegni e lascia la sedia all'avvocato».

Mai vista una simile cortesia. Evidentemente il direttore aveva dato disposizioni di trattarmi con i guanti.

L'agente Abbaticchio guardò l'ispettore con occhi ottusi. Sembrò sul punto di dire qualcosa, poi si rese conto che forse era meglio di no. Spense la sigaretta e si allontanò, ignorandomi del tutto. Surano mi disse che potevo fare con comodo. Quando avessi finito lui stesso mi avrebbe riaccompagnato all'uscita. Anche lui si allontanò fino all'ingresso dell'infermeria.

Adesso ero solo vicino al letto di Abdou, che sembrava non essersi accorto della mia presenza.

Mi chinai un poco e provai a chiamarlo ma lui non diede segni di risposta. Quando stavo per toccargli un braccio, lui parlò, quasi senza muovere le labbra.

«Che vuoi, avvocato?».

Ritirai la mano, con un leggero soprassalto.

«Cosa è successo, Abdou?».

«Lo sai cosa è successo. Se no perché saresti qui».

Aveva gli occhi aperti, adesso, e fissava il soffitto. Io mi sedetti, rendendomi conto in quel momento che non sapevo assolutamente cosa dire.

Stando al livello del letto notai le escoriazioni sul collo.

«È venuta Abagiage, questa mattina?».

Lui non rispose e non mi guardò. Chiuse la bocca e serrò le mascelle. Riuscì a deglutire dopo due tentativi. Poi, come in una scena al rallentatore, vidi nell'angolo interno del suo occhio sinistro una goccia – una sola – che si formava, che cresceva, che si staccava percorrendo lentamente tutto il viso, fino a spegnersi sul bordo della mascella. Anch'io feci fatica a deglutire.

Per un tempo indefinibile nessuno dei due parlò. Poi mi resi conto che avevo solo una cosa da dire, che avesse senso.

«Sei rimasto solo e pensi che ora è veramente finita. Lo so. Probabilmente hai anche ragione».

Gli occhi di Abdou, che erano rimasti fissi sul soffitto, ruotarono lentamente verso di me. Anche il capo si mosse, anche se di poco. Avevo la sua attenzione. Ripresi a parlare e la mia voce era stranamente calma.

«Infatti, per come la vedo io, hai una sola possibilità, che è anche piuttosto debole. E la decisione può essere solo tua».

Lui mi guardava, adesso, ed io sapevo di avere il controllo.

«Se hai voglia di batterti per quella possibilità, dimmelo».

«Che possibilità?».

«Non facciamo il rito abbreviato. Facciamo il processo davanti alla corte di assise e cerchiamo di vincerlo, cioè di farti assolvere. Le possibilità sono pochissime e ti confermo quello che ho detto l'altra volta. Il mio consiglio è sempre quello di scegliere il giudizio abbreviato. Ma la decisione è tua. Se non vuoi fare il giudizio abbreviato io ti difenderò in corte di assise».

«Non ho i soldi».

«Fanculo i soldi. Se riesco a farti assolvere, il che è improbabile, troverai il modo di pagarmi. Se ti condannano avrai problemi più seri dei debiti con me».

Lui distolse lo sguardo, che mi aveva tenuto fisso addosso, mentre parlavo. Tornò a guardare il soffitto, ma in modo diverso adesso. Ebbi anche l'impressione dell'ombra di un sorriso, amaro, sulle sue labbra. Alla fine parlò, sempre senza guardarmi ma con voce ferma.

«Sei intelligente, avvocato. Io ho sempre pensato di essere più intelligente degli altri. Questo non è una fortuna, ma è difficile capirlo. Se pensi di essere più intelligente degli altri non capisci molte cose, fino a quando non ti cadono addosso. Allora è tardi».

Fece il gesto di sollevare il braccio destro, ma era bloccato dalla cinghia. Io ebbi l'impulso di chiedergli se voleva essere liberato, ma non dissi nulla. Lui riprese a parlare.

«Oggi mi sembra che tu sei più intelligente di me. Io pensavo di essere morto e adesso, dopo che hai parlato, penso che mi sbagliavo. Hai fatto una cosa che non capisco».

Fece una pausa e respirò a fondo, con il naso, come per raccogliere tutte le forze.

«Voglio che facciamo il processo. Per essere assolto».

Sentii un brivido che partiva dalla sommità della testa e si spargeva per tutta la schiena. Volevo dire qualcosa, ma sapevo che qualsiasi cosa sarebbe stata sbagliata.

«OK» feci allora «ci vediamo presto».

Lui serrò di nuovo le mascelle e fece sì con la testa, senza distogliere lo sguardo dal soffitto.

Quando ritornai alla mia macchina trovai sul parabrezza il foglietto bianco della multa per divieto di sosta.

14

Due settimane dopo ci fu l'udienza preliminare.

La Carenza arrivò in ritardo, come al solito.

Io aspettavo fuori dall'aula di udienza, chiacchierando con qualche collega e con i giornalisti che erano lì proprio per il mio processo. Cervellati invece non c'era.

A lui non piaceva aspettare il giudice davanti all'aula, mischiato agli avvocati. Allora faceva dire dal suo segretario al cancelliere del giudice che lo chiamassero quando l'udienza stava per cominciare.

La Carenza entrò in aula seguita dal cancelliere e da un commesso che spingeva un carrello carico di faldoni. Entrai anch'io, mi sedetti al mio posto, sul banco di destra per chi sta di fronte al giudice e aprii le mie carte, così, tanto per fare qualcosa e calmare il nervosismo.

Qualche istante dopo mi accorsi che era in aula anche il mio collega Cotugno, che doveva costituirsi parte civile per i genitori del bambino. Era un avvocato anziano, un po' trombone, sordo e con un alito micidiale.

Le conversazioni con Cotugno erano surreali. Lui, avendo l'udito che non funzionava, tendeva ad avvicinarsi. Il suo interlocutore, che normalmente aveva l'olfatto che funzionava, tendeva invece ad arretrare. Fino a quando l'ambiente e la buona educazione glielo consentivano. Poi doveva subire.

Così quando vidi Cotugno seduto sul banco del pubblico ministero – come d'abitudine per gli avvocati di parte civile – misi in atto una complessa strategia per evitare il suo alito. Mi alzai a metà appoggiandomi sul mio banco, allungai il braccio per la massima estensione possibile e gli diedi la mano stando in equilibrio precario. Chiaramente incompatibile con ogni conversazione. Poi tornai a sedermi.

Il giudice disse al cancelliere di chiamare gli agenti di custodia nelle camere di sicurezza, perché portassero il detenuto.

In quel momento Cervellati si materializzò alla mia sinistra. Aveva un abito grigio su mocassini marroni senza lacci e con nappine. Mi chiese cosa intendessi fare con quel processo.

Mentii. Il mio cliente – dissi – aveva voluto pensarci su fino all'ultimo momento e quindi io stesso avrei saputo solo quella mattina se avremmo chiesto il giudizio abbreviato o no.

Cervellati mi guardò, sembrò sul punto di dire qualcosa, poi scosse la testa e si sedette al suo posto. Non mi aveva creduto, e non aveva un'aria amichevole.

Due minuti dopo, da una porta laterale, circondato da quattro agenti di custodia, le manette ai polsi, entrò Abdou. Indossava pantaloni di tela kaki e una camicia bianca; sul braccio portava una giacca o un giubbotto. Aveva un'aria pulita. Era ben rasato e la sua camicia sembrava stirata quella mattina stessa.

«Signor giudice, posso scambiare due parole con il mio cliente, prima di cominciare l'udienza?».

«Prego avvocato. Per piacere, toglietegli le manette».

Il più anziano degli agenti di custodia tirò fuori una chiave e liberò le mani di Abdou. Gli arrivai vicino mentre si massaggiava i polsi. Parlai sottovoce.

«Allora Abdou, se hai cambiato idea siamo ancora in tempo. Per poco, ma siamo ancora in tempo».

Lui fece no con il capo. Io rimasi un attimo a guardarlo, e lui guardò me. Poi tornai al mio posto sentendo le pulsazioni accelerare il ritmo e la paura che arrivava, come un'ondata.

Le formalità di apertura dell'udienza furono sbrigate in fretta e poi arrivammo al momento.

«Ci sono richieste di riti alternativi?», fece la Carenza.

Mi alzai abbottonando la giacca. Lanciai ancora uno sguardo dalla parte di Abdou.

«Signor giudice, con il mio cliente abbiamo vagliato a lungo l'eventuale opportunità di richiedere il giudizio abbreviato ma alla fine abbiamo ritenuto insieme che si tratti di un processo da sottoporre al vaglio del dibattimento. E dunque, no, non ci sono richieste di riti alternativi».

Mi sedetti senza guardare Cervellati.

Il giudice invitò allora le parti a formulare le loro conclusioni.

Cervellati parlò brevemente. Il processo era denso di prove a carico dell'imputato Thiam Abdou. Erano prove che avrebbero condotto certamente ad una affermazione di penale responsabilità, all'esito del dibattimento, per tutte le ipotesi delittuose – le gravissime, odiose ipotesi delittuose – contestate nei capi di imputazione. L'udienza preliminare non poteva che concludersi con il rinvio a giudizio dell'imputato dinanzi alla corte di assise, per rispondere di sequestro di persona e omicidio volontario. Era solo necessario integrare l'imputazione contenuta nel capo B. Ai sensi dell'art. 423 del codice di procedura penale il pubblico ministero intendeva modificare l'imputazione di omicidio. Da omicidio semplice ad omicidio aggravato.

Cervellati dettò a verbale la nuova imputazione.

Era stato di parola. Adesso il mio cliente aveva una accusa che, in caso di condanna, lo avrebbe portato direttamente all'ergastolo.

Il giudice mi chiese se intendessi chiedere un termine a difesa. Era un gesto di cortesia, non era tenuta a farlo. Ringraziai e dissi che no, non intendevamo chiedere termini.

Toccò allora a Cotugno che fu ancora più breve di Cervellati. Si associò alle richieste del pubblico ministero e chiese anche lui il rinvio a giudizio.

Io avevo poco da dire, perché in un processo come quello non c'era, ovviamente, alcuna possibilità di un proscioglimento in udienza preliminare.

E allora, semplicemente, dissi che non avevamo osservazioni sulla richiesta di rinvio a giudizio.

Poi il giudice pronunciò il decreto.

Il dibattimento nei confronti di Thiam Abdou, nato a Dakar, Senegal, il 4 marzo 1968 per le imputazioni di sequestro di persona e omicidio aggravato era fissato al 12 giugno, dinanzi alla corte di assise di Bari.

Parte terza

1

Tornavo a casa, dallo studio. Pensavo che avrei dovuto fare un po' di spesa per evitare di mangiare fuori ancora una volta, quando sentii una voce di donna, leggermente gutturale, alle mie spalle.

«Mi dà una mano, per piacere? Sto per stramazzare al suolo».

La mia vicina Margherita. C'era da stupirsi che non fosse *già* stramazzata al suolo. Aveva una borsa da lavoro gonfia, svariati sacchetti di plastica pieni di cibo e un lungo tubo portadisegni del tipo di quelli che usano gli architetti.

Le diedi una mano, nel senso che mi caricai tutta la spesa. Così cominciammo a camminare insieme.

«Meno male che ho incontrato lei. Una settimana fa ero più o meno nelle stesse condizioni e ho incontrato quel professore anziano, Costantini, che si è offerto di aiutarmi. Io gli ho dato le buste e lui, dopo un isolato, si stava facendo venire un infarto».

Sorrisi con un'aria vagamente idiota. Evidentemente avrei dovuto sapere chi era questo professor Costantini.

«Chi è il professor Costantini?».

«Quello che sta al secondo piano, nel nostro palazzo. Scusi ma lei da quanto tempo abita lì?».

Pensai che stavo in quel palazzo da più di un anno. Non conoscevo il nome di nessuno degli inquilini.

«Ci abito da un anno, più o meno».

«Beh, complimenti, lei deve essere un tipo socievole. Che fa, dorme di giorno e di notte gira con una tuta, un mantello e una maschera per liberare la città dai criminali?».

Le dissi che facevo l'avvocato e lei – dopo aver fatto una piccola smorfia – mi disse che anche lei, molto tempo prima, sembrava destinata a fare l'avvocato. Aveva fatto la pratica, aveva superato gli esami e si era iscritta all'albo, ma poi aveva cambiato strada. Del tutto. Adesso si occupava di pubblicità e altro. Però – convenimmo – in qualche modo eravamo colleghi e allora potevamo darci del tu. Disse che questo la faceva sentire più a suo agio.

«Io ho sempre avuto problemi con il lei. Proprio non mi viene naturale, devo sforzarmi. Hanno cercato di insegnarmi qualche anno fa che una ragazza per bene non dà del tu agli sconosciuti, ma io ho sempre avuto molti dubbi sul fatto di essere una ragazza per bene. E tu?».

«Se non sono sicuro di essere una ragazza per bene? Effettivamente qualche dubbio ce l'ho».

Fece una breve risata – come un gorgoglio – prima di riprendere a parlare.

«Si vede che hai dubbi, in generale. Hai sempre un'aria... non so, non trovo una parola adatta per definirla. Come se stessi ruminando delle domande e le risposte ti piacessero poco. O non ti piacessero affatto».

Mi voltai a guardarla, leggermente interdetto.

«Visto che questa è la seconda volta che ci vediamo, posso sapere su cosa si basa questa diagnosi?».

«È la seconda volta che *tu* mi vedi. Io ti ho visto almeno altre quattro o cinque volte, da quando sono venuta a stare in questo palazzo. Per due volte ci siamo proprio incrociati per strada e letteralmente non mi hai visto. Tanto che non mi è nemmeno venuto di salutare. Non è stato piacevole per la mia vanità, ma tu eri da un'altra parte».

Camminammo in silenzio per qualche decina di metri. Poi fu lei a parlare di nuovo.

«Ho detto qualcosa che non va?».

«No. Pensavo a quello che hai detto. Mi chiedevo se fosse così evidente».

«Non è così evidente. È che io sono brava».

Eravamo arrivati al portone di casa. Entrammo e salimmo insieme la piccola rampa di scale che portava all'ascensore. Mi dispiaceva che fosse arrivato il momento di salutarci.

«Sei riuscita ad incuriosirmi. Adesso cosa devo fare per avere una consulenza più dettagliata?».

Ci pensò qualche secondo. Stava decidendo.

«Sei uno che equivoca se viene invitato a cena da una ragazza che vive sola?».

«In passato ero un professionista dell'equivoco ma ora ho smesso, credo. Spero».

«Allora: se non equivochi e non sei impegnato stasera per me andrebbe bene».

«Stasera andrebbe bene anche per me. Sei al sesto o al settimo?».

«Al settimo. Ho anche la terrazza. Peccato che la sera è ancora troppo fresco altrimenti avremmo potuto stare fuori. Va bene, allora alle nove?».

«Sì. Cosa porto?».

«Vino, se lo bevi, perché io non ne ho».

«Va bene. A stasera allora».

«Non prendi l'ascensore?».

«No, no, vado a piedi».

Mi guardò un attimo senza dire niente, con aria leggermente interrogativa, poi annuì, prese la sua spesa e mi salutò.

Non mi ricordo niente di preciso di quello che feci in studio quel pomeriggio, ma ricordo la sensazione di leggerezza. Una sensazione che non provavo da un sacco di tempo.

Mi sentivo come nei pomeriggi di maggio degli ultimi anni di liceo.

A scuola ormai non si andava quasi più. Ci andavano quelli che dovevano riparare le insufficienze e quindi farsi interrogare. E pochi altri.

Per tutti noi erano i primi giorni di vacanze, ed erano i migliori. Perché erano illegali, in un certo senso. Stando alle regole avremmo dovuto continuare ad andare a scuola e invece non lo facevamo. Erano giorni rubati, uno per uno, al calendario della scuola e restituiti alla libertà.

Forse per questo motivo c'era quell'elettricità, quella strana tensione carica di aspettativa nei pomeriggi di maggio in bilico fra la scuola e i misteri dell'estate.

Qualcosa stava per accadere – *doveva* accadere – e noi lo sentivamo. Il nostro tempo si tendeva come un arco, pronto a scagliarci chissà dove.

Quel pomeriggio mi sentivo così, come in quei graffiti della mia adolescenza.

Uscii verso le sette e mezza e andai in una enoteca per prendere il vino. Non sapevo cosa avremmo mangiato né quali fossero i gusti di Margherita e quindi non potevo prendere soltanto vino rosso, come mi sarebbe venuto naturale. Io non amo il vino bianco.

Allora presi un primitivo di Manduria e, tanto per fare la mia figura da provinciale, un bianco californiano della Napa Valley.

Dopo avere scelto il vino mi restava del tempo e allora feci una passeggiata per via Sparano.

Vedevo la gente che camminava tutto intorno a me e mi sembrava di percepire una sospensione del tempo.

L'aria sembrava attraversata da un senso di malinconia dolce e da qualcosa d'altro, che non riuscivo a cogliere bene.

Arrivai a casa alle nove meno un quarto, feci la doccia e mi vestii. Pantaloni chinos chiari, camicia di jeans, scarpe morbide di pelle leggera.

Chiusi la porta tenendo con l'altra mano le due bottiglie, per il collo e balzai sulle scale con lo stile di Alberto Sordi americano a Roma.

Così inciampai e per un soffio evitai di fracassare tutto. Mi venne da ridere e quando bussai alla porta di Margherita, due piani più su, dovevo avere ancora una specie di sorriso un po' stolido.

«Cosa è successo?», disse lei un po' perplessa, socchiudendo leggermente gli occhi dopo avermi salutato.

«Niente, stavo cadendo per le scale e, visto che sono mentalmente disturbato, ho trovato la cosa divertente. Tranquilla comunque: sono innocuo».

Rise, sempre con quella specie di gorgoglio.

In casa c'era un buon odore, di mobili nuovi, di pulito e di cibo ben cucinato. Era un appartamento più grande del mio ed evidentemente erano stati demoliti dei muri perché non c'era ingresso e si entrava direttamente in una specie di salone con una grande vetrata che dava su una terrazza. Pochi mobili. Solo una specie di armadio basso che sembrava giapponese, alcuni scaffali a muro di legno chiaro e un tavolo di ferro e vetro con quattro sedie di metallo. Per terra un grande tappeto di cocco e, su due lati della stanza, alcune grosse candele colorate di altezze diverse, vasetti di vetro blu con dentro una specie di pietrisco, un impianto stereo nero.

Gli scaffali erano pieni di libri e di oggetti e davano l'impressione di una casa abitata già da tempo.

Sui muri c'erano due riproduzioni di Hopper. *Serata a Cape Cod* e *Gas*. Quello delle pompe di benzina nella campagna. Erano bellissimi e commoventi.

Lo dissi e lei mi guardò un attimo, come per controllare se parlavo solo per darmi un tono. Poi fece di sì con il capo, seria, e rimase in silenzio per qualche secondo.

«Mangi il piccante?».

«Mangio il piccante».

«Vado in cucina a finire di preparare. Tu guardati pure attorno, fra cinque minuti è pronto. Poi a tavola chiacchieriamo. Apro il vino rosso perché col cibo che mangeremo va bene. E poi il bianco non ce la fa a raffreddarsi, in così poco tempo».

Sparì in cucina. Io cominciai ad esaminare i libri sugli scaffali, come faccio di solito quando vado in una casa sconosciuta.

C'erano molti romanzi e raccolte di racconti. Americani, francesi e spagnoli, in lingua originale.

Steinbeck, Hemingway, Faulkner, Carver, Bukowsky, Fante, Montalban, Lodge, Simenon, Kerouac.

C'era una vecchissima, consumata edizione di *Lo zen e l'arte della manutenzione della motocicletta*. C'erano i libri di viaggi di un giornalista americano – Bill Bryson – che a me piaceva molto e che credevo di essere più o meno l'unico a conoscere.

Poi libri di psicologia, libri sulle arti marziali giapponesi, cataloghi di mostre, soprattutto fotografiche.

Tirai fuori da uno scaffale il catalogo di una mostra di Robert Capa a Firenze e lo sfogliai. Poi presi Chatwin e poi Doisneau, con i suoi baci in bianco e nero nella Parigi degli anni cinquanta. C'era un libro su Hopper. Aprendolo vidi che c'era una dedica e voltai subito pagina, imbarazzato.

Lessi qualche rigo dell'introduzione.

«Immagini della città o della campagna quasi sempre deserte in cui si fondono il realismo della visione con un sentimento struggente del paesaggio, delle persone, degli oggetti. I quadri di Hopper, sotto una apparenza di oggettività esprimono un silenzio, una solitudine, uno stupore metafisici».

Lasciai Hopper, presi *Chiedi alla polvere*, di John Fante e con il libro andai in terrazza. L'aria era fresca e asciutta. Mi aggirai un poco fra le piante, mi affacciai a guardare sulla strada, mi fermai a toccare degli strani piccoli fiori con la consistenza della cera. Poi appoggiato al muro sotto una specie di lanterna in ferro battuto sfogliai il libro fino all'ultima pagina, perché volevo rileggermi il finale.

«Si cominciava a scorgere, a distanza, il luccichio tremolante della canicola. Risalii il sentiero fino alla Ford. Presi la copia del mio libro, del mio primo libro e scrissi a matita sul risguardo:

«*A Camilla, con amore, Arturo.*

«Percorsi un centinaio di metri verso sud-est e, con tutta la forza che possedevo, gettai il libro nella direzione che lei aveva preso. Poi montai in macchina, avviai il motore e partii per Los Angeles».

«È pronto, a tavola».

Mi risvegliai con un piccolo sussulto, e rientrai in casa. La tavola era apparecchiata.

Il primitivo era in una caraffa e in un'altra uguale, acqua. C'era una zuppiera di chili con carne e una terrina con riso bollito. Su un piatto erano disposte quattro pannocchie di mais e al centro dei fiocchi di burro.

Cominciammo con le pannocchie e il burro. Io presi la caraffa del vino e stavo per versarne nel bicchiere di Margherita.

Lei disse di no, che non beveva.

«Avevo, come si dice, un bere problematico. Qualche anno fa. Poi diventò *molto* problematico. Adesso non bevo più».

«Scusa, non avrei portato il vino se avessi saputo...».

«Ehi, sono io che ti ho detto di portare il vino. Per te».

«Se ti dà fastidio possiamo bere l'acqua».

«Non mi dà fastidio».

Lo disse sorridendo e però con un tono che significava: sul punto discussione chiusa.

Va bene, discussione chiusa. Riempii il mio bicchiere e poi attaccai la pannocchia.

Mangiando parlammo poco. Il chili era *veramente* piccante e il vino ci stava alla perfezione. Per dessert c'era un dolce di datteri e miele, anche quello messicano.

Non fu una cena dietetica e alla fine avevo voglia di qualcosa di forte. Ovviamente non dissi nulla ma Margherita andò in cucina e tornò con una bottiglia di tequila brown, ancora sigillata.

«L'ho comprata per te, oggi pomeriggio. Non si può fare una cena messicana senza finire con la tequila. Poi ti porti via la bottiglia. E anche quella del vino bianco».

Mi versai la tequila, tirai fuori le sigarette e poi pensai – troppo tardi – che magari il fumo non era gradito. Invece Margherita me ne chiese una e prese una specie di mortaio di pietra lavica per la cenere.

«Io non compro le sigarette. Se no le fumo. Appena posso però le frego agli altri».

«Conosco il metodo», risposi. Per molti anni era stato il *mio* metodo. Poi gli amici avevano cominciato a rifiutarmi le sigarette, ero diventato alquanto impopolare e, insomma, alla fine ero stato costretto a comprarle.

Bevvi un sorso di tequila e rimasi zitto qualche secondo di troppo. Lei mi lesse nel pensiero.

«Vuoi sapere qual era il problema con l'alcol».

Non era una domanda. Stavo per dire che no, ma cosa andava a pensare, stavo solo gustando la tequila.

Dissi di sì.

Aspirò con forza la sigaretta prima di cominciare.

«Sono stata un'alcolizzata per tre anni, più o meno. Dopo la laurea i miei mi regalarono una vacanza di tre mesi negli Stati Uniti, a San Francisco. Fu il periodo più divertente della mia vita. Quando ritornai mi resi conto per la prima volta che il mio futuro era di fare l'avvocato nello studio di mio padre... No. Non è esatto, così non si capisce. Adesso so che quello fu il motivo, ma allora non mi resi conto di niente, consapevolmente. Però lo percepii in modo distinto, anche se inconsapevole. Insomma la ricreazione era finita e io non ero pronta per rientrare in classe. Non in quella dove ero destinata.

«Per peggiorare le cose, al ritorno dagli Stati Uniti trovai un fidanzato. Era un ragazzo carino, otto anni più grande di me. Faceva il notaio, aveva buone maniere e piacque subito ai miei genitori. Un ottimo partito. Quasi tutti i miei fidanzati precedenti non erano piaciuti. Non era il genere di soggetti cui avrebbero affidato per la vita la loro figlia unica. Io ero stata sempre, come dire, un po' vivace e un po' volubile e questo non stava molto bene. Non che dicessero niente. Cioè, qualche volta mia madre diceva, ma insomma non mi avevano mai creato particolari problemi. Credevo.

«Comunque quando comparve Pierluigi fu chiaro che era quello giusto. Da non lasciar scappare via. Io cominciai a bere, poco dopo l'inizio della storia con lui. Bevevo – tanto – soprattutto la sera, quando uscivamo. Bevevo e diventavo più simpatica. Tutti ridevano per le mie battute e il mio fidanzato era chiaramente orgoglioso di portarmi in giro. Di esibirmi.

«Poi decidemmo – cioè, lui decise – che era il momento di sposarci. Io lavoravo con mio padre e presto sarei stata avvocato, lui era notaio e, come dire, non era povero. Non c'era motivo di continuare a fare i fidanzati. Lui parlò e io dissi che aveva ragione.

«Dopo quella decisione cominciai a bere anche *prima* di uscire. Lui veniva a prendermi e io al citofono dicevo che mi ci volevano cinque minuti. Poi mi scolavo quello che capitava, dalla birra, al vino ai superalcolici. Quello che capitava. Mi lavavo i denti, per l'alito, mi profumavo e scendevo. Incontravamo gli amici ed ero sempre così simpatica. E bevevo. Bevevo l'aperitivo, il vino o la birra sui pasti, e poi un goccetto – o due, o tre – dopo il dessert. Mi piaceva tanto la tequila brown, proprio quella marca che stai bevendo tu adesso. Ma non facevo discriminazioni. Bevevo tutto quello che era disponibile. In qualche momento avevo la spiacevole sensazione che il controllo mi sfuggisse. In qualche momento pensavo che forse avrei dovuto ridurre, ma perlopiù ero convinta che quando avessi deciso di smettere lo avrei fatto senza problemi. Mi dai un'altra sigaretta per piacere?».

Le diedi la sigaretta e ne accesi una anch'io. Lei aspirò con forza due boccate e andò a mettere un cd.

Making movies. Dire Straits.

Fece un altro paio di tiri prima di ricominciare a parlare.

«Con questo allegro andazzo arrivammo al matrimonio. Nei pochi momenti di lucidità ero presa da un senso di disperazione indescrivibile. Io non volevo sposarmi, non avevo niente a che fare con quel signore che faceva il notaio. Non volevo fare l'avvocato, volevo tornare a San Francisco o scappare in qualsiasi altro posto. E invece ero su un treno in corsa e non ero capace di tirare il freno di emergenza. Due o tre volte credevo di avere raccolto il coraggio per dire ai miei che non volevo sposarmi – la paura maggiore era per la reazione dei miei genitori, non di Pierluigi – che mi dispiaceva ma pensavo che fosse meglio fare una scelta del genere prima del matrimonio, piuttosto che sei mesi, o un anno dopo.

«Poi mia madre si affacciava nella mia stanza e mi diceva di sbrigarmi, che dovevamo uscire per scegliere, che so, il menù del ricevimento o i fiori per la chiesa. Allora dicevo "sì mamma", mi scolavo una bottiglietta mignon di qualche liquore, mi lavavo i denti – mi lavavo tantissime volte i denti – e uscivo. Mi ricordo che in una di queste uscite lasciai mia madre nel negozio di turno per andare a farmi una birra al volo, nel primo bar a portata di mano. Poi fui terrorizzata per tutto il pomeriggio che potesse sentirmi l'alito.

«Non indovini come arrivai al matrimonio? Ubriaca. Bevvi la sera prima, mischiai alcol e ansiolitici, per dormire. La mattina dopo bevvi. Qualche birra, giusto per sentirmi a mio agio. Anche un bicchierino – o due – di whisky. Ma mi lavai i denti molto bene. Entrando in chiesa inciampai, perché ero sbronza. Tutti pensarono che fosse l'emozione. Per tutta la cerimonia pensai a quando sarebbe iniziato il ricevimento. Per poter bere».

Aspirò l'ultima boccata, fino al filtro e poi spense la cicca nel mortaio, con un gesto duro. Mi venne l'impulso di toccarle una mano, o la spalla, o il viso. Per far vedere che c'ero. Non fui capace e lei riprese a parlare.

«Ancora oggi mi chiedo come abbiano fatto, tutti, a non accorgersi di niente. Fino al matrimonio e anche per diversi mesi dopo. La situazione degenerò quando superai gli esami di avvocato. Prima di sposarmi avevo fatto gli scritti e qualche mese dopo feci gli orali. Arrivai seconda nella graduatoria finale. Non male per una alcolizzata, eh? Festeggiai a modo mio. Poi tornai a casa e mi sentii male. Mio marito mi trovò a letto. Avevo vomitato più volte e puzzavo alquanto. Non solo di alcol, ma certamente *anche* di alcol. Da quel momento cominciò la fase peggiore. Lui cominciò a capire. Non tutto in una volta, ma nel giro di qualche mese si era reso conto di avere una moglie alcolizzata. A modo suo non si comportò male, cercò di aiutarmi. Fece sparire tutto l'alcol da casa e mi portò da uno specialista, in un'altra città. Per evitare lo scandalo, ovviamente. Io promisi che avrei smesso e cominciai a bere di nascosto. Controllare un alcolizzato è impossibile. Gli alcolizzati sono furbi e bugiardi, come i tossici, anzi peggio, perché procurarsi da bere è più facile che procurarsi la roba. Un giorno qualcuno mi vide alle dieci di mattina in un bar del centro che mi scolavo tutto d'un fiato una birra alla spina, e lo disse a Pierluigi. Giurai che avrei smesso e mezz'ora dopo ero di nuovo a bere, di nascosto. Lui parlò con i miei genitori che all'inizio non ci credevano. Poi dovettero crederci. Andammo insieme da un altro specialista, in un'altra città ancora. Risultato: uguale a prima. Voglio fartela corta. Questa storia durò ancora per un anno, dopo che fui scoperta. Poi mio marito se ne andò di casa. Come dargli torto. Io giravo con grossi lividi, o raschi, sulla faccia, perché mi alzavo di notte, per fare la pipì dopo essermi addormentata con ottime miscele di tequila o vodka e ansiolitici, e andavo a sbattere contro le porte. O cadevo direttamente a terra. Il sesso, le rare volte che c'era, non era divertentissimo per lui, credo. Per me, no certamente. Avevo voglia di piangere e di bere. Insomma alla fine lui se ne andò e fece bene.

«Dopo che lui se ne fu andato i ricordi si fanno veramente confusi. Si schiariscono di nuovo non so quanto tempo dopo. Ero in una clinica, in Piemonte, specializzata nella cura delle dipendenze di tutti i tipi. C'erano tossici tradizionali, c'erano farmacodipendenti, c'erano malati di gioco d'azzardo e poi c'eravamo noi, gli alcolizzati. La maggioranza.

«Quello è stato il periodo più duro della mia vita. Erano spietati in quel posto, ma mi hanno aiutato a tirarmi fuori dalla merda in cui mi ero cacciata. Adesso sono quasi cinque anni che non bevo. I primi due tenevo il conto dei giorni. Poi ho smesso e adesso sono qui. In questi cinque anni sono successe molte altre cose, ma sono storie diverse».

Io la guardavo in faccia e non sapevo che dire, o che fare. Pensavo che qualsiasi cosa sarebbe stata sbagliata e rimasi in silenzio. Allora parlò di nuovo lei.

«Magari pensi che io racconti questa storia a tutti quelli che incontro, così. Se ci fai caso ti ho conosciuto praticamente solo oggi. Pensi questo?».

«No».

«Perché?».

«Non lo so. Ma mi piace pensare che non la racconti a tutti, questa storia».

Una volta tanto non avevo sbagliato la battuta. Fece un cenno con il capo, come a dire: va bene.

Poi restammo lì a parlare, ancora, fino a notte.

2

Le settimane che mi separavano dal processo passarono velocemente.

Il dodici giugno, verso le nove del mattino l'aria era ancora fresca. Andando verso il tribunale vidi che il termometro a cristalli liquidi di un negozio di computer segnava 23 gradi. Al di sotto delle medie stagionali, pensai.

La temperatura sembrava la sola cosa buona di quel giorno.

La notte prima ero andato a letto e non ero riuscito a prendere sonno. Alle due passate avevo provato con le pillole, ma non erano servite a niente. Ero crollato solo verso le quattro e mezza e mi ero svegliato un paio d'ore dopo. Come nel periodo peggiore.

Mi fermai in un bar a prendere un caffè – caffè vero – e a fumare una sigaretta. Mi sentivo schifosamente.

Da qualche giorno ero martellato dal pensiero che le cose sarebbero finite male, per me e soprattutto per Abdou.

Il processo si avvicinava e io pensavo sempre più insistentemente di avere fatto una grossa sciocchezza lasciandomi trascinare dall'emozione. Pensavo di essermi comportato come il personaggio di una fiction scadente. Una specie di *Capanna dello zio Tom* ambientata a Bari nel duemila.

Coraggio amico nero, io, avvocato bianco e progressista mi batterò in corte di assise per farti assolvere. Sarà dura ma alla fine la giustizia trionferà e la tua innocenza sarà dimostrata.

Innocenza? I dubbi mi avevano assalito e mi si erano aggrappati al cervello in quegli ultimi giorni prima dell'inizio del dibattimento. Cosa ne sapevo davvero di Abdou? Chi me lo diceva, a parte un discutibile intuito personale, che il mio cliente davvero non c'entrava con il sequestro e la morte di quel bambino?

Adesso penso che forse cercavo un alibi per una possibile – anzi probabile – disfatta. Allora non ero abbastanza lucido per fare una ipotesi del genere e dunque semplicemente, giravo a vuoto.

Non è una buona cosa per un avvocato, avere di questi scricchiolii, prima di un processo simile. Soprattutto non è una buona cosa per il cliente di quell'avvocato. L'avvocato si prepara ad una figuraccia. Il cliente si prepara ad essere macellato.

Nei giorni precedenti avevo parlato due volte con Abdou, per preparare la difesa. Cercavo spunti per qualche prova a discarico, un principio di alibi, qualcosa. Non trovammo niente.

Una mattina feci anche un giro nei luoghi della sparizione e del successivo ritrovamento del bambino. Una idea alquanto cinematografica e patetica: speravo in qualche intuizione risolutiva. Ovviamente non la ebbi.

E allora ero arrivato al giorno dell'udienza, il processo stava per cominciare e non avevo un solo testimone, una sola prova a discarico, niente.

Il pubblico ministero avrebbe portato i suoi testi, le sue prove materiali e quasi certamente ci avrebbe travolto. Io potevo solo sperare di riuscire a mettere in difficoltà qualcuno di quei testi quando fosse stato il mio turno di interrogarli.

Se ci fossi riuscito comunque non avrei avuto alcuna certezza di un risultato positivo, ma potevo giocare la mia partita.

Se non ci fossi riuscito – come era più che probabile – non ci sarebbe stata nessuna partita. Invece sui registri del carcere, a fianco del nome di Abdou, bene in vista avrebbero timbrato: «*fine pena mai*».

Schiacciai sotto la scarpa la sigaretta, dopo averla consumata fino al filtro e ripresi la mia strada per il tribunale.

Davanti all'aula della corte di assise c'erano giornalisti e telecamere. Una cronista della «Gazzetta del Mezzogiorno» mi vide per prima e si avvicinò. Come avrei impostato la difesa? Avevo testimoni a discarico? Pensavo che il processo sarebbe durato a lungo?

Ebbi un senso di nausea che però controllai abbastanza bene, credo. Il pubblico ministero – dissi – non aveva prove ma solo congetture. Plausibili, ma solo congetture. Nel processo lo avremmo dimostrato e per fare questo, al momento, non occorrevano testimoni a discarico.

Mentre parlavo si erano avvicinati gli altri giornalisti. Presero qualche appunto e le telecamere delle televisioni fecero una rapida ripresa della mia faccia. Poi mi lasciarono entrare in aula.

C'erano solo alcuni carabinieri, il cancelliere e l'ufficiale giudiziario. Mi sedetti al mio posto, dietro il banco della difesa, a destra per chi guarda la corte. Non sapevo che fare e non avevo neanche voglia di fingermi indaffarato. Si sentiva il ronzio dell'aria condizionata che quel giorno non era nemmeno necessaria. Dopo qualche minuto cominciò ad arrivare un po' di pubblico.

Poi, dal retro dell'aula entrò la scorta di divise azzurre della polizia penitenziaria. In mezzo a loro Abdou. Quando lo vidi mi sentii un po' meglio. Meno solo, con meno vuoto attorno.

Lo fecero entrare in gabbia e poi gli tolsero le manette. Andai a salutarlo ed a parlargli. Più per me che per lui, credo adesso.

«Allora Abdou, come va?».

«Bene. Sono contento che è arrivato il processo, che ho finito di aspettare».

«Dobbiamo decidere se chiedere il tuo interrogatorio. È una cosa che dipende soprattutto da te».

«Perché non chiederlo?».

«Perché può essere un rischio. Comunque anche se non lo chiediamo noi, quasi certamente lo chiederà il pubblico ministero e, insomma, dobbiamo decidere se vuoi rispondere alle domande. Volendo potresti dire che non intendi rispondere e in quel caso daranno lettura del tuo interrogatorio davanti al pubblico ministero».

«Voglio rispondere».

«Va bene. Adesso ascoltami. Il presidente ti dirà che, se vuoi, puoi fare dichiarazioni spontanee, in ogni momento del processo. Tu ringrazia e poi non fare nessuna dichiarazione. Non dire niente in nessun momento, anche se ti viene voglia di gridare, senza prima aver parlato con me. Se c'è qualcosa che vuoi dire, chiamami, dimmi di che si tratta e io ti dico se è il caso di parlare, e quando. Chiaro?».

«Sì».

In quel momento si sentì il campanello che preannunciava l'ingresso della corte.

«Va bene Abdou, cominciamo».

Mi ero girato e stavo tornando verso il mio banco, mentre già si sentiva il rumore dei passi della corte che entrava in aula.

«Avvocato».

Mi voltai, a qualche metro dalla gabbia. Il presidente era già entrato e gli altri giudici lo seguivano.

«Sì?».

«Grazie».

Rimasi lì qualche istante, senza sapere cosa dire, o fare. La corte intanto si era già disposta dietro il grande banco sopraelevato.

Poi feci cenno di sì, con il capo, e andai al mio posto.

3

Le formalità di apertura del dibattimento furono sbrigate in fretta. Il presidente diede ordine al cancelliere di leggere i capi di imputazione e poi diede la parola al pubblico ministero.

Cervellati si alzò, aggiustò sulle spalle la toga con i cordoni d'oro, mise gli occhiali e cominciò a leggere i suoi appunti.

«In data 5 agosto 1999 alle ore 19.50 veniva denunciata telefonicamente ai carabinieri di Monopoli la scomparsa del minore Rubino Francesco, di anni 9. La telefonata proveniva dal nonno materno, Abbrescia Domenico, che aveva constatato la scomparsa del piccolo il quale, fino a pochi minuti prima, stava giocando davanti alla villa, appunto dei nonni materni, in contrada Capitolo. Le ricerche del bambino venivano subito attivate, anche con l'uso di cani e si protraevano, senza esito, per tutta la notte. Contestualmente veniva attivata una preliminare attività investigativa, con escussione in qualità di persone informate sui fatti, di soggetti residenti, villeggianti o aventi attività commerciali nella zona della sparizione.

«Le ricerche proseguivano per tutto il giorno e la notte successivi, ancora senza esito. Il 7 agosto perveniva ai carabinieri di Polignano una segnalazione anonima con la quale si riferiva che nella zona fra la statale 16 bis e la zona di San Vito, in un pozzo, si trovava il corpo di un bambino. Le ricerche prontamente attivate in quella zona davano purtroppo esito positivo, nel senso che veniva reperito il cadavere del piccolo Francesco. Il corpo non mostrava segni evidenti di violenza.

«L'autopsia successivamente effettuata avrebbe evidenziato che la morte si era verificata per asfissia.

«Le indagini espletate nell'immediatezza del ritrovamento consentivano di acquisire decisivi elementi di prova a carico del cittadino senegalese Thiam Abdou, odierno imputato.

«In estrema sintesi, ed allo scopo di evidenziare i punti su cui si imperniera l'istruttoria dibattimentale, gli elementi acquisiti sono i seguenti.

«Diversi testimoni hanno riferito di avere – in più occasioni – visto l'imputato fermarsi a parlare con il piccolo Francesco, presso lo stabilimento balneare Duna Beach.

«Il titolare di un bar, nelle immediate vicinanze della casa dei nonni del bambino – e quindi del luogo dove il bambino è stato visto vivo per l'ultima volta – ha riferito di avere visto passare l'imputato qualche minuto prima della scomparsa del bambino. Il Thiam camminava in direzione della casa dei nonni del piccolo.

«Due connazionali del Thiam hanno riferito, rispettivamente, che il predetto non si presentò in spiaggia – sempre lo stabilimento Duna Beach – il giorno successivo alla scomparsa del bambino e che in quei giorni si preoccupò di far lavare la sua macchina. Evidentemente per far sparire ogni traccia.

«La perquisizione presso l'alloggio dell'imputato ha consentito di ritrovare una polaroid del bambino. L'importanza del dato non richiede commenti. Sempre nella perquisizione sono stati ritrovati numerosi libri per l'infanzia il cui possesso, di per sé sospetto in capo ad un adulto che viva solo, diventa un elemento inquietante e significativo nel quadro probatorio della presente vicenda.

«Particolarmente significativo è, infine, il contenuto dell'interrogatorio dell'imputato, durante le indagini. Premesso che il mio ufficio chiede sin d'ora l'esame del Thiam in questo dibattimento, voglio solo far presente che il predetto, richiesto se conoscesse il piccolo Rubino, ha negato. Salvo poi fornire risibili spiegazioni quando gli è stata mostrata la foto del bambino recuperata presso la sua abitazione».

Cervellati parlava – anzi leggeva – con la solita voce, nasale e monotona. Io non mi aspettavo sorprese dalla sua relazione e allora mi misi ad osservare i giudici, ad uno ad uno.

Il presidente Nicola Zavoianni era un personaggio molto conosciuto nella cosiddetta Bari bene. Bell'uomo, sui settanta molto ben portati, frequentatore del circolo della vela, grande giocatore di poker e, dicevano, grande puttaniere. Era uno che non si era mai ammazzato di lavoro ma faceva il presidente della corte di assise da parecchi anni e il mestiere, grosso modo, lo conosceva. Non mi era mai stato simpatico e avevo sempre avuto la sensazione che la cosa fosse reciproca.

Il giudice a latere era un signore grigio, spelato, miope e con la pelle lucida. Veniva dal civile ed era la prima volta che lo incontravo in un processo. Teneva la toga racchiusa sul davanti, con le mani, come se si stesse proteggendo da qualcosa. Non riuscivo a vedere bene i suoi occhi, coperti dalle spesse lenti.

Nella giuria popolare c'erano quattro donne e due uomini. Tutti avevano l'aria fuori posto dei giudici popolari alla loro prima udienza. Due signore fra i cinquanta e i sessanta erano agli estremi opposti. Una delle due mi ricordava quasi ipnoticamente una mia prozia, una cugina di mamma. Mi aspettavo che da un momento all'altro mi chiamasse al banco per offrirmi i dolcetti di mandorla delle suore.

I due uomini erano dalla parte del giudice a latere. Uno aveva i capelli cortissimi e bianchi, un vestito di vecchio taglio con giacca a due bottoni, una cravatta nera, sessant'anni o poco più, gli occhi a fessura e l'aria del militare di carriera in pensione. Non prometteva niente di buono. L'altro era un ragazzo, massimo trent'anni. Si guardava intorno, con una faccia intelligente.

Sul lato del presidente c'erano le altre due donne. Una che – pensai in quel momento – sembrava una preside e l'altra, casualmente vicino al presidente, abbronzata, truccata, labbra vistose, fresca di parrucchiere.

Interruppi la mia osservazione quando mi accorsi che il pubblico ministero stava concludendo, con le richieste di prova.

«... pertanto chiedo l'ammissione dei testi indicati nella lista, l'acquisizione dei documenti che ho precedentemente indicato e l'esame dell'imputato, ove consenta. Ove l'imputato non intenda sottoporsi ad interrogatorio chiedo sin d'ora l'acquisizione al fascicolo del dibattimento del verbale dell'interrogatorio reso nel corso delle indagini preliminari. Inoltre, siccome i due testi di nazionalità senegalese risultano irreperibili e quindi è impossibile avere la loro presenza in questo dibattimento, chiedo sin d'ora – a norma dell'art. 512 bis – l'acquisizione delle dichiarazioni da loro rese nel corso delle indagini preliminari».

Il presidente diede la parola a Cotugno che parlò brevemente. La parte civile, disse, non era in quel processo per avere vendetta, ma solo giustizia. E la giustizia è tale quando, accertate con rigore le responsabilità, con altrettanto rigore commina pene commisurate alla gravità dei fatti. Non aveva richieste di prova e si riportava, facendole proprie, a tutte le richieste del pubblico ministero, la cui impostazione condivideva pienamente.

Toccava a me.

«Signor presidente, signor giudice, signori giudici popolari. Il pubblico ministero ha parlato come se leggesse le motivazioni di una sentenza di condanna. Nel corso dell'istruttoria dibattimentale, controesaminando i testi, proprio i testi del pubblico ministero, vi dimostreremo che quella sentenza di condanna, già scritta nella mente del rappresentante della pubblica accusa, è solo un castello di congetture. Vi dimostreremo che l'indagine si è, dal primo momento, orientata nel senso non di trovare *il* colpevole di questo orribile delitto, ma di trovare *un* colpevole. Vi dimostreremo che l'urgenza – sacrosanta peraltro – di dare una risposta alla domanda di giustizia dei familiari del povero Francesco Rubino, e di tutta la collettività, ha portato ad una oggettiva manipolazione del materiale probatorio. Sul punto desidero essere chiaro. Non intendiamo sostenere che le prove siano state deliberatamente manipolate – né dai carabinieri né tantomeno dal pubblico ministero – per nuocere al mio cliente, signor Thiam Abdou. Intendiamo però sostenere che il disperato bisogno di trovare il più presto possibile un colpevole che soddisfacesse quella domanda di giustizia ha generato miopie investigative, difetti di prospettiva, errori di metodo...».

Il presidente mi interruppe.

«Avvocato Guerrieri, lei deve fare le sue richieste di prova, se ne ha. Non anticipare la sua arringa».

«Rispettosamente, presidente, faccio notare che mi sto limitando ad indicare i fatti che intendo provare, secondo la previsione dell'art. 493 del codice di rito. In particolare intendo provare che un difetto di impostazione dell'indagine – difetto certo generato dalle migliori intenzioni – ha influito sulla qualità e l'attendibilità del materiale probatorio raccolto. Peraltro ho quasi terminato, quindi se me lo consente, proseguirei».

«Avvocato, la lascio continuare, ma si tenga nei limiti».

«Grazie presidente. Dicevo dunque che la quasi immediata individuazione, per una serie di coincidenze, di un possibile indiziato ha indotto gli inquirenti a trasformare, in una sorta di catena inconsapevole, sospetti in congetture e congetture in presunte prove. L'obiettivo che noi perseguiremo nel corso del dibattimento sarà di svelare questo meccanismo, di farlo procedere a ritroso, per verificarne i passaggi difettosi, le deduzioni scorrette e la sostanziale, grave, pur se involontaria, iniquità.

«Non ho richieste di prova da formulare al momento anche se anticipo che per lo svolgimento di alcuni dei controesami utilizzerò alcuni documenti. Documenti dei quali successivamente chiederò l'acquisizione. Voglio concludere facendo presente ai signori giudici popolari che, in un paese civile, chi sia accusato di qualcosa non deve provare niente. Lasciatemi ripetere questo concetto: l'imputato non deve provare niente. È l'accusa che deve provare, al di là di ogni ragionevole dubbio, la responsabilità dell'imputato. Vi prego di ricordarlo in ogni momento di questo processo. Grazie».

Avevo improvvisato, ma quando sedetti di nuovo ero quasi soddisfatto. La trovata del percorso a ritroso, dalle presunte prove, alle congetture ai semplici sospetti mi era piaciuta. E parlando per cominciare a convincere gli altri – i giudici – avevo cominciato a convincermi io stesso. In questo lavoro succede. Deve succedere.

Forse potevamo farcela. Forse la situazione non era così disperata come avevo pensato quella mattina, e nei giorni precedenti.

Forse.

Il presidente dettò a verbale una breve ordinanza con la quale ammetteva le prove richieste e rinviava il processo all'indomani per l'inizio dell'istruttoria dibattimentale. Quella mattina, ci spiegò fuori verbale, c'erano due dei giudici popolari che avevano impegni personali non prorogabili e quindi il rinvio era inevitabile.

La corte lasciò l'aula, la scorta riammanettò Abdou e lo portò via, il pubblico sfollò.

Misi via le carte. Poggiai la toga su un braccio, con l'altro presi la borsa e mi avviai per ultimo verso l'uscita.

4

Il primo testimone del pubblico ministero era un tenente dei carabinieri, il comandante del nucleo operativo di Monopoli. Era un ragazzo sui ventisei, ventisette anni, dall'aria simpatica, poco militare.

Il presidente gli disse di pronunciare la dichiarazione di impegno. Il tenente prese il foglietto consumato che il cancelliere gli porgeva e lesse.

«Consapevole della responsabilità morale e giuridica che assumo con la mia deposizione, mi impegno a dire tutta la verità e a non nascondere nulla di quanto è a mia conoscenza».

«Dia le sue generalità complete».

«Tenente Moroni Alfredo, nato a Brescia il 12 settembre 1973, domiciliato presso la compagnia carabinieri di Monopoli. Sono il comandante del nucleo operativo e radiomobile».

«Prego, pubblico ministero, può procedere all'esame diretto».

Cervellati prese un foglietto di appunti dal fascicolo che aveva davanti a sé e cominciò.

«Allora tenente, vuol riferire alla corte qual è stata la sua parte nelle investigazioni relative al sequestro e all'uccisione del piccolo Rubino Francesco?».

«Sissignore. Dunque in data 5 agosto 1999, attorno alle ore 19.50 pervenne una telefonata alla centrale operativa, sul 112. Veniva denunciata la scomparsa di un bambino di nove anni, di nome Rubino Francesco. Dunque, la chiamata proveniva dal nonno del bambino, presso il quale il piccolo trascorreva la villeggiatura, perché, se non mi sbaglio, i genitori erano separati».

«Va bene, tenente, tralasci i particolari superflui. Stiamo ai fatti rilevanti».

Il tenente sembrò sul punto di rispondere, in qualche modo. Non aveva gradito quella interruzione. Ma era un carabiniere, non disse niente e dopo qualche attimo di pausa riprese la sua testimonianza.

«Ricevuta la segnalazione dalla sala operativa venni personalmente informato e inviai una pattuglia del radiomobile presso la villa dei nonni...».

«Dov'era la villa?».

«Lo stavo dicendo, la villa dei nonni era... è in contrada Capitolo, in prossimità dello stabilimento balneare Duna Beach. Il personale della pattuglia, giunto sul posto e avuta la presenza dei nonni del bambino, si rese conto che il fatto poteva essere grave, perché il bambino era scomparso da quasi due ore, e mi contattarono. A quel punto comunicai la notizia anche al collega del commissariato di polizia, per farli partecipare alle ricerche e poi mi portai sul posto assieme al personale del nucleo operativo».

«Come furono organizzate le ricerche?».

«Oltre alla polizia di stato furono coinvolti anche i vigili urbani, insomma la polizia municipale. Ovviamente riferii il fatto anche ai miei superiori a Bari. C'è da premettere che il capitano era in licenza per malattia ed io ero il responsabile della compagnia di Monopoli. Comunque dopo la primissima fase alle ricerche partecipò anche personale dal capoluogo. La mattina dopo facemmo intervenire i reparti cinofili».

«Emerse qualche circostanza rilevante a seguito dell'intervento dei cani?».

«Sissignore. Noi portammo i cani presso la villa dei nonni e li facemmo partire dal punto in cui il bambino stava giocando, quando fu visto l'ultima volta. I cani partirono decisi, attraversarono tutto lo spiazzo – che era subito fuori dal cancello della villa – arrivarono sulla stradina interna, che parte dalla strada provinciale di Capitolo e porta a quel gruppo di ville, percorsero quella stradina fino alla strada provinciale e poi si fermarono. Cioè in corrispondenza dell'intersezione fra la provinciale e la stradina interna i cani persero la pista del bambino. Li portammo sull'altro lato della strada, poi qualche centinaio di metri da una parte e dall'altra ma niente. L'ultimo punto in cui davano segno di sentire l'odore del bambino era l'intersezione fra stradina e strada provinciale. Da questo fatto traemmo la conclusione che il bambino era salito a bordo di una autovettura».

«Quando fu ritrovato il bambino? E con che modalità?».

«Sì, ritrovammo il corpo del bambino nelle vicinanze di Polignano, in un pozzo, nella campagna in prossimità della costa. Era pervenuta una segnalazione anonima alla stazione dei carabinieri di Polignano».

«Cosa diceva la persona che telefonò?».

«Disse che il bambino che cercavamo era in un pozzo, in località San Vito, nel territorio del comune di Polignano. Precisò a che altezza si trovava questo pozzo, intendo dire che disse qualcosa del tipo: all'altezza del chilometro... ora non ricordo quale. Comunque faceva riferimento alla statale 16».

«Può dirci se questa persona avesse un particolare accento...».

Era il momento di intervenire.

«Opposizione presidente. Prescindo per il momento dal fatto che si tratta di una telefonata anonima e faccio osservare che il tenente, a quanto mi consta, non ha personalmente ricevuto la telefonata. Queste domande sul tenore della telefonata – ammesso e non concesso che siano ammissibili, ma di questo discuteremo dopo – vanno poste al carabiniere che ricevette la telefonata».

Il presidente disse che avevo ragione e non ammise la domanda. L'esame proseguì in modo monotono, sulla storia dell'indagine, fino al momento del fermo di Abdou. Il tenente si era limitato a coordinare, non aveva preso parte alle perquisizioni, non aveva interrogato i testi fondamentali e quindi era di importanza secondaria, dal mio punto di vista.

Quando Cervellati ebbe finito l'avvocato della parte civile disse che l'esame del pubblico ministero era stato esauriente e che quindi lui non aveva domande.

Toccava a me, se avevo domande, disse il presidente.

In realtà avevo ben poco da chiedere al tenente e avrei potuto tranquillamente evitare di controesaminarlo. Ma era necessario far percepire ai giudici popolari che esistevo. Allora dissi che sì, avevo qualche domanda da rivolgere al teste.

«Dunque tenente, lei ha detto che la telefonata con cui si denunciava la scomparsa del bambino giunse alla vostra sala operativa alle...».
«Alle 19.50».
«Alle 19.50, grazie. Invece la pattuglia che lei aveva inviato quando giunse presso la villa dei nonni?».
«Il tempo di arrivare, dalla caserma a Monopoli fino a Capitolo, direi un quarto d'ora, massimo venti minuti».
«A che ora era scomparso il bambino?».
«Come faccio a dire un'ora precisa...».
«Guardi tenente, io le ho fatto questa domanda perché lei, rispondendo al pubblico ministero ha detto che la pattuglia si era resa conto che il bambino era scomparso già da due ore».
«Sì certo, voglio dire furono i miei uomini a comunicarmi la circostanza».
«Dunque se cortesemente può dire alla corte, in base ai dati in suo possesso, grosso modo a che ora è scomparso il bambino».
«Un paio d'ore prima, come ho detto».
«Quindi?».
«Verso le sei, più o meno».
«Il bambino è scomparso verso le diciotto e il nonno ha chiamato alle 19.50, è corretto?».
«Sono orari indicativi».
«Sì, indicativamente il bambino è scomparso alle 18.00 e il nonno ha chiamato alle 19.50. Giusto?».
«Sì».
«Avete, anche informalmente, richiesto al nonno per quale motivo abbia atteso oltre due ore prima di dare l'allarme?».
«Non lo so perché ha atteso. Probabilmente avranno fatto qualche ricerca...».
«Mi scusi se l'interrompo, tenente. Io non le ho chiesto la sua opinione su questa circostanza. Le ho chiesto di riferire se il nonno ha detto per quale motivo ha atteso quelle – quasi – due ore. Sa rispondermi a questa domanda?».
«Non ricordo se lo disse».
«Lei ricorda di averlo chiesto, anche informalmente?».
«No, non ricordo».

«È corretto allora dire che lei non sa cosa sia successo in quelle due ore che passarono fra la scomparsa del bambino e la denuncia telefonica».

«Senta avvocato, in quel momento noi ci preoccupammo di cercare il bambino, di organizzare le battute eccetera, non di capire come e perché il nonno aveva tardato a denunciare, ammesso che avesse tardato».

«Certamente, nessuno discute della correttezza del vostro operato. Volevo rivolgerle solo alcune altre domande. Lei ha accennato al fatto che i genitori del bambino erano separati, prima che il pubblico ministero la interrompesse...».

Il pubblico ministero interruppe anche me.

«Opposizione presidente, non vedo cosa c'entri con l'oggetto del processo il fatto che i genitori del bambino erano separati».

Anche Cotugno si inserì.

«La parte civile si associa all'opposizione. È una famiglia che ha già vissuto una tragedia, non si vede per quale motivo debbano essere rimestati fatti privati senza nessuna attinenza con il tema processuale».

Di regola non avrei insistito. Avevo fatto la domanda tanto per sondare il terreno e perché il pubblico ministero aveva interrotto il tenente, su quel punto. Adesso però la reazione dei miei avversari mi sembrava eccessiva. Allora pensai di insistere sull'argomento ancora un poco. Per vedere che succedeva.

«Presidente, io non capisco la reattività del pubblico ministero e della parte civile su questa circostanza. Non intendo assolutamente mancare di rispetto alla famiglia del bambino e al dolore che l'ha colpita e del resto non vedo come la mia domanda potesse determinare questo effetto. Il mio solo interesse è quello di capire cosa accadde nei minuti e nelle ore immediatamente successivi alla sparizione e se i genitori del bambino parteciparono alle ricerche».

«Entro questi limiti può proseguire, avvocato».

«Grazie presidente. Allora stavamo dicendo che i genitori del bambino erano – o sono? – separati. È così?».

«Credo di sì».

«Quando ha appreso la circostanza?».
«Quando andai sul posto».
«I genitori del bambino erano lì?».
«No».
«Sa dove fossero?».
«No, cioè credo che la madre fosse fuori per qualche giorno di vacanza e il padre non lo so».
«Come ha appreso queste circostanze?».
«Me le riferì il signor Abbrescia, cioè il nonno materno, quando arrivai sul posto».
«Il signor Abbrescia le disse se i genitori erano stati avvertiti della sparizione?».
«Sì, mi disse che aveva rintracciato la figlia sul cellulare e che la signora stava tornando, ora non mi ricordo da dove. O forse non me lo dissero. Comunque la sera sul tardi vidi la madre del bambino, sempre alla villa che usavamo come base per le ricerche».
«E il padre?».
«Guardi, del padre non saprei dirle. Io ho visto il signor Rubino il giorno dopo, ma non so quando sia arrivato, e da dove».
«Sa se fosse in vacanza anche lui?».
«Non lo so».
«Sa se i nonni materni chiamarono anche il padre, oltre alla madre del bambino?».
«Non lo so».
«In termini più generali: sa chi abbia avvertito il padre del bambino?».
«No».
«In ogni caso la sera della sparizione la madre era arrivata e il padre no. È corretto?».
«È corretto».
«Grazie, io non ho altre domande».
In realtà erano domande inutili. La separazione dei genitori non c'entrava niente con la scomparsa del bambino, con il processo e tutto il resto. Probabilmente avevano ragione il pubblico ministero e la parte civile ad opporsi a quelle domande.
Però io avevo poco spazio. Molto poco. E allora dovevo fare qualcosa, anche dei tiri alla cieca, nella speranza di sentire

un rumore e capire che da quella parte poteva esserci una strada. Da tentare di percorrere.

I manuali per avvocati direbbero che questo è un modo sbagliato di procedere.

Non fate domande di cui non potete prevedere la risposta. Non si controesamina alla cieca, senza avere un preciso obbiettivo da raggiungere. Il controesame deve essere rigorosamente pianificato, senza lasciare nulla all'improvvisazione, perché in caso contrario potrebbe addirittura rafforzare la posizione dell'avversario. Eccetera, eccetera, eccetera.

Volevo vederli fare un maledetto processo, quei signori che scrivono i manuali. Voglio vederli in mezzo al rumore, alla sporcizia, al sangue, alla merda, di un processo vero. E voglio vederli applicare le loro teorie.

Non si controesamina alla cieca.

Volevo vederli. Io, alla cieca dovevo andarci per forza. Non solo nel processo.

Quell'udienza andò via con diversi altri testi. Venne il carabiniere che aveva ricevuto la telefonata che consentì di ritrovare il corpo del bambino. Disse che l'accento dell'anonimo era *strano*. Il pubblico ministero voleva qualcosa di più. Probabilmente avrebbe voluto che il teste dicesse che l'accento era *senegalese*. Il carabiniere però non fu di aiuto. L'accento, per lui, rimase semplicemente strano, che voleva dire tutto e niente.

Vennero i carabinieri cinofili, che non raccontarono nulla di nuovo rispetto a quello che aveva detto il tenente. Venne il vigile del fuoco che era sceso nel pozzo per imbracare il corpo del bambino e tirarlo fuori. Fu una testimonianza triste e inutile.

Poi sentimmo alcuni dei frequentatori dello stabilimento Duna Beach. Conoscevano Abdou, qualcuno aveva comprato la sua merce, tutti ricordavano che a volte il senegalese si fermava a chiacchierare con loro, in spiaggia. Dissero che a volte lo avevano visto chiacchierare anche con il bambino. Io chiesi loro come si comportava, Abdou, e tutti dissero che era sempre cordiale, e che non aveva mai avuto atteggiamenti strani. Con il bambino, sembravano quasi amici.

Avremmo dovuto sentire il medico legale che effettuò l'autopsia, ma non c'era. Aveva mandato una giustificazione e chiedeva di essere sentito in un'altra udienza. Il presidente non era dispiaciuto di andar via un po' prima del previsto. Il processo fu rinviato al lunedì successivo.

Pensai che per allora, purtroppo, sarebbe arrivato il caldo. Non si poteva essere sempre così fortunati con il clima, a giugno.

5

Dalla serata a casa di Margherita erano passate un paio di settimane. Da allora non ci eravamo rivisti, né sentiti. Mi era successa una cosa strana, la mattina dopo: mi ero sentito in colpa. Nei confronti di Sara, credevo.

Era una cosa strana perché Sara mi aveva lasciato e viveva da più di un anno e mezzo una vita sua. Eppure, assurdamente, per la prima volta sentivo di averla tradita. Per il solo fatto di essere stato bene, quella sera in compagnia di Margherita

Quando eravamo sposati e vivevamo insieme avevo fatto molte schifezze. Mi avevano fatto sentire a disagio, a volte mi avevano fatto provare disprezzo per me stesso. Però non mi ero mai sentito davvero in colpa, come dopo quella sera.

Ho ripensato spesso a questo fenomeno. Allora non lo capivo. Adesso forse sì.

Ci si affeziona anche al dolore, persino alla disperazione. Quando abbiamo sofferto moltissimo per una persona, il fatto che il dolore stia passando ci sgomenta. Perché crediamo significhi, una volta di più, che tutto, veramente tutto finisce.

Non è vero, ma questo non ero ancora pronto a capirlo.

E non avevo chiamato Margherita. Non l'avevo cercata perché avevo paura di perdere il mio dolore. Strane creature, siamo.

Comunque fu lei a chiamarmi. Ero in libreria attorno alle due e mezza del pomeriggio, la mia ora preferita. Non c'è mai nessuno, si riesce ad ascoltare la musica e, senza la gente, si riesce anche a sentire nell'aria il profumo della carta nuova.

Quando risposi al cellulare stavo facendo la lettura veloce di un saggio. Una vecchia tecnica sviluppata quando non avevo abbastanza soldi per comprarmi tutti i libri che volevo.

Che stavo facendo? Ah, ero in libreria. Se mi andava di prendere un caffè insieme? Mi andava. Giusto il tempo di arrivare dalla Laterza a casa. Una decina di minuti. No, non volevo il decaffeinato, andava bene il caffè normale. Ci vediamo fra poco. Sì, anch'io sono contento di sentirti. Davvero.

Mentre mi affrettavo - senza accorgermene - verso casa pensai che non mi ricordavo di averle dato il numero del cellulare; che non mi ricordavo di averle parlato dei miei problemi con il sonno e del caffè decaffeinato; che ero contento mi avesse chiamato.

Mi salutò dandomi la mano, tirandomi leggermente verso di sé e baciandomi due volte sulle guance. Un saluto amichevole, quasi cameratesco. Eppure qualcosa mi fece sentire sotto l'ombelico e arrossii, un poco.

Mi fece sedere in terrazza, che era esposta a nord e quindi era in ombra, e fresca. Prendemmo il caffè e accendemmo le sigarette. Lei aveva jeans scoloriti e maglietta bianca a mezze maniche con una scritta: *Quello che il bruco chiama fine del mondo, il resto del mondo chiama farfalla. Lao Tze.*

Era abbronzata, in faccia e sulle braccia, che erano belle e muscolose. Aveva letto il giornale che parlava del processo di Abdou, con grande risalto, come si dice. Aveva letto che io ero l'avvocato e mi aveva telefonato, perché voleva sapere. Ebbi una piccola fitta di disappunto. Mi aveva chiamato solo per sapere del processo, perché era curiosa. Per un attimo ebbi la tentazione di fare il sostenuto. Mi passò subito, per fortuna.

Raccontai. Cosa c'era negli atti di indagine del pubblico ministero; del fatto che era un processo indiziario, con *molti* indizi; di come avevo avuto l'incarico, di Abagiage e tutto il resto.

La domanda me l'aspettavo, e infatti arrivò.

«Tu credi che questo ragazzo senegalese sia innocente?».

«Non lo so. In un certo senso non è un problema mio. Ci tocca difenderli meglio che possiamo, siano innocenti o colpevoli. La verità, se esiste, la devono trovare i giudici. Noi dobbiamo difendere degli imputati».

Scoppiò a ridere.

«Complimenti. Cos'era, la prolusione al corso *La nobile professione dell'avvocato*? Vuoi entrare in politica?».

Cercai una risposta adeguata e non la trovai. Aveva ragione e io mi chiesi perché avevo parlato con quel sussiego ridicolo.

«Ehi, non ti sei mica offeso? Scherzavo».

Mi guardò in faccia allungando il collo, incuneandosi nel mio spazio e io mi resi conto che dovevo essere rimasto in silenzio più del dovuto.

«Hai ragione, ero ridicolo. Io credo che Abdou sia innocente, ma ho paura a dirlo».

«Perché?».

«Perché lo penso in base ad una mia intuizione, alle mie fantasie. Lui mi piace e allora penso che sia innocente. Perché *vorrei* che fosse innocente. E poi ho paura che venga condannato. Se sono troppo convinto della sua innocenza e lui viene condannato – ed è probabile che sia condannato – sarà un brutto colpo, per me. Beh, sarà un colpo peggiore per lui».

«Perché ti piace?».

Mi sorpresi a rispondere senza pensare. E a scoprire la risposta nel momento stesso in cui la dicevo.

«Perché riconosco qualcosa, di me, credo».

Sembrò che la risposta l'avesse colpita, perché rimase in silenzio, con gli occhi rivolti da qualche parte, in basso a sinistra. Frugava da qualche parte fra le sue cose, pensai. Rimasi a guardarla fino a che non ebbe finito, fino a quando non parlò di nuovo.

«Mi piacerebbe venire a vedere il processo. Posso?».

«Certo che puoi. La prossima udienza è lunedì prossimo».

«Posso leggere le carte, prima?».

Mi venne da sorridere, non so perché. Non so perché, pensai che non sbagliava un colpo. Pensai ai manuali di arti marziali che erano nella sua libreria. Non le avevo chiesto perché li avesse, se praticasse qualcuna di quelle discipline, e quale. Lo feci in quel momento.

«Puoi leggerle quando vuoi. Posso portarle qui, ma forse sarebbe meglio tu venissi in studio. Parliamo di un bel mucchio di fogli. Perché hai tutti quei libri di arti marziali?».

«Faccio un po' di aikido. Da quando ho smesso di bere».
«Cosa vuol dire: un po'?».
«Sono cintura nera secondo dan».
«Mi piacerebbe vederti».
«Va bene. Vieni dentro».
Rientrammo, prese da un armadio una cassetta, accese il videoregistratore e mi disse di sedermi.

Il video cominciava con una ripresa di una palestra in stile giapponese, vuota, con un tatami verde. Si sentì una voce fuori campo, dire qualcosa che non capii. Poi entrò nel quadro una ragazza con kimono bianco e dei larghi pantaloni neri. I capelli erano raccolti in una coda. Ci misi qualche secondo a riconoscere Margherita. Guardava in un punto fuori. Da quella parte entrò un uomo, con la stessa divisa. Le afferrò il bavero della casacca; lei gli prese la mano e ruotò sulle gambe. Sembrava si muovesse al rallentatore ma ugualmente non capii bene in che modo l'uomo veniva proiettato sul tatami, con un fruscio. Senza fermarsi, dopo essere rotolato in piedi ed essersi voltato, l'uomo attaccò di nuovo. La sua mano, aperta, calò verso la testa di Margherita. Ancora una rotazione, ancora un movimento incomprensibile e l'uomo volava di nuovo, con i larghi pantaloni neri che disegnavano figure eleganti, nello spazio. Seguirono altre sequenze, in cui gli aggressori avevano bastoni, o coltelli, o attaccavano in coppia.

Era uno spettacolo ipnotico, che durò per circa venti minuti. Poi Margherita tolse la cassetta e la mise a posto. Per tutto il tempo non aveva detto niente. E nemmeno io. Anche dopo rimanemmo tutti e due senza parlare, un tempo indefinito. Eppure, forse per la prima volta nella mia vita, non mi sentivo a disagio nel silenzio. Non sentivo l'ansia di riempirlo, in qualche modo, con la mia voce o qualche altro rumore. Avevo l'impressione di intuirne la trama delicata, mobile. La musica, pensai in quel momento.

Quando fu il momento di andare via mi resi conto che per tutto il tempo, prima e dopo della cassetta, le avevo guardato soprattutto le braccia. Avevo guardato la pelle dorata e luminosa; i muscoli lunghi e forti. Avevo guardato la leggera peluria bionda sugli avambracci e come si drizzava leggermente quando si alzava una folata di vento più fresca, in terrazza.

«Hai delle braccia molto belle». Dissi quando eravamo sulla porta. Poi pensai che non potevo lasciare le cose a metà, come al solito. Allora completai.

«*Sei* una donna molto bella».

«Grazie. Anche tu sei un uomo molto bello. Non sorridi spesso, ma quando lo fai sei bellissimo. Hai un sorriso da bambino».

Nessuno mi aveva mai detto una cosa come quella.

6

Per il lunedì successivo era prevista la deposizione del maresciallo che aveva fatto gli atti di indagine più importanti, del medico legale che aveva fatto l'autopsia e soprattutto del proprietario del bar Maracaibo. Quello che diceva di aver visto Abdou passare poco prima della scomparsa del bambino. Era un'udienza fondamentale, se non decisiva e così avevo passato il sabato e la mattina della domenica a studiare verbali e testi di medicina legale.

Il sabato mattina ero anche andato in una cartoleria vicino casa dove facevano fotocopie a colori. La titolare mi aveva guardato in un modo un po' strano, quando le avevo detto quello che mi serviva.

Uscendo però, ero soddisfatto del lavoro fatto dalla signora e di quello che mi portavo via. Mi sembrava di avere qualche carta da giocare.

Margherita era passata dallo studio il venerdì pomeriggio. Aveva letto carte per più di tre ore, da sola nella saletta delle riunioni. Aveva chiesto a una Maria Teresa molto perplessa alcune fotocopie e poi verso le nove era passata a salutarmi. Sarebbe stata fuori sabato e domenica.

Con chi? Pensai solo per un secondo.

Ci saremmo visti lunedì mattina, alle nove e trenta, in corte di assise. Baci, disse andando via. Baci avrei voluto rispondere. Invece feci solo un gesto con la mano, e poi rimasi a guardarla, richiudendo lentamente quella mano a mezz'aria quando lei ebbe lasciato la stanza.

Fu un fine settimana ancora abbastanza fresco, per fortuna. Così non fu troppo penoso lavorare.

Domenica, verso l'una e mezza pensai che ero al capolinea, e decisi di uscire. A quell'ora potevo andare al mare. Con la città deserta e le strade sgombre sarei arrivato dove volevo, in poco tempo. Presi una sacca, la riempii con un asciugamano, un costume e un libro e scesi.

La città era veramente deserta e in qualche minuto attraversai il centro e scivolai sul lungomare lasciandomi dietro il vecchio Albergo delle Nazioni. La Mercedes procedeva con un ronzio rilassante e arrivai alla superstrada senza nemmeno accorgermene. Al momento di uscire avevo pensato di fermarmi a una ventina di chilometri da Bari, che so, a Cozze o al massimo a Polignano. Sulla strada cambiai idea e diedi gas fino all'uscita di Capitolo.

Era meno affollato di quanto pensassi e trovai posto facilmente, nel parcheggio di uno stabilimento balneare che – ci feci caso mentre scendevo dalla macchina – doveva essere a non più di un chilometro rispetto a dove era scomparso il bambino.

Pagai il biglietto comprensivo di parcheggio e ingresso al lido e mi avviai nella sabbia, dopo essermi tolto le scarpe. Avevo una sensazione strana. Era passato un anno dall'estate in cui avevo creduto di diventare matto. L'anno prima detestavo la luce accecante del sole, detestavo le spiagge, la gente, che sembrava così a proprio agio mentre io ero fuori posto dappertutto.

Adesso mi sentivo come un convalescente. Guardavo la gente, il mare, la sabbia che avevo detestato l'anno prima e mi stupivo che non mi facesse male, guardarli. Sentivo una specie di dolce indifferenza e avevo qualche difficoltà a pensare che, meno di un anno prima, potessi essere stato così male.

Era una sensazione strana, un po' malinconica, ma bella.

Mi spogliai in una cabina comune, noleggiai una sedia a sdraio e me la feci mettere proprio vicino alla riva. Il mare era proprio come piace a me. Calmo ma non piatto, con il vento che increspava leggermente la superficie. Al sole si stava bene, caldo il giusto, da chiudere gli occhi e addormentarsi con il libro nella sabbia vicino alla sedia. Così feci, con le voci della spiaggia che sfumavano nello strano benessere che mi aveva avvolto.

Sognai, come si sogna in quella fase strana fra la veglia e il sonno o, viceversa, fra il sonno e la veglia.

Incontravo Sara per strada, vicino a casa nostra, voglio dire quella che era stata casa nostra e adesso era casa sua. Lei mi veniva incontro, mi abbracciava e mi baciava sulle labbra. Io rispondevo all'abbraccio ma ero imbarazzato. In fondo – nel sogno – non ci vedevamo e non ci sentivamo da quattro anni. Allora glielo dicevo, in qualche modo. Lei mi guardava e mi chiedeva se ero pazzo, ma aveva una faccia spaventata, come se stesse per mettersi a piangere. Io le ripetevo che non ci vedevamo da quattro anni e allora sì, lei scoppiava a piangere, disperatamente. Mi chiedeva perché le dicessi una simile cattiveria e io non sapevo che fare, perché lei sembrava veramente disperata. Diventavo triste e pensavo che era solo un sogno e volevo aprire gli occhi. Per un tempo indefinibile però non ci riuscivo e rimanevo lì, a cavallo fra il sogno e le voci della spiaggia.

Poi sentii gli spruzzi di acqua sulla faccia e sul petto, e una voce che riconobbi subito. Elena.

«Guido! Guido, da quanto tempo!».

«Elena, che piacere...».

Bugiardo, miserabile bugiardo, pensai testualmente. Io Elena l'avevo sempre detestata. Lei e il suo orribile marito e il suo gruppo di orribili amici. Aveva fatto il liceo e l'università con Sara ed era convinta di essere la sua migliore amica. Sara non era della stessa opinione, ma le dispiaceva essere scortese. Così eravamo costretti, periodicamente, ad accettare gli inviti a cena da Elena e, a volte, anche a ricambiare.

Mi avvolse in una nuvola di *Opium* mentre si abbassava ad abbracciarmi. Al mare l'*Opium*? Sapevo per certo che, dopo la separazione, aveva detto molte cose di me, nessuna delle quali piacevole. Adesso, in perfetta coerenza con il suo personaggio, mi abbracciava, mi baciava e mi chiedeva cosa avessi fatto in tutto quel tempo.

«Guido, come stai bene! Hai fatto palestra questo inverno? Sei solo o con qualche fidanzata?». Ammiccante, stile: *a me puoi dirlo, che mi limiterò a mettere un annuncio sul giornale e qualche centinaio di manifesti per la città.*

«Sì, stronza, sono solo e vorrei restarci. Comunque visto che sei venuta qui a rompere le palle, ho qualcosa da dirti, perciò ascoltami bene. Le tue cene sono sempre state una tortura e soprattutto il mangiare faceva schifo. Lo so che tutti dicevano che eri una gran cuoca e questo resterà per me, sempre, un mistero. Tuo marito, se possibile, è peggio di te. E i vostri amici, se possibile, sono peggio di lui. Una volta mi proposero anche di iscrivermi al Rotary. Volevo dirti che sono *comunista*. Per tante sere, per tanti anni hai avuto a cena un *comunista*. Capito?».

Queste cose, e altre, avrei voluto dire. Ovviamente invece risposi con nauseante garbo. Sì ero solo, no non avevo nessuna fidanzata, sì dicevo sul serio, no, non vedevo Sara da tempo. Ah, lei era qui al mare da sola? Con Mario avevano dei problemi? E chi non ne avrebbe avuti di problemi, con Mario. Anche con lei, se è per questo. Dovevamo vederci, una sera di queste? Lei e io? Certo, come no. Se avevo il suo numero di cellulare? Credevo proprio di sì. Ah, non potevo perché ne aveva uno nuovo. Allora era il caso che me lo desse. Allora l'avrei chiamata? Ci contava. Certo poteva contarci. Sicuro. Ciao, a presto, bacio, *Opium*, ancora bacio e gran finale con strizzatina d'occhio.

Feci il bagno per vedere com'era l'acqua e per togliermi l'*Opium* di dosso. L'acqua era veramente fredda. Del resto eravamo ancora a metà giugno e non aveva fatto mai veramente caldo. Feci qualche bracciata, pensai che per il primo bagno della stagione poteva bastare e decisi di fare una passeggiata sulla spiaggia, fra la sabbia e il mare.

I giocatori di racchettoni c'erano, ma non così numerosi come a luglio e agosto. Avrei voluto ucciderli ma ero disposto, dato che eravamo ad inizio stagione, ad accordare loro una morte rapida. A luglio o agosto avrei voluto ucciderli facendoli soffrire.

Io detesto i giocatori di racchettoni, ma mentre camminavo – sforzandomi di infastidirli il più possibile mettendomi deliberatamente in mezzo alle traiettorie della palla – vidi un tipo di creatura che detesto ancora di più dei giocatori di racchettoni. Il fumatore di pipa alla spiaggia.

Non vado pazzo per chi fuma la pipa. Divento piuttosto nervoso quando vedo qualcuno che fuma la pipa per strada. Divento veramente molto nervoso quando vedo qualcuno – come quel pomeriggio – che fuma la pipa in spiaggia, guardandosi attorno con un sussiego da Sherlock Holmes. In mutande.

Facevo queste riflessioni, su fumatori di pipa e giocatori di racchettoni, e pensai che forse stavo davvero meglio, se avevo recuperato un po' della mia sana intolleranza.

In quel momento entrò nel mio campo visivo un ragazzo di colore con merce varia, appesa ad una specie di bastone flessibile che portava in equilibrio su una spalla, e in un borsone sdrucito semiaperto. Indossava una tunica colorata lunga fino alle caviglie e un cappellino di forma cilindrica. Mi fermai con i piedi nell'acqua a guardarlo, per parecchi secondi, prima di rendermi conto del perché lo guardavo.

Quando ebbi realizzato, senza che la cosa avesse un senso particolare, decisi di studiare un po' il suo modo di muoversi e lavorare, sulla spiaggia. Non avevo, naturalmente, nessuna idea precisa. Mi venne in mente, per un attimo, di chiedergli se conosceva Abdou. Lasciai perdere e mi limitai a osservarlo.

Sembrava a suo agio muovendosi fra le sdraio e gli asciugamani posati sulla sabbia. Quasi a intervalli regolari salutava con la mano una delle signore sulla spiaggia, e quelle ricambiavano. Una lo chiamò a distanza con un nome che non capii. Lui si girò e andò da lei sorridendo, poggiò la sua roba per terra, le diede la mano e poi cominciò a parlare. Ovviamente non sentivo cosa dicesse ma anche dai movimenti delle mani era chiaro che illustrava la merce. Si trattenne più di cinque minuti e alla fine la signora comprò una borsa. Lui riprese il suo giro e io continuai a seguirlo. Con lo sguardo, prima e poi anche camminando, tenendomi a una ventina di metri di distanza. La scena che avevo visto fu replicata diverse volte, nell'arco di una mezz'ora. Senza una ragione decisi di passargli vicino, così per guardarlo e poi andarmene, visto che mi ero stancato di quell'osservazione. Proprio quando ero vicinissimo, gli camminavo a fianco da poterlo toccare, sentii uno squillo lacerante, dal suo borsone. Lui si fermò e tirò fuori un vecchio telefono cellulare Motorola con la suoneria, evidentemente, al massimo.

Disse pronto come i negri dei film di terza categoria. *Brondo*. Proprio così. Pensai che se fosse stato un cinese avrebbe detto *plonto*. Non era un pensiero acuto. Ma era esattamente, testualmente quello che mi passò per la testa in quel momento.

La conversazione fu breve e si svolse in italiano. Cioè in una specie di italiano.

Sì, stava lavorando. In spiaggia, amico. Abbastanza gente, c'era. Sì amico, a Monopoli, spiagge di Capitolo. Poteva venire domani, domani mattina. Va bene amico, ciao.

Chiuse il telefono e ricominciò il suo giro. Io rimasi fermo, nella sabbia dove mi ero inginocchiato per ascoltare la telefonata. Pensavo a una cosa che mi era venuta in mente.

E mi chiedevo perché non ci avessi pensato prima.

7

«Capisci Guido, questa è l'età migliore. Possiamo fare quello che vogliamo».
«In che senso, scusa?».
«Cazzo, Guido, proprio tu. Da quando stai da solo passerai da una trombata all'altra, senza problemi. E mi dici in che senso».
«Ah, da una trombata all'altra», dissi con voce neutra.
«Dai Guido, che cazzo ti prende. Non ci vediamo da un anno, forse di più e non mi racconti niente».
Camminavo a passo piuttosto sostenuto verso il tribunale, trasportando due borse pesanti, che contenevano il materiale che mi serviva per l'udienza. Il mio amico Alberto mi stava dietro con qualche sforzo, per via del sovrappeso e della vita sedentaria. Ci eravamo incontrati sulla strada, dopo più di un anno che non ci vedevamo. Aveva quarant'anni compiuti da poco, due bambini, una moglie grassa e incattivita.
Aveva uno studio legale – ereditato dal padre – che si occupava di banche e di assicurazioni e faceva un sacco di soldi. Il suo argomento preferito erano le *trombate*. A parlarne, era un vero specialista.
Da ragazzo era stato simpaticissimo. Uno con il tempo comico naturale, che diceva sempre le parolacce e faceva ridere, tutti. Perché le diceva in un modo che non potevi non metterti a ridere. Uno che avrebbe dovuto fare un altro lavoro, e forse sarebbe stato felice, o qualcosa di simile. Invece aveva fatto l'avvocato. Con gli anni, il tempo comico era scomparso, insieme ai capelli e a tutto quello che valeva. Alberto diceva ancora le parolacce ma – pensai quella mattina – da molto tempo non faceva più ridere. Era un uomo disperato, anche se non lo sapeva.

«Non c'è niente da raccontare Alberto, veramente. Non esco con nessuna».

«Scusa, proprio adesso che stai da solo e puoi fare il cazzo che vuoi?».

«Sì. La vita è strana, vero?».

«Mica sei diventato ricchione, eh?». E via a raccontarmi la storia di uno che avrei dovuto conoscere, o almeno ricordare. Non me lo ricordavo, ma non lo dissi ad Alberto. Questo tipo – tale Marco – che non mi ricordavo era sposato e aveva anche un figlio. A un certo punto la moglie aveva notato una serie di fatti, e si era convinta che lui avesse un'altra. Aveva – come si dice – *messo un investigatore*, il quale aveva fatto bene il suo lavoro. Aveva scoperto la tresca e tutto il resto. Solo, c'era un piccolo problema. Il tipo non aveva una fidanzata, aveva *un* fidanzato. Che faceva il macellaio, di mestiere.

«Hai capito Guido, cazzo. La moglie pensava che lui fosse un mandrillo che si trombava qualche ragazzina e invece lui si faceva inculare da un macellaio. Ti rendi conto? Un macellaio. Magari gli portava le salsicce di cavallo, per la merenda... Mica anche tu ti sei buttato al ricchionaggio e ti fai inculare, che ne so, da un salumiere?».

Non mi ero buttato al ricchionaggio – lo rassicurai – e cercavo di non farmi inculare da nessuno, nei limiti del possibile.

Arrivammo all'ingresso del tribunale. Il momento di salutarci e andare ognuno al suo lavoro. Dovevamo assolutamente vederci una sera con gli altri amici. Disse dei nomi, che suonavano lontani. Una pizza o magari un bel poker. Certo, una bella rimpatriata. Sì, ci sentiamo questa settimana o al massimo la prossima. Ciao Guido – cazzo – mi ha fatto piacere vederti. Ciao Alberto. Anche a me.

Si allontanò verso l'ascensore che portava al quinto piano, alle aule del civile. Io rimasi a guardarlo, pensando che in un posto lontano, nella voragine del tempo, eravamo stati amici, per davvero.

Pensavo a questo, incredulo.

Addio Alberto, mi venne da dire. Lo dissi proprio. A voce bassa, ma udibile da chi fosse stato vicino a me, in quel momento.

Ma non c'era nessuno.

Prima che l'udienza cominciasse parlai con Abdou. Dovevo verificare se l'idea che mi era venuta in spiaggia aveva un senso e poteva essere sviluppata.

Poteva. Forse avevamo una possibilità in più, ma io cercai di reprimere ogni entusiasmo. Quando ti viene un'idea che sembra molto brillante, di solito poi non funziona, mi dissi. E allora ci resti male.

Sperimentato troppe volte. Sperimentato non abbastanza per rassegnarmi.

Margherita arrivò alle nove e mezza precise. Mi salutò con un sorriso, dai banchi del pubblico. Io le feci cenno di venire a sedersi vicino a me. Lei fece no con la testa, e un movimento con le due mani, come a dire che stava bene là dov'era. Mi avvicinai.

«Stai bene con la toga», fece lei.

«Grazie. Vieni a sederti vicino a me. Hai fatto gli esami da avvocato. Puoi».

Lei fece una breve risata.

«Se è per questo sono anche iscritta all'ordine. Mio padre non si è mai rassegnato e ogni anno ha continuato a pagare le tasse, per me. Se voglio, posso mettermi a fare l'avvocato in qualsiasi momento».

«Ottimo. Allora vieni a sederti vicino a me. Se volevi vedere come va questo processo, beh quella è la postazione migliore».

Fece va bene con un cenno del capo, venne con me e si sedette alla mia destra. Mi piaceva che fosse lì, mi dava un senso di sicurezza.

Cominciammo con il medico legale. Confermò le cose che aveva scritto nella relazione sull'autopsia. Disse che la morte del bambino era stata provocata da asfissia. Non poteva essere più preciso, perché le cause dell'asfissia possono essere molte. Il bambino non era stato strangolato perché non c'era traccia delle lesioni relative. Ma poteva essere stato soffocato con un cuscino, tenendogli bocca e naso tappati, tenendolo chiuso in uno spazio molto angusto, come il bagagliaio di una macchina. Era anche possibile – la letteratura scientifica citava diversi casi del genere – che il soffocamento si fosse verificato nel corso di un rapporto orale violento.

In ogni caso non vi erano tracce di violenza sessuale e la ricerca di liquido seminale aveva dato esito negativo. Il bambino, quando era stato recuperato, era interamente vestito, con gli abiti che aveva addosso al momento della scomparsa.

Quando era stato buttato nel pozzo, il bambino era già morto, perché non c'era acqua nei polmoni.

Io non avevo particolare interesse a controesaminare il medico. Mi limitai a fargli precisare meglio che i riferimenti al rapporto orale violento erano solo il frutto di sue congetture, ma che non c'era nessun dato obbiettivo da cui desumere che quella forma di violenza sessuale – o altre – fosse stata effettivamente attuata sul piccolo.

Dopo il medico legale il pubblico ministero chiamò a deporre il maresciallo Lorusso, vice comandante del nucleo operativo di Monopoli. Fra gli investigatori, era il teste più importante. Gli atti di indagine di qualche rilievo li aveva fatti praticamente tutti lui. Io lo conoscevo, da molti anni. Lo avevo incontrato in altri processi e sapevo che si trattava di un osso duro. Sembrava un impiegato o un professore, con occhialini, pochi capelli biondastri, giacca e cravatta da grandi magazzini. Aveva un'aria innocua, a prima vista. Gli occhi però, se uno riusciva a vederli oltre gli occhiali, erano intelligenti e freddi. Prima lavorava a Bari nella sezione criminalità organizzata, poi si trovò coinvolto in una storia di violenze su un arrestato, assieme ad un capitano e ad un altro sottufficiale. Furono tutti trasferiti e Lorusso in particolare, si fece due anni ad addestrare reclute in una scuola. Per uno sbirro come lui era una punizione ben scelta.

L'esame condotto da Cervellati durò più di un'ora. Il teste raccontò delle ricerche del bambino, di come si era arrivati all'individuazione dei testimoni; raccontò del fermo di Abdou, della perquisizione, tutto.

Fu una deposizione chiara ed efficace. Il maresciallo Lorusso era uno che sapeva il fatto suo.

L'avvocato di parte civile, come al solito, non aveva domande. Quello che faceva il pubblico ministero, in questo caso, per lui andava sempre bene. Poi il presidente mi diede la parola.

«Buongiorno maresciallo».

«Buongiorno avvocato». Rispose senza guardare dalla mia parte. Era intelligente, sapeva che la mia cordialità era tutta ad uso dei giudici popolari.

Lascia stare le cazzate, avvocato e vediamo cosa sai fare. Questo c'era dietro il suo saluto. Va bene, pensai.

«Può ripeterci qual è il suo incarico?».

«Sono il vice comandante del nucleo operativo presso la compagnia di Monopoli».

«Qual era il suo incarico precedente?». Tanto vale passare subito al gioco duro, pensai.

«Cosa c'entra questo, avvocato?». Toccato.

«Per piacere può dire alla corte qual era il suo incarico precedente?».

Esitò un attimo, sembrò stesse per guardare il pubblico ministero, poi serrò un attimo le mascelle e infine rispose.

«Ero istruttore presso il battaglione allievi carabinieri di Reggio Calabria».

«Non un incarico di polizia giudiziaria, se capisco bene».

«No».

«E prima ancora?».

Cervellati a quel punto intervenne.

«Presidente, opposizione. Non vedo cosa c'entrino i precedenti incarichi del maresciallo con l'oggetto della deposizione».

Il presidente si rivolse a me.

«Che c'entrano gli incarichi precedenti del teste con questo processo, avvocato?».

«Presidente, io ho necessità di fare queste domande ai fini previsti dall'art. 194 secondo comma del codice di procedura. Le risposte, come sarà chiaro nel seguito, mi serviranno per valutare l'attendibilità della deposizione».

Il presidente rimase un attimo in silenzio; il giudice a latere gli disse qualcosa all'orecchio. Infine, dopo un'ulteriore pausa mi fece cenno con la mano di andare avanti.

«Allora maresciallo, qual era il suo incarico precedente a quello di istruttore reclute?».

Mentre facevo questa domanda Lorusso si voltò verso di me un attimo, e mi guardò con odio. Stavo per fare una cosa che non si fa, di solito. Stavo per violare il tacito patto di non aggressione che esiste fra avvocati e sbirri, nei processi. Lui lo aveva capito. Se mai ne avesse avuto l'occasione, me l'avrebbe fatta pagare. Sicuro.

«Ero in forza al nucleo operativo, reparto operativo di Bari, prima sezione, criminalità organizzata».

«Cioè la squadra in cui sono i migliori investigatori della provincia. Quindi se ho capito bene lei è stato trasferito da un incarico da investigatore di punta a un incarico... abbiamo detto, di istruttore di reclute a Reggio Calabria. È corretto?».

«Sì».

«Si è trattato di un normale avvicendamento o c'era qualche ragione particolare?».

Non mi piaceva molto quello che stavo facendo ma avevo bisogno di fargli perdere la calma, per passare a quello che mi interessava veramente.

«Avvocato, lei sa benissimo perché mi hanno trasferito, e che da quella storia sono uscito a testa alta».

«Può dirci a che storia si riferisce?». Il mio tono era falsamente cordiale. Odioso.

Il presidente intervenne, questa volta senza aspettare il pubblico ministero.

«Avvocato veda di non abusare della pazienza della corte. Vada al punto».

«Maresciallo, può dirci perché fu trasferito a Reggio Calabria?».

«Perché un delinquente arrestato in flagranza di detenzione a fini di spaccio di un chilo di cocaina, con tre pagine di certificato penale, aveva accusato me, un capitano ed un altro maresciallo di averlo picchiato. Siamo stati assolti tutti e tre e quel signore si è preso dieci anni per la droga. È sufficiente?».

«Va bene. Lei ha sentito a verbale il signor Renna, proprietario del bar Maracaibo, nonché i due cittadini senegalesi Diouf e... mi sfugge il nome dell'altro. Comunque è esatto?».

«Sì».

«Può riferire alla corte con quali modalità ha proceduto alla verbalizzazione?».

«In che senso avvocato?».

«Avete registrato, o videoregistrato, queste dichiarazioni?».

«Non abbiamo registrato. Se lei legge bene quei verbali c'è scritto che per indisponibilità di strumenti di registrazione si è proceduto alla sola redazione del verbale in forma riassuntiva».

«Ah, certo. Dunque vediamo se ho capito bene. Voi avete redatto solo il verbale in forma riassuntiva perché non avevate la disponibilità di strumenti di registrazione video o audio. È corretto?».

Lorusso capì dove volevo arrivare, ma era troppo tardi.

«In quel momento non credo... lavoravamo in emergenza...».

«Ho una domanda molto semplice per lei: al nucleo operativo dei carabinieri di Monopoli non avevate un registratore o una videocamera?».

«Li avevamo, ma in quel momento... credo che il registratore fosse non funzionante. Adesso non ricordo bene, ma sicuramente c'era qualche problema».

«Il registratore era non funzionante. E la videocamera?».

«Non abbiamo videocamere in dotazione».

«Scusi, io ho qui il verbale del sopralluogo relativo al ritrovamento del corpo del bambino. Qui c'è scritto che *le attività di sopralluogo sono state documentate anche mediante videoregistrazione*. E infatti al verbale è allegata una videocassetta. Cosa può dirmi?».

Cervellati fece opposizione quasi gridando. Stava perdendo la calma.

«Opposizione presidente, opposizione. È inammissibile che si conduca il controesame di teste su come ha redatto un verbale, se avesse il registratore, o la penna o il computer».

«Presidente, che sia inammissibile è una opinione del pubblico ministero. Noi abbiamo interesse a capire come sono state verbalizzate certe dichiarazioni, per verificare se, anche involontariamente, perché nessuno dubita della buona fede degli investigatori, dicevo per verificare se possano esservi stati dei condizionamenti dei testimoni, o dei fraintendimenti di quello che hanno effettivamente dichiarato. Non ci dimentichiamo che il pubblico ministero vi ha chiesto di dare lettura delle dichiarazioni rese in fase di indagini dai due cittadini extracomunitari...».

Zavoianni mi interruppe. Si stava innervosendo. Non gli piacevano tutte quelle questioni, non gli piaceva il mio modo di procedere e – lo avevo sempre sospettato, ma adesso ne ero certo – non gli piacevo io.

«Avvocato, passiamo ad altro. Ho tollerato abbastanza molte domande del tutto irrilevanti. Vediamo di fare qualche domanda sull'oggetto del processo, finalmente».

Mentre guardavo il presidente che parlava, riuscii a notare Lorusso che inspirava ed espirava con energia, rilassandosi.

«Presidente, io credo sia rilevante sapere per quale motivo l'audizione delle persone informate sui fatti, e in particolare quella dei cittadini extracomunitari, che non potremo risentire qui, perché sono irreperibili, non è stata documentata in forma integrale».

«Avvocato, ho già deciso. Vada avanti senza discutere le mie decisioni».

Serrai le mascelle contraendo i muscoli, per qualche secondo. Poi ricominciai.

«Grazie presidente. Vorrei che lei, maresciallo, ci parlasse della perquisizione presso l'abitazione dell'imputato».

«Cosa vuole sapere in particolare, avvocato?».

«Come avete proceduto operativamente, se cercavate qualcosa in particolare, com'era lo stato dei luoghi, tutto».

«Non capisco bene la sua domanda. Operativamente abbiamo perquisito la stanza del Thiam, cercando dappertutto, e non cercavamo oggetti specifici, cercavamo qualsiasi cosa potesse essere utile alle indagini. Poi lì abbiamo trovato la foto dell'indagato con il bambino e dei libri di lettura per l'infanzia, che sono elencati nel verbale».

«Non avete trovato altre cose rilevanti per l'indagine?».

«No».

«Altrimenti le avreste prese».

«Altrimenti le avremmo prese, è chiaro».

«Avete trovato una macchina polaroid, o in genere una macchina fotografica?».

«No».

«Senta, adesso vorrei parlare un attimo dei libri. Leggo dal verbale di perquisizione e contestuale sequestro che il signor Thiam aveva nella sua stanza tre romanzi per bambini di *Harry Potter*, *Il piccolo principe*, favole per bambini in lingua francese, la nota favola *Pinocchio* ed altro libro per l'infanzia dal titolo *Il dottor Dolittle*. È corretto?».

«Sì».

«Il signor Thiam aveva solo questi libri, nella sua stanza?».

«Adesso non ricordo bene. Forse c'era qualche altra cosa».

«Quando dice *qualche altra cosa* intende qualche altro libro?».

«Sì, credo che ci fosse qualche altro libro».

«Approssimativamente è in grado di dire quanti libri?».

«Non lo so. Cinque, sei, dieci».

«Si stupirebbe se le dicessi che in quella stanza c'erano oltre cento libri?».

«Opposizione» fece il pubblico ministero «si chiede un'opinione al teste».

«Riformulo la domanda, presidente. È sicuro, maresciallo, che i libri non fossero molti di più di una decina?».

«Una ventina forse, non un centinaio».

«Può descriverci la stanza e in particolare dirci se c'erano degli scaffali?».

«Ora è passato quasi un anno, comunque c'era un letto, un tavolino... sì, forse c'era uno scaffale di lato al letto».

«Un solo scaffale o una scaffalatura, una libreria?».

«Forse... è possibile una piccola libreria».

«Ora mi rendo conto che non è facile, a quasi un anno di distanza, ma la pregherei di fare uno sforzo per ricordare cosa c'era in questa piccola libreria».

«Avvocato, non mi ricordo. Certamente c'erano libri, ma non mi ricordo cos'altro c'era».

«Lei maresciallo ha certamente compreso che io desidero far emergere, a occhio e croce, quanti libri c'erano. Io lo so ma vorrei che lo ricordasse lei».

«C'erano diversi ripiani nella scaffalatura, e c'erano libri, non so dire quanti».

«Ma voi avete sequestrato solo quelli indicati nel verbale. Perché?».

«Perché evidentemente erano i soli pertinenti all'indagine».

«Perché erano libri per l'infanzia?».

«Certo».

«Ho capito. Vorrei parlare adesso della fotografia, quella del signor Thiam con il piccolo Francesco. Cosa può dirmi di questa foto?».

«Non capisco la domanda».

«Era l'unica fotografia detenuta dal signor Thiam o ricorda se ce ne fossero altre?».

«Non ricordo, avvocato. La perquisizione l'abbiamo eseguita in tre, non mi ricordo se la foto l'ho trovata io o un collega».

«Vorrei mostrarle qualcosa». Tirai fuori dalla borsa una busta, la aprii senza fretta e chiesi al presidente il permesso di mostrare delle foto al teste. Lui fece sì con un cenno del capo.

«Vede queste foto maresciallo? Può dirci in primo luogo se riconosce qualcuna delle persone rappresentate?».

Lorusso osservò le foto che gli avevo dato – una trentina, forse – e poi rispose.

«In molte foto c'è l'imputato. Le altre persone non le conosco».

«Ricorda o può escludere che queste foto fossero nella stanza dell'imputato al momento della perquisizione?».

«Non lo ricordo e non lo posso escludere».

Era il momento di fermarsi, vincendo la tentazione di fare una domanda in più, che sarebbe stata una domanda di troppo.

«Grazie presidente, io ho finito. Chiedo l'acquisizione come prove documentali, delle foto che ho esibito al maresciallo».

Mostrai le foto al pubblico ministero ed alla parte civile. Non fecero obiezioni anche se Cervellati mi guardò con disgusto palpabile. Poi le rimisi nella busta e le consegnai al presidente.

Lorusso andò via dopo avere salutato la corte e il pubblico

ministero. Mi passò davanti ignorandomi deliberatamente. Non potevo dargli torto.

Il presidente disse che avremmo fatto dieci minuti di pausa e solo in quel momento mi resi conto che Margherita era stata tutto il tempo vicino a me, senza dire una parola.

Dissi se aveva voglia di andare a prendere un caffè. Fece sì con la testa. Io avrei voluto chiederle cosa ne pensava. Se le sembrava che fossi stato bravo o roba del genere, ma era una domanda infantile – pensavo – e non la feci. Invece fu lei a parlare, mentre entravamo nel bar interno del palazzo di giustizia, famoso per il peggiore caffè della città.

Era molto interessante – disse – anche se io sembravo una persona diversa. Ero bravo, ma non ero, come dire, molto simpatico. Era proprio necessario umiliare in quel modo il maresciallo?

Stavo per dire che non mi sembrava di averlo umiliato e che comunque i processi di questo tipo sono inevitabilmente brutali. Questa brutalità era il prezzo di garanzia cui non potevamo rinunciare e comunque meglio un carabiniere o un poliziotto umiliati che un innocente condannato.

Per fortuna non dissi niente di tutto questo. Invece rimasi in silenzio qualche istante, prima di rispondere. Dissi che non lo sapevo se era proprio necessario. Certo era necessario fare emergere quelle cose, che erano importanti e forse c'era un altro modo, o forse no. Comunque in quelle situazioni, volevo dire nei processi, soprattutto quelli delicati, al centro dell'attenzione dei media eccetera, è facile dare il peggio di sé. È facile anche prenderci gusto, a tormentare le persone con la scusa che è un lavoro sporco a volte, ma qualcuno deve pur farlo.

Prendemmo il caffè e poi accendemmo le sigarette. Questo interruppe la conversazione sull'etica dell'avvocato, per fortuna. Io dissi che il caffè del tribunale era utilizzato anche per sterminare i topi. Lei scoppiò a ridere e disse che le piaceva che fossi capace di farla ridere. Piaceva anche a me.

Poi ci avviammo di nuovo verso l'aula della corte di assise.

8

Il presidente disse all'ufficiale giudiziario di fare entrare il teste Renna Antonio.

Attraversò l'aula guardandosi attorno con aria spavalda. Aveva un aspetto da contadino. Tozzo di figura, con una camicia a scacchi, colletto stile anni '70, carnagione scura e gli occhi furbi. Di una furbizia non simpatica, del genere *appena posso ti fregherò*. Si tirò un po' su i pantaloni dalla cintura, con un gesto che mi parve osceno e si sedette con calma al posto dei testimoni che l'ufficiale giudiziario gli aveva indicato. Di spalle alla gabbia dove si trovava Abdou. Si sedette comodo, riempiendo tutta la sedia e appoggiandosi in relax allo schienale. Aveva un'aria soddisfatta e io pensai distintamente che volevo fargliela passare.

L'esame di Cervellati non fu che una specie di riproduzione di quello effettuato durante le indagini preliminari. Renna disse esattamente le stesse cose, nello stesso ordine e più o meno con le stesse parole.

Quando fu il suo turno Cotugno finalmente fece qualche domanda, del tutto insignificante. Così per far vedere ai suoi clienti, cioè i genitori del bambino, che esisteva e si stava guadagnando l'onorario.

Stavo per cominciare il mio controesame quando Margherita mi sussurrò qualcosa all'orecchio.

«Non lo so perché, ma questo è uno stronzo».

«Lo so», risposi. Poi mi rivolsi al testimone.

«Buongiorno signor Renna».

«Buongiorno».

«Io sono l'avvocato Guerrieri e difendo il signor Thiam. Adesso le farò alcune domande alle quali la prego di rispondere in modo breve e senza fare commenti». Il mio tono era deliberatamente odioso. Volevo provocarlo, per vedere se mi riusciva di trovare uno spiraglio e piazzare il mio colpo. Come nel pugilato.

Renna mi guardò con quei suoi occhi porcini. Poi si rivolse al presidente.

«Signor giudice, ma io sono obbligato a rispondere anche alle domande di un avvocato?».

«Deve rispondere, signor Renna». La faccia del presidente diceva che, potendo, avrebbe volentieri fatto a meno di me, e della maggior parte degli avvocati. Purtroppo non poteva. Io comunque avevo guadagnato un piccolo vantaggio. Il barista aveva abboccato alla provocazione e adesso era più vulnerabile.

«Allora signor Renna, lei ha detto al pubblico ministero di avere visto nel pomeriggio del 5 agosto 1999 il signor Thiam camminare speditamente da nord verso sud. È esatto?».

«Sì».

«Si ricorda quando è stato sentito dal pubblico ministero, durante le indagini?».

«Mi ha interrogato una settimana dopo, mi pare».

«Quando è stato sentito dai carabinieri?».

«Prima, il giorno prima».

«Il suo bar è frequentato da cittadini extracomunitari?».

«Qualcuno. Vengono, si prendono il caffè, si comprano le sigarette».

«Sa dirci di quale nazionalità?».

«Non lo so. Sono tutti negri...».

«A occhio e croce è in grado di dirci quanti *negri* frequentano il suo bar?».

«Non lo so. Sono quelli che vendono sulle spiagge, e pure per strada. A volte si mettono pure davanti al mio bar».

«Ah, si mettono pure davanti al suo bar. Ma non disturbano la sua attività, vero?».

«Disturbano, disturbano, e come che disturbano».

«Va beh scusi, se disturbano perché lei non chiama i vigili o i carabinieri?».

«Perché non li chiamo? Io li chiamo, ma tu li hai visti mai a venire?». Era sinceramente indignato adesso. Intanto Cervellati capì dove volevo arrivare. Era tardi però.

«Presidente io vedo che ad ogni teste la difesa continua a fare domande prive di qualsiasi pertinenza con l'oggetto del processo. Non so se sia possibile andare avanti in questo modo».

Prima che Zavoianni potesse intervenire parlai io.

«Ho finito su questo punto presidente. Sto passando ad altro».

«Facendo molta attenzione avvocato Guerrieri. Molta attenzione», disse il presidente.

«Allora signor Renna, avevo qualche altra domanda per lei... dunque sì, vorrei mostrarle delle foto». Tirai fuori dalla borsa una serie di fotocopie a colori di fotografie. Feci questo gesto in maniera deliberatamente impacciata.

«Presidente, posso avvicinarmi e mostrare al teste queste fotografie?».

«Di che foto si tratta, avvocato?».

Adesso mi accingevo a camminare sul filo. Una parola sbagliata da una parte, e sarei finito sotto procedimento disciplinare. Una parola sbagliata dall'altra, e avrei mandato in malora quasi tutto quello che avevo fatto fino a quel momento.

«Sono fotografie di cittadini extracomunitari, presidente. Desidero verificare se il teste ne riconosce qualcuno». Neutro.

Il presidente fece il solito gesto per dirmi di andare avanti. Sperai che Cervellati non chiedesse di vedere le foto, o non chiedesse indicazioni più precise su chi erano le persone rappresentate, come era suo diritto. Non lo fece. Io mi avvicinai al teste con le foto in mano.

«Allora signor Renna, vuole osservare queste dieci fotografie?». Sentii il mio battito cardiaco che accelerava freneticamente.

Renna guardò le fotografie. Non era più a suo agio come all'inizio della testimonianza. Si era spostato verso il bordo della sedia. Posizione di fuga, la chiamano gli psicologi.

«Riconosce qualcuno in queste fotografie?».

«Non mi sembra. Sono tanti, quelli che passano dal mio bar, non me li posso ricordare tutti». Ripresi le foto e tornai al mio posto, prima di fare la domanda successiva.

«Però, mi corregga se sbaglio, il signor Thiam se lo ricordava bene, vero?».

«E certo, quello passava sempre».

«Se lo vedesse, di persona o in fotografia lo riconoscerebbe, vero?».

«Sì, sì. È quello nella gabbia». Solo in quel momento fece il gesto di voltarsi. Io rimasi in silenzio qualche secondo, prima della conclusione.

«Sa signor Renna, le ho fatto l'ultima domanda perché fra le dieci foto che le ho mostrato, ben due rappresentano la faccia del signor Thiam, l'imputato. Ma lei ha detto che non le sembrava di riconoscere nessuno. Come spiega questo fatto?».

Colpi di questo genere sono molto rari nei processi, come nella vita. Quando però riescono è difficile descrivere la sensazione che si prova. Sentivo il tempo rallentato, la tensione nell'aria e sulla mia pelle. Sentivo gli occhi di Margherita su di me, sapevo che non c'era bisogno di chiederle se ero stato bravo. Ero stato bravo.

«Fammi vedere quelle foto...». Era passato al tu, e non per simpatia. Capita.

«Non si preoccupi delle foto. Le assicuro che due di queste foto rappresentano l'imputato come la corte potrà verificare fra poco, quando le consegnerò. Da lei vorrei sapere come spiega – se lo spiega – di non essere stato in grado di riconoscere il signor Thiam».

Renna rispose quasi in dialetto, con rabbia.

«Come spiega e come spiega. Sono tutti uguali 'sti negri. Come si fa a dire, dopo un anno... Ti voglio vedere a te avvocato, ti voglio vedere...».

Fermati, fermati, fermati. Mi dissi così mentre avvertivo l'impulso fortissimo di fare un'altra domanda e stravincere. O fare qualche guasto. *Fermati.*

«Grazie presidente, ho finito. Chiedo di produrre le foto, anzi le fotocopie usate nel corso del controesame. Le due che rappresentano l'imputato recano una annotazione sul retro. Le altre sono di soggetti del tutto estranei al processo e sono tratte da riviste varie».

Cervellati volle fare ancora qualche domanda, come gli era consentito dalla legge. Il fatto stesso però che sfruttasse quella possibilità, voleva dire che aveva accusato il colpo.

Fece ripetere a Renna il suo racconto, gli fece precisare che un anno prima aveva un ricordo fresco e che da allora non aveva più rivisto l'imputato, né di persona né in fotografia. Rimise insieme un po' di cocci, ma sapevamo tutti e due che non sarebbe stato facile schiodare dalla testa dei giudici popolari l'impressione che avevano avuto quella mattina.

9

L'udienza successiva – mercoledì 21 giugno – Margherita non venne perché aveva da terminare un lavoro. Mi aveva detto che avrebbe cercato di esserci per l'interrogatorio di Abdou, la settimana dopo.

Quella mattina furono sentiti i genitori e i nonni del bambino. Il pubblico ministero e il difensore di parte civile li interrogarono a lungo su particolari insignificanti. Avrebbero potuto farne a meno.

Io feci solo pochissime domande, al nonno. Aveva una polaroid? L'aveva e si ricordava di avere fatto delle foto in spiaggia, l'estate scorsa. Era possibile – ma lui non lo ricordava – che il bambino ne avesse presa qualcuna. Comunque non sapeva dire dove fossero finite quelle foto.

Ai genitori non chiesi nulla e mentre li osservavo, durante l'esame del pubblico ministero, mi vergognai di avere fatto quelle domande sulla separazione al tenente dei carabinieri.

Loro avevano più o meno la mia età. Lui era un ingegnere e lei una professoressa di educazione fisica. Francesco era stato il loro unico figlio. Rispondevano alle domande alla stessa maniera e si comportavano alla stessa maniera. Spenti, senza nemmeno rabbia. Niente.

Abdou passò l'intera udienza attaccato alla gabbia, la faccia schiacciata fra le sbarre, gli occhi attaccati a quei testimoni, come se volesse attirarne lo sguardo e dire loro qualcosa.

Ma quelli non guardarono in faccia nessuno e alla fine della deposizione andarono via, senza neanche lanciare un'occhiata alla gabbia dove era rinchiuso Abdou.

Non gli importava più di nulla, nemmeno che il presunto autore di tutta quella distruzione fosse punito.

Io pensai che se avessimo fatto un bambino quando Sara ne aveva parlato, adesso avrebbe avuto più o meno sei anni.

Il processo fu rinviato al lunedì successivo per l'esame dell'imputato e per le eventuali richieste di prove supplementari, prima della discussione.

Uscii dall'aula, fresca per l'aria condizionata e fui avvolto dal caldo umido e micidiale di giugno. Era arrivato, anche se in ritardo. Mi allentai la cravatta e sbottonai il colletto della camicia mentre scendevo la grande scalinata centrale del palazzo di giustizia.

Camminavo verso casa con un ronzio strano nella testa. Pensai che stesse per ricapitarmi quello che era successo un anno prima e mi venne in mente che da allora non avevo più preso un ascensore.

I pensieri presero a confondersi, con la paura che si faceva strada. Mi sentivo come nelle scene di certi film catastrofici in cui il protagonista scappa disperatamente, inseguito dall'acqua che sta inondando un sotterraneo.

Questa idea stranamente mi aiutò. Mi dissi che non avevo più voglia di scappare. Mi sarei fermato, avrei trattenuto il respiro e avrei lasciato che l'ondata mi travolgesse. Succedesse quello che doveva.

Feci davvero così. Voglio dire che mi fermai per strada, inspirai profondamente e rimasi fermo, con il fiato sospeso per qualche secondo.

Non successe niente e quando buttai fuori l'aria mi sentii meglio. Molto meglio, con il cervello che funzionava di nuovo, lucidamente, come se fosse stato ripulito in una sola volta da vecchie incrostazioni e cumuli di detriti.

Fu in quel momento che pensai di passare dallo studio, prima di andare a casa. Avevo deciso di fare una cosa.

Nel percorso verso lo studio presi a respirare spingendo l'aria sotto il diaframma, come facevo prima di un combattimento. Cercando di sgombrare la mente per concentrarmi su quello che dovevo fare.

Arrivai davanti al portone, tirai fuori dalla borsa le chiavi, aprii, entrai e rimisi le chiavi a posto. Mi riabbottonai la camicia e riannodai la cravatta. Poi, invece di dirigermi verso le scale come avevo fatto per circa un anno, schiacciai il pulsante di chiamata dell'ascensore. Mentre l'ascensore scendeva sentivo le pulsazioni accelerare e vampate di calore salirmi su per la faccia.

Quando l'apparecchio fu arrivato mi dissi che non dovevo pensare e non dovevo aspettare. Aprii la porta metallica, poi i due sportelli interni. Entrai, richiusi la porta metallica, richiusi gli sportelli, guardai la tastiera, poggiai l'indice della mano destra sul numero otto, chiusi gli occhi e schiacciai.

Sentii lo scatto verso l'alto della macchina e pensai che non valeva, se tenevo gli occhi chiusi. Li spalancai, mentre sentivo che il respiro si accorciava e le braccia deboli, e le gambe deboli.

Quando l'ascensore fu arrivato all'ottavo piano rimasi ancora qualche istante, immobile. Mi dissi che non valeva se non ero capace di restare ancora dieci secondi lì fermo, a rischio che qualcuno chiamasse l'ascensore.

Contai. Milleuno. Milledue. Milletré. Millequattro. Millecinque. Millesei. Millesette. Milleotto. Millenove. A millenove mi fermai, con la mano sospesa all'altezza del pomello di una delle porte interne. Su tutto il corpo avevo un formicolio, che diventava fortissimo su quel braccio e su quella mano.

Avevo fermato il tempo.

Milledieci.

Lentamente aprii uno sportello. Poi aprii l'altro. Poi aprii la porta metallica. Guardai davanti a me, sempre stando nell'ascensore, le ampie lastre di marmo che pavimentavano il pianerottolo. Pensai che non dovevo mettere i piedi sulle linee tra una lastra e l'altra. Dovevo fare attenzione a mettere un piede su una lastra e l'altro su un'altra lastra. Pensai che era esattamente quello che avevo sempre pensato – senza rendermene conto – uscendo da quell'ascensore, fino a quando lo avevo preso.

Pensai: fanculo.

E misi il primo piede esattamente a cavallo fra due lastre. Mi disinteressai del secondo e invece chiusi con molta concentrazione l'ascensore. Prima i due sportelli interni, poi la porta metallica che accompagnai delicatamente fino a quando non sentii lo scatto della chiusura.

Rimasi appoggiato di spalle al muro del pianerottolo forse per dieci minuti. Tenevo la borsa davanti a me, con tutte e due le mani, le braccia tese. Ogni tanto la facevo dondolare. Guardavo da qualche parte con gli occhi socchiusi e, credo, un sorriso vago sulle labbra.

Quando il tempo giusto fu trascorso mi scostai dal muro. Mi ricordai di avere incontrato il ragionier Strisciuglio, un anno prima e pensai di bussare alla sua porta. Per raccontargli come era andata a finire.

Ma non lo feci. Rientrai nell'ascensore, che nel frattempo nessuno aveva chiamato, e andai via.

Era ora di tornare a casa.

10

Quando ero bambino e mi chiedevano cosa volessi fare da grande rispondevo lo sceriffo. Il mio idolo era Gary Cooper in *Mezzogiorno di Fuoco*. Quando mi dicevano che in Italia non esistono gli sceriffi, ma tutt'al più i poliziotti, rispondevo con prontezza. Sarei stato un poliziotto sceriffo. Ero un bambino duttile e volevo dare la caccia ai cattivi, in un modo o nell'altro.

Poi – avrò avuto otto o nove anni – assistetti all'arresto di uno scippatore per strada. In realtà non so se fosse uno scippatore o un borseggiatore o che altro genere di piccolo delinquente. I miei ricordi sono piuttosto sfuocati. Diventano nitidi solo su una breve sequenza.

Sono con mio padre e camminiamo per strada. Uno scoppio di grida alle nostre spalle e poi un ragazzo magro che ci passa di lato correndo – mi sembra – come un fulmine. Mio padre mi tira a sé, giusto in tempo per evitare che un uomo, che arriva subito dopo mi travolga, correndo anche lui. L'uomo ha un maglione nero e grida mentre corre. Grida in dialetto. Grida al ragazzo di fermarsi che altrimenti lo uccide. Il ragazzo non si ferma spontaneamente, ma forse una ventina di metri dopo urta contro un signore. Cade. L'uomo con il maglione nero gli è addosso e intanto ne sta arrivando un altro, più lento e più grosso. Io sfuggo al controllo di mio padre e mi avvicino. L'uomo con il maglione nero colpisce il ragazzo, che da vicino sembra poco più che un bambino. Lo colpisce con pugni sulla testa e quando quello cerca di ripararsi gli toglie le mani e poi lo colpisce di nuovo. *Figgh d'p'ttan. Vaffammoc'a l murt d' mam't. Fusc' fusc', figgh d b'cchin.* E giù un altro pugno diritto sulla testa, con le nocche. Il ragazzo grida *basta, basta.* Anche lui in dialetto. Poi smette di gridare e piange.

Io guardo la scena, ipnotizzato. Sento disgusto fisico e un senso di vergogna per quello che vedo. Ma non riesco a distogliere lo sguardo.

Adesso arriva l'altro, il grosso, che ha un'aria pacioccona ed io penso che interviene, e fa finire quello schifo. Lui smette di correre a cinque, sei metri dal ragazzo, che adesso è raggomitolato per terra. Copre quello spazio camminando e ansimando. Quando è proprio sopra al ragazzo prende fiato, e gli dà un calcio nella pancia. Uno solo, fortissimo. Il ragazzo smette anche di piangere e apre la bocca e rimane così, senza riuscire a respirare. Mio padre, che fino a quel momento è rimasto impietrito anche lui, fa il gesto di intervenire, dice qualcosa. È l'unico fra tutta la gente intorno. Quello con il maglione nero gli dice di farsi i cazzi suoi. «Polizia!» abbaia. Però subito dopo smettono tutti e due di picchiare. Il grosso solleva il ragazzo prendendolo per il giubbotto, da dietro e lo fa mettere in ginocchio. Mani dietro la schiena, manette, mentre lo tiene per i capelli. Questo è il ricordo più osceno di tutta la sequenza: un ragazzino legato in balia di due uomini.

Mio padre mi tira via e la scena va in dissolvenza.

Da allora smisi di dire che volevo fare lo sceriffo.

Quell'episodio mi era tornato in mente qualche volta, negli anni. Qualche volta mi ero detto che avevo fatto l'avvocato per una specie di reazione al disgusto di quella scena. Qualche volta, in qualche momento di esaltazione, ci avevo anche creduto.

La verità però era un'altra. Avevo fatto l'avvocato per puro caso, perché non avevo trovato di meglio o perché non ero stato capace di cercarlo. Il che, ovviamente, era la stessa cosa.

Mi ero iscritto a giurisprudenza perché pensavo di guadagnare tempo, visto che non avevo le idee troppo chiare. Dopo la laurea avevo pensato di guadagnare altro tempo andando a parcheggiarmi in uno studio legale, in attesa di chiarirmi le idee.

Per alcuni anni, dopo, avevo pensato che facevo l'avvocato in attesa di chiarirmi le idee.

Poi avevo smesso di pensarlo, perché il tempo passava e avevo paura di dovere trarre qualche conseguenza, dal fatto di chiarirmi le idee. A poco a poco avevo anestetizzato le mie emozioni, i miei desideri, i miei ricordi, tutto. Anno dopo anno. Fino a quando Sara mi aveva messo alla porta.

Allora il coperchio era saltato e dalla pentola erano venute fuori molte cose che non immaginavo e che non avrei voluto vedere. Che nessuno vorrebbe vedere.

«Ogni uomo ha dei ricordi che racconterebbe solo agli amici. Ha anche cose nella mente che non rivelerebbe neanche agli amici, ma solo a se stesso, e in segreto. Ma ci sono altre cose che un uomo ha paura di rivelare persino a se stesso, e ogni uomo perbene ha un certo numero di cose del genere accantonate nella mente».

Dostojevskij. *Memorie del sottosuolo.*

Non è bene quando quelle cose accantonate vengono fuori. Tutte insieme.

Facevo tutte queste riflessioni - ed altre - in studio mentre sbrigavo cartacce di ordinaria amministrazione. Controllavo scadenze, scrivevo atti semplici e soprattutto preparavo note spese. Dovevo, visto che con la difesa di Abdou non mi sarei arricchito. L'aria era fresca, grazie al condizionatore mentre fuori faceva caldo, definitivamente.

Finii verso le sette. La mia stanza era esposta a nord e avevo una grande finestra alla sinistra della scrivania. Guardai fuori e feci caso al sole sulla terrazza del palazzo di fronte e poi prestai attenzione al ronzio leggero del condizionatore e poi alla musica che proveniva ovattata dall'appartamento di sotto.

Questa consapevolezza era inusuale per me e mi fece sentire bene. Pensai che avevo voglia di una sigaretta, ma non come al solito. Volevo fare le cose con calma. Presi il pacchetto appoggiato sulla scrivania e lo tenni in mano per qualche secondo. Ne feci uscire una battendo con due dita sul lato opposto a quello dell'apertura e la tirai fuori direttamente con le labbra. Pensai alle volte infinite in cui avevo fatto come un automa quella sequenza di gesti. Pensai che adesso riuscivo a pensare al vuoto senza essere sopraffatto dalla vertigine. Riuscivo a non distogliere lo sguardo. Sentii una specie di brivido per tutto il corpo e, insieme, esaltazione e tristezza. Ebbi l'immagine di una nave che esce dal porto per un lungo viaggio. Accesi la sigaretta con un fiammifero svedese e sentii l'urto del fumo nei polmoni mentre irrompeva un'altra sequenza di ricordi. Ma non mi facevano paura adesso. Potrei raccontare esattamente quello che pensai ad ogni singola boccata, da quella sigaretta.

Furono undici. Quando schiacciai il mozzicone nel vasetto di vetro che usavo come posacenere pensai che dopo la fine del processo avevo una cosa da fare.

Una cosa importante.

11

Il venerdì mattina dopo essere passato dal tribunale per una udienza preliminare andai in carcere da Abdou. Il suo interrogatorio era per il lunedì successivo e dovevamo prepararci.

L'agente di custodia della matricola mi fece entrare nella saletta e, con quello che mi parve un sorriso cattivo, chiuse la porta. Il caldo era soffocante, più di quanto mi aspettassi. Tolsi la giacca, allentai la cravatta, sbottonai il colletto della camicia e infine decisi che non ero un detenuto, che non era scritto da nessuna parte che dovessi rimanere chiuso a boccheggiare e così aprii la porta. L'agente nel corridoio mi guardò in modo ostile, sembrò sul punto di dire qualcosa ma poi rinunciò.

Mi appoggiai allo stipite della porta, fra la stanza e il corridoio. Tirai fuori una sigaretta ma non la accesi. Troppo caldo anche per quello.

Sentivo la camicia attaccata sulla schiena per il sudore e nel cervello fece irruzione un pensiero direttamente dai recessi dell'infanzia.

Ci vorrebbe del borotalco, pensai.

Quando eravamo bambini e avevamo sudato, ci mettevano il borotalco. Se protestavi, perché pensavi di essere ormai troppo grande per il borotalco, ti veniva detto che avresti potuto prendere la pleurite. Se chiedevi cos'era la pleurite ti veniva detto che era *una brutta malattia*. Il tono con cui lo dicevano ti faceva passare la voglia di rifare la domanda.

Mentre pensavo a questo mi resi conto che era la seconda volta in due giorni che mi tornavano in mente cose dell'infanzia. Era strano perché io non pensavo *mai* all'infanzia. Non mi ricordavo quasi niente. Quando era capitato che qualcuno – qualcuna – mi chiedesse come era stata la mia infanzia avevo risposto a caso. Qualche volta avevo detto che avevo avuto una infanzia felice. Qualche volta avevo detto che ero stato un bambino triste. Qualche volta, quando volevo fare colpo, avevo risposto che ero stato un bambino strano. Mi dava un alone di fascino, pensavo. Noi tipi speciali spesso siamo stati bambini strani, era sottinteso.

In realtà non mi ricordavo quasi niente della mia infanzia e non avevo voglia di pensarci. Qualche volta mi ero concentrato per ricordare e mi era venuta tristezza. Allora avevo lasciato perdere. La tristezza non mi piaceva, preferivo evitarla.

Adesso guardavo stupito questi pezzi di ricordi che saltavano fuori da chissà dove. Mi davano una leggera malinconia e un senso di stupore, e di curiosità. Ma non tristezza, quella che prima mi aveva fatto distogliere lo sguardo.

Pensavo a quest'altro cambiamento e mi venne un brivido fortissimo che si diffondeva dalla schiena fino alla radice dei capelli sulla nuca, e sulle braccia. Anche se faceva caldo.

La accesi, quella sigaretta.

Vidi arrivare Abdou da lontano nel lungo corridoio.

Mi venne incontro e mi diede la mano, facendo anche un movimento del capo che mi parve un leggero inchino. Mi venne naturale rispondere nello stesso modo e poi mi sentii in imbarazzo.

Aveva un giornale con sé e si fece di lato per farmi entrare nella saletta.

Ci sedemmo, evitando tutti e due la poltrona sfondata, che era sempre lì. Abdou mi porse il giornale, con una specie di sorriso.

«Cos'è?». Chiesi.

«Parla di te, avvocato». Il tono di voce era diverso.

Presi il giornale. Era di due giorni prima. Parlava dell'udienza del martedì precedente e c'era anche una mia foto. Non l'avevo letto né visto: da un anno non compravo i giornali.

VACILLA IL TESTE CHIAVE
NEL PROCESSO PER LA MORTE DEL PICCOLO FRANCESCO

Drammatica udienza ieri nel processo a carico del senegalese Abdou Thiam per il sequestro e l'omicidio del piccolo Francesco Rubino. Hanno deposto alcuni dei testi fondamentali per l'accusa fra i quali Antonio Renna, proprietario di un bar a Capitolo, la contrada balneare di Monopoli dove si verificò la sparizione del bambino.

Il Renna aveva riferito, nel corso delle indagini preliminari, di avere visto l'imputato passare davanti al suo bar, vicinissimo al luogo della sparizione del bambino, pochi minuti prima della sparizione stessa. Interrogato in aula dal pubblico ministero il teste ha confermato quelle dichiarazioni, ostentando grande sicurezza.

Il colpo di scena vi è stato nel corso dello spettacolare controesame condotto dal difensore del senegalese, avvocato Guido Guerrieri. Dopo aver proposto una serie di domande apparentemente innocue ma dalle cui risposte è emerso un chiaro atteggiamento di ostilità del Renna nei confronti degli immigrati extracomunitari, l'avvocato Guerrieri ha mostrato al teste una serie di fotografie di uomini di colore, chiedendogli se vi fosse qualcuno che lui conosceva. Il barista di Capitolo ha detto di no ed è stato in quel momento che il difensore ha calato il suo asso: ben due di quelle foto rappresentavano infatti l'imputato Abdou Thiam. Proprio la persona che il testimone Renna aveva dichiarato, con grande sicurezza, di conoscere e di avere visto passare davanti al suo bar quel tragico pomeriggio. Le foto sono state acquisite dalla corte come prove documentali.

Il pubblico ministero Cervellati ha accusato il colpo ed è stato costretto a riesaminare il testimone per chiarire nuovamente i dettagli della sua deposizione. Il testimone ha chiarito di non avere più visto l'imputato dall'anno precedente, epoca dei fatti, di essere certo delle sue dichiarazioni e di non avere riconosciuto l'imputato in fotografia per il tempo trascorso e per la cattiva stampa delle foto. Si trattava in effetti di fotocopie a colori con una resa non perfetta.

Il riesame condotto dal pubblico ministero ha in qualche modo riparato i danni ma è innegabile che nel corso di questa udienza l'avvocato Guerrieri abbia segnato qualche punto a suo favore, in un processo sicuramente molto difficile per la difesa.

Prima del barista erano stati interrogati il medico legale e il maresciallo Lorusso, l'investigatore che ha condotto le indagini.

Anche l'esame del maresciallo ha conosciuto momenti di tensione quando la difesa ha adombrato mancanze e negligenze investigative, soprattutto nel corso della perquisizione effettuata presso l'abitazione del senegalese.

Si prosegue questa mattina con i genitori e i nonni del bambino. Per lunedì prossimo è fissato l'interrogatorio dell'imputato e poi, salve eventuali nuove richieste di prova, si passerà alla discussione.

Lessi l'articolo due volte. *Spettacolare controesame*. Non riuscivo a reprimere il compiacimento infantile che mi dava leggere quelle parole e guardare quella mia foto sul giornale. Era accaduto qualche altra volta, per altri processi, che si facesse il mio nome e che venisse anche pubblicata una mia foto.

In questo caso però era diverso. Ero io il protagonista dell'articolo.

Quando mi avevano fatto quella foto? Non era recentissima, forse un paio di anni fa, ma non ricordavo in quale occasione. Stavo abbastanza bene anche se, insomma, dal vivo sono meglio, pensai.

Dopo qualche secondo di queste riflessioni mi sentii un idiota, posai il giornale sul tavolino e mi rivolsi ad Abdou.

Mi guardava. Dalla sua espressione si capiva che adesso era convinto che ce l'avremmo fatta. Aveva letto il giornale e adesso pensava che forse era stato fortunato e che era nelle mani dell'avvocato giusto. Mi chiesi se era il caso di disilluderlo e dirgli che nonostante a quell'udienza le cose fossero andate bene, le probabilità erano ancora ampiamente contro di noi. Mi risposi che non c'era nessun motivo per farlo. Allora feci solo un cenno di assenso col capo, scrollando leggermente le spalle. Poteva significare tutto.

«Va bene Abdou. Adesso dobbiamo preoccuparci della prossima udienza. Per il tuo interrogatorio».

Lui fece di sì con il capo e non disse niente. Era attento ma non doveva dire nulla. Toccava a me parlare.

«Adesso ti dirò come funziona la cosa, e ti dirò come devi comportarti. Se qualcosa di quello che dico non è chiaro, per piacere interrompimi e dimmelo subito».

Ancora sì con il capo, con decisione.

«Ti interrogherà per primo il pubblico ministero. Quando ti fa le domande, guardalo in faccia. Con attenzione, non con aria di sfida. Non rispondere se non ha finito la domanda. Quando ha finito girati verso i giudici e parla a loro. Non ti mettere mai a discutere con il pubblico ministero. Chiaro?».

«Quando parla il pubblico ministero guardo lui, quando parlo io guardo i giudici».

«OK. Ovviamente la stessa cosa vale quando le domande te le fa l'avvocato della parte civile, o anche quando te le faccio io. Devi far capire ai giudici che ascolti le domande e rispondi alle domande. Chiaro?».

«Sì».

«Aspetta che le domande siano finite, per rispondere. Soprattutto quando te le faccio io. Non deve sembrare che stiamo recitando, con tutte le battute a memoria. Capisci che voglio dire?».

«Non deve sembrare un teatro fra noi due».

«OK. Non sederti sul bordo della sedia. Siediti in fondo. Così. – Gli feci vedere. – Ma non ti sedere così». Gli feci vedere ancora. Uno che si siede ben comodo, quasi stravaccato, gambe accavallate eccetera.

«È chiara l'idea, sì? Non devi dare l'impressione di uno che stia per scappare, sedendoti sul bordo della sedia, ma non devi dare nemmeno l'impressione di essere rilassato. Si discute della tua vita, del fatto che tu possa rimanere in carcere per moltissimi anni e quindi non puoi essere rilassato. Se sembri rilassato vuol dire che stai facendo finta e loro se ne accorgeranno. Magari solo inconsapevolmente ma se ne accorgeranno. Mi segui?».

«Sì».

«Quando non capisci una domanda, o anche solo se non sei sicuro di averla capita, non cercare di rispondere. Chiunque ti abbia fatto la domanda, chiedi che venga ripetuta».

«Va bene».

«Allora, prima di andare avanti vuoi ripetermi quello che abbiamo detto finora?».

«Devo guardare in faccia chi mi fa le domande. Quando la domanda è finita mi giro, guardo la corte e rispondo. Se non capisco la domanda devo dire di ripetere, prego. Devo sedermi così».

Si sedette come gli avevo detto. Io sorrisi e feci sì con la testa. Non aveva bisogno che le cose gli fossero ripetute.

A quel punto tirai fuori dalla borsa la copia del suo interrogatorio davanti al pubblico ministero, e altre carte. Chiarito come doveva comportarsi, dovevamo parlare di cosa avrebbe dovuto dire, di come avrebbe dovuto spiegare le cose che aveva già detto e delle richieste di prove integrative che avrei dovuto formulare dopo il suo interrogatorio.

Rimasi in carcere fino alle tre, con il caldo che diventava sempre più insopportabile. Quando ci stringemmo la mano, al momento di andare via, pensai che avevamo fatto tutto quello che si poteva.

Passai da casa, feci una doccia, misi dei pantaloni leggerissimi e una polo. Poi mi preparai un'insalata, mangiai, fumai un paio di sigarette bevendo caffè americano shakerato, in poltrona. Verso le quattro e mezza uscii per andare in studio. Provai a citofonare a Margherita, ma non era in casa. Ci rimasi un po' male ma pensai che l'avrei chiamata più tardi, dopo avere finito di lavorare.

In studio ricevetti qualche cliente, passò a trovarmi il mio commercialista, sbrigai la corrispondenza e alla fine dissi a Maria Teresa che per quel giorno poteva andarsene prima. Abbassai gli occhi su un foglio che avevo sulla scrivania. Quando li rialzai lei era ancora là. La guardai con un leggero sorriso interrogativo. Non era una bella ragazza, ma aveva begli occhi azzurri, intelligenti e ironici. Lavorava con me da quattro anni e nel frattempo cercava di laurearsi in giurisprudenza. Voleva fare il magistrato.

«C'è qualcosa?», dissi mantenendo quel sorriso interrogativo. Lei, sembrava cercasse le parole.

«Volevo dirle che sono contenta... sono contenta che lei stia meglio. Sono stata molto... molto preoccupata».

Rimasi in silenzio, stupito. Da quando ci conoscevamo non avevamo mai nemmeno accennato a questioni personali. Dopo quattro anni non sapevo chi fosse realmente quella ragazza, se avesse un fidanzato, cosa pensava, eccetera. Semplicemente non mi aspettavo che dicesse una cosa del genere, anche se sapevo benissimo che si era accorta di quello che mi era capitato. Fu lei a parlare di nuovo.

«Avrei voluto fare qualcosa per aiutarla, quando stava così male, ma lei era così distante. Ero preoccupata, pensavo che sarebbe finita male».

«Male?».

«Sì, non si metta a ridere. Pensavo a quelle persone che si suicidano e che poi gli amici e i conoscenti dicono che erano depresse, da un po' di tempo erano così cambiate e cose del genere...».

«Pensava che mi potessi suicidare?».

«Sì. Poi da qualche mese le cose hanno cominciato ad andare meglio e sono stata contenta. Adesso vanno molto meglio e volevo dirglielo, che sono contenta».

Non sapevo cosa rispondere. Mi venivano alla bocca solo delle banalità e non volevo dire delle banalità. Ci passano vicini interi mondi e non ce ne accorgiamo. Ero turbato.

«Grazie», dissi soltanto. Poi però, subito dopo mi alzai, feci il giro della scrivania e le diedi un bacio sulla guancia. Arrossì, un poco.

«Allora... ci vediamo lunedì».

«Lunedì. Grazie, Maria Teresa».

Dovevo finire la mia preparazione per l'interrogatorio di Abdou e dovevo chiarire alcune questioni tecniche per le mie richieste di prova integrativa. Così rimasi a lavorare fin dopo le otto, poi chiusi tutto e uscii. Fuori c'era ancora luce e si era alzata una leggera brezza. Si stava bene ed io mi sentii euforico. Avevo fatto il mio dovere, era estate ed era venerdì. Per la prima volta dopo tanto tempo ebbi la sensazione del fine settimana, e fu una bella sensazione. Volevo fare qualcosa per festeggiarmi.

Provai a chiamare Margherita sul cellulare, ma era staccato o non prendeva. Provai a chiamarla dal citofono ma non era in casa. Ci rimasi un po' male, ma solo un poco.

Pensai a quello che mi sarebbe andato di fare e trovai subito la risposta. Allora salii a casa, feci un piccolo bagaglio, presi qualche libro, montai in macchina e partii verso sud. Andavo al mare.

Arrivai a Santa Maria di Leuca verso le undici e presi una stanza in una piccola pensione proprio sul mare. Andai a cena e poi feci una lunga passeggiata, su e giù per il lungomare, sedendomi ogni tanto su una panchina a fumare una sigaretta, guardando la gente, godendomi il fresco della notte. Verso l'una e mezza andai a letto. Mi addormentai di botto, per svegliarmi alle nove del sabato. Pensai che non ricordavo da quanto tempo non dormivo in quel modo. Forse a vent'anni o poco dopo.

Quei due giorni furono bagni, sole, mangiare, leggere, dormire e guardare la gente. Pensare, quasi niente. Guardavo la gente sulla spiaggia, nei ristoranti, per le strade del paese, la sera. Passai ore a guardare la gente, senza preoccuparmi che gli altri guardassero me e potessero giudicarmi, in qualche modo. In spiaggia, il sabato mattina feci amicizia con una signora leccese sui sessantacinque anni, alquanto grassa con un costume a fiori celesti; fortunatamente intero. Era simpatica e mi raccontò di suo marito morto da tre anni, e del fatto che lei era stata molto male per cinque o sei mesi e pensava che la sua vita fosse finita perché si erano sposati quando lei aveva ventidue anni e non era mai stata con un altro uomo. Poi aveva cominciato a pensare che forse la sua vita non era finita e che c'erano alcune cose che aveva sempre voluto fare ma, insomma, per un motivo o per l'altro le aveva sempre rimandate. Allora aveva frequentato un corso di origami, che appunto era una di quelle cose che aveva sempre voluto fare, perché quando lei era piccola sua nonna le faceva dei giocattoli bellissimi piegando, ritagliando e colorando la carta. La nonna le prometteva che le avrebbe insegnato quando fosse diventata più grande. Ma quando lei aveva sette anni la nonna era morta e non aveva più potuto insegnarle. Allora aveva imparato l'origami ed era diventata molto brava – mi fece vedere piegando davanti a me un pinguino, una foca e anche una renna – e le era venuta voglia di fare altre cose e si era messa a farle. Per esempio venirsene al mare da sola, o viaggiare, tanto per fortuna non aveva problemi di soldi e via discorrendo. E sai giovanotto, quando hai tante cose da fare non hai il tempo di pensare che la tua vita è finita, o quanto ti resta e che morirai eccetera. Tanto morirai comunque e quindi... Mentre mi diceva queste cose si preoccupava del fatto che potessi scottarmi e mi passava un flacone di protettivo, pretendendo che lo mettessi. E io lo misi e feci bene perché il sole picchiava e mi sarei scottato sicuramente passando tutta la giornata al mare. Volle sapere di me e mi sorpresi a raccontarle i fatti miei, cosa che non avevo fatto con nessuno. A parte lo psichiatra barbuto e con scarso successo. Lei ascoltò senza dire niente e anche questo mi piacque.

La sera dopo aver mangiato andai in una specie di piano bar e rimasi ad ascoltare musica fino a tardi. Feci amicizia con il cameriere che era uno studente di fisica che lavorava il fine settimana per guadagnare qualche soldo. Mi disse che c'erano due ragazze a un tavolo poco distante, immerso nel buio, che gli avevano chiesto chi fossi. Lo studente di fisica mi disse che erano carine e se volevo, lui avrebbe potuto portare un messaggio. Lo disse in modo simpatico, senza volgarità. Gli dissi che grazie, no, magari un'altra volta e lui mi guardò un poco stupito. Quando andai via gli lasciai la mancia. Forse pensò che mi piacevano gli uomini, ma non me ne importava niente.

Anche quella notte dormii come un sasso e mi svegliai riposato e allegro. Passai la domenica sulla spiaggia leggendo, buttandomi in acqua e ungendomi con il protettivo che la signora dell'origami mi aveva lasciato.

Alle sette, con il sole ancora tiepido feci l'ultima doccia, passai dalla pensione a riprendere il bagaglio e ripartii verso Bari.

Ero a pochi chilometri da casa quando dal telefonino, sprofondato nel borsone, venne il suono di ricezione di un messaggio. Ero incuriosito perché era da un sacco di tempo che non ricevevo messaggi. Allora mi fermai ad una stazione di servizio, tirai fuori il telefonino e feci qualche sforzo per ricordarmi come si faceva a leggere i messaggi, ché non lo facevo da tanto tempo, appunto. Dopo un poco ci riuscii. Il messaggio diceva così:

Spiegare sarebbe troppo lungo adesso. Così non cercare di capire. Ma avevo bisogno di dirti, adesso, che averti incontrato è stata una delle cose più belle che mi siano mai capitate. M.

Rimasi instupidito qualche secondo a guardare quelle parole e poi ripartii verso casa. Dopo qualche minuto mi venne di spegnere l'aria condizionata e abbassare i finestrini. Si stava alzando il maestrale che spazzava via l'aria umida.

Non sapevo se era quel vento a darmi i brividi sulla pelle calda per il sole, mentre rientravo con i finestrini abbassati. Le casse diffondevano la voce di Rod Stewart che cantava *I don't wanna talk about it* e io pensavo alle parole di quel messaggio e a molte altre cose ancora.

Non lo so se era il vento a darmi quei brividi sulla pelle.

12

L'udienza cominciò con quasi un'ora di ritardo, per ragioni sconosciute. Ebbi il sospetto che prima dell'ingresso in aula ci fosse stata qualche discussione animata in camera di consiglio, perché i giudici, sia i togati sia i popolari, entrarono e si disposero ai loro posti con facce tese. Faceva eccezione solo la signora belloccia alla sinistra del presidente. Lei aveva sempre la stessa aria di sussiego e di finta concentrazione. Quella che con ammirevole fissità aveva mantenuto per tutte le udienze. L'atteggiamento che evidentemente considerava *comme il faut* per un giudice popolare in corte di assise.

Pensai che se non mi sbagliavo e c'era stata discussione, questa aveva avuto per protagonisti soprattutto il presidente e il giudice a latere. Lo pensai guardando il modo in cui si erano seduti. Il presidente era ostentatamente girato – addirittura con sedia spostata – dalla parte opposta al suo giudice. Quest'ultimo guardava fisso in avanti e puliva gli occhiali in modo nervoso e quasi ossessivo. Non avrebbero scambiato una sola parola per tutta l'udienza.

Pensai che non erano le condizioni ideali per una udienza così importante. Pensai anche, in modo del tutto irrazionale, che il presidente aveva già deciso di condannare Abdou. Questa sensazione mi accompagnò in modo opprimente per tutta la mattina.

Margherita non era venuta, ma nemmeno mi ero aspettato che lo facesse.

Non so dire in base a che ragionamento ero convinto che non l'avrei vista, quella mattina. In realtà non so nemmeno se ci fu un ragionamento. Certo è che non mi aspettavo di vederla, qualche ora dopo quel messaggio.

Abdou venne fatto uscire dalla gabbia, senza manette e gli fu fatto prendere posto nella sedia destinata ai testimoni. Alle sue spalle, a mezzo metro di distanza, due agenti di custodia.

Il presidente gli chiese innanzitutto se confermava di non avere bisogno di un interprete. Abdou fece di sì con il capo e Zavoianni disse che non poteva limitarsi a fare cenni e doveva dire *sì* o *no*, parlando vicino al microfono. Abdou disse che andava bene e che no, non aveva bisogno di nessun interprete. Capiva.

Subito dopo il presidente gli chiese se intendeva sottoporsi all'esame e Abdou rispose di sì, parlando vicino al microfono, con voce ferma. A quel punto ebbe la parola il pubblico ministero.

«Allora Thiam, per prima cosa: lei conosceva il piccolo Rubino Francesco?».

«Sì».

«Ma quando lei è stato interrogato ha detto di non conoscerlo, ricorda?».

Si cominciava subito. Scattai in piedi per la prima opposizione.

«Opposizione presidente. Questa domanda è inammissibile. Se il pubblico ministero intende contestare all'imputato il contenuto di sue precedenti dichiarazioni lo faccia dicendo a quale verbale fa riferimento e dando lettura testuale delle dichiarazioni che intende contestare».

Il presidente stava per dire qualcosa ma Cervellati lo precedette.

«Faccio riferimento al verbale di interrogatorio dinanzi al pubblico ministero in data 11 agosto 1999. Faccio la lettura ai fini della contestazione così la difesa non avrà di che lamentarsi. Dunque... lei ha detto testualmente in questo interrogatorio che...».

«Opposizione presidente. L'accusa non può affermare che il mio cliente ha riferito *testualmente* quando procede ad una contestazione da un verbale in forma riassuntiva, come è quello in questione. Nell'interrogatorio che il pubblico ministero ha citato – che è il primo e l'unico cui il signor Thiam è stato sottoposto – non fu utilizzata stenotipia e non fu utilizzata alcuna forma di registrazione».

Non era una vera opposizione, ma mi serviva a comunicare subito ai giudici una informazione importante: la prima volta – e, di fatto, l'unica – che Abdou era stato interrogato non c'erano registratori, non c'erano videoregistratori, non c'erano stenotipisti.

Il presidente rigettò l'opposizione e mi disse che non gli piaceva il modo in cui avevamo cominciato. Mi sarebbe piaciuto replicare a tono ma non lo feci. Dissi solo grazie presidente e Cervellati riprese.

«Allora leggo la dichiarazione: *non conosco nessun Rubino Francesco; questo nome non mi dice niente*».

«Posso spiegare? Io conoscevo il bambino con il nome Ciccio. Lo chiamavo così. In spiaggia tutti lo chiamavano così. Quando ho sentito: Rubino Francesco non ho capito che era Ciccio. Il piccolo per me era Ciccio».

«Nel corso di quell'interrogatorio però, a un certo punto, ha ammesso di conoscere il bambino, è vero?».

«Sì, quando ho visto la fotografia».

«Intende dire: quando le è stato contestato il ritrovamento – a casa sua – di una foto del bambino?».

«Quando mi avete fatto vedere la foto... sì, quella che avevo a casa».

«Quindi è esatto dire che lei ha ammesso di conoscere il bambino solo quando si è reso conto che avevamo trovato quella fotografia...».

Stava esagerando.

«Opposizione. Questa non è una domanda. Il pubblico ministero cerca di trarre conclusioni e non lo può fare in questa sede».

A malincuore il presidente dovette darmi ragione.

«Pubblico ministero, si limiti alle domande. Le conclusioni nella requisitoria».

Cervellati riprese il suo esame ma si stava evidentemente innervosendo, e non solo con me.

«Allora Thiam, lei è in grado di riferire dov'era il pomeriggio del 5 agosto 1999?».

«Sì».

«Dica».

«Tornavo da Napoli in macchina».
«Cos'era andato a fare a Napoli?».
«A comprare merce da vendere sulle spiagge».
«Ho una contestazione, dallo stesso verbale che ho indicato prima. Leggo testualmente: *Il pomeriggio del 5 agosto credo di essere andato a Napoli... Sono andato a trovare dei connazionali dei quali però non so indicare i nomi. Ci siamo visti, come altre volte, nei paraggi della stazione centrale. Non so fornire utili indicazioni per individuare questi miei connazionali e non so indicare qualcuno che potrebbe confermare che quel giorno sono stato a Napoli*. Ha capito Thiam? Quando lei fu interrogato, nell'agosto dell'anno scorso, disse di essere stato a Napoli, ma non parlò di acquisti di merce eccetera. Disse solo che era andato a trovare dei suoi connazionali, dei quali peraltro non sapeva indicare le generalità. Cosa può dire sul punto?».
«Sono andato a comprare la merce. E sono andato a comprare anche hashish. Non ho detto queste cose perché non volevo mettere in mezzo quelli che mi avevano venduto la merce e l'hashish. E non volevo mettere in mezzo il mio amico che teneva a casa sua la mia merce e l'hashish».
«Chi è questo suo amico?».
«Non voglio dirlo».
«Va bene. Questo servirà a valutare l'attendibilità della sua storia. Cosa doveva farne dell'hashish?».
«Lo compravamo in gruppo con altri amici africani, per fumarlo insieme».
«Che quantitativo di hashish aveva acquistato, lei?».
«Mezzo chilo».
«E lei pensa che crediamo a questa storia? Che crediamo al fatto che per non far risultare una detenzione di hashish e di merce con marchi contraffatti lei non si è difeso da una accusa di omicidio?».
«Non so se credete a questa storia. Io però quando sono stato interrogato ero molto confuso. Non capivo bene cosa stava succedendo e non mi sentivo di tirare in mezzo persone che non c'entravano. Non sapevo cosa fare. Se avevo avuto un avvocato forse potevo...».

«Durante l'interrogatorio lei *aveva* un avvocato!» Cervellati alzò la voce: stava davvero perdendo la calma. Non era necessario il mio intervento.

«Avevo un avvocato d'ufficio. Non ho parlato con lui, prima dell'interrogatorio e poi non l'ho visto più. Se mi chiedete come è fatto non sono capace di dirlo».

«Va bene» disse Cervellati cercando di dominarsi e rivolgendosi alla corte «io non devo discutere con l'imputato. Senta Thiam, lei dice di essere andato a Napoli quel giorno. Ci descriva dettagliatamente come si è svolta la sua giornata».

«Quel giorno che sono andato a Napoli?».

«Sì».

«Sono partito la mattina presto, verso le sei. Sono arrivato a Napoli verso le nove. Sono andato in un magazzino dalle parti del carcere, a Poggioreale dove prendo la merce, e ho caricato la macchina. Poi sono andato veramente vicino alla stazione dove c'erano miei amici che avevano il fumo, l'hashish e l'ho comprato. Avevo i soldi che avevamo raccolto a Bari...».

«Che bisogno aveva di andarlo a comprare a Napoli, l'hashish? A Bari non se ne trova?».

«A Bari si trova, ma si trova soprattutto l'erba, la marijuana, che viene dall'Albania. Però io dovevo andare a Napoli per la merce. A Napoli ci stanno questi amici che hanno la roba molto buona e che mi fanno un prezzo buono, quanto la pagano loro».

«Che prezzo le fanno questi suoi amici spacciatori?».

«Mezzo chilo, un milione».

«E lei poi la spacciava a Bari».

«No. Io non spacciavo. Compravamo in società e poi dividevamo per fumarla noi».

«A che ora è rientrato da Napoli?».

«Pomeriggio. Non so l'ora precisa. Quando ho scaricato dal mio amico c'era ancora sole».

«Naturalmente – lei lo ha già detto – non vuole dirci il nome di questo amico».

«Non posso».

«C'è qualcuno che può confermare questa storia che ci ha raccontato oggi, qui?».

«Un testimone?».
«Sì, un testimone».
«No, non posso chiamare nessuno. Poi io sono in carcere da quasi un anno, non so nemmeno se le persone di Napoli, o anche il mio amico di Bari, sono ancora in Italia».
«Va bene. Quindi dobbiamo stare solo alla sua parola. Comunque lei può escludere di essere andato a Monopoli, a Capitolo, quel pomeriggio».
«No».
«Non può escluderlo?».
«Non sono andato. Quando ho finito di scaricare sono rimasto a Bari. Era tardi e non trovavo più nessuno sulle spiagge».
«Lei dice di non essere andato a Monopoli quel pomeriggio. È in grado di spiegare allora per quale motivo il signor Renna – il proprietario del bar Maracaibo – dichiari di averla vista passare davanti al suo bar proprio quel pomeriggio, attorno alle 18.00? Lei ritiene che il signor Renna non abbia detto la verità? Le risulta che Renna abbia qualche motivo di ostilità nei suoi confronti?».
«Non so. Io credo che lui si sbaglia. Forse fa confusione del giorno. Forse ha visto uno che mi somiglia. Non so. Io non sono andato a Capitolo quel giorno».
«Non mi ha detto se ritiene che Renna abbia motivi di ostilità nei suoi confronti».
«Non capisco. Cosa vuol dire *ostilità*?».
«Secondo lei Renna la accusa falsamente perché vuol farle del male? Ce l'ha con lei?».
Stavo per fare opposizione ma Abdou rispose prima, e rispose bene.
«Io non ho detto così. Non ho detto che mi accusa *falsamente*. Io so che si sbaglia, ma questa è una cosa diversa. Accusare falsamente è quando uno sa che sta dicendo una cosa che non è vera. Lui dice una cosa che non è vera ma penso che lui crede che è vera».
«Lei, nei giorni successivi al 5 agosto, ha portato a lavare la sua macchina?».
«Sì, dopo il viaggio a Napoli. Ho portato a lavare la macchina in quei giorni».

«Perché?».

«Perché era sporca».

Mi parve di cogliere un accenno di sorriso sulle labbra di alcuni dei giudici. Rimasero sicuramente seri il presidente, il giudice a latere, la signora belloccia che sembrava imbalsamata e l'anziano con l'aria di ufficiale in pensione. Io rimasi molto serio. Anche Cervellati, che proseguì il suo esame per alcuni minuti ancora, chiedendo ad Abdou della fotografia con il bambino e di poche altre cose.

La parte civile fece qualche domanda, per mostrare di esserci e poi il presidente mi disse che potevo procedere.

«Signor Thiam, può dirci che lavoro faceva in Senegal?».

«Sono un maestro di scuola elementare».

«Quante lingue parla?».

«Parlo il *wolof* – la mia lingua – italiano, francese e inglese».

«Perché è venuto nel nostro paese?».

«Perché nel mio paese non riuscivo a vedere il futuro».

«Lei è un clandestino?».

«No, ho il permesso di soggiorno e anche la licenza per venditore ambulante. Però vendevo anche cose false. Questa era la cosa illegale che facevo».

«Da quanto tempo conosceva il piccolo Francesco, Ciccio?».

«Lo ho conosciuto l'estate scorsa... no, voglio dire l'estate prima... nel 1998».

«Perché aveva quella foto del bambino?».

«Me la regalò lui... io e il bambino eravamo amici. Spesso parlavamo...».

«Quando le è stata regalata?».

«L'estate scorsa, a luglio. Il bambino disse che se partivo per tornare in Africa potevo portarmi quella foto per ricordo. Io gli dissi che non dovevo tornare in Africa ma lui me la diede lo stesso».

«Quando è stata fatta la foto?».

«Il giorno stesso che me l'ha data. C'era il nonno del bambino che aveva una macchina polaroid e faceva le fotografie. Il bambino ne ha presa una e me l'ha data».

«Adesso vorrei passare ad altro. Io vedo che lei parla molto bene l'italiano. Vorrei chiederle una cosa allora. Può dirci cosa significa la frase: *rinuncio espressamente ad ogni termine a difesa*?».

«Non so cosa significa questa frase».

«È strano signor Thiam, è una frase che lei sembra aver pronunciato nel suo interrogatorio davanti al pubblico ministero. Vuole leggere?». Mi avvicinai ad Abdou mostrandogli la mia copia del verbale. Mi aspettavo che il pubblico ministero obiettasse qualcosa, ma rimase al suo posto, senza dire niente.

Abdou guardò il verbale, come gli avevo detto di fare il venerdì scorso, in carcere. Poi scosse la testa.

«Non lo so, cosa significa».

«Mi scusi signor Thiam, lei non ha detto che rinunciava ai termini per la comparizione e per l'interrogatorio?».

«Non lo so cosa sono questi termini».

«Va bene, forse non se lo ricorda, perché lei questo verbale lo ha firmato».

Dovevo fermarmi a quel punto. Il messaggio, mi pareva, era arrivato dove doveva arrivare. Il verbale dell'interrogatorio di Abdou era stato redatto con una certa disinvoltura e adesso anche la corte lo sapeva. Potevo cambiare argomento e passare al punto decisivo.

«Lei ha detto che il 5 agosto è andato a Napoli e che non ci sono testimoni che possano confermare questa circostanza. È esatto?».

«Sì».

«Lei ha un telefono cellulare?».

«Ce l'avevo. Quando mi hanno arrestato mi hanno fatto il sequestro anche di quello».

«Certo, risulta dal verbale che è nel fascicolo. Quando lei andò a Napoli aveva questo cellulare con sé?».

«Sì».

«Ricorda se quel giorno ha fatto o ricevuto delle telefonate?».

«Credo di sì. Non mi ricordo con precisione ma credo di sì».

«Può dirci qual era il numero di questo telefono cellulare?».

«Sì. Il numero era 0339-7134964».

«Ho finito presidente, grazie».

Il pubblico ministero non aveva ulteriori domande e chiese l'acquisizione del verbale utilizzato per le contestazioni. Io non feci obbiezioni. Il presidente disse che dopo una pausa di mezz'ora avremmo dovuto formulare le eventuali richieste di prova integrativa. La corte avrebbe deciso se accoglierle o meno e poi avremmo concordato il calendario successivo.

Pensai che avevo serio bisogno di un caffè e di una sigaretta.

13

Al bar del tribunale c'erano dei tavolini in stile tavola calda anni '70. Presi al banco il mio caffè e andai a sedermi ad uno di quei tavolini, da solo e con l'intenzione di passare mezz'ora senza pensare a niente e senza parlare con nessuno.

Accesi la sigaretta e rimasi a guardare la gente che entrava e usciva dal bar. Tranquillo.

Ero lì quando arrivò una signora abbronzata, elegante, con gioielli e l'aria di chi passa molto del suo tempo fra palestre e saloni di bellezza. Si stava dirigendo verso il banco quando mi vide e si fermò. Guardava nella mia direzione con un principio di sorriso sulle labbra e con l'aria di chi si aspetta qualche segno di risposta. Mi guardai a destra e a sinistra, per verificare che si stesse rivolgendo proprio a me. Dietro non potevo, perché ero a ridosso del muro. Comunque ai tavolini c'ero solo io e quindi stava guardando proprio me.

Visto il mio comportamento, si avvicinò di più. La sua espressione adesso era leggermente cambiata. Immagino pensasse che o ero fortemente miope o fortemente rincoglionito.

«Non mi riconosci?», disse finalmente.

Allungai leggermente il collo verso di lei, e un sorriso stolido mi si disegnava sulla faccia mentre cercavo qualcosa da dire. Poi la riconobbi.

Quindici anni prima, o forse di più. Mi ero appena laureato. Non riuscivo a ricordare cosa faceva all'epoca ma, certo, era molto diversa. Forse si stava laureando in medicina, o forse la confondevo con qualcun'altra.

Eravamo usciti insieme per due mesi, o poco meno. Era più grande di me, forse di cinque anni. Allora adesso doveva avere più o meno quarantaquattro anni. Come si chiamava? Non mi ricordavo come si chiamava.

«Magda. Sono Magda. Che fai non mi riconosci?».

Magda. Eravamo usciti per due mesi, quindici anni fa.

E che facevamo? Di cosa parlavamo?

«Magda. Scusami. Non metto gli occhiali per vanità e faccio queste figure. Sono un po' miope. Come stai?».

«Sto bene. E tu?».

Seguì una conversazione assurda. Non mi ricordavo quasi niente di lei e così fui cauto, per evitare altre figuracce. Mi disse che era in tribunale per lavoro. Da come lo disse sembrava scontato che io sapessi qual era il suo lavoro. Io invece non ne avevo la minima idea e mentre continuava a parlare – di separazioni, di vita da single, di vacanze, di come dovessimo per forza vederci, una sera, con una serie di persone i cui nomi non mi dicevano niente – mi sentivo trascinato in un vortice surreale.

Mi sentii meglio solo quando ci salutammo, abbracciandoci e baciandoci.

Ciao Magda. Quando ci incontreremo di nuovo troverò il coraggio di chiederti di cosa abbiamo parlato, quasi ogni sera, per due mesi, quindici anni fa.

Il presidente chiese al pubblico ministero e all'avvocato della parte civile se avessero da fare richieste di prove integrative. Tutti e due risposero di no. Allora si rivolse a me e mi fece la stessa domanda. Mi alzai e prima di parlare aggiustai la toga che come al solito mi scivolava sulle spalle.

«Sì presidente. Abbiamo delle richieste ai sensi dell'articolo 507 del codice di rito. La corte ha sentito poco fa l'interrogatorio dell'imputato. Questi ha riferito di essere intestatario di una utenza telefonica cellulare. La circostanza peraltro emergeva già dagli atti in vostro possesso, perché nel fascicolo del dibattimento è inserito, fra gli altri, il verbale di sequestro del telefono cellulare in questione, e della relativa scheda. Quella appunto cui si riferisce il numero 0339-7134964 di pertinenza dell'imputato. L'imputato ha riferito di avere portato con sé, in quel viaggio a Napoli, il suddetto telefono cellulare e, probabilmente, di avere fatto e ricevuto telefonate in quell'occasione. Voi sapete certo meglio di me che l'utilizzazione di un telefono cellulare lascia una traccia che è conservata su supporto magnetico dal gestore, in questo caso la Telecom. È possibile acquisire tabulati da cui risultano i numeri in entrata e in uscita, l'orario, la durata delle telefonate e, soprattutto, la zona in cui l'utilizzatore del telefono si trovava al momento della chiamata.

«Tanto premesso credo di non dover spiegare ulteriormente la rilevanza che può avere l'acquisizione presso la Telecom Italia dei tabulati relativi all'utenza cellulare 0339-7134964, per il giorno 5 agosto 1999. È vero che non abbiamo nessun testimone che possa confermare l'alibi dell'imputato. Le risultanze dei tabulati però possono essere ben più che una testimonianza d'alibi. La localizzazione del telefono collegata, in termini di certezza ad un orario preciso può fornire un elemento risolutivo al processo. In conclusione dunque vi chiedo, a norma dell'art. 507 del codice di procedura penale di emettere un decreto di acquisizione dei tabulati relativi al traffico telefonico dell'utenza cellulare 0339-7134964, per il giorno 5 agosto 1999. Credo di non dovere aggiungere altro. Grazie».

Il presidente mi guardò ancora per qualche secondo dopo che ebbi finito di parlare. Poi stava per voltarsi verso il giudice a latere quando dovette ricordarsi che avevano litigato un paio d'ore prima. Almeno io ero convinto che, per qualche motivo, avessero litigato. Certo è che Zavoianni si stava girando verso il giudice e si fermò a metà. In modo così brusco che dovette darsi un contegno, appoggiando la testa su una mano, con aria pensosa. Si era mosso come il personaggio di una farsa e rimase per qualche secondo innaturalmente immobile. Poi si rivolse al pubblico ministero.

«Ci sono osservazioni su questa richiesta della difesa, pubblico ministero?».

«Presidente, io ho molti dubbi non dico sulla assoluta necessità, ma anche solo sulla rilevanza della prova richiesta dalla difesa. I dubbi possono essere riassunti in poche parole: chi ci dice che il 5 agosto '99 il telefono cellulare era nella disponibilità del

Thiam? Il telefono è stato trovato nella sua disponibilità al momento della perquisizione, è vero. Ma questo significa poco. La perquisizione è di qualche giorno dopo e noi sappiamo che in certi ambienti – per esempio quello degli spacciatori, al quale l'imputato ci ha appena detto di essere vicino, se non addirittura interno – vi è l'usanza dello scambio degli apparecchi cellulari, come delle armi e quant'altro. In mancanza di prova sulla disponibilità del telefono da parte del Thiam alla data del sequestro del bambino, la prova richiesta è priva di rilievo. Devo poi aggiungere una considerazione di natura più strettamente processuale. L'articolo 507 consente l'assunzione di nuovi mezzi di prova solo laddove la loro necessità sia emersa nel corso del dibattimento. In questo caso la prova ben poteva essere richiesta nella fase introduttiva, ma la difesa non lo ha fatto, per negligenza o per altre ragioni che non conosciamo. In ogni caso la richiesta è tardiva e anche sotto questo profilo deve essere respinta».

«La parte civile ha osservazioni?», disse ancora il presidente.

«Ci riportiamo alle considerazioni già svolte dal pubblico ministero».

«Presidente» dissi io «mi consente una brevissima replica alle osservazioni del pubblico ministero?».

«Come lei sa bene, avvocato, non sono ammesse repliche in questa fase».

«Presidente...».

«Avvocato, non una parola di più. Glielo ripeto: non una parola di più».

Così dicendo si alzò per andare in camera di consiglio. Ad uno ad uno si alzarono i giudici popolari per seguirlo. Il giudice a latere rimase seduto. Ebbi l'impressione che serrasse le labbra per un attimo. Poi si alzò anche lui e si diresse, per ultimo, in camera di consiglio.

Aspettammo a lungo. Di solito decisioni come quella, su richieste di prove integrative, vengono prese direttamente in udienza o dopo una camera di consiglio di qualche minuto. Quel giorno invece no. Passavano le ore senza che succedesse niente. Scambiavo chiacchiere con il cancelliere che mi diceva di non capire il perché di quel ritardo. Rispondevo che anch'io non riuscivo a capire, ma non era vero. Stavano così a lungo in camera di consiglio perché, di fatto, la corte si era spaccata fra quelli che avevano già deciso di condannare Abdou e quelli che volevano capire meglio. Se vincevano i primi e se la mia richiesta di acquisire quei tabulati veniva respinta, potevo tranquillamente risparmiarmi la fatica di discutere la causa. Abdou era già spacciato. Eravamo ancora in gioco solo se vincevano gli altri.

Dalla gabbia Abdou mi chiese cosa stesse succedendo ed io gli mentii, dicendo che quella attesa era del tutto normale.

Mi venne di chiamare Margherita, ma non lo feci.

Senza una ragione che fossi in grado di identificare, mi venne in mente un proverbio turco, antico, che diceva più o meno così: *Prima di amare, impara a camminare sulla neve senza lasciare impronte.* Perché mi veniva in mente quel proverbio?

Mi sentivo solo e, cazzo, mi stava venendo da piangere. Dopo mesi, proprio in quel momento, e in quel posto.

No. Per piacere, no.

Andai verso l'uscita dell'aula, per evitare di dare spettacolo – *just in case* – e per accendere un'altra sigaretta. L'avevo già messa fra le labbra quando i miei pensieri furono lacerati dal suono provvidenziale della campanella.

Tornai al mio posto, misi la toga, e mi accorsi di avere ancora la sigaretta appesa ad un angolo della bocca quando i giudici erano già rientrati, si erano seduti e il presidente cominciava a leggere l'ordinanza.

Abbassai lo sguardo sul mio banco e socchiusi gli occhi, sfuocando le carte che avevo davanti. Ascoltai.

La corte di assise di Bari, pronunciandosi sulla richiesta di assunzione di nuovi mezzi di prova formulata dalla difesa dell'imputato Thiam Abdou, osserva quanto segue.

La difesa dell'imputato richiede – a norma dell'art. 507 del codice di procedura penale – l'acquisizione dei tabulati relativi al traffico telefonico dell'utenza cellulare 0339-7134964 per il giorno 5 agosto 1999, sul duplice presupposto che la necessità di tale acqui-

sizione sia emersa nel corso dell'istruttoria dibattimentale (in particolare: nel corso dell'esame dell'imputato) e che comunque la detta acquisizione sia assolutamente necessaria al fine di accertare la verità.

Il pubblico ministero si oppone sostenendo la non rilevanza (o comunque la non assoluta necessità) e la tardività della richiesta.

Effettivamente – come ha osservato il pubblico ministero – la richiesta poteva bene essere avanzata in sede di esposizione introduttiva, perché gli elementi per formularla erano già in quella fase nella disponibilità della difesa.

La richiesta è dunque da considerare tecnicamente tardiva.

Il presidente fece una pausa, o così mi parve. Io rimasi con gli occhi socchiusi e lo sguardo abbassato. Qualche secondo dopo mi sarei accorto che avevo trattenuto il respiro.

Sotto altro profilo, però.

Però! Avevano accolto.

Sotto altro profilo, però occorre rilevare, in coerenza con la giurisprudenza della corte di cassazione, che il giudice di merito è tenuto a non trascurare che il fine primario del processo penale non può che rimanere quello della ricerca della verità. In tale prospettiva non sono accettabili metodologie o scelte processuali che ostacolino in modo irragionevole il processo di accertamento del fatto storico, necessario per conseguire una giusta decisione.

Tanto premesso occorre evidenziare che la prova richiesta è da intendersi come potenzialmente decisiva. Dall'acquisizione dei tabulati potrebbe infatti emergere una vera e propria prova di alibi, laddove risultasse una localizzazione dell'imputato, incompatibile con l'ipotesi della sua responsabilità per i fatti oggetto di imputazione.

Per questi motivi la corte di assise di Bari ordina l'acquisizione dei tabulati relativi al traffico telefonico dell'utenza 0339-7134964 per il giorno 5 agosto 1999, dalle ore 6.00 alle ore 24.00.

Dispone altresì l'audizione del responsabile della sede Telecom di Bari, o di altro dipendente della medesima società espres-

samente delegato, per illustrare in udienza il preciso significato dei tabulati.

Delega la sezione di polizia giudiziaria in sede, assegnando il termine di giorni 5 per l'esecuzione.

Rinvia per l'assunzione della prova e per la discussione all'udienza del 3 luglio.

L'udienza è tolta.

Riaprii gli occhi e sollevai lo sguardo quando la corte era già uscita dall'aula.

Mancava una settimana alla fine. In un modo o nell'altro.

14

In quella settimana ci furono giorni stranamente normali. Lavorai normalmente, feci le mie normali udienze, ricevetti clienti, incassai qualche parcella – il che non era male – e tutto il resto.

Non mi occupai del processo di Abdou. Dovevo aspettare l'arrivo dei tabulati perché dal risultato di quell'accertamento dipendeva l'impostazione che avrei dato alla mia arringa. Fino a quel momento era inutile che riguardassi carte o cominciassi a preparare la discussione.

Giovedì pomeriggio Margherita mi chiamò sul cellulare. Dopo il messaggio di domenica sera non ci eravamo sentiti. Non l'avevo chiamata, né avevo provato a citofonarle. Non so perché. Qualcosa mi aveva trattenuto.

Avevo voglia di uscire a bere qualcosa, dopo cena? Sì, ne avevo voglia. Le citofonavo o bussavo a casa sua? Ah, usciva prima e potevamo vederci direttamente da qualche parte, sul tardi. Andava bene per me su via Venezia, davanti al Fortino, verso le dieci e mezza? Andava bene. A dopo allora.

Aveva un tono di voce un po' strano, e mi diede un leggero senso di inquietudine.

Il pomeriggio passò lentamente, da quel momento. Diventai distratto e guardai spesso l'orologio.

Me ne andai dallo studio verso le otto, a casa feci una doccia, mi cambiai e uscii molto prima dell'appuntamento. Feci passare il tempo, a fatica e verso le dieci mi avviai dalle parti del Fortino.

Camminavo in salita lungo via Venezia, fra la gente. Era piena, come sempre a quell'ora d'estate.

Soprattutto gruppi di ragazzi. Mandavano un odore misto di deodorante, di latte solare e di gomma da masticare alla clorofilla. Qualche famiglia della città vecchia. Qualche cinquantenne abbronzato con ragazza ventenne in una nuvola di profumo. Miei coetanei, pochissimi. Chissà perché, mi chiesi tanto per macinare un pensiero.

Arrivai al Fortino con almeno dieci minuti d'anticipo, ma mi sentivo meglio perché il tempo era passato. Appoggiato di spalle sul muro accesi una sigaretta e mi guardai attorno, in attesa.

Arrivò attorno alle undici meno venti.

«Scusami. È stata una giornata pesante. In una settimana pesante. E fermiamoci alla settimana».

«Che è successo?».

«Camminiamo, vuoi?».

Ci dirigemmo verso nord, sempre su via Venezia. Man mano che ci allontanavamo dalla zona del Fortino la gente si diradava. Gruppi più piccoli, coppie, qualche camminatore solitario, qualche poliziotto in divisa, a sorvegliare.

Camminammo senza parlare, fin quando arrivammo all'altezza della basilica di San Nicola. Un tipo con un cane corso ci passò vicino e il bestione si inchiodò per annusare le gambe di Margherita. Lei pure si fermò, allungò la mano e accarezzò il cane sulla testa. Il padrone era stupito che la belva si lasciasse toccare in quel modo, da una estranea. Era la prima volta che succedeva, ci disse. La signora aveva un cane? No, non l'aveva. Lo aveva avuto, ma era morto tanti anni fa.

Il cane ed il padrone andarono via e noi ci sedemmo sul muretto che si affaccia sul lato destro di San Nicola.

«Come ti è andata in questi giorni? Il processo?», disse.

«Bene, spero. Lunedì prossimo potremmo concludere. E a te come va?». Cauto.

Lasciò passare qualche secondo e poi parlò come se non le avessi fatto nessuna domanda.

«Nei posti dove ti insegnano a smettere di bere ti spiegano anche come resistere al rischio delle ricadute. Nel primo anno successivo al trattamento le ricadute sono tantissime e anche dopo è frequente ricascarci. Era una cosa che ci ripetevano in continuazione. Ci saranno dei momenti difficili – dicevano – in cui vi sentirete tristi, avrete una terribile nostalgia del passato o paura del futuro. In quei momenti avrete voglia di bere. Una voglia che vi sembrerà invincibile, che vi sommergerà come un'ondata. Invece non è invincibile. Sembra che lo sia perché siete più deboli, in quel momento. Ma, appunto, è come un'onda. Un'onda, in mare vi sommerge solo per qualche secondo, anche se quando siete sotto vi sembra un'eternità. Ne venite fuori facilmente, se non vi lasciate prendere dal panico. Allora – dicevano – ricordatevi che basta restare calmi, in quei momenti. Non lasciatevi prendere dal panico, ricordatevi che in breve metterete la testa fuori dall'acqua perché l'onda sarà passata. Quando siete colpiti dall'impulso irresistibile a bere, fate qualcosa per lasciare passare i secondi, o i minuti che dura la crisi. Flessioni, due chilometri di corsa, mangiate un frutto, chiamate un amico. Qualsiasi cosa faccia passare il tempo senza pensare».

Io stavo in silenzio, e avevo paura di quello che avrei sentito dopo.

«A me è capitato diverse volte, come a tutti. L'aikido mi ha aiutato. Quando arrivava l'ondata, mettevo il kimono e ripetevo le tecniche, cercando di concentrarmi solo su quello che stavo facendo. Funzionava. Quando finivo l'allenamento mi ero dimenticata della voglia di bere.

«Con il tempo questi momenti si sono fatti sempre più rari. Erano almeno due anni che non mi capitavano».

Accesi la sigaretta che tenevo fra le dita da qualche minuto. Margherita continuò a parlare, senza cambiare tono, guardando in un posto indefinito davanti a lei.

«C'è una persona, da quasi tre anni. Non abita a Bari e forse è per questo che ha funzionato così a lungo. Ci vediamo nei fine settimana: o viene lui o lo raggiungo io. Lo scorso fine settimana è venuto lui. Gli avevo già parlato di te. Così, in modo normale e sulle prime non aveva avuto problemi. O non me lo aveva detto».

Si girò leggermente verso di me, mi prese la sigaretta e ne fumò una buona parte prima di restituirmela.

«Comunque, non so come, il discorso è ritornato sabato scorso. Cioè, più che di discorso si è trattato di una scenata di gelosia. Ora devi sapere che lui *non* è una persona gelosa. È esattamente l'opposto. Per cui sono rimasta allibita e ho reagito male. Molto male. Eravamo stati insieme, insomma avevamo fatto l'amore...».

Mi sentii trafiggere. Subito dopo nebbia fitta nel cervello per non so quanto tempo. Fino a quando riuscii di nuovo a capire cosa stava dicendo.

«... e poi gli ho detto che non mi sarei mai aspettata discorsi del genere, da lui. Che era una delusione e così via. Lui mi ha risposto che ero un'ipocrita. Dicendo che tu eri solo un amico mentivo. Non a lui, a me stessa e per questo ero veramente ipocrita. E che reagivo con quella violenza proprio perché sapevo che aveva ragione. La discussione è durata buona parte della notte. La mattina lui ha detto che andava via. Che dovevo chiarirmi le idee cercando di essere onesta, con lui e con me stessa. Poi potevamo risentirci e riparlarne. Lui è andato via ed io sono rimasta lì, seduta sul letto, con il cervello pieno di frastuono. Incapace di pensare. Le ore sono passate in modo allucinante e naturalmente mi è venuta voglia di bere. Una voglia pazzesca, come non mi era mai venuta da quando ho smesso. Ho provato a mettere il kimono e ad allenarmi, ma in realtà non ne avevo nessuna voglia. Avevo voglia di bere invece e di sentirmi bene, di fare sparire quel frastuono dal cervello, di fare sparire la responsabilità e il dovere e gli sforzi, tutto. Cazzo.

«Allora sono scesa, ho preso la macchina e sono andata a Poggiofranco. Sai che c'è quel bar grande sempre aperto, non mi ricordo mai come si chiama, dove hanno anche vini e liquori?».

Sapevo qual era il bar e feci sì con la testa. Avevo la bocca secca, la lingua attaccata al palato.

«Sono entrata e ho chiesto una bottiglia di Jim Beam che era il mio preferito. A quel punto mi sentivo calma. Mortalmente calma. Sono tornata a casa, ho preso un bicchiere grande, e sono andata in terrazza. Mi sono seduta al tavolo, ho rotto il sigillo della bottiglia – hai presente quel bello schiocco, quando apri una bottiglia nuova? – e mi sono versata tre dita di bourbon, per cominciare. L'ho fatto lentamente, guardando il liquido che scendeva nel bicchiere, i riflessi, il colore. Poi ho avvicinato il bicchiere al naso e ho respirato a lungo.

«Sono rimasta molto tempo davanti a quel bicchiere, con i pensieri che giravano attorno a se stessi. Sei una cattiva ragazza. Lo sei sempre stata. Non ci si può ribellare al proprio destino. È inutile. Diverse volte ho alzato il bicchiere per bere, l'ho guardato e poi l'ho poggiato di nuovo sul tavolo. Tanto ero sicura che avrei bevuto e allora potevo prendermela molto calma.

«È diventato buio ed ero sempre lì, con questo bicchiere di bourbon. Ho pensato che mi andava di riempirlo di più. L'ho poggiato sul tavolo, ho preso la bottiglia e ho versato, molto lentamente, ancora. Il bicchiere si è riempito fino alla metà, due terzi, fino all'orlo. Ed io ho continuato a versare.

«Pianissimo il liquido ha cominciato a traboccare e io lo guardavo, scendere sulle pareti esterne del bicchiere e poi spandersi sul tavolo e poi gocciolare per terra.

«Quando la bottiglia si è svuotata l'ho poggiata sul tavolo. Ho preso il bicchiere con due dita e l'ho inclinato lentamente, senza sollevarlo. Così ha cominciato a svuotarsi. Anche questo molto lentamente. Man mano che si svuotava lo inclinavo di più. Alla fine l'ho rovesciato».

Mi passai le mani sulla faccia respirando, finalmente. Mi accorsi anche del dolore alle mascelle.

«A quel punto mi sono alzata, ho preso secchio e stracci e ho pulito tutto. Ho messo gli stracci e la bottiglia vuota in un sacchetto, sono scesa in strada e ho buttato tutto in un cassone della spazzatura. Avevo voglia di chiamarti, ma non mi sembrava una cosa giusta. Dovevo finire di sbrigarmela da sola, ho pensato. Allora almeno ti ho mandato quel messaggio».

Smise di parlare così, quasi bruscamente. Rimanemmo a lungo in silenzio, seduti su quel muro. Io avevo domande che mi bruciavano. Riguardavano lui, naturalmente. Cosa era successo dopo quella sera? Oggi, dove era stata? Si erano rivisti, parlati e così via?

Non ne feci nessuna. Non fu facile, ma non feci nessuna domanda. Per tutto il tempo che rimanemmo seduti e dopo, quando attraversammo la città fino al nostro palazzo. Fino a quando fu il momento di salutarci, davanti alla porta di casa sua. Allora fu lei a parlare.

«Cosa pensi di me, dopo le cose che ti ho detto?».
«Quello che pensavo prima. È solo un po' più complicato».
«Vuoi entrare?».
Pensai qualche secondo prima di rispondere.
«No, stasera no. Ma non fraintendere, è solo che...».
Mi interruppe parlando in fretta. A disagio.
«Non fraintendo. Hai ragione. Non dovevo nemmeno dirtelo. Hai detto che lunedì il processo finisce?».
«È probabile. Dipende da un ultimo accertamento ordinato dalla corte. Se alcuni documenti arrivano in tempo, allora dovremmo chiudere lunedì».
«Ma tu parlerai la mattina?».
«No, non credo. Quasi sicuramente il pomeriggio».
«Allora quasi sicuramente riesco a venire. Voglio esserci quando parli».
«Anch'io vorrei che ci fossi».
«Allora... buonanotte. E grazie».
«Buonanotte».
Ero già per le scale.
«Guido...».
«Sì?».
«Sono andata da lui, dopo. Gli ho detto che aveva ragione. Sull'ipocrisia – la mia – e tutto il resto».
Fece una breve pausa e parlò ancora. C'era una fragilità sconosciuta nella sua voce.
«Ho fatto bene?».
Socchiusi gli occhi e respirai profondamente, sentendo un nodo che si scioglieva alla bocca dello stomaco.
Le dissi che sì, aveva fatto bene.

15

I tabulati arrivarono puntualmente, il quinto giorno dall'udienza in cui ne era stata ordinata l'acquisizione. Me lo disse il maresciallo dei carabinieri che aveva eseguito il provvedimento della corte. Era un mio amico e gli avevo telefonato per sapere se quelle carte erano arrivate. Disse che erano arrivate e allora andai in tribunale per esaminarle.

Era sabato, primo di luglio. Il palazzo di giustizia era deserto e l'atmosfera vagamente surreale.

La porta della cancelleria della corte d'assise era chiusa. Aprii e dentro non c'era nessuno, ma almeno l'aria condizionata funzionava. Così entrai, richiusi la porta e aspettai che qualcuno ritornasse e mi facesse consultare i tabulati.

Dopo un quarto d'ora finalmente entrò un impiegato piccolo di statura, sulla sessantina, che non conoscevo. Mi guardò con aria assente e mi chiese se avessi bisogno di qualcosa. Avevo bisogno di qualcosa e glielo dissi. Lui sembrò riflettere qualche istante e poi fece sì col capo, in modo pensoso.

La ricerca delle carte fu una operazione laboriosa e alquanto snervante ma in un modo o nell'altro, alla fine l'omino riuscì a trovarle.

Dai tabulati veniva fuori che Abdou aveva sicuramente detto la verità, sul viaggio a Napoli. La prima telefonata era delle 9,18. Era una chiamata in uscita dal telefono di Abdou, era diretta a un numero di Napoli ed era durata 2 minuti e 14 secondi. All'ora di quella telefonata Abdou era già a Napoli, o nelle immediate vicinanze. Seguivano altre quattro telefonate – a numeri di Napoli e a telefoni cellulari – in cui la localizzazione era sempre Napoli. L'ultima era delle 12,46. Poi non succedeva niente per oltre quattro ore. Alle 16,52 Abdou riceveva una telefonata da un telefono cellulare. In quel momento la localizzazione era su Bari città. La successiva telefonata era delle 21,10. Era una chiamata in uscita dal telefono di Abdou ad un altro cellulare. La localizzazione era ancora Bari. Poi più niente.

Mi fermai a riflettere sul risultato di quell'accertamento. Certamente non era risolutivo e non chiudeva il processo. C'era un tempo vuoto di oltre quattro ore, e proprio al centro di quelle quattro ore si era verificata la scomparsa del bambino. Quello che risultava dai tabulati non consentiva di escludere che Abdou, tornato da Napoli, avesse proseguito per Monopoli, fosse arrivato a Capitolo, avesse preso il bambino, avesse fatto chissà cosa d'altro, eccetera, eccetera.

Mi alzai per andare via e mi accorsi che l'omino era seduto dall'altro lato della cancelleria, con il mento appoggiato alle mani, i gomiti sulla scrivania e lo sguardo perduto da qualche parte.

Gli augurai buona giornata. Lui girò la testa, mi guardò come se avessi detto qualcosa di strano e poi, mentre si voltava di nuovo fece una specie di cenno col capo. Impossibile capire se aveva risposto al saluto o se era rimasto altrove e dialogava con qualche fantasma.

Fuori l'aria era rovente. Era mezzogiorno di sabato primo luglio e mi accingevo a chiudermi in studio per preparare la discussione del processo.

Mi aspettava un lungo fine settimana.

16

L'udienza cominciò puntuale alle nove e trenta. La corte prese atto dell'arrivo dei tabulati e concordammo tutti che non erano necessarie le spiegazioni di un tecnico, sul significato dei dati. Ai nostri fini, quello che si leggeva sui tabulati era chiaro a sufficienza. L'ingegnere della Telecom che si era presentato in udienza per deporre fu ringraziato e gli fu detto che poteva andare.

Subito dopo il presidente esaurì le ultime formalità del dibattimento e diede la parola al pubblico ministero. Erano le nove e quaranta minuti.

Cervellati si alzò spingendo indietro la sedia e appoggiandosi al tavolo. Si aggiustò la toga sulle spalle, diede uno sguardo agli appunti e poi sollevò il capo rivolgendosi al presidente.

«Signor presidente, signor giudice a latere, signori giudici popolari. Oggi siete chiamati a giudicare di un crimine orribile. Una giovane vita, una giovanissima vita recisa brutalmente, per effetto di una abiezione di cui non riusciamo a vedere la causa e la misura. Gli effetti di questa abiezione purtroppo sono irrimediabili. Nessuno potrà restituire questo bambino all'affetto dei suoi genitori. Non io, non voi, nessuno.

«Voi però avete un potere grande e importante, di cui spero farete buon uso. Di cui sono sicuro farete buon uso».

Pensai: adesso dirà che hanno il potere, e insieme il dovere, di fare giustizia. Di impedire che l'autore di un crimine così nefando possa andare via indisturbato, magari per qualche cavillo eccetera eccetera.

«Voi avete il potere di fare giustizia. E questo è un potere impegnativo, perché porta con sé il *dovere* di rendere giustizia. Alla famiglia della piccola vittima, innanzi tutto. Ma poi a tutti noi che, come cittadini, attendiamo una risposta quando accadono fatti così tremendi».

Era una delle sue frasi preferite, in corte di assise. Era convinto di impressionare i giudici popolari, credo. Comunque continuò su questi toni e io in breve cominciai a distrarmi.

Sentivo la sua voce come un rumore di fondo. Ogni tanto seguivo il discorso per qualche minuto e poi tornavo a divagare per conto mio.

Parlò di quello che era successo nel corso del dibattimento, lesse con voce monotona lunghi pezzi dei verbali e spiegò per quali motivi le prove di accusa erano da ritenere pienamente attendibili, nessuna esclusa.

Una delle requisitorie più noiose che avessi mai sentito, pensai mentre sfogliavo il fascicolo che avevo davanti, tanto per fare qualcosa.

Ad un certo punto arrivò a parlare della testimonianza del barista, che era il cuore del processo.

Rilesse le dichiarazioni di Renna – ma non le risposte alle *mie* domande – e le commentò. Mi sforzai di ascoltare con attenzione.

«Allora dobbiamo chiederci, *dovete* chiedervi: che ragioni aveva il testimone Renna di accusare falsamente l'odierno imputato? Perché la questione, invero, è molto semplice e l'alternativa netta. Una ipotesi è che il teste Renna menta, ponendo le condizioni per la condanna di un innocente all'ergastolo. Perché lui sa benissimo quali sono le conseguenze della sua deposizione, e ciononondimeno insiste, anche dopo le difficoltà che abbiamo visto in occasione del controesame. Se mente, accusando di fatto un innocente per un reato da ergastolo, deve avere una ragione. Una ostilità personale anzi un odio feroce e abietto, perché solo un simile odio potrebbe spiegare una azione così aberrante.

«Esiste prova, o anche solo il sospetto di questo odio distruttivo da parte del Renna nei confronti dell'imputato? Naturalmente no.

«L'altra ipotesi è che il teste invece dica la verità. E se non esiste nessun elemento per dire che il teste mente, dobbiamo riconoscere che – certo con imprecisioni, con errori, con naturali momenti di confusione – egli dice la verità.

«Le conseguenze sull'esito del presente processo sono evidenti. Perché non dimenticate che l'imputato nega di essere stato a Monopoli, a Capitolo quel pomeriggio. E se lui nega quando invece in quei posti c'è stato – e noi possiamo affermarlo serenamente perché ce lo dice un teste che non ha nessun motivo per mentire – la spiegazione è una sola ed è tristemente sotto gli occhi di tutti».

Questo concetto lo annotai, perché aveva un senso e bisognava confutarlo esplicitamente.

Cervellati proseguì e, seguendo l'ordine cronologico del dibattimento, arrivò a parlare dei tabulati.

Disse quello che mi aspettavo. L'accertamento richiesto dalla difesa non solo non aveva provato l'innocenza dell'imputato, ma forniva, al contrario, ulteriori spunti per sostenere l'accusa.

Perché quel buco di quasi cinque ore, senza telefonate, in cui probabilmente l'apparecchio era stato spento, costituiva un dato indiziario da valorizzare. Era verosimile – altamente verosimile, disse – che l'imputato, arrivato a Bari da Napoli, avesse proseguito per Capitolo avendo già una idea del da farsi. O magari in preda ad un raptus. Era probabile che avesse spento il cellulare, per non essere disturbato nella sua nefanda azione. E questo spiegava, meglio di ogni altra ipotesi, l'assenza di telefonate dalle diciassette fin dopo le ventuno.

Anche su questa parte della requisitoria presi appunti. Era un argomento insidioso che poteva suggestionare i giudici.

Seguì una ricostruzione ipotetica di come Abdou poteva avere realizzato la fase esecutiva del suo piano, sfruttando in modo subdolo e abietto la fiducia del bambino.

Quello che era accaduto dopo il sequestro poteva essere facilmente ipotizzato. Il bambino, resosi conto di quello che stava accadendo, aveva tentato di resistere al tentativo di violenza. Magari aveva tentato di fuggire, e questo aveva innescato la reazione letale dell'imputato. Probabilmente non erano state trovate tracce di abuso sessuale perché la situazione era precipitata prima che tale abuso – che certamente era l'obiettivo cui l'imputato mirava – fosse consumato.

In conclusione il pubblico ministero spiegò i motivi per cui la sola pena adeguata a quel reato fosse quella del carcere a vita. Era la parte più convincente della requisitoria perché effettivamente, l'ergastolo sarebbe stata la giusta pena per l'autore di un fatto del genere.

Mentre pensavo questo, Cervellati concludeva con la formula rituale della richiesta di condanna.

«Per i motivi fin qui enunciati dunque, vi chiedo di affermare la penale responsabilità dell'imputato per tutti i reati che gli sono ascritti e di condannarlo pertanto alla pena dell'ergastolo con isolamento diurno per mesi sei, applicando altresì la pena accessoria dell'interdizione perpetua dai pubblici uffici».

Feci un respiro profondo, guardai l'orologio e mi resi conto che erano passate quasi due ore.

Il presidente disse che avremmo fatto una breve pausa prima di dare la parola alla parte civile. Poi ci sarebbe stata una sospensione di un'ora per il pranzo e alla ripresa avrei parlato io. Dopo le eventuali repliche la corte si sarebbe ritirata in camera di consiglio.

L'aula si svuotò ed anche io mi alzai per andare a fumare, mentre rimaneva solo Cotugno, che metteva a punto gli ultimi dettagli della sua arringa.

Fuori, una giornalista che non avevo mai visto prima mi chiese cosa ne pensavo della richiesta del pubblico ministero.

Ne pensavo che raramente avevo sentito domande così idiote. Ebbi l'impulso di esprimere questo concetto, ma naturalmente non lo feci. Non dissi nulla, alzai le spalle, scossi la testa e allargai leggermente le mani, con le palme rivolte verso l'alto. Mi allontanai tirando fuori il pacchetto delle sigarette mentre la ragazza mi guardava un po' interdetta.

Ero abbastanza tranquillo. Non avevo voglia di riguardare i miei appunti. Non avevo voglia di fare più niente fino al momento in cui sarebbe toccato a me di parlare. E comunque non ne sentivo il bisogno.

Era una sensazione nuova, per me. Ero sempre arrivato con l'affanno agli appuntamenti importanti, di lavoro, di studio o di altro. Mi ero sempre ridotto all'ultimo momento, all'ultima notte, all'ultimo ripasso e, dopo, avevo sempre avuto l'impressione di avere rubato qualcosa e di averla fatta franca. Ero riuscito a fregare il mondo ancora una volta. Ancora una volta non erano riusciti a scoprirmi ma dentro di me sapevo di essere un impostore. Prima o poi qualcuno se ne sarebbe accorto. Sicuro.

Quella mattina mi sentivo bene. Sapevo di avere fatto tutto quello che potevo. Avevo paura, ma era una paura sana, non la paura di essere scoperto e che tutti si accorgessero che ero fasullo. Avevo paura di perdere il processo, avevo paura che Abdou fosse condannato, ma non avevo paura di perdere la dignità. Non mi sentivo un impostore.

Cotugno parlò per poco più di un'ora, usò molti avverbi e molti aggettivi e riuscì a non dire assolutamente nulla.

Nella pausa del pranzo salii al sesto piano, al consiglio dell'ordine. Avevo bisogno di un vocabolario per controllare un'idea che mi era venuta mentre parlava il pubblico ministero. Trovai l'impiegata che stava chiudendo tutto e stava per andare via ma riuscii a convincerla che era un caso di emergenza. Mi fece entrare in biblioteca dove feci rapidamente il mio controllo e presi qualche appunto. Poi ringraziai, salutai e andai via.

A quel punto avrei voluto fare due passi ma, fuori, il caldo era insopportabile. Allora andai al bar del tribunale, ordinai un frullato e un cornetto, mi sedetti a un tavolino e feci passare il tempo.

Quando fu l'ora mi alzai, tornai in aula, tolsi la giacca e indossai la toga. Quasi contemporaneamente suonò la campanella e si aprì la porta della camera di consiglio. I giudici entrarono ad uno ad uno e io li guardavo stando in piedi, con le braccia incrociate, bilanciato sulla gamba sinistra. Si sedettero tutti e mi sedetti anche io. C'era silenzio.

«La parola alla difesa dell'imputato», disse seccamente il presidente.

Mi stavo alzando quando notai gli sguardi di alcuni fra i giudici che si dirigevano in un punto immediatamente alle mie spalle. Sentii qualcuno che mi stringeva delicatamente il braccio sinistro subito sopra il gomito. Mi girai e vidi Margherita. Aveva un leggero affanno e piccole gocce sul labbro superiore. Fece balenare un sorriso, non disse niente e si sedette alla mia destra.

Prima che cominciassi a parlare passò qualche secondo.

«Signori giudici, come vi ha già detto il pubblico ministero, questo processo riguarda il più orribile ed innaturale dei crimini. La morte violenta di un bambino con il suo strascico di dolore incomprensibile, senza misura, per i genitori di quel bambino.

«Se la nostra difesa, in qualche modo, involontariamente, ha mancato di rispetto a quel dolore, chiedo scusa».

Il presidente mi guardò senza simpatia. Pensava che quel modo di cominciare fosse solo un espediente per accattivarmi i giudici popolari. Ero sicuro che la pensasse così ed ebbi voglia di dirgli che lo sapevo, e che non me ne importava niente.

«Qualcuno potrebbe pensare che questo sia solo un modo, alquanto miserabile, per catturare la simpatia dei giudici. Quantomeno dei giudici popolari. Non sarebbe un pensiero assurdo perché, spesso, noi avvocati facciamo di queste cose. E comunque: ognuno è libero di pensarla come crede. Anche perché i processi non si discutono e non si decidono in base alla simpatia o all'antipatia dell'avvocato o del pubblico ministero. Per fortuna. I processi si decidono – permettetemi la banalità – in base alle prove. Se ci sono si condanna. Se mancano o anche se sono solo insufficienti o contraddittorie, si assolve.

«E allora dobbiamo chiederci in base a quali criteri possiamo affermare che le prove in un processo sono sufficienti, e consentono di condannare, o sono insufficienti o contraddittorie, e impongono allora di assolvere.

«Per ragionare di questi temi possiamo prendere spunto sicuramente dalla impostazione che ci ha proposto la pubblica accusa.

«Il pubblico ministero ha detto – mi sono annotato testualmente la frase – ha detto: *è dunque altamente verosimile che l'imputato sia giunto a Bari da Napoli, abbia proseguito per Monopoli, in preda ad un raptus o avendo già da prima elaborato nei det-*

tagli il suo proposito criminoso, sia giunto a Capitolo, magari abbia spento il cellulare per agire indisturbato e abbia rapito il bambino... eccetera. Da questa alta verosimiglianza il pubblico ministero desume un argomento importante, se non decisivo, per sostenere la responsabilità dell'imputato e per chiedere che gli venga applicato l'ergastolo.

«Allora, per verificare la consistenza e l'attendibilità dell'argomentazione dell'accusa, dobbiamo verificare cosa significa verosimiglianza».

Feci una pausa, presi dal banco il foglietto che avevo annotato poco prima in biblioteca e lessi.

«Verosimile, dice il vocabolario della lingua italiana Zingarelli, è quello che sembra vero e che, quindi, è credibile.

«*Sembra* vero e quindi è *credibile*.

«Sempre nello Zingarelli leggiamo la definizione di *vero*. Vero è ciò che si è effettivamente verificato, che è pienamente conforme alla realtà oggettiva. Alla voce *vero* troviamo, fra le altre, la locuzione: *sembrare vero*. Lo Zingarelli spiega che questa espressione – *sembrare vero* – si usa a proposito di cosa artificiale che imita perfettamente la realtà. Ciò che sembra vero è qualcosa di artificiale, che imita la realtà.

«Ricordate la definizione di verosimile? La parola usata dal pubblico ministero? Verosimile è ciò che sembra vero, e ciò che sembra vero è qualcosa che imita la realtà, ma che ad essa non corrisponde. È, in sostanza, qualcosa di diverso dalla realtà. Usando l'espressione: *verosimile*, il rappresentante dell'accusa ammette implicitamente ed inconsciamente di non potere usare l'espressione: *vero*. Vedete bene come nelle stesse pieghe del discorso dell'accusa si celi la sua irrimediabile debolezza».

A questo punto, come mi aspettavo, Cervellati si innervosì e protestò con il presidente. Era inaccettabile che alla difesa si consentisse di ridicolizzare l'ufficio del pubblico ministero con argomenti sofistici di bassa lega. Il presidente non gradì l'interruzione e ricordò al pubblico ministero che la difesa poteva dire quello che voleva, con la sola esclusione delle offese personali. Non gli sembrava che fosse quello il caso. Cervellati cercò di aggiungere qualcosa ma il presidente gli disse, bruscamente questa volta, che avrebbe fatto i suoi commenti sulla mia arringa – se riteneva – al momento delle repliche. Era tutto e non avrebbe tollerato ulteriori interruzioni. Si rivolse a me e mi disse di andare avanti. Ringraziai, evitai accuratamente di fare qualsiasi accenno all'interruzione e ripresi a parlare.

«Ciò che abbiamo detto brevemente sul significato di queste parole chiave – vero e verosimile – ci offre dunque una interessante prospettiva di lettura degli argomenti del pubblico ministero e delle premesse psicologiche di tali argomenti.

«Il processo però non si fa sulla interpretazione in chiave psicologica di quello che dice il pubblico ministero. E il processo non si fa nemmeno analizzando quello che ha detto il pubblico ministero per verificare se il suo ragionamento è giusto o sbagliato. Perché il pubblico ministero potrebbe avere fatto un ragionamento sbagliato e ciononostante potrebbe essere giunto a conclusioni giuste. Cioè potrebbe essere giusto pronunciare una sentenza di condanna. Nonostante il ragionamento sbagliato del pubblico ministero e in base ad un diverso, più corretto percorso argomentativo».

Cervellati si alzò, poggiò la toga sulla sedia e uscì ostentatamente dall'aula. Io non mostrai di essermene accorto.

«Dunque non basta individuare le eventuali carenze dell'argomentazione del pubblico ministero. Occorre verificare se gli elementi di prova raccolti consentano o meno di formulare un giudizio di verità. Noi non vogliamo sottrarci a questo compito. Ma prima di affrontarlo lasciatemi ripetere un concetto.

«È un concetto che vorrei teneste a mente durante tutta questa discussione e, soprattutto, quando sarete in camera di consiglio. Per condannare voi non potrete dire che una certa versione dei fatti, una certa ipotesi ricostruttiva dei fatti è verosimile, o anche molto verosimile. Dovrete dire che questa ricostruzione è vera. Se potrete farlo, allora è giusto che condanniate. All'ergastolo.

«L'ipotesi ricostruttiva proposta dall'accusa, in questo processo è la seguente: Thiam Abdou, il giorno 5 agosto 1999, ha sequestrato il minore Rubino Francesco, cagionandone successivamente la morte per soffocamento.

«Possiamo dire, in base alle prove raccolte, che questa ipotesi ricostruttiva è vera? Cioè possiamo dire che si tratta di una corretta descrizione di come si sono *veramente* svolti i fatti storici e non di una semplice congettura su come *potrebbero* essersi svolti?».

Mi fermai come se avessi perso il filo. Rivolsi lo sguardo verso il basso e mi sfiorai la fronte con indice e medio della mano destra. Dopo qualche istante rialzai lo sguardo verso i giudici, rimanendo senza parlare ancora per qualche secondo. C'era silenzio e tutti mi guardavano, in attesa.

«Esaminiamo insieme queste prove. E in particolare esaminiamo le dichiarazioni del testimone Renna, proprietario del bar Maracaibo. Per evitare ogni equivoco voglio dire subito che sono d'accordo con il pubblico ministero, sul fatto che questo testimone dice la verità. O per essere più precisi: questo testimone non dice bugie».

Feci un'altra breve pausa per dar loro il tempo di chiedersi dove volevo arrivare.

«Perché la bugia è una asserzione consapevolmente contraria alla verità ed io sono convinto che il signor Renna non abbia fatto asserzioni *consapevolmente* contrarie alla verità. Raccontando di avere visto Abdou Thiam passare davanti al suo bar, proprio quel pomeriggio, a quell'ora, il signor Renna ritiene di raccontare la verità. E infatti egli non avrebbe nessun motivo di accusare falsamente l'imputato.

«Certo, dal suo esame è emerso che egli non ha, come dire, particolare simpatia per gli ambulanti extracomunitari che gravitano nella zona di Capitolo e nei paraggi del suo bar.

«Voglio rileggervi un piccolo passaggio del controesame. Si sta parlando di extracomunitari, che il signor Renna chiama *negri*. Il difensore chiede se queste persone disturbino l'attività commerciale del Renna. Il testimone risponde.

«"Disturbano, disturbano, e come che disturbano".

«"Va beh scusi, se disturbano perché lei non chiama i vigili o i carabinieri?".

«"Perché non li chiamo? Io li chiamo, ma tu li hai visti mai a venire?".

«Insomma, il signor Renna – ce lo dice lui stesso – non gradisce la presenza, a Capitolo e vicino al suo bar, degli ambulanti extracomunitari. Vorrebbe che le forze dell'ordine intervenissero per fare un po' d'ordine, ma questo non accade. Lui è un po' risentito.

«Tutto questo, sia chiaro, non significa che ci abbia raccontato deliberatamente cose non vere a proposito del signor Abdou Thiam.

«Ma, prescindendo dalla sua simpatia – o antipatia – per i *negri*, e dal suo bisogno insoddisfatto che le forze dell'ordine facciano qualcosa, contro questi *negri*, il Renna ha detto cose oggettivamente vere? Possiamo affermare al di là di ogni dubbio ragionevole che la versione fornita da questo testimone corrisponde alla verità storica dei fatti di cui ci occupiamo?

«Un elemento di dubbio è desumibile dal piccolo esperimento delle fotografie, che voi ricorderete. Renna non riconosce in fotografia, in due fotografie – voi le avete agli atti e potete direttamente verificare se si tratti di riproduzioni fedeli – l'imputato. Lo stesso presente in aula e, soprattutto, lo stesso che lui dice di conoscere bene e di avere visto passare davanti al suo bar, quel pomeriggio di agosto.

«Questo significa che Renna si è inventato tutto, cioè che dice bugie? No, certamente. Il fatto che i *negri* non gli siano simpatici e che abbia vistosamente fallito il riconoscimento fotografico non significa che ci abbia consapevolmente mentito.

«Quando lui dice di ricordare che quel pomeriggio Abdou Thiam passò davanti al suo bar, senza borse, a passo svelto e in direzione sud, il testimone Renna dice la verità.

«Nel senso che lui effettivamente *ricorda* questa sequenza di fatti e la colloca in quel pomeriggio. Dunque per essere più precisi, lui racconta quella che crede essere la verità. La cosa assai interessante – e questo ci introduce in un campo affascinante, che è quello del funzionamento della memoria – è che Renna crede che quella sia la verità, perché *ricorda* quei fatti, anche se essi non si sono verificati. Non nei termini del suo racconto».

Pausa. Avevo bisogno che questi concetti si depositassero nella mente dei giudici, soprattutto dei giudici popolari. Feci finta di frugare fra gli appunti e lasciai passare una decina di secondi. Il tempo che si chiedessero cosa sarebbe venuto dopo.

«Adesso voglio raccontarvi di un esperimento scientifico sul funzionamento della memoria e sul meccanismo di produzione dei ricordi. Una équipe di psicologi americani, credo dell'università di Harvard, voleva verificare l'attendibilità dei ricordi infantili. A dei bambini di nove, dieci anni fu raccontato – dai loro fratelli maggiori che erano stati istruiti per fare ciò – che all'età di quattro o cinque anni erano sfuggiti ad un tentativo di rapimento. Gli fu detto che, trovandosi al supermercato con la mamma ed in un momento di distrazione di quest'ultima, uno sconosciuto li aveva presi per mano e si era diretto verso l'uscita. La mamma si era accorta dell'accaduto, si era messa a gridare e aveva messo in fuga il malintenzionato.

«L'episodio in realtà non era mai accaduto ma, dopo pochi mesi dal racconto i bambini non solo credevano di ricordarlo – in realtà ed in un certo senso: *lo ricordavano* – ma nel riferirlo aggiungevano addirittura ulteriori dettagli, che non erano presenti nella versione originaria.

«Questi bambini mentivano? Vale a dire: dicevano cose false, consapevoli di farlo? Certamente no.

«Questi bambini raccontavano cose realmente accadute? Certamente no.

«È un dato acquisito – e uno degli oggetti di studio più importanti della moderna psicologia giuridica – che tanto i bambini, quanto gli adulti commettono errori sulla fonte dei loro ricordi e sono convinti di *ricordare* contesti, dati, particolari che sono stati invece suggeriti da altri. Deliberatamente, come nel caso dell'esperimento che vi ho raccontato. O involontariamente come in molte situazioni della vita quotidiana e anche, a volte, durante le indagini.

«Sulla base di queste considerazioni possiamo dare una risposta a quella domanda posta dal pubblico ministero nel corso della sua requisitoria, a proposito dell'attendibilità del testimone Renna. Il pubblico ministero si è chiesto e soprattutto *vi* ha chiesto: che ragioni aveva il testimone Renna per mentire e quindi accusare falsamente Abdou Thiam?

«Possiamo rispondere tranquillamente a quella domanda: nessuna ragione. E infatti Renna non ha mentito. Fra il mentire – cioè dire consapevolmente cose false – e dire la verità cioè riferire i fatti in modo conforme al loro effettivo svolgimento – esiste una terza possibilità. Una possibilità che il pubblico ministero non ha considerato, ma che voi dovrete considerare molto attentamente. Quella del teste che riferisce una certa versione dei fatti nella erronea convinzione che essa sia vera.

«Si tratta di quella che potremmo definire la falsa testimonianza inconsapevole».

Sembravano interessati. Anche il presidente e il giudice popolare con la faccia da ufficiale in pensione. I due che – ne ero convinto – avevano già deciso di votare per la condanna.

«Ci sono molti modi di costruire un falso testimone inconsapevole. Alcuni sono deliberati, come nel caso dell'esperimento con i bambini, di cui vi ho parlato. Altri sono involontari e, spesso, sono ispirati dalle migliori intenzioni. Come in questo caso.

«Cerchiamo di intenderci cercando di ricostruire quello che è successo nell'indagine che ha portato alla incriminazione di Abdou Thiam e, quindi, a questo processo. Scompare un bambino e, due giorni dopo, ne viene ritrovato il corpo senza vita. È un fatto sconvolgente e coloro i quali hanno il compito delle indagini – carabinieri e pubblico ministero – sentono in modo urgente, pressante il dovere di scoprire i colpevoli. Vi è un'ansia sacrosanta di dare una risposta alla domanda di giustizia generata da un fatto così orribile. Interrogando i familiari del bambino, ed altre persone che lo conoscevano bene, i carabinieri scoprono questa specie di amicizia che legava il bambino a questo ambulante di colore. È un fatto strano, atipico, che genera sospetti. E genera l'idea che forse si è sulla pista giusta. Forse è possibile dare risposta a quella domanda di giustizia e placare quell'ansia. L'indagine non si muove più nel buio, ma ha un possibile sospetto ed una ipotesi di soluzione. Questo moltiplica gli sforzi, alla ricerca di conferme per questa ipotesi di soluzione. Quando il testimone Renna viene sentito per la prima volta, dai carabinieri, la situazione è questa. Gli investigatori sono comprensibilmente eccitati dalla possibilità di risolvere il caso e si rendono conto che le dichiarazioni di questo teste potrebbero costituire un passaggio decisivo. È in questa fase che si verifica la costruzione del falso testimone inconsapevole.

«Attenzione. Vi prego, attenzione. Non sto affatto dicendo che vi sia stato un deliberato inquinamento delle indagini. E tanto meno sto parlando di grottesche ipotesi di complotti orditi dagli investigatori ai danni dell'imputato. La questione è, contemporaneamente, più semplice e più complessa e per spiegare quello che intendo dire prenderò a prestito una famosa frase di Albert Einstein. La frase, se non ricordo male, suona più o meno così: *è la teoria che determina ciò che osserviamo.*

«Cosa significa? Significa che se abbiamo una teoria – una teoria che ci piace, che ci soddisfa, che ci sembra buona – tendiamo ad esaminare i fatti attraverso quella teoria. Piuttosto che osservare obbiettivamente tutti i dati disponibili, cerchiamo solo conferme a quella teoria. La nostra stessa percezione è fortemente influenzata, determinata dalla teoria che abbiamo scelto. Appunto, come diceva Einstein – che parlava di scienza – la teoria determina ciò che riusciamo ad osservare. In altri termini: vediamo, sentiamo, percepiamo quello che conferma la nostra teoria e, semplicemente, tralasciamo tutto il resto. C'è un detto cinese che esprime in forma diversa lo stesso concetto. Dicono i cinesi: due terzi di quello che vediamo, è dietro i nostri occhi.

«Tutti noi abbiamo fatto qualche esperienza di come la nostra stessa percezione sia determinata da ciò, che per le più varie ragioni è nella nostra testa o, come direbbero i cinesi, dietro i nostri occhi.

«Avete mai comprato una nuova macchina e improvvisamente, mentre la guidate ne notate decine dello stesso tipo, sulle strade? Dove erano prima?

«Filtri percettivi, li chiamano gli psicologi.

«Parafrasando Einstein, che suppongo si starà rivoltando nella tomba per questa mia intrusione, potremmo dire: è l'ipotesi investigativa che determina quello che gli inquirenti osservano. Ma non solo. Determina quello che cercano, determina il modo in cui agiscono con i testimoni, determina le domande che fanno. Determina il modo in cui scrivono i verbali. Senza che tutto questo abbia in alcun modo a che fare con la malafede.

«Lasciatemelo ripetere. Tutto quello di cui sto parlando può produrre errori nelle indagini – e il processo serve per correggerli – ma non ha niente a che fare con la malafede.

«Semmai, in un caso come questo, ci troviamo di fronte ad un eccesso di buona fede.

«Dunque torniamo a quello che stavamo dicendo qualche minuto fa. Gli investigatori vogliono risolvere questo caso orribile. Vogliono farlo per le migliori ragioni e con le migliori intenzioni. Vogliono farlo per ansia di giustizia. Vogliono farlo presto, perché l'autore di un fatto così orribile rimanga libero – e in grado di nuocere ancora – per il minor tempo possibile. In questo stato d'animo scoprono una pista e individuano un possibile sospetto. Attenzione. Non fantasie o ipotesi pretestuose. Era una buona pista e gli elementi di sospetto a carico di Abdou Thiam erano plausibili. Sulla base di questa buona pista gli inquirenti si lanciano alla caccia di quello che considerano il probabile colpevole.

«Da quel momento in poi i carabinieri ed il pubblico ministero hanno una teoria che – come ci insegna Einstein – determinerà quello che osserveranno, come agiranno con i testimoni, cosa chiederanno loro, come e addirittura *cosa* verbalizzeranno. In perfetta buona fede e per ansia di giustizia.

«Voi capite adesso il perché di quelle domande del difensore al maresciallo dei carabinieri, sulle modalità di verbalizzazione. Perché se io verbalizzo in forma integrale – cioè con la registrazione, la stenotipia eccetera – non esiste il problema di capire cosa è successo durante l'audizione. È tutto registrato – domande, risposte, pause, tutto – e basta rileggersi la trascrizione o anche ascoltare la registrazione. Se l'investigatore ha influenzato involontariamente il testimone, è possibile verificarlo semplicemente leggendo. E poi ognuno fa le sue valutazioni.

«Se il verbale è riassuntivo, questo controllo è impossibile. E se il verbale riassuntivo riguarda proprio il primo contatto fra gli investigatori e il teste, il rischio di inquinamenti involontari delle dichiarazioni e degli stessi ricordi del testimone, è altissimo.

«Volete un piccolo esempio di come questo può accadere?

«Io sono l'investigatore e mi trovo davanti a quello che potrebbe essere un teste importante, forse un teste decisivo. Ho dei fortissimi sospetti su un soggetto, Abdou Thiam.

«Chiedo al teste: conosci Abdou Thiam? Il nome non mi dice niente, se mi fate vedere qualche foto. Ecco la foto, lo conosci? Sì, sì. È uno di quei *negri* che si fermano spesso davanti al bar. Che danno un sacco di fastidio. Lo hai visto passare davanti al bar il giorno della scomparsa del bambino?

«Pausa del testimone, che ci pensa su. Gli investigatori sentono di essere vicini alla soluzione.

«Pensaci bene, il pomeriggio della scomparsa del bambino. È una settimana fa.

«Mi sembra di sì. Sì, deve essere passato. Mi sembra che era proprio lui.

«A questo punto il maresciallo detta a verbale, perché vuole fissare per iscritto, prima che il testimone cambi idea. Il che purtroppo succede spesso. Detta a verbale, all'appuntato che scrive al computer. Detta a verbale e usa il suo linguaggio burocratico, non le espressioni usate dal testimone».

Presi dalle mie carte la copia del primo verbale di Renna e lessi.

«Nel verbale di cui stiamo parlando si trovano espressioni del tipo: "sono coadiuvato, nella conduzione del prefato esercizio commerciale..." eccetera. Ovviamente non sono espressioni del teste Renna. Ovviamente non sappiamo quali domande siano state rivolte al Renna. Non lo sappiamo perché viene utilizzata la burocratica, comoda formula: *a domanda risponde*. Quale domanda? Quali domande sono state rivolte al testimone. Sono domande che lo hanno influenzato? Sono domande che hanno suggerito le risposte? Sono domande che hanno costruito, involontariamente, un ricordo?

«Non ci vuole la malafede. Basta avere una teoria da confermare, il nostro cervello fa tutto da solo, percependo, rielaborando, verbalizzando in modo da adattare i fatti alla teoria. Creando, anzi direi: assemblando il falso ricordo.

«Dico falso non perché il Renna abbia inventato qualcosa o i carabinieri gli abbiano dolosamente suggerito una storia falsa da raccontare. Semplicemente nel corso della prima audizione i ricordi del Renna sono stati riprogrammati alla luce della teoria investigativa che era stata scelta e per la quale non si cercavano verifiche obbiettive, ma solo conferme. Sono stati riprogrammati e come ciò sia avvenuto in concreto non lo potremo sapere mai più. Perché l'interrogatorio di questo signore non è stato registrato ed è stato solo verbalizzato. Nel modo che abbiamo visto.

«Volete sapere quanto è possibile influenzare la risposta di un testimone e addirittura modificare il suo ricordo, semplicemente porgendo la domanda in un modo o in un altro? Lasciate che vi racconti di un'altra ricerca, italiana questa volta. A tre gruppi di studenti di psicologia – non bambini, non sprovveduti, ma studenti di psicologia che sapevano di essere sottoposti ad un test scientifico – fu mostrato un filmato. In questo filmato si vedeva una signora che usciva da un supermercato con un carrello; alle spalle della signora si avvicinava un giovane che afferrava una borsetta posta sul carrello e poi scappava. Ai tre gruppi di studenti, con domande diverse, fu chiesto di raccontare cosa avevano visto. Al primo gruppo fu posta questa domanda: "il ladro ha urtato la signora?". Al secondo gruppo: "in che modo l'aggressore ha spinto la signora?". Agli studenti del terzo gruppo fu semplicemente chiesto di raccontare cosa avevano visto. Inutile dire che nel filmato non c'era nessun urto e nessuna spinta.

«Io credo che voi abbiate già intuito quale fu il risultato dell'esperimento. Fra gli studenti del terzo gruppo – quello cui era stato chiesto semplicemente di raccontare i fatti – solo il 10%, o poco più parlò di un urto o comunque di un contatto fisico fra vittima e aggressore. Fra gli studenti del primo gruppo solo il 20% parlò di un urto. Fra gli studenti del secondo gruppo – quello cui era stata posta la domanda più fortemente suggestiva – ci fu quasi un 70% di risposte in cui si parlava dell'inesistente urto. Come nel caso dell'esperimento dei bambini poi, tutti quelli che parlavano dell'urto arricchivano il racconto di particolari sulle modalità, la violenza, la direzione di questo inesistente urto.

«Bisogna aggiungere altro? Dobbiamo sprecare altre parole per spiegare quanto il modo di condurre un interrogatorio può influire non solo sulle risposte, ma sulla stessa ricostruzione dei ricordi dell'interrogato? Non credo.

«Abbiamo compreso quanto sia vitale sapere quali domande – e in che sequenza, e con che ritmo, e con che tono – siano state poste ad un testimone, nella sua deposizione più importante, cioè la prima.

«In questo caso questa informazione vitale ci viene negata, perché nel verbale dei carabinieri c'è semplicemente scritto: *a domanda risponde*.

«A domanda risponde. Quale domanda? Quali domande?».

Alzai un poco la voce. Non faceva parte delle mie abitudini, ma i giudici cominciavano ad essere stanchi e invece mi stavo avvicinando al punto cruciale. Dovevo tenerli svegli.

«Abbiamo detto che se non sappiamo qual è la domanda non possiamo dire se la risposta è genuina o è stata influenzata, o addirittura manipolata. Non lo potremo dire mai più perché di quell'esame, di quel primo esame del teste Renna, ci resta solo questo succinto verbale riassuntivo. Possiamo solo fare delle congetture. Ma nel farle non possiamo trascurare un fatto. Che si è verificato davanti ai nostri occhi, in udienza, in questo processo. E quel fatto è il controesame di Renna. Nel corso del quale abbiamo appreso una serie di cose molto importanti per valutare l'attendibilità di questo teste. Che non significa: valutare se il teste mente o dice la sua soggettiva verità. Significa verificare qual è il grado di rispondenza del suo racconto al reale svolgimento dei fatti.

«Sintetizzo queste cose. Al signor Renna non piacciono gli extracomunitari e vorrebbe che le forze dell'ordine si occupassero di loro. Il signor Renna non conosce poi così bene Abdou Thiam se, avendo sottomano ben due sue fotografie – e trovandosi nella stessa aula di udienza – non riesce a riconoscerlo. Il signor Renna, infine e conseguentemente, non è molto fisionomista e non gli risulta facile distinguere fra un cittadino extracomunitario ed un altro. Dal suo punto di vista *sono tutti negri*, per adoperare testualmente la sua risposta ad una domanda del difensore».

Stavo per lanciare uno degli attacchi decisivi, e allora mi fermai di nuovo e lasciai ai giudici almeno una ventina di secondi. Dovevano chiedersi per quale motivo avessi smesso di parlare e darmi tutta l'attenzione di cui erano capaci, dopo tante ore di udienza. Ripresi con un tono di voce più alto. Doveva essere chiaro che eravamo arrivati al punto.

«E sulle dichiarazioni di questo signore, su queste dichiarazioni di origine incerta – per tutto quello che abbiamo detto a proposito del primo verbale davanti ai carabinieri – il pubblico ministero chiede che voi applichiate la pena del carcere a vita.

«Ricordate che per applicare non l'ergastolo, ma anche un solo giorno di carcere voi non dovete utilizzare i criteri della verosimiglianza, non dovete utilizzare i criteri della probabilità. Ammesso che in questo caso e con riferimento al contenuto della deposizione di Renna si possa parlare di verosimiglianza o di probabilità. Voi dovete applicare i criteri della certezza. Certezza!

«Si può parlare di certezza nella ricostruzione di un fatto, quando ogni altra ipotesi alternativa è implausibile e quindi va respinta. È questo il caso? È implausibile pensare, per esempio, che il Renna abbia visto qualcun altro, non Abdou Thiam, quel pomeriggio, visto che per lui *i negri* sono tutti uguali? È implausibile pensare che, in qualche modo, questo testimone si sia sbagliato? Questo testimone che – badate – fallisce clamorosamente, sotto i vostri occhi il riconoscimento fotografico. Non può essersi sbagliato? Potete affidare serenamente tutta la vostra decisione, e tutta la vita di un uomo sulle dichiarazioni di un soggetto la cui fallibilità si è manifestata sotto i vostri occhi?».

Pausa. Sette, otto secondi.

«E attenzione. Anche se, contro ogni evidenza, voleste ritenere che il racconto di Renna è attendibile, questo non significherebbe la prova della responsabilità dell'imputato.

«Perché gli altri indizi a suo carico sono poco più che carta straccia».

Passai ad esaminare le dichiarazioni dei due senegalesi, i risultati della perquisizione e tutti gli altri elementi di prova.

Parlai dei tabulati. Anche a voler accettare che si parlasse di verosimiglianza – dissi – la ricostruzione del pubblico ministero comunque non reggeva. Anzi era quasi grottesca. Il pubblico ministero diceva che l'imputato era rientrato da Napoli in preda a un raptus e si era diretto a Capitolo con la folle determinazione di sequestrare, violentare, uccidere il piccolo Francesco? Era pazzo, allora. Perché solo la pazzia poteva giustificare un comportamento così assurdo. E allora perché non era stato sottoposto a nessuna perizia psichiatrica? Se per spiegare i suoi comportamenti era necessario rinviare alla malattia mentale, allora questa malattia andava accertata. Diversamente quel riferimento rimaneva solo un tentativo di suggestionare la corte.

Dissi tutte queste cose ma senza parlare troppo. I giudici erano stanchi e io ero convinto che al momento di decidere avrebbero discusso soprattutto della testimonianza di Renna.

Allora, come si dice, mi avviai a concludere. Concludere dal punto in cui si è cominciato dà l'idea del senso compiuto e rende più forte una argomentazione. Credo.

«Verosimiglianza o verità, signori giudici. Probabilità o certezza. La scelta non dovrebbe essere difficile. Invece lo è. Perché se da un lato c'è la percezione – noi tutti la condividiamo, ne sono certo – che questo processo non ha fornito nessuna risposta, dall'altro lato c'è il senso di sgomento che deriva dall'idea che un crimine orrendo possa rimanere impunito, senza un autore. È un'idea insopportabile ed è un'idea che porta con sé un rischio gravissimo».

In quel momento rientrò in aula Cervellati. Si sedette al suo posto e appoggiò la testa alla mano destra, usandola come una specie di barriera. Fra me e lui. Lo sguardo era ostentatamente diretto in un punto dell'aula, in alto a sinistra. Dove non c'era nulla.

Era la posizione più simile al darmi le spalle che fosse fisicamente consentita dalla disposizione dei banchi – paralleli – e delle sedie.

Pensai che era uno stronzo e andai avanti.

«Il rischio è quello di cercare di liberarci da questa angoscia trovando non *il* colpevole, ma *un* colpevole. Uno qualunque. Uno che ha avuto la sfortuna di rimanere impigliato nel processo.

«Senza – avere – fatto – niente. Lasciatemelo ripetere: senza – avere – fatto – niente.

«Qualcuno potrebbe non condividere il tono categorico della mia affermazione. Mi sta bene. È legittimo avere dubbi. Io sono il difensore e, per molti motivi, sono convinto dell'innocenza del mio assistito. Voi avete il diritto di non condividere questa certezza. Avete diritto ai vostri dubbi. Avete il diritto di pensare che Abdou Thiam potrebbe essere colpevole, nonostante quello che dice il suo avvocato.

«Potrebbe essere colpevole. Nonostante l'assurdità della ricostruzione proposta dalla pubblica accusa, avete diritto di pensare che l'imputato potrebbe essere colpevole.

«Potrebbe. Modo condizionale.

«Le sentenze però non si scrivono – non si possono scrivere – al modo condizionale. Si scrivono all'indicativo, affermando certezze. Certezze.

«Potete fare affermazioni di certezza? Potete dire che *certamente* il teste Renna non si è sbagliato? Potete dire che alla fine di questo processo non esiste un dubbio ragionevole?

«Se potete dire tutto questo, allora condannate Abdou Thiam».

Avevo alzato la voce e mi resi conto che non stavo recitando, questa volta.

«Condannatelo all'ergastolo, e a niente di meno. Se potete dire che non esiste nemmeno un dubbio, se siete assolutamente certi, voi *dovete* condannare quest'uomo a rimanere in carcere per sempre. Dovete avere il coraggio di farlo. Molto coraggio».

Per un tempo indefinito rimase tutto sospeso. Fino a quando non sentii di nuovo la mia voce. Bassa ora, e incrinata.

«Se però non avete questa certezza, allora vi serve ancora più coraggio.

«Per non soffocare i vostri dubbi nel nome della giustizia sommaria, e quindi per assolvere, ci vorrà un enorme coraggio. Sono sicuro che lo avrete.

«Grazie di avermi ascoltato».

Mi sedetti e non mi rendevo conto di avere veramente finito. Alle mie spalle, dai banchi del pubblico un fruscio di voci. Io stavo con le labbra strette e la testa leggermente china, fissando ottusamente un punto del banco, alla mia sinistra, fra le venature del legno.

Sentii parlare il presidente e mi sembrava che la voce provenisse da un altro posto. Domandò al pubblico ministero ed alla parte civile se ci fossero repliche. Dissero di no.

Allora chiese ad Abdou se voleva fare una dichiarazione conclusiva, prima che la corte si ritirasse in camera di consiglio. Come prevede il codice. Il fruscio cessò e ci fu qualche secondo di silenzio. Poi la voce di Abdou nel microfono inserito fra le sbarre della gabbia. Era bassa ma ferma.

«Voglio dire solo una cosa. Voglio ringraziare il mio avvocato perché ha creduto che sono innocente. Voglio dirgli che ha fatto bene, perché è vero».

Il presidente fece un cenno impercettibile con il capo. «La corte si ritira», disse.

Si alzò, e gli altri giudici fecero lo stesso, quasi contemporaneamente.

Anche io mi alzai, in modo meccanico. Li guardai scomparire ad uno ad uno dietro la porta della camera di consiglio e solo in quel momento mi girai verso Margherita.

«Quanto tempo ho parlato?».

«Due ore e mezza, più o meno».

Guardai l'orologio. Erano le sei meno un quarto. A me sembrava di aver parlato per non più di quaranta minuti.

Per un po' rimanemmo in piedi, in silenzio. Poi mi chiese perché non mi toglievo la toga. Io la tolsi e l'appoggiai sul banco, mentre lei mi guardava con l'espressione di chi vuol dire qualcosa e cerca il modo, o le parole.

«Io non sono molto brava a fare i complimenti. In realtà non mi è mai piaciuto, e credo anche di sapere perché. Comunque questo non importa, ora. Quello che volevo dire è che... insomma che è stato straordinario ascoltarti. Avrei voglia di darti un bacio, ma credo che non sia il caso, al momento».

Io non dissi niente, perché ero a corto di parole e poi avevo una specie di nodo alla gola.

Un giornalista si avvicinò e mi fece i complimenti. Poi un altro e poi anche la ragazza che durante la pausa mi aveva chiesto il commento sulle richieste del pubblico ministero. Mi sentii in colpa per non essere stato gentile con lei, prima.

Mentre i giornalisti mi dicevano altre cose che non sentivo Margherita mi tirò delicatamente per la manica della giacca.

«Sto scappando. In bocca al lupo». Sollevò il pugno destro all'altezza della fronte e fece un brevissimo inchino col capo.

Poi si girò, andò via ed io mi sentii solo.

17

Il primo processo che feci da solo, poco dopo aver superato gli esami da procuratore legale, riguardava una serie di truffe. L'imputato era un omaccione simpatico, con i baffi neri e il naso pieno di capillari rotti. Credo non fosse astemio.

Il pubblico ministero fece una requisitoria brevissima e chiese la condanna a due anni di reclusione. Io feci una lunga arringa. Il pretore annuiva quando parlavo e questo mi dava fiducia. I miei argomenti mi sembravano stringenti e inevitabilmente persuasivi.

Quando finii di parlare ero convinto che di lì a poco il mio cliente sarebbe stato assolto.

Il pretore rimase in camera di consiglio una ventina di minuti e quando venne fuori condannò esattamente alla pena richiesta dal pubblico ministero. Due anni di carcere senza la sospensione condizionale, visto che il mio cliente era un recidivo.

La notte seguente non dormii e per molti giorni dopo mi domandai cosa avessi sbagliato. Mi sentivo umiliato, mi convinsi che il giudice, per qualche motivo sconosciuto ce l'aveva con me, e persi fiducia nella giustizia.

Non mi passò nemmeno per la testa la spiegazione più ovvia della faccenda: il mio cliente era colpevole e il giudice aveva fatto bene a condannarlo. Questa fu una brillante intuizione che ebbi solo molto tempo dopo.

Da quell'esperienza comunque imparai a trattare i miei processi con il dovuto distacco. Senza appassionarmi e soprattutto senza nutrire aspettative.

Appassionarsi e nutrire aspettative sono due cose pericolose. Ci si può fare male, o anche molto male. Non solo nei processi.

Mentre l'aula si svuotava pensavo a questo. Pensavo che avevo fatto bene il mio lavoro. Avevo fatto tutto quello che era possibile. Adesso dovevo disinteressarmi del risultato.

Dovevo andare via, in studio o a fare un giro, o a casa. Quando la corte fosse stata pronta il cancelliere mi avrebbe chiamato sul cellulare – si era fatto dare il numero prima di andare via lui stesso – e io sarei tornato per ascoltare la lettura della sentenza.

È la prassi in processi di questo genere, quando si prevede che i giudici rimangano in camera di consiglio per molte ore o anche per giorni. Quando sono pronti chiamano il cancelliere e dicono a che ora usciranno dalla camera di consiglio per leggere la sentenza. Il cancelliere a sua volta chiama il pubblico ministero, gli avvocati e all'ora stabilita sono tutti lì, per l'atto finale.

Dunque, stando alla prassi sarei dovuto andare via.

Invece rimasi e dopo essermi guardato un po' intorno nell'aula deserta mi accostai alla gabbia. Abdou si alzò dalla panca per venirmi incontro.

Appoggiai le mani alle sbarre e lui fece un cenno di saluto col capo abbozzando un sorriso. Lo stesso feci io, prima di parlare.

«Sei riuscito a seguire il discorso?».

«Sì».

«Allora?».

Non rispose subito. Come altre volte, ebbi l'impressione che si concentrasse per non sbagliare le parole.

«Io ho una domanda, avvocato».

«Dimmi».

«Perché hai fatto tutto questo?».

Se non l'avesse fatta lui, prima o poi avrei dovuto farmela io, quella domanda.

Stavo cercando una risposta e mi resi conto che non avevo voglia di parlare attraverso le sbarre. Che consentissero ad Abdou di uscire e chiacchierare in aula, neanche a parlarne. Contro ogni regolamento.

Allora chiesi al capo scorta se potevo entrare io nella gabbia.

Mi guardò con l'aria di chi non è sicuro di aver sentito bene. Poi guardò i suoi uomini, alzò le spalle in un gesto di chi rinuncia a capire e diede ordine all'agente che aveva le chiavi di aprire la gabbia e di lasciarmi entrare.

Mi sedetti sulla panca, vicino ad Abdou e avvertii un assurdo senso di sollievo sentendo lo scatto del chiavistello che richiudeva la cancellata.

Stavo per offrirgli una sigaretta quando tirò fuori un pacchetto e volle che ne prendessi una delle sue. Diana rosse. Le marlboro dei carcerati.

La presi e dopo averne fumata mezza gli dissi che non l'avevo una risposta, per la domanda che mi aveva fatto.

Dissi che pensavo fosse per un buon motivo, ma non sapevo esattamente qual era, quel motivo.

Abdou fece sì col capo, come se la risposta lo avesse soddisfatto.

«Ho paura», disse poi.

«Anch'io».

Fu così che cominciammo a parlare. Parlammo di molte cose e fumammo ancora le sue sigarette. A un certo punto ci venne voglia di bere e io chiamai il bar con il mio portatile, per ordinare. Dieci minuti dopo arrivò il ragazzo, con il vassoio, e fece passare attraverso le sbarre due bicchieri di the freddo. Pagò Abdou.

Poi bevemmo, sotto gli sguardi perplessi degli agenti.

Verso le otto gli dissi che andavo a fare due passi per sgranchirmi le gambe.

Non avevo voglia di tornare a casa o in studio. O andare in centro a passeggiare fra la gente e i negozi. Così mi avventurai nei dintorni del tribunale, in direzione del cimitero. Fra case popolari dalle quali veniva odore di cibo un po' sfatto, botteghe squallide, e strade dalle quali non ricordavo di essere mai passato, in trentanove anni di vita a Bari.

Camminai a lungo, senza meta e senza pensare a niente. Mi sembrava di essere altrove e i posti erano così brutti da emanare uno strano, squallido fascino.

Si era fatto buio e mi ero completamente distratto quando mi accorsi della vibrazione nella tasca posteriore dei pantaloni.

Tirai fuori il cellulare e dall'altra parte sentii la voce del cancelliere. Era un po' agitato.

Aveva già chiamato una volta e non rispondeva nessuno? Non avevo sentito, mi dispiaceva. Erano pronti già da dieci minuti? Arrivavo subito. Subito, subito. Pochi minuti.

Mi guardai attorno e ci misi un po' per rendermi conto di dov'ero. Niente affatto vicino. Dovevo correre e lo feci.

Entrai in aula una decina di minuti dopo, sforzandomi di respirare con il naso e non con la bocca, sentendo la camicia bagnata di sudore che si attaccava alla schiena, cercando di darmi un contegno.

C'erano già tutti, pronti ai loro posti. Parte civile, pubblico ministero, cancelliere, giornalisti e, nonostante l'orario, anche pubblico. Notai che c'erano anche alcuni africani, che non avevo mai visto alle altre udienze.

Appena mi vide, il cancelliere scomparve dietro la porta della camera di consiglio. Andava ad avvertire la corte che ero finalmente arrivato.

Mi gettai la toga sulle spalle e guardai l'orologio. Le nove e cinquantacinque minuti.

Il cancelliere tornò al suo posto e poi, in rapida successione la campanella suonò e i giudici uscirono.

Il presidente raggiunse rapidamente il suo posto, con l'aria di chi vuole sbrigare in fretta una incombenza sgradevole. Guardò prima a destra e poi a sinistra. Si assicurava che i componenti della corte fossero tutti al loro posto. Mise gli occhiali per leggere la sentenza.

Abbassai lo sguardo, socchiusi gli occhi e ascoltai i battiti del mio cuore. Forti e veloci.

«In nome del popolo italiano, la corte di assise di Bari, letto l'articolo 530 capoverso del codice di procedura penale...».

Sentii una scarica per tutto il corpo e poi le gambe deboli.

Assolto.

L'articolo 530 del codice di procedura penale si intitola: *Sentenza di assoluzione.*

«... assolve Thiam Abdou dalle imputazioni a lui ascritte per non aver commesso il fatto. Letto l'art. 300 del codice di procedura penale dichiara la cessazione di efficacia della misura cautelare della custodia in carcere attualmente in corso a carico dell'imputato e dispone l'immediata rimessione in libertà del predetto se non detenuto per altra causa. L'udienza è tolta».

È difficile spiegare cosa si prova in un momento del genere. Perché in realtà è difficile capirlo.

Io rimasi lì dov'ero, guardando in direzione dei banchi della corte, vuoti. Tutto intorno voci concitate, qualcuno mi toccava sulla spalla e qualcuno invece mi afferrava la mano e me la stringeva. Mi chiesi che ci facesse tanta gente in un'aula di corte di assise, il nove di luglio, alle dieci di sera.

Non lo so quanto tempo rimasi immobile.

Fino a quando non distinsi, fra le voci, quella di Abdou. Tolsi la toga e andai alla gabbia. In teoria avrebbero dovuto liberarlo immediatamente. In pratica però era necessario che lo riportassero in carcere per sbrigare tutte le formalità. Comunque era ancora lì dentro.

Ci trovammo faccia a faccia, molto vicini, le sbarre in mezzo. Aveva gli occhi lucidi, le mascelle serrate e un tremito agli angoli della bocca.

La mia faccia non era molto diversa, credo.

Ci stringemmo le mani a lungo, attraverso le sbarre. Non nel modo tradizionale, delle presentazioni e degli uomini d'affari ma agganciando i pollici, le braccia piegate.

Disse solo alcune parole, nella sua lingua. Non avevo bisogno di un interprete per capire cosa significavano.

18

Lasciai a Margherita un messaggio sulla segreteria telefonica del cellulare, la sera stessa della sentenza, ma riuscimmo a incontrarci solo il pomeriggio del giorno dopo.

Passò dal mio studio, scesi e andammo a sederci in un bar. Del processo parlammo solo un poco. Io non ne avevo voglia, lei lo capì e smise quasi subito di farmi domande. Eravamo tutti e due in una specie di strano, leggero imbarazzo.

Quando arrivammo di nuovo sotto il mio studio feci uno sforzo per dirle quello che avevo in mente.

«Avrei voglia di invitarti a cena fuori. Per piacere non dire di no, anche se non è un granché, come invito. Sono fuori esercizio».

Lei mi guardò come se le venisse da ridere, ma rimase in silenzio.

«Allora?», feci dopo qualche secondo.

«Effettivamente come invito faceva un po' schifo, ma voglio premiare la buona volontà».

«Vuol dire che accetti?».

«Vuol dire che accetto. Stasera?».

«Stasera no. Domani, per piacere».

Mi guardò con aria perplessa, socchiudendo gli occhi e dovetti dire per forza qualcos'altro.

«Devo fare una cosa, stasera. Una cosa importante. Non posso rinviarla. Non posso portarti fuori se non la faccio, prima».

Mi guardò ancora, per qualche secondo, con la stessa aria perplessa. Poi annuì e disse che andava bene.

A domani allora.

A domani.

Tornai a casa da studio, feci la doccia, misi dei calzoncini e mi preparai un frullato. Gironzolai un po' avanti e indietro per le stanze del mio appartamento. Ogni tanto mi fermavo a guardare il telefono. Lo studiavo a distanza.

Dopo un po' mi sedetti in poltrona. Il telefono era davanti a me e se allungavo il braccio potevo prendere la cornetta. Invece rimasi semplicemente a guardarlo, l'apparecchio.

Non bisogna avere fretta, pensai.

Del resto per telefonare bisogna prima di tutto ripetere mentalmente il numero. Il numero. 080...5219... Dunque: 080...52198... No. 52196... No.

Non riuscivo a ricordarmelo. Assurdo. Non erano passati due anni e non mi ricordavo. Eppure qualche mese prima lo avevo fatto, a memoria. Quindi, per essere precisi: erano passati pochi mesi, e non mi ricordavo.

Va bene, inutile tormentarsi. Capita.

Cercai il nome di Sara sull'elenco del telefono, ma non c'era.

Rimasi qualche istante senza sapere cosa fare. Poi l'intuizione arrivò e cercai il *mio* nome sull'elenco. C'era. Voglio dire al vecchio indirizzo. Dove abitavo adesso il telefono era intestato alla padrona di casa.

Guardai ancora per un poco il telefono senza toccarlo, ma sapevo che il tempo stava scadendo.

Spero che risponda lei. Se risponde il signore dell'altra volta che dico? Buonasera sono l'ex marito, cioè no, il marito separato. Sì, ha capito bene, proprio *quello* stronzo. Vorrei parlare con Sara, per piacere. Signore, non sia così rude. Mi spacca la faccia se riprovo a telefonare? Stia attento a come parla, io ho fatto pugilato. Ah, lei è maestro di karate full contact. Beh, dicevo così per dire.

Feci il numero schiacciando i tasti, in fretta e senza pensare. Era l'unico modo.

Dopo tre squilli rispose lei.

Non sembrava stupita di sentirmi. Anzi sembrava le facesse piacere. Stava bene, sì. Anche io stavo bene. Sì, ero sicuro, stavo benissimo. No, solo le sembravo un po' strano. Vederci stasera? Cioè fra un paio d'ore, dopo un paio di anni? Mi faceva i complimenti perché ero ancora capace di stupirla, e non era facile. Ero contento di questo fatto – ero contento davvero – e allora, a parte questo, potevamo vederci? A cena, o dopo per bere qualcosa. Bene. Voleva che passassi a prenderla o la cosa poteva creare qualche imbarazzo? Risata. OK, passavo a prenderla alle dieci. Che facevo, citofonavo o si faceva trovare giù? No, sai nel caso al citofono... Altra risata. Va bene, citofonavo. A dopo, ciao. Ciao.

Mi vestii in fretta, e uscii in fretta. I negozi chiudevano alle otto.

Mi sbrigai, e alle otto e mezza ero di nuovo a casa. Dovevo far passare il tempo fino alle dieci. Lessi un poco. *Lo zen e il tiro con l'arco*. Ma non era la lettura adatta. Allora pensai di ascoltare un po' di musica. Stavo per mettere *Rimmel*, che mi sembrava adeguato, ma poi considerai che anche in solitudine bisogna evitare i toni patetici. Era meglio uscire subito.

Mi cambiai, tanto per far passare ancora qualche minuto e poi scesi con quel sacchetto in mano.

Girai per le strade fino alle dieci in punto quando citofonai a casa di Sara. Rispose lei, in un modo che mi era familiare. Scendo.

Scese e mi diede un bacio sulla guancia, e anche io le diedi un bacio sulla guancia. Se fece caso al sacchetto, non lo diede a vedere. Andammo a prendere la macchina ed io guidai fino ad un ristorante sul mare, vicino a Polignano.

Non dicemmo molte parole quando eravamo in macchina e non ne dicemmo molte durante la cena.

Lei aspettava che io dicessi perché avevo voluto vederla. Io aspettavo di finire di mangiare, perché bisogna avere pazienza e fare ogni cosa al momento giusto. Mi sembrava di avere capito questa cosa, insieme ad alcune altre.

Allora mangiammo in due una grossa aragosta, condita con olio e limone. Bevemmo vino bianco freddo. Ogni tanto ci guardavamo, dicevamo qualcosa senza importanza e poi riprendevamo a mangiare. Ogni tanto lei mi guardava con aria lievemente interrogativa.

Quando finimmo di mangiare pagai e le chiesi se le andava di fare due passi. Le andava.

Mentre camminavamo cominciai a parlare.

«Ho passato un periodo molto... particolare. Mi sono capitate diverse cose...».

Feci una pausa. Non era stato un grande avvio. Anzi faceva decisamente schifo. Lei non disse niente. Aspettava.

Camminavamo guardando avanti, fra le barche di un porticciolo.

«Ricordi che dicevi che i conti prima o poi si pagano?».

«Mi ricordo. E tu dicevi che saresti scappato via prima. Se volevano, potevano farti causa».

Sorrisi. Dicevo proprio così. Se volevano potevano farmi causa. Mi aspettai che Sara dicesse che ero sempre stato molto bravo a scappare via senza pagare. Ne avrebbe avuto tutte le ragioni, ma non lo fece. E io ripresi a parlare.

«Fra le varie cose che mi sono capitate c'è che non sono riuscito a scappare più, veloce come prima. Allora mi hanno preso e mi hanno fatto pagare quasi tutti gli arretrati. Non è stato molto divertente».

Mi sedetti su una barca, vicinissimo all'acqua. Lei si sedette sulla barca vicina, di fronte a me. In breve ero arrivato alla parte più difficile e non trovavo le parole.

«E insomma, in tutto questo a un certo punto mi sono reso conto che... insomma se stavo pagando i conti ce n'era uno che per forza non potevo lasciare sospeso».

Mi guardava con la testa leggermente inclinata di lato, gli occhi diritti nei miei. Sentii il bisogno di una sigaretta, l'accesi e prima di ricominciare a parlare aspettai la botta del fumo nei polmoni.

Poi con le parole che mi venivano, dissi tutto quello che le dovevo. Lei ascoltò senza interrompere mai e anche quando ebbi finito aspettò a parlare. Per essere certa che avessi veramente finito. Non ero sicurissimo, per via dell'oscurità, ma mi sembrava che avesse gli occhi lucidi. I miei lo erano, e non avevo bisogno di luce per saperlo. Quando parlò, seppi di avere fatto la cosa giusta, quella sera.

«Oggi mi hai restituito ogni giorno, ogni singolo minuto che siamo stati insieme. Per tante volte, prima che ci lasciassimo, e poi dopo ho pensato che con te avevo buttato quasi dieci anni della mia vita. Poi mi ribellavo a questa idea e la scacciavo. E poi tornava di nuovo. Sembrava non finisse mai, questa angoscia. Stasera mi hai liberato. Mi hai restituito i ricordi».

Aveva una specie di sorriso, adesso.

Anche io cercai di sorridere, ma invece mi venne da piangere. Feci un po' di sforzi per trattenermi e poi pensai che non me ne importava niente, di trattenermi. Così gli occhi mi si riempirono di lacrime e poi quelle lacrime uscirono tutte, in silenzio.

Lei mi lasciò finire e poi mi passò due dita, delicatamente, sotto gli occhi.

Allora le diedi il mio regalo. Era un orologio, da uomo, col cinturino di cuoio e la cassa grande. Uguale a quello che io avevo molti anni prima. Lei me lo rubava perché le piaceva molto. Poi, in un viaggio, lo persi e lei ci rimase male. Molto più di me. Tante volte avevo pensato che volevo regalargliene uno uguale e non lo avevo mai fatto. Come non avevo fatto tante altre cose.

Lei lo mise senza dire nulla e poi fu ora di tornare a casa.

Fermai la macchina a qualche decina di metri dal suo portone, dove c'era un posto libero. Spensi il motore e mi voltai verso di lei, ma non sapevo cosa fare. Sara invece lo sapeva. Mi abbracciò con forza, quasi con violenza appoggiando il mento sulla mia spalla, e la testa contro la mia testa. Rimase così qualche secondo e poi si staccò. Grazie, sussurrò prima di aprire lo sportello e andare via.

Grazie a te, sussurrai io nella macchina vuota, mentre lei spariva nel portone.

19

Quella notte non dormii. Non provai nemmeno a mettermi a letto. Mi misi a sedere sul balcone, e ascoltai i rumori della strada. Accesi quattro o cinque sigarette, ma non le fumai quasi per niente. Lasciavo che si consumassero lentamente, tenendole fra l'indice e il medio, mentre guardavo le finestre e i balconi di fronte e le antenne sui tetti, e il cielo.

Poco prima dell'alba si alzò il maestrale e già alle prime folate mi diede i brividi.

Dicono che duri tre giorni, o sette e così pensai che per tre giorni o sette non avrebbe fatto caldo. Non troppo almeno.

Mi era sempre piaciuto il maestrale estivo perché spazzava l'aria, cacciava l'afa e faceva sentire più liberi. Mi parve giusto che arrivasse proprio quella mattina.

Pensai ai conti che si chiudono e alle cose che cominciano. Pensai che avevo paura ma che, per la prima volta, non volevo sfuggirla o nasconderla, quella paura. E mi sembrava una cosa tremenda, e bellissima.

Guardavo la luce che si faceva strada nel cielo e guardavo le nuvole grigie così strane e fuori posto nel mese di luglio.

Fra poco mi sarei alzato e sarei andato a camminare per le strade ancora deserte. Mi sarei seduto ad un tavolo all'aperto, in un bar sul lungomare e avrei preso un cappuccino. Avrei guardato le strade che si trasformavano man mano che il giorno avanzava. Avrei preso un altro cappuccino e fumato una sigaretta e poi, quando fosse stato proprio giorno, sarei tornato a casa. Avrei dormito, avrei letto, sarei andato al mare, avrei fatto passare la giornata facendo solo quello che mi andava di fare.

Avrei aspettato che venisse sera e solo allora avrei chiamato

Margherita. Non sapevo che cosa le avrei detto, ma ero sicuro che avrei trovato le parole.

Pensai a tutte queste cose e ad altre, seduto su quel balcone.

Pensai che non avrei scambiato quel momento.

Con niente, in tutto il mondo.

Ad occhi chiusi

Prima parte

1

Non c'è nessuno che smetta di fumare.

Si sospende, al massimo. Per giorni. O per mesi; o per anni. Ma nessuno smette. La sigaretta è sempre lì, in agguato. Qualche volta salta fuori nel bel mezzo di un sogno, magari cinque, o dieci anni dopo aver «smesso».

Allora senti il contatto delle dita sulla carta; senti il leggero, sordo, rassicurante rumore che fa quando la batti sul piano della scrivania; senti il contatto delle labbra sul filtro ocra; senti lo *scratch* del fiammifero e vedi la fiamma gialla, con la base azzurra.

Senti addirittura la botta nei polmoni, e vedi il fumo che si diffonde fra le carte, i libri, la tazzina di caffè.

È allora che ti svegli. E pensi che una sigaretta, una sola non può fare nessuna differenza. Che te la potresti accendere, perché hai sempre quel pacchetto di emergenza chiuso nel cassetto della scrivania, o da qualche altra parte. E poi, naturalmente, ti dici che non funziona così; che se ne accendi una ne accenderai un'altra, e poi un'altra eccetera, eccetera. A volte funziona; altre volte no. Comunque vada, in quei momenti capisci che l'espressione *smettere di fumare* è un concetto astratto. La realtà è diversa.

E poi ci sono occasioni più concrete dei sogni. Gli incubi, per esempio.

Erano già parecchi mesi che non fumavo.

Tornavo dalla procura della Repubblica dove avevo esaminato gli atti di un procedimento in cui dovevo costituirmi parte civile. E avevo una maledetta voglia di entrare in una tabaccheria, comprare un pacchetto di sigarette forti e aspre – emmesse gialle, magari – e fumarmele fino a spaccarmi i polmoni.

L'incarico me lo avevano dato i genitori di una bambina adescata da un pedofilo. Lui era andato davanti alla scuola, aveva chiamato la bambina, e lei lo aveva seguito. Erano entrati insieme nell'androne di un vecchio palazzo. Una bidella aveva seguito la scena, ed era entrata anche lei nell'androne. Il maiale stava strofinando la sua patta sulla faccia della bambina che teneva gli occhi chiusi e non diceva niente.

La bidella aveva urlato. Il maiale era scappato via alzandosi il bavero. Banale ma efficace, perché la bidella non era riuscita a vederlo bene in faccia.

Quando la bambina era stata sentita con l'aiuto di una brava psicologa era venuto fuori che quella non era stata la prima volta. E nemmeno la seconda o la terza.

I poliziotti avevano fatto bene il loro lavoro, avevano identificato il maniaco, e lo avevano fotografato di nascosto. Davanti all'ufficio comunale dove lavorava come un impiegato modello. La bambina lo aveva riconosciuto. Indicando la fotografia con un dito, battendo i denti e poi distogliendo lo sguardo.

Quando erano andati ad arrestarlo i poliziotti avevano trovato una collezione di foto. Da incubo.

Le foto che avevo visto quella mattina, nel fascicolo.

Avevo voglia di spaccare la faccia a qualcuno. Al maiale, potendo. O al suo avvocato. Aveva scritto che «*le dichiarazioni della bambina sono palesemente inattendibili, frutto di fantasie morbose tipiche di taluni soggetti in età prepuberale*». Avrei voluto davvero spaccargli la faccia. Avrei voluto spaccarla anche ai giudici del tribunale della libertà, che avevano messo il pedofilo agli arresti domiciliari. In quel provvedimento si leggeva che «*per evitare il rischio di reiterazione di pur gravi condotte del tipo di quelle oggetto del procedimento, era sufficiente la restrizione della libertà personale nella forma attenuata degli arresti domiciliari*».

Avevano ragione. Tecnicamente avevano ragione. Lo sapevo bene, facevo l'avvocato. Io stesso avevo sostenuto tante volte quel principio. Per i miei clienti. Ladri; truffatori; rapinatori; bancarottieri. Anche qualche spacciatore.

Ma non stupratori di bambini.

Comunque sia, volevo spaccare la faccia a qualcuno.

O fumare.
O fare qualsiasi altra cosa che non fosse rientrare in studio e lavorare.

2

Invece ci andai in studio e lavorai senza fare pause, nemmeno per mangiare qualcosa, fino al pomeriggio inoltrato. Poi dissi a Maria Teresa che avevo da fare una cosa urgente e me ne andai in libreria.

Rimasi a girare fra gli scaffali fino alla chiusura e uscii per ultimo, quando la saracinesca era già mezza abbassata, i commessi stavano tutti in fila vicino alla cassa e mi guardavano senza simpatia.

Feci suonare il campanello di casa di Margherita e aspettai che venisse ad aprirmi.

Avevo le chiavi, ma non le usavo quasi mai. Lo stesso faceva lei per casa mia, due piani più sotto.

Ognuno aveva mantenuto la sua casa, con i libri, i manifesti, i dischi e tutto il resto; il casino, in particolare, per il mio piccolo appartamento. Il suo era un attico, grande, bello e ordinato. Non in modo ossessivo. L'ordine di chi ha il controllo sereno della situazione. Fra i due il controllo ce lo aveva lei, ma per me andava bene così.

L'unico cambiamento era stato a casa sua. Avevamo comprato un letto grandissimo. Il più grande che c'era, e lo avevamo messo nella sua camera da letto. Avevo preso per me l'angolo di un armadio e ci avevo messo un po' di cose mie. Poi avevo occupato uno scaffale del bagno. E basta.

Spesso restavo a dormire da lei. Ma non sempre. A volte avevo voglia di guardare la televisione fino a tardi – sempre più di rado – a volte volevo leggere fino a tardi. A volte era lei che voleva dormire da sola, senza nessuno intorno. A volte uno dei due usciva con i suoi amici. A volte lei partiva per lavoro ed io restavo a casa mia. Nella sua non entravo mai, quando lei era fuori. Mi mancava già dopo qualche ora che era andata via.

Suonai di nuovo proprio mentre la porta si apriva.

«Nervoso?».

«Sorda?».

«Se vuoi restare digiuno, basta dirlo. Non c'è bisogno di essere obliqui, o fare giri di parole».

Non volevo restare digiuno, e da dentro veniva odore buono di cibo appena cucinato. Alzai le mani all'altezza del petto, mostrai i palmi in segno di resa ed entrai passando fra il suo corpo e lo stipite della porta.

«Ti ho detto che potevi entrare?».

«Ti ho comprato un libro».

Lei mi guardò le mani vuote ed io tirai fuori il sacchetto della libreria dalla tasca del giaccone. Allora chiuse la porta.

«Cos'è?».

«Costantinos Kavafis. È un poeta greco. Ascolta questa: Itaca».

Aprii il libretto bianco, mi sedetti sul divano e lessi.

«*Devi augurarti che la strada sia lunga. / Che i mattini di estate siano tanti / quando nei porti – finalmente, e con che gioia – / toccherai terra tu per la prima volta: / negli empori fenici indugia e acquista madreperle coralli e ambre / tutta merce fina, anche profumi / penetranti d'ogni sorta, più profumi / inebrianti che puoi, / va in molte città egizie / impara una quantità di cose dai dotti. / Sempre devi avere in mente Itaca / raggiungerla sia il pensiero costante. / Soprattutto non affrettare il viaggio; / fa che duri a lungo, per anni...*».

Margherita mi prese il libro di mano. Tenendo il segno con un dito guardò la copertina – nessuna illustrazione, c'era solo una poesia, anche lì – passò le dita sul cartoncino bianco e liscio; lesse la quarta. Poi tornò alla poesia che le stavo leggendo e vidi che muoveva le labbra, silenziosamente.

Alla fine rivolse di nuovo lo sguardo verso di me e mi diede un rapido bacio.

«OK. Puoi restare a mangiare. Lavati le mani. Metti un disco ed apparecchia la tavola. Nell'ordine».

Mi lavai le mani. Misi Tracy Chapman. Apparecchiai la tavola e mi versai un bicchiere di vino. Avevo ancora voglia di una sigaretta ma, per quel giorno, il momento peggiore era passato.

3

Dopo cena tutti e due avevamo voglia di uscire. Decidemmo di andare in un locale che aveva aperto da pochi mesi. Un vecchio stabilimento industriale ristrutturato dove si poteva mangiare, si poteva bere, si poteva prendere un libro o un giornale, o un gioco. Soprattutto c'era una minuscola sala cinematografica dove, a cominciare da mezzanotte fino all'alba, proiettavano vecchi film, uno dopo l'altro.

Si poteva arrivare lì a qualsiasi ora della notte e c'era sempre gente. Mi dava l'idea di una specie di avamposto contro la banalità dei ritmi ordinari. Giorno/lavoro/veglia/gente. Notte/casa/riposo/solitudine.

Soprattutto il cinema era bellissimo. Il mio ideale di cinema.

C'erano una cinquantina di posti, non era vietato parlare, ci si poteva muovere, si poteva bere. A volte, fra un film e l'altro, servivano gli spaghetti o, se si avvicinava l'alba, il caffellatte in grandi tazze senza manici, e i cornetti alla nutella.

La mattina dopo io non avevo udienza e quindi potevo prendermela un po' più comoda. Margherita lavorava nelle ore che decideva lei. Così ci vestimmo ed uscimmo, di buon umore.

Magazzini d'oltremare era il nome del locale. Ci arrivammo poco dopo le undici e come al solito c'era gente, anche se eravamo nel pieno della settimana. Molti di quelli che erano seduti ai tavoli li conoscevo di vista. Più o meno quelli che si vedevano in certi locali, a certi concerti e a certe feste. Più o meno come me.

Io cercavo di darmi un tono distaccato ed autoironico, rispetto alla frequentazione di quegli ambienti – più o meno di sinistra, più o meno intellettuali, più o meno senza problemi di denaro, più o meno sopra i trenta e sotto i cinquanta (beh no, qualcuno anche sopra i cinquanta) – ma continuavo a frequentarli. Come tutti gli altri.

Quella notte il primo film in programmazione era *La casa dei giochi*. Uno dei miei dieci film preferiti. Una straordinaria storia, notturna e allucinata, di psichiatri e truffatori.

Mancavano almeno tre quarti d'ora all'inizio del film. Margherita vide due amiche ad un tavolino, si avvicinò per salutarle e loro ci invitarono a sederci. Le amiche di Margherita erano fidanzate e si chiamavano tutte e due Giovanna. Si assomigliavano, anche. Erano tutte e due vestite in modo maschile; tutte e due si muovevano in modo maschile. Tanto che mi chiesi quali fossero i ruoli – se ce n'erano – nella coppia. Frequentavano la stessa palestra di arti marziali di Margherita.

«Rimanete a vedere il film?» chiese Margherita.

«No, non credo. Domani Giovanna deve alzarsi presto» disse Giovanna.

«Sì, finiamo di berci questo rum e andiamo a dormire» aggiunse Giovanna.

Mi ignoravano alquanto. Voglio dire: erano girate tutte e due verso Margherita, parlavano solo con lei e, ci avrei giurato, non la guardavano innocentemente.

Ad un certo punto Giovanna chiese a Margherita se avesse deciso di iscriversi con loro al corso di paracadutismo.

Quale corso di paracadutismo?

«Ci sto pensando. Mi piacerebbe moltissimo. È una cosa che voglio provare da tanti anni. Solo che non sono sicura di avere il tempo».

Riuscii ad incunearmi nella loro conversazione.

«Scusa, cos'è questa storia del corso di paracadutismo?».

«Ah, un amico delle Giovanne è istruttore di paracadutismo. Le ha invitate tante volte a partecipare a un corso. Sai, per prendere il brevetto. Loro hanno invitato anche me».

Hanno invitato anche te perché ti si vogliono fare. Il brevetto di lesbica, ti vogliono far prendere. Ecco: il brevetto di lesbica volante.

Non dissi così. Ovviamente. Noi uomini di sinistra non diciamo cose del genere; al massimo le pensiamo. E poi le due Giovanne sembravano capaci di staccarmi le palle e di giocarci a flipper per molto meno.

Me ne stetti in silenzio, mentre loro parlavano del corso di paracadutismo; di come sarebbe stato entusiasmante; di come non ci volesse poi tanto tempo – due ore alla settimana, fra teoria e preparazione fisica – e del fatto che con tre soli lanci si prendeva il brevetto.

Mi venne da fare qualche battuta acida, su come il brevetto di paracadutista fosse un accessorio indispensabile per una giovane professionista urbana, all'inizio del nuovo millennio. E, certo, era davvero una fortuna che con tre soli lanci si potesse prendere, quel brevetto. Dico, ragazzi, *tre soli lanci*.

Rimasi zitto, e feci bene. Perché avere il coraggio di lanciarmi da un aereo, nel cielo, nel vuoto, senza paura, era uno dei miei sogni più segreti e proibiti. Un sogno che non avevo mai avuto il coraggio di rivelare a nessuno e che, lo sapevo benissimo passati i quaranta, non avrei mai avuto il coraggio di realizzare.

Un sogno che affondava nelle mie paure e nelle mie fantasie di bambino e che stava lì a ricordarmi il tempo che passava. E tutte le altre cose – piccole e grandi – che avrei voluto fare e che non avevo mai trovato il coraggio di fare. Che non *avrei* mai trovato il coraggio di fare.

Riuscirono a convincerla che il tempo lo avrebbe trovato, per fare quel corso. Presero accordi per vedersi due giorni dopo alla sede dell'associazione paracadutismo sportivo, dove si sarebbero iscritte tutte insieme, con lo sconto, grazie all'amico delle due Giovanne.

«Io vado a vedere il film. Fra due o tre minuti comincia. Ma tu non preoccuparti, resta pure a parlare» dissi con tono dignitoso.

«No, no. Vengo anch'io. Loro stanno andando via».

Le due Giovanne annuirono. Una delle due, con un gesto da vero duro, si scolò quello che rimaneva nel suo bicchiere. Ci salutarono – in realtà salutarono Margherita – e andarono via.

Noi entrammo nella saletta cinematografica che le luci erano già spente e il film stava cominciando. Prima di abbandonarmi alle atmosfere notturne e surreali di David Mamet, pensai, solo per un secondo, quanto mi sarebbe piaciuto lanciarmi nel vuoto, da un aereo o da qualsiasi posto molto in alto.

Nel vuoto. Senza paura.

4

«Lo volete sapere dove li ho presi questi soldi, avvocato?».

Non lo volevo sapere dove li aveva presi quei soldi, il signor Abbrescia Filippo, detto Pupuccio il Nero. Era un mio vecchio cliente e di mestiere rubava e truffava le assicurazioni; anche se quando veniva interrogato dai giudici, diceva di essere muratore.

L'indomani avevamo un processo in corte d'appello. Per associazione a delinquere e truffa, appunto, ed era venuto a pagare. Così non lo volevo sapere da dove aveva preso i soldi che stava per darmi. Lui me lo disse lo stesso.

«Avvocato, ho fatto un terno secco. Sulla ruota di Bari. La prima volta della mia vita».

Fece una faccia strana, Pupuccio il Nero. Io mi dissi che sembrava la faccia di uno che nella vita aveva sempre rubato e adesso era incredulo di avere vinto qualche cosa. Mi dissi che lui, come tanti, faceva il ladro ed il truffatore perché non aveva avuto altre opportunità. Mi dissi che stavo rapidamente rincoglionendo, e scivolavo irrimediabilmente nel patetico.

Così chiamai Maria Teresa e le diedi i soldi che lui aveva poggiato sulla scrivania; poi Pupuccio ed io parlammo di quello che sarebbe successo il giorno dopo.

Avevamo due possibilità, gli dissi. La prima era di discutere l'appello; in primo grado si era preso quattro anni – pochi, pensai, per tutte le truffe che aveva fatto – e potevo cercare di farlo assolvere, ma se invece confermavano la sentenza sarebbe presto tornato dentro. La seconda possibilità era di patteggiare con il sostituto procuratore generale. Di regola i sostituti procuratori generali – ed anche i giudici della corte d'appello – gradiscono i patteggiamenti. Si fa tutto molto in fretta, l'udienza finisce a metà mattinata e ognuno può andarsene in santa pace a casa, o dove gli pare.

Per la verità anche gli avvocati gradiscono i patteggiamenti in corte d'appello. Si fa tutto molto in fretta e ognuno può andarsene in santa pace in studio, o dove gli pare. Questo però non glielo dissi a Pupuccio.

«E se facciamo il patteggiamento quanto mi devo prendere, avvocato?».

«Guarda, credo che possiamo provare a chiudere a due anni e mezzo. Non sarà facile, perché il pubblico ministero è un duro, ma possiamo provarci».

Mentivo. Conoscevo il sostituto procuratore generale che sarebbe venuto in udienza l'indomani. Avrebbe patteggiato a due mesi, pur di andarsene e di non fare un cazzo. Non era, come dire, un grande lavoratore. Ma questo non potevo dirlo a Pupuccio il Nero, o a quelli come lui.

La sequenza, in casi come questo, era la seguente: dire che il pubblico ministero era un duro; dire che avrei potuto tentare un patteggiamento, ma non sarebbe stato facile e non garantivo; ipotizzare il patteggiamento ad una pena decisamente superiore a quella che prevedevo di poter spuntare; patteggiare la pena che fin dall'inizio avevo previsto; confermare la mia reputazione di avvocato affidabile e cazzuto; incassare il resto dell'onorario.

«Due anni e mezzo? E vale la pena a fare il patteggiamento, avvocato? Tanto vale che facciamo il processo».

«Certo, possiamo provare – dissi con tono pacato, equanime. – Se ti confermano i quattro anni torni dentro, però. Questo lo devi sapere».

Pausa professionale. Poi ripresi.

«Sotto i tre anni c'è l'affidamento in prova al servizio sociale. Vedi un po' tu».

Pausa sua, adesso.

«Vabbè, avvocato, però vedete di fare di meno di due anni e mezzo. Mica ho ammazzato nessuno. Due o tre truffe, ho fatto».

Pensai che, insomma, di truffe ne aveva fatte almeno duecento, anche se i carabinieri ne avevano scoperte solo una quindicina;

aveva anche fatto parte di questa associazione a delinquere che appunto si occupava di fare truffe su scala industriale; e aveva un bel certificato penale, tutto pieno, come si dice, di precedenti specifici. Non mi parve il caso di mettermi a sottilizzare sul punto, con il signor Abbrescia Filippo.

«Bravo, Pupuccio. Tu adesso firma la procura speciale e domani non venire in udienza». Così non sono costretto a fare sceneggiate e ci sbrighiamo subito, con il procuratore generale, pensai.

«Vabbè, avvocato, però mi raccomando. Cerchiamo di fare il minimo».

«Non ti preoccupare, Pupuccio. Poi domani fatti vedere in studio; così ti dico come è finita. E quando passi dalla segretaria, prendi la fattura».

Lui era già in piedi, ma stava ancora davanti alla scrivania.

«Avvocato?».

«Dimmi».

«Avvocato, ma perché fate fare la fattura? Che poi ci dovete pagare le tasse, su quei soldi. Val la pena? Io mi ricordo che all'inizio che venivo da voi, non le facevate fare le fatture».

Rimasi a guardarlo dalla mia sedia, dal basso verso l'alto. Era vero. Per molti anni la maggior parte dei soldi che avevo guadagnato erano stati in nero. Poi, quando molte cose erano cambiate nella mia vita, avevo cominciato a vergognarmi di questo fatto. Non si trattava di una riflessione lucida, sull'argomento. Semplicemente mi vergognavo di frodare il fisco, e allora – quasi sempre e secondo una mia personale valutazione di quanto fosse giusto versare all'erario, per fare il mio dovere – rilasciavo le fatture e pagavo un sacco di soldi di tasse. Ero uno dei quattro, cinque avvocati più ricchi di Bari. Stando alla dichiarazione dei redditi.

Non potevo raccontare queste cose al signor Abbrescia Filippo, inteso Pupuccio il Nero. Non avrebbe capito; anzi avrebbe capito che ero un po' fuori di testa e avrebbe cambiato avvocato. Cosa che non volevo. Era un buon cliente, tutto sommato un brav'uomo e pagava puntualmente. Qualche volta anche con soldi che non venivano da reati.

«La Finanza, Pupuccio, la Finanza. Ci sta addosso a noi avvocati, in questo periodo. Dobbiamo stare attenti. Quelli si appostano vicino agli studi, vedono quando scende un cliente e poi controllano se ha la fattura. Se non ce l'ha entrano in studio e iniziano la verifica. E qui abbiamo finito di lavorare. Io preferisco non correre il rischio».

Pupuccio parve sollevato. Ero un po' fifone ma, insomma, pagavo le tasse solo per evitare guai peggiori. Lui non avrebbe fatto così, ma poteva capirlo.

Fece una specie di saluto militare, portando la mano ad una immaginaria visiera. Ciao avvocato; ciao Pupuccio.

Poi si voltò e andò via.

Quando fu passato almeno un minuto e fui sicuro che era fuori dallo studio, parlai da solo, ad alta voce.

«Sono un coglione. Va bene, sono un coglione. C'è qualche legge che lo vieta? No. Allora faccio il coglione quanto mi pare».

Poi appoggiai la testa allo schienale della poltrona e rimasi a guardare un punto imprecisato del soffitto.

Rimasi così per un tempo indefinito, fino a quando non squillò il telefono.

5

Maria Teresa rispose come sempre, al terzo squillo. Dopo qualche istante sentii il ronzio della linea interna.

«Cosa c'è?».

«C'è l'ispettore Tancredi, dalla squadra mobile».

«Passamelo».

Tancredi era quasi un amico. Senza che ci fossimo mai frequentati, avevo – credo che anche lui avesse – la sensazione di qualcosa in comune fra noi. Il tipo di poliziotto che vorresti incontrare quando sei la vittima di un reato; quello che vorresti evitare come la peste se il reato lo hai commesso. Soprattutto certi tipi di reati. Tancredi si occupava di maniaci, stupratori, pedofili e simili. Nessuno di loro era stato contento del fatto che Tancredi si fosse occupato di lui.

«Carmelo. Come stai?».

«Ciao Guido. Sto bene, più o meno. E tu?». Aveva una voce bassa, con un leggero accento siciliano. Sentendolo al telefono, senza conoscerlo, uno avrebbe pensato ad un omaccione, alto, grosso, con la pancia. Tancredi era alto non più di un metro e settanta, magro, capelli un po' lunghi sempre in disordine, baffoni neri.

Sbrigammo rapidamente i convenevoli e poi mi disse che aveva bisogno di vedermi. Una questione di lavoro, precisò. Del mio o del suo? Del mio, *e* del suo, in un certo senso. Voleva venire a trovarmi in studio, con una persona. Non disse chi era, quella persona, ed io non glielo chiesi. Gli dissi che potevamo vederci dopo le otto, quando rimanevo da solo in studio. Andava bene, e chiudemmo così.

Arrivarono verso le otto e mezzo. Erano andati già via tutti e andai io ad aprire la porta.

Tancredi era con una ragazza sulla trentina, o poco più. Era alta almeno un metro e settantacinque, aveva i capelli legati a coda, indossava jeans scoloriti e un giubbotto consunto di pelle nera.

Una collega di Tancredi, pensai, anche se non l'avevo mai vista prima. Tipico stile maschio da poliziotta dell'antiscippo o della narcotici. Doveva aver combinato qualche casino e adesso aveva bisogno di un avvocato. A vederla – con quella faccia di una con cui non vorresti litigare – pensai che poteva addirittura aver pestato un sospetto o un arrestato. Capita, nelle caserme e nelle questure.

Li feci entrare nella mia stanza e lì Tancredi fece le presentazioni.

«L'avvocato Guido Guerrieri...». Allungai la mano aspettandomi di sentire qualcosa del tipo: l'agente Tizia, o l'ispettore (non chiamate mai ispettrice un ispettore di polizia di sesso femminile: si incazzano come iene) Caia. Tancredi non disse così.

«... e lei è suor Claudia».

Mi voltai verso Tancredi e poi di nuovo a guardare in faccia la ragazza. Lui aveva un sorriso appena accennato, come se si divertisse a registrare la mia sorpresa; lei non sorrideva. Mi strinse la mano senza dire una parola, guardandomi diritto in faccia, con una espressione stranamente concentrata. Fu solo in quel momento che feci caso al piccolissimo crocefisso di legno che portava al collo, appeso con un cordoncino di cuoio.

«Suor Claudia è la direttrice di *Safe Shelter.* Ne hai sentito parlare?».

Non ne avevo sentito parlare e lui mi spiegò cos'era. Suor Claudia stava in silenzio, senza togliermi gli occhi di dosso. Mandava un leggerissimo profumo cui non sapevo dare un nome.

Safe Shelter era una comunità con sede segreta – che rimase segreta anche dopo la nostra conversazione – dove erano collocate donne vittime di tratta, sottratte agli aguzzini, donne maltrattate da mariti violenti, costrette ad andare via di casa, ex prostitute, collaboratrici di giustizia.

Quando loro – la polizia, o i carabinieri – avevano bisogno di sistemare una di queste persone sapevano che la porta di *Safe Shelter* era sempre aperta. Anche di notte o nei giorni di festa.

Tancredi parlava, io annuivo, suor Claudia mi guardava. Cominciavo a sentirmi leggermente a disagio.

«E dunque come posso esservi utile?». Già mentre finivo di pronunciarla quella frase, mi sentivo un perfetto cretino. Come quando mi scappano espressioni del tipo: «salve»; o «buondì»; o «tutto a posto?» eccetera.

Tancredi non ci fece caso e arrivò al punto.

«C'è una ragazza che collabora come operatrice volontaria alla comunità di suor Claudia. In realtà collaborava. Adesso non è nelle condizioni migliori per farlo. Insomma te la racconto in breve. Qualche anno fa questa ragazza conosce uno. Lo conosce dopo un periodo difficile della sua vita, che in realtà non è mai stata facile. Questo tipo sembra il principe azzurro. Gentile, premuroso, innamorato. Ricco. Bello anche, dicono le donne. Praticamente perfetto. Insomma, nel giro di qualche mese vanno a vivere insieme. Fortunatamente senza sposarsi».

Era una storia che avevo già sentito altre volte, non solo per ragioni di lavoro. Così mi inserii in una pausa del discorso di Tancredi.

«Dopo qualche mese di convivenza lui cambia. All'inizio non è più così gentile; poi comincia a diventare violento, prima solo verbalmente, poco dopo anche fisicamente. In breve la convivenza diventa un inferno. Ci sono?».

«Più o meno ci sei. Per quanto riguarda la prima parte della storia. Forse suor Claudia vuole raccontarti lei il resto».

Buona idea, pensai. Così smette di fissarmi in quel modo, che mi sta rendendo nervoso.

Suor Claudia aveva una voce morbida, femminile, quasi ipnotica. In contrasto con il suo aspetto, con la sua faccia, il suo sguardo. Deve saper cantare, pensai mentre lei cominciava il suo racconto.

«Io dico che non è diventato diverso dopo l'inizio della convivenza. Era così anche prima. Ha solo smesso di recitare perché pensava non fosse più necessario. Ormai lei era sua proprietà. Ha cominciato ad offenderla, poi a picchiarla, poi a farle cose che, se vorrà, potrà raccontare lei stessa. Poi ad appostarsi vicino al suo posto di lavoro, convinto che lei avesse un amante. Per sorprenderla. Naturalmente non l'ha mai sorpresa, perché non c'era niente da scoprire. Ma questo non lo ha calmato. Lo ha fatto diventare più cattivo. Quando una sera lei ha detto che non ce la faceva più, e che se quella storia non finiva lei se ne sarebbe andata, lui l'ha massacrata».

Smise bruscamente di parlare. La sua faccia diceva che avrebbe voluto essere presente, quando erano successe quelle cose. Non per stare a guardare.

«Il giorno dopo lei ha preso un po' di cose sue, quelle che riusciva a portar via senza aiuto, e se ne è andata a casa della madre. Abitava in un appartamento suo prima, ma l'aveva lasciato quando era andata a vivere da lui. Da quel momento è cominciata la persecuzione. Davanti all'ufficio. Davanti a casa della mamma. La mattina. La sera. La pedinava. Le telefonava sul cellulare. Telefonava a casa. A tutte le ore del giorno e soprattutto della notte».

«Cosa le diceva?».

«Di tutto. Per due volte è stata picchiata per strada. Una mattina ha trovato la macchina completamente sfregiata con un cacciavite. Una sera la bicicletta, che era nell'androne del palazzo dove abita la mamma, completamente fatta a pezzi. Naturalmente non ci sono prove che sia stato lui. In breve comunque, come ha detto lei avvocato, la sua vita è diventata un inferno. Io e le ragazze della comunità cerchiamo di aiutarla. Quando è possibile la accompagniamo e la andiamo a riprendere dal lavoro. Per qualche settimana lei è anche venuta ad abitare in casa rifugio che almeno è un posto che lui non conosce e dove non può trovarla. Ma queste non sono soluzioni. Non ha più una vita, non può uscire la sera, non può andare a fare una passeggiata, spese in un supermercato, niente senza il terrore di trovarselo davanti. O alle spalle. E infatti non esce più. Vive rinchiusa in casa, come se fosse un carcere. Lui invece può girare indisturbato».

«Ha fatto denuncia, questa ragazza?».

Rispose Tancredi.

«Ne ha fatte tre. Una dai carabinieri, una da noi in questura e la terza direttamente alla procura della Repubblica. Questa per fortuna è stata assegnata alla Mantovani che ci ha lavorato. Ha fatto le indagini che si potevano fare, ha sentito la ragazza, ha acquisito i tabulati dei telefoni, ha acquisito i certificati medici e poi ha chiesto la cattura dell'animale».

«Per quale reato?».

«Maltrattamenti e violenza privata aggravata. Ma è stato inutile. Il giudice ha rigettato la richiesta dicendo che non esistevano esigenze cautelari. E qui arriviamo alla parte più interessante della questione. Perché suor Claudia è qui per chiederti se sei disposto ad assumere la difesa di questa ragazza ed a costituirti parte civile per lei. Dopo che altri due tuoi colleghi si sono rifiutati. Un maligno potrebbe dire: per la stessa ragione che ha indotto il giudice a non arrestare quel signore».

Gli chiesi di spiegarmi meglio, e lui disse solo un nome. Io me lo feci ripetere, per essere sicuro di aver capito bene. Quando fui certo che stavamo parlando della stessa persona lasciai andare una specie di fischio. Senza dire niente.

Tancredi mi raccontò il resto. Il sostituto procuratore Mantovani, subito dopo il rigetto della richiesta di misura cautelare aveva chiesto il rinvio a giudizio. Lui aveva ricevuto la citazione per l'udienza ed era andato a trovare la ragazza sotto casa.

Le aveva detto che poteva denunciarlo tutte le volte che voleva, tanto non gli sarebbe successo niente. Perché nessuno avrebbe mai avuto il coraggio di toccarlo. E aveva aggiunto che nel processo l'avrebbe fatta a pezzi.

Per questo lei voleva un avvocato. Perché aveva paura, ma non voleva tirarsi indietro.

Tancredi mi disse anche chi erano i due miei colleghi ai quali la ragazza si era rivolta, prima di me. Uno aveva detto che gli dispiaceva, ma per principio non assumeva la difesa di parti civili. Lo conoscevo bene e mi chiesi se sapesse anche solo il significato della parola *principio.*

L'altro aveva detto di essere troppo carico di lavoro, e di non potersi occupare di quel caso, purtroppo. Purtroppo, certo.

A quel punto la ragazza era disperata e terrorizzata. Non sapeva cosa fare. Aveva parlato con suor Claudia e suor Claudia aveva parlato con Tancredi. Per un consiglio. Lui aveva fatto il mio nome ed erano venuti a parlarmi. Senza la ragazza. Nemmeno le avevano detto di questo incontro, perché se rifiutavo anch'io, suor Claudia non voleva che lei lo sapesse.

A quel punto la storia era finita. Non mi dovevo sentire costretto ad accettare l'incarico, concluse Tancredi. Se rifiutavo, avrebbero capito. Ed erano sicuri che non avrei parlato di questioni di principio o di eccessivo lavoro, per rifiutare.

Silenzio.

Guardai suor Claudia. Non aveva la faccia di una che *avrebbe capito*. Per niente.

Mi passai la mano sulla faccia, contropelo sulla barba che era già ricresciuta dalla mattina. Poi mi pizzicai quattro o cinque volte la guancia, fra indice e pollice, sempre raschiandomi la barba.

Alla fine feci una smorfia di sufficienza e scrollai le spalle. Non c'erano problemi, dissi. Ero un avvocato e un cliente è uguale all'altro. Mentre lo dicevo pensavo che era davvero una bella stronzata.

Mi parve che i lineamenti di suor Claudia si rilassassero impercettibilmente. Qualcosa di simile al sollievo. Tancredi sorrise a fior di labbra, con l'aria di chi non ha mai avuto dubbi su come sarebbe andata a finire la partita.

C'era ancora poco da dire, a quel punto. La ragazza doveva venire in studio per firmarmi il mandato. E per conoscerci, ovviamente, visto che stavo per diventare il suo avvocato. Poi sarei andato a trovare il pubblico ministero per fare le copie del fascicolo. Avrei dovuto studiarmi in fretta il tutto. Il processo iniziava di lì a due settimane. Chiesi a suor Claudia che mi lasciasse un recapito telefonico e lei, dopo un attimo di esitazione, scrisse su un foglietto il numero di un cellulare.

«È il mio numero. È un telefono sempre acceso».

Quando andarono via io mi appoggiai di spalle alla porta, guardando il soffitto. Feci il gesto di cercare nelle tasche il pacchetto delle sigarette, che non c'era.

6

Di regola sarei dovuto andare via anch'io. Ero già ampiamente fuori orario, non ero passato da casa nemmeno cinque minuti da quando ero uscito la mattina e avevo bisogno di ficcarmi sotto una doccia e magari di mangiare qualcosa.

Invece rimasi in studio. Mi sedetti alla scrivania della mia segretaria. A pensare, o qualcosa di simile.

Gianluca Scianatico era un famoso balordo. Un tipico, noto esponente della cosiddetta Bari bene. Un po' più grande di me, ex picchiatore fascista, giocatore di poker. E cocainomane, si diceva.

Era medico e lavorava in una clinica universitaria del policlinico. Nessuno che conoscesse certi ambienti di Bari pensava che fosse arrivato sin lì – laurea, scuola di specializzazione, concorso, eccetera – per le sue personali qualità.

Suo padre era Ernesto Scianatico, presidente di una delle sezioni penali nella corte d'appello. Uno degli uomini più potenti della città. Su di lui, sulle sue amicizie, sui suoi affari extragiudiziari, si era detto praticamente di tutto. Sempre a bassa voce, nei corridoi del tribunale o altrove. Si raccontava di esposti anonimi, su tutta una serie di faccende che lo riguardavano, in modo diretto o indiretto. Si raccontava che qualche avvocato e anche qualche magistrato avesse provato a denunciarlo.

Si sapeva che tutti questi esposti, anonimi o firmati che fossero, non avevano prodotto nessun effetto. Il presidente Scianatico era uno che sapeva guardarsi le spalle.

Una delle idee più stupide che potessero venire in mente ad uno che faceva il mio lavoro – l'avvocato penalista a Bari – era di mettersi contro di lui. Più o meno la metà dei processi, dopo la sentenza di primo grado, passava nella sua sezione per il giudizio di appello. Cioè più o meno la metà dei *miei* processi passava in quella sezione per il giudizio di appello. Mi si stava spalancando davanti un futuro professionale radioso, pensai.

«Complimenti Guerrieri – dissi poi a voce alta, come mi capitava, sin da bambino, quando i pensieri diventavano troppo rumorosi – ancora una volta hai trovato un casino in cui infilarti. Hai passato la fatidica soglia dei quaranta ma la tua attitudine a ficcarti nei guai, di ogni tipo, ordine e grado rimane assolutamente intatta. Bravo».

Rimasi un po' di tempo così, a preoccuparmi. Lo sguardo che vagava sugli scaffali, e fra i contenitori che li riempivano.

Poi mi scocciai.

Una costante della mia vita è che dopo un poco mi sono sempre scocciato di tutto.

Cose buone e cose cattive.

Quasi tutto.

E comunque mentre smettevo di preoccuparmi, mi tornarono in mente alcune delle cose che mi aveva raccontato Tancredi poco prima. Su quando lui era andato a trovarla dopo aver ricevuto il decreto di citazione. Cosa aveva detto? Ah sì. Che poteva denunciarlo tutte le volte che voleva, tanto non gli sarebbe successo niente. Nessuno avrebbe avuto il coraggio di toccarlo, a lui.

Così, mentre smettevo di preoccuparmi, cominciai ad incazzarmi. Mi ci volle poco per arrivare al punto giusto.

«Fanculo a Scianatico. Padre e figlio. Fanculo a tutti e due. Adesso vediamo, se non ti può succedere proprio niente, stronzo». Ad alta voce, ancora.

Poi mi dissi che era davvero il momento di andare a casa.

Questo me lo dissi mentalmente. Segno che il fracasso nel cervello si stava smorzando.

7

Martina Fumai venne in studio la sera dopo, verso le sette, accompagnata da suor Claudia. Maria Teresa le fece entrare nella mia stanza ed io le feci accomodare alle due sedie davanti alla scrivania.

Martina era molto graziosa, capelli castani corti, ben truccata, qualcosa di sfuggente nello sguardo e nei modi. Molto magra. Una magrezza un po' innaturale, come se avesse fatto una dieta e non si fosse fermata al momento giusto. Aveva un profumo dolce e forse ne aveva messo più del necessario.

Parlava a bassa voce e appena si fu seduta mi chiese se poteva fumare. Poteva, certo che poteva e lei si accese una sigaretta sottile tirata fuori da un pacchetto bianco con motivi floreali. Una marca sconosciuta. Il tipo di sigarette che ho sempre odiato. Aveva un accendino cilindrico con la faccia di Betty Boop. Pensai che dovesse significare qualcosa.

Mi ringraziò per avere accettato l'incarico. Io le dissi che non c'erano problemi – proprio così, con una espressione che detesto: *non ci sono problemi* – e poi le diedi i fogli con i mandati da firmare.

Lei mi chiese se faceva bene a costituirsi parte civile.

Certo che no. È una pazzia. Ne usciremo con le ossa rotte. Tu e soprattutto io. Tutto perché da ragazzino leggevo i fumetti di Tex Willer e adesso non sono capace di tirarmi indietro quando sarebbe la cosa più intelligente da fare. Come in questo caso appunto. Come hanno fatto i miei pragmatici colleghi.

Non dissi così. La rassicurai, invece. Le dissi che non doveva preoccuparsi, che effettivamente non era un processo facile ma che lo avremmo trattato nel modo migliore possibile, con determinazione ma anche con cautela. E tutta una catasta di simili chiacchiere. Il giorno dopo sarei andato in procura a parlare con il pubblico ministero ed a prendere le carte. Dissi che per fortuna il pubblico ministero, la dottoressa Mantovani, era una persona seria. E questo era vero.

Dissi che ci saremmo rivisti dopo che avessi esaminato le carte, qualche giorno prima dell'udienza. Preferivo parlare dei fatti dopo essermi fatto un'idea di quello che c'era nel fascicolo.

L'incontro durò al massimo una mezz'ora. Per tutto il tempo suor Claudia non disse una parola. Per tutto il tempo mi guardò con quegli occhi indecifrabili.

Quando andarono via lanciai, quasi involontariamente, uno sguardo ai suoi jeans aderenti. Fu un attimo, prima di ricordarmi che lei era una suora, e che non era quello il modo di guardare una suora.

8

Ancora una volta arrivò il fine settimana.

Eravamo stati invitati ad una festa da due amici di Margherita. Rita e Nicola. Strampalati ma simpatici. Per avere più spazio a disposizione erano andati ad abitare in una villa subito fuori città, sulla vecchia strada che porta a sud correndo fra il mare e la campagna.

Detto così potrebbe sembrare romantico. La villa però era semidiroccata, il giardino sembrava quello della casa degli Usher, e a pochi metri dal cancello, ogni sera, si radunavano ragazze dell'est, più o meno vestite a seconda della stagione. Le macchine dei loro clienti si fermavano praticamente in casa di Rita e Nicola. Ne arrivavano in continuazione, fino a notte inoltrata. Ogni tanto arrivavano anche la polizia o i carabinieri, facevano una retata di clienti e di ragazze, qualcuna la rimpatriavano e per qualche giorno il traffico cessava. Poi, nel giro di una settimana, era tutto come prima.

La campagna alle spalle della villa era popolata da branchi di cani selvatici e disseminata di ruderi utilizzati come deposito di merci rubate. Questo potevo dirlo con certezza, visto che uno dei ricettatori che utilizzavano quei ruderi era un mio cliente ed una volta era stato arrestato mentre scaricava un camion di hi-fi rubati proprio in una di quelle catapecchie.

Per Rita e Nicola tutto questo non sembrava un problema. Pagavano un affitto basso ai limiti del ridicolo, per più di trecento metri quadri, che in centro non si sarebbero mai potuti permettere. La casa era piena delle cose più strane. E nelle feste, delle persone più strane.

Rita era una pittrice e insegnava all'accademia delle belle arti. Nicola aveva una libreria specializzata in new age, filosofie e pratiche orientali, esoterismo.

Una delle stanze della villa era attrezzata con stuoie a terra e specchi alle pareti. Ci facevano seminari di meditazione trascendentale, di tai chi chuan, di shiatsu; incontri di studio sul libro tibetano dei morti, sull'oroscopo cinese, ed altro.

Nicola era una specie di Budda delle periferie, stile il personaggio di Hanif Kureishi, per intenderci. Solo che non operava nella Londra degli anni settanta, ma nella Bari degli anni duemila. Per la precisione: fra il quartiere Iapigia e Torre a Mare.

Prima di uscire, al momento di prepararmi, mentre ero in bagno davanti allo specchio a lavarmi i denti mi parve di notare qualcosa sotto gli occhi. Come una leggera ombra, o un leggero rigonfiamento. Sciacquai lo spazzolino, lo rimisi a posto e poi guardai meglio. Erano proprio due leggerissimi rigonfiamenti, fra gli occhi e gli zigomi.

Le borse sotto gli occhi, pensai testualmente. Oh cazzo.

Esitando un poco, sempre davanti allo specchio, avvicinai l'indice della mano destra ad una di quelle... cose. C'era. Lo diceva anche il tatto, oltre alla vista.

Provai a tirare verso il basso, con il dito, quella pelle che non mi sembrava la mia. Non era elastica; aveva la consistenza rilassata di un tessuto un po' usurato. Almeno così pensai in quel momento.

Allora cominciai a studiare la mia faccia allo specchio, molto da vicino. Mi accorsi che avevo delle rughe, agli angoli della bocca, vicino agli occhi e soprattutto sulla fronte. Lunghe e profonde come trincee. Quando erano venute fuori, che non me ne ero mai accorto?

Mi pizzicai la pelle, in vari punti del viso, per vedere quanto tempo ci metteva a tornare al suo posto. Mentre facevo quell'esperimento mi tornava in mente di quando da bambino, mentre la bisnonna mi teneva sulle ginocchia, la pizzicavo sulle guance. Le tiravo in basso e poi osservavo la pelle tornare a posto. *Molto* lentamente.

Questo mi fece ricordare anche il collo, tutto rughe e pieghe, della bisnonna. Allora controllai il mio, di collo. Che naturalmente era un normale collo di un signore di quarant'anni, in buona salute e in discreta forma fisica. La mia bisnonna, cosa su cui al momento non mi soffermai, all'epoca del mio ricordo aveva almeno ottantacinque anni, e forse di più.

Stavo per iniziare una affannosa ricerca di segni del tempo – che evidentemente era passato senza che me ne accorgessi – quando suonò il campanello di casa. Fu allora che, guardando l'orologio, mi resi conto nell'ordine: a) che Margherita era già pronta, bussava alla mia porta e verosimilmente pensava che anch'io fossi pronto, visto che era ora di andare; b) che non ero affatto pronto; c) che forse stavo leggermente rincoglionendo.

Andai ad aprire, non esternai il punto c) a Margherita (e per evitare che lo percepisse da sola evitai anche di chiederle se, a suo parere, avevo rughe o borse sotto gli occhi), finii di prepararmi in fretta e furia e un quarto d'ora dopo eravamo in strada. Per quella sera smisi di preoccuparmi del tempo che passa e degli annessi dermatologici.

Già fuori dalla villa si sentiva la musica. Strumenti a fiato e a corda, tonalità remote e mistiche, qualche botta di gong. Il meglio della new wave vietnamita, mi spiegò qualcuno poco dopo. Un genere di musica che mi piace molto ascoltare. Anche per cinque minuti di seguito.

La casa era piena di fumi d'incenso, e di persone. Qualcuno era anche quasi normale.

Margherita scomparve quasi subito nella nebbia e fra la gente; poco dopo la intravidi che chiacchierava con un tipo alto, magro, barbuto, sulla cinquantina. Il barbuto indossava un impeccabile completo principe di galles a due bottoni e, lì in mezzo, sembrava un'apparizione surreale. Io non conoscevo quasi nessuno e non avevo molta voglia di conversare con i pochi che conoscevo. Così, quasi subito, mi dedicai al cibo, che era abbondantemente disposto su un lungo tavolo.

C'era una cosa che sembrava una specie di gulasch, e che però non era ungherese ma indonesiano, e si chiamava *rendang* di manzo. Poi c'era una cosa che assomigliava alla paella, e che però non era spagnola, ma indonesiana anche quella, e si chiamava *nasi goreng*. E poi c'era una cosa che sembrava un'innocua insalata mista italiana. Non era italiana – anch'essa era indonesiana – e soprattutto non era innocua. Quando l'assaggiai mi parve di avere messo in bocca una fiamma ossidrica in funzione. Non mi ricordo il suo preciso nome indonesiano ma la traduzione suonava più o meno così: insalata di verdure con salsa *molto* piccante.

Comunque mangiai tutto, incluse delle crêpe di mango in salsa al cocco e un dolce di banane e cannella. Queste forse erano vietnamite e comunque erano buone.

Andai un po' in giro per la casa. Scambiai chiacchiere insulse con tipi stralunati. Ogni tanto vedevo Margherita che chiacchierava sempre con il barbuto. Cominciai anche ad infastidirmi leggermente e mi guardai attorno per trovare qualcuno che avesse una sigaretta da offrirmi. Subito dopo mi ricordai che avevo smesso; e comunque nessuno fumava. Il fumo è old age.

Ero seduto su un divano e mi stavo bevendo il quarto – o forse il quinto bicchiere di vino rosso proveniente da vigne di agricoltura biologica. Assomigliava un po' al vecchio Folonari, ma insomma, non avevo voglia di andare troppo per il sottile.

Vicino a me si sedette una ragazza vestita stile rivoluzione culturale. Pantaloni di tela celesti ed una giacca-camicia dello stesso tessuto, con collo alla coreana.

Era molto carina, paffuta, un piercing con un brillantino sul naso, capelli neri e lunghi, occhi blu. Aveva qualcosa di vagamente sognante – o di vagamente idiota – nello sguardo, pensai. Parlò senza preavviso.

«A me questa musica vietnamita non piace molto».

Allora non sei stupida come sembri, pensai. Sono contento. Anche a me non piace, anzi mi fa l'effetto di una serenata per unghia e lavagna. Stavo per dire qualcosa del genere, quando lei proseguì.

«A me piace molto la musica tibetana. Credo sia più adatta ad evocare veri momenti di meditazione».

Ah, ecco. Musica tibetana. Perfetto.

«Hai mai ascoltato musica tibetana?».

Non mi guardava in faccia. Era seduta composta quasi sul bordo del divano e guardava avanti. Diritto avanti in un punto imprecisato, come una demente. Mentre mi accingevo a rispondere mi accorsi che stavo assumendo la stessa posizione.

«Tibetana? Non sono proprio sicuro. Forse...».

«Dovresti. È la migliore per sbloccare i chakra, per liberare il passaggio dell'energia. Io ho la percezione, stando vicino a te, che tu abbia un'aura intensa, un grande potenziale energetico, ma che tu non sia capace di liberarlo».

Bevvi un altro bel sorso del Folonari biologico e decisi di liberare il mio potenziale energetico. Lì, e in quel momento. Pensai che se l'era cercata.

«È strano. Mi hanno detto qualcosa di simile, con altre parole, quando ho cominciato ad interessarmi di astrologia druidica».

Quella si voltò verso di me, e negli occhi adesso esibiva qualcosa di simile ad una primordiale attenzione.

«Astrologia druidica?».

«Sì. È un sistema astrologico su basi esoteriche, elaborato dai grandi sacerdoti di Stonehenge».

«Ah, Stonehenge. Quella città antica in Scozia, con quelle strane costruzioni di pietra».

Analfabeta. Stonehenge non è in Scozia, ma in Inghilterra e come sanno tutti, non è una città.

Non dissi così. Mi complimentai con lei per il fatto che conoscesse Stonehenge, facemmo le presentazioni – Silvana, si chiamava – e poi le illustrai i principi dell'astrologia druidica. Disciplina da me inventata, in suo onore, quella sera. Le parlai dei riti astrologici nelle notti del solstizio d'estate, delle intersezioni astrali e delle affinità siderali. Qualunque cosa tutto questo potesse significare.

Silvana era davvero interessata, adesso. Era difficile trovare un uomo con questa passione e queste conoscenze, così approfondite, disse. E con questa sensibilità.

Disse *sensibilità* lanciandomi uno sguardo carico di significati e allusioni. Io andai a fare un rifornimento di vino biologico.

«Bevi il vino?» disse con una leggera nota di disapprovazione. Le ragazze new age bevono succhi di carota e tisane di ortica. Io ero ormai decisamente allegro.

«Ah certo. Il vino rosso è una bevanda druidica. È un mezzo rituale utile per indurre stati dionisiaci». Non stavo mentendo. Stavo dicendo che bere il vino è utile per ubriacarsi. Effettivamente stavo bevendo vino e mi stavo ubriacando. Così mi venne di parlarle di una straordinaria pratica divinatoria. Anch'essa di mia invenzione. Si trattava della lettura del gomito, praticata dall'antico, mistico popolo caldeo. Occasionalmente mi intendevo anche di quella pratica, oltre che di oroscopo di Stonehenge.

Così le spiegai come, in base all'antica sapienza caldea, sia possibile leggere nel gomito sinistro di una persona le strategie dei suoi destini incrociati. Trovai la cosa stupendamente priva di senso, ma lei non se ne accorse.

Invece mi chiese se si poteva fare subito una prova di lettura del gomito. Io dissi che sì, andava bene. Buttai giù l'ultimo sorso di vino dal bicchiere semivuoto e le dissi di scoprirsi il braccio sinistro.

Mentre le pizzicavo la pelle del gomito – pratica indispensabile per scorgere le strategie dei destini incrociati – mi accorsi di Margherita. In piedi, davanti al divano. Molto vicina.

«Sei qui».

«Sì, sono qui. Da qualche minuto, per la verità. Ma eri, come dire, piuttosto occupato. Non mi presenti la tua amica?».

Feci le presentazioni mentre pensavo che tutto d'un tratto non mi stavo più divertendo. Margherita disse *piacere* – non dice mai *piacere* – con l'espressione amichevole di uno squalo martello. Silvana disse *salve,* con l'espressione intensa di una cernia.

Allora dissi che forse era ora di andare. Margherita disse che sì, forse era proprio ora.

Così salutai la mia nuova amica Silvana, che sembrava piuttosto disorientata.

Salutammo un po' di altra gente e dieci minuti dopo eravamo in macchina, con il mare che ci scorreva sulla destra e le sagome dei palazzi del lungomare davanti, a qualche chilometro.

Per onestà devo dire che il mare, i palazzi e tutto il resto non erano perfettamente a fuoco, ma insomma, riuscivo a tenere il volante.

«Ti sei divertito con quella ragazza?».

Cercai di guardarla in faccia, senza perdere di vista la strada. Impresa non facile.

«Dai, stavo giocando un po'. Le ho parlato dell'oroscopo druidico».

«E della lettura del gomito».

«Ah sì, hai sentito».

«Sì, ho sentito. E ho visto».

«Beh, era tanto per passare il tempo, non ho fatto niente di male. Comunque ho visto che tu non ti sei annoiata, con quel rasputin in principe di galles a due bottoni. Chi era, il segretario amministrativo del cral dei filosofi?».

Pausa.

«Sei simpatico».

«Vero?».

«Molto simpatico. Più o meno come il torcicollo». Si fermò un attimo. «Anzi come il mal di denti».

«Ti sembra più adeguato, il mal di denti?».

«Sì». Le veniva da ridere, anche se si sforzava di trattenersi. «Come ti vengono in testa, certe cose. La lettura del gomito. Sei pazzo».

«Me ne vengono in mente tante, di cose. Adesso per esempio ne ho in mente alcune. Sul tuo conto».

«Ah sì? Cose interessanti per una ragazza?».

«Sì, sì. Credo di sì».

Fece un attimo di pausa. Io cercavo di tenere gli occhi incollati alla strada, che diventava sempre più sfuggente fra i fumi del vino biologico. Però sapevo esattamente che espressione aveva Margherita, in quel momento.

«Beh, fai camminare questa macchina, astrologo druidico, lettore del gomito. Andiamo a casa».

9

Il lunedì mattina andai in procura.

Entrai nel palazzo degli uffici giudiziari passando per l'ingresso riservato ai magistrati, al personale ed agli avvocati. Un giovane carabiniere che non avevo mai visto mi chiese i documenti. Dissi che ero un avvocato e lui mi chiese di nuovo i documenti. Naturalmente non avevo con me il tesserino e così il giovane carabiniere mi disse di uscire e di rientrare dalla porta destinata al pubblico. Quella attrezzata con il metal detector, caso mai avessi avuto un fucile mitragliatore sotto il giaccone.

O un'accetta. I metal detector erano stati installati dopo che un pazzo era entrato nel tribunale con un'ascia infilata nei pantaloni. Nessuno lo aveva controllato e, una volta dentro, aveva cominciato a spaccare tutto. Quando era stato finalmente bloccato e disarmato dai carabinieri, aveva detto che era venuto per *parlare* con il giudice che gli aveva dato torto in una causa di eredità. Doveva essere la sua idea di appello.

Stavo per girarmi e fare quello che aveva detto il carabiniere, quando mi vide un maresciallo che faceva servizio in tribunale tutti i giorni e che mi conosceva. Disse al ragazzo che effettivamente ero un avvocato e che poteva lasciarmi passare.

L'atrio era affollato di gente; donne, ragazzi, carabinieri, agenti di polizia penitenziaria e avvocati, soprattutto di provincia. C'era la prima udienza di un processo contro una banda di spacciatori di Altamura. Il rumore di fondo era quello che si sente in un teatro prima che cominci lo spettacolo. L'odore di fondo era quello di certe stazioni ferroviarie, o di certi autobus affollati. O di molti atri di tribunale.

Mi feci strada fra la folla, il rumore e l'odore, raggiunsi l'ascensore e salii in procura.

La stanza di Alessandra Mantovani, sostituto procuratore della Repubblica, era nel consueto casino. Pile di fascicoli sulla scrivania, sulle sedie, sul divano ed anche a terra.

Ogni volta che entravo nell'ufficio di un pubblico ministero, pensavo che ero contento di aver fatto l'avvocato e non il magistrato.

«Avvocato Guerrieri».

«Signor pubblico ministero».

Chiusi la porta, mentre Alessandra si alzava, faceva il giro della scrivania, evitava un pilastro di fascicoli e mi veniva incontro. Ci salutammo con un bacio sulla guancia.

Alessandra era mia amica, era una bella signora, e probabilmente il migliore magistrato della procura.

Era di Verona, ma qualche anno prima aveva chiesto il trasferimento a Bari. Ci era venuta con un biglietto di sola andata, lasciandosi alle spalle un marito ricco e una vita senza problemi. Per venire a stare con un tizio che credeva fosse il grande amore della sua vita. Anche le donne molto intelligenti fanno cose molto stupide. Il tizio non era l'amore della sua vita, ma un banale ometto come tanti. E come tanti, dopo qualche mese l'aveva banalmente lasciata. Così era rimasta sola, in una città che non conosceva, senza amici, senza nessun altro posto dove andare. E senza lamentarsi.

«È una visita di cortesia o ti sei messo a difendere i maniaci?».

Alessandra era nella sezione della procura che si occupava di reati sessuali. Io, di regola, non difendevo quel tipo di clienti, in quel settore le costituzioni di parte civile erano rare, e così Alessandra ed io avevamo poche occasioni di incontrarci per ragioni di lavoro.

«Sì, il tuo collega della stanza a fianco è stato beccato mentre girava ai giardini pubblici con un impermeabile nero. E niente sotto. È stato arrestato dai nuclei speciali della nettezza urbana e mi ha incaricato della sua difesa».

Il collega della stanza a fianco non aveva quella che si dice una reputazione immacolata. Si raccontavano le storie più divertenti, sul suo conto. E sulle numerose segretarie, ufficiali giudiziarie, dattilografe – perlopiù attempate – che passavano dalla sua stanza fuori dall'orario di servizio.

Scherzammo ancora per qualche minuto e poi le spiegai il motivo della mia visita.

Mi ero preso una bella rogna, disse per prima cosa. Grazie, l'avevo già intuito.

Ovviamente sapevo chi era l'imputato, e chi era suo padre. Ovviamente sì, grazie ancora per il tono rassicurante. Quando ho un problema e voglio sostegno morale adesso so dove andare.

Com'era il processo? Fetido, cosa mi aspettavo. Fetido da tutti i punti di vista. Sostanzialmente la parola di lei contro quella di lui, perlomeno per i fatti più gravi. Le molestie telefoniche erano provate dai tabulati, ma quello era un reato minore. C'erano un paio di certificati medici del pronto soccorso con prognosi lievi, ma quando erano successi i fatti più gravi, durante la convivenza, lei non era andata a farsi medicare. Si vergognava di raccontare quello che era successo. Funziona sempre così. Vengono massacrate e poi si vergognano di andare a raccontare che i loro mariti, i loro compagni sono delle bestie.

«Se vuoi la mia opinione, secondo me la Fumai è stata anche violentata, durante la convivenza. Succede spessissimo, ma quasi mai ci sono le querele. Si vergognano. È incredibile ma si vergognano».

«Chi è il giudice?».

«Caldarola».

«Stupendo».

Il giudice Cosimo Caldarola era un burocrate triste ed incolore. Lo conoscevo da più di quindici anni, cioè da quando avevo cominciato a frequentare il tribunale, e non l'avevo mai visto sorridere. Il suo motto era: non voglio seccature. L'ideale per quel processo.

«Dammi qualche altra bella notizia. Chi è l'avvocato del nostro amico?».

«Secondo te?».

«Dellisanti?».

«Bravo. Vedrai che non ci annoieremo a fare questo processo».

Dellisanti era uno stronzo. Ma bravo, dannatamente bravo. Una specie di pitbull di centodieci chili. Nessuno aveva voglia di trovarselo come avversario. Gli avevo visto controinterrogare testi del pubblico ministero, far dire loro una cosa e, subito dopo, l'esatto contrario. Senza che nemmeno se ne accorgessero. Ebbi per qualche secondo la disturbante visione della mia fragile cliente alle prese con Dellisanti e pensai che eravamo veramente ben messi.

Chiesi di poter vedere gli atti e Alessandra Mantovani mi disse che erano in segreteria. Potevo passare di lì, guardare il fascicolo e farmi fotocopiare quello che mi serviva.

Mi alzai per togliere il disturbo, dopo tutte quelle buone notizie.

«Aspetta» disse, e si mise a frugare nei cassetti della scrivania. Poco dopo ne tirò fuori un blocchetto di fotocopie spillate fra loro. Le mise in una busta gialla e me le diede.

«Per le copie degli atti passi in segreteria e paghi i diritti. Queste invece le offro io. Sono una lettura interessante, credo. Per avere un'idea di che tipo è il nostro amico».

Presi la busta e la ficcai in borsa. Ci salutammo e me ne andai in segreteria per fare le copie del fascicolo. Pensando che tutto andava davvero a meraviglia.

10

Andai in segreteria, cominciai a selezionare gli atti che potevano servirmi e dopo un po' mi resi conto che stavo perdendo tempo solo per risparmiare qualche soldo di fotocopie e diritti di cancelleria. Così dissi all'impiegato che volevo la copia integrale del fascicolo e che mi serviva quella mattina stessa. Pagai i diritti con la sovratassa per l'urgenza e questo mi ricordò che non mi ero fatto lasciare nemmeno un anticipo dalla signorina Fumai e dalla sua amica suora.

Me ne tornai in studio all'ora di pranzo, con un intero faldone di fotocopie.

Dissi a Maria Teresa di ordinarmi un paio di panini e una birra dal bar di sotto e quando il mio pranzo arrivò mi misi a lavorare e a mangiare.

Nel fascicolo non c'erano cose di particolare interesse. In sintesi sapevo già tutto.

Come aveva detto Alessandra gli elementi a carico di Scianatico consistevano essenzialmente nelle dichiarazioni della mia cliente. C'erano alcuni riscontri; due certificati medici, i tabulati del traffico telefonico. In un processo normale poteva anche bastare. Ma il nostro non era un processo normale.

Nel giro di un'ora esaurii l'esame del fascicolo. Allora aprii la borsa, ne tirai fuori quella busta gialla e guardai cosa conteneva.

Erano le fotocopie di un libro di criminologia, di uno psichiatra americano. Parlava di un tipo di criminale con cui non avevo mai avuto a che fare, da quando facevo l'avvocato. O forse sì, ma senza saperlo. Lo *stalker* – il persecutore.

Nelle prime pagine l'autore citava le leggi americane, numerosi studi ed il manuale di classificazione criminale dell'FBI, per descrivere la figura del persecutore come «un predatore che segue furtivamente e ostinatamente una vittima in base ad un criterio specifico e adotta una condotta tendente a provocare afflizione emotiva ed altresì il ragionevole timore di essere uccisa o di subire lesioni fisiche; o che adotta una condotta continuata, volontaria e premeditata consistente nel seguire e molestare un'altra persona».

In sostanza, spiegava l'autore, la persecuzione è una forma di terrorismo rivolta contro un singolo individuo allo scopo di ottenere un contatto con quest'ultimo e dominarlo. È un delitto invisibile spesso, fino a quando non esplode la violenza, anche omicida. Allora di solito interviene la polizia; allora di solito è troppo tardi.

Il libro continuava spiegando che molti uomini appartenenti alla categoria dei persecutori nascondono il proprio senso di dipendenza dietro una immagine ultramaschile, stereotipa, e sono cronicamente aggressivi nei confronti delle donne.

Molti persecutori di questo tipo hanno subito dei traumi, durante l'infanzia. La morte di un genitore, abusi sessuali, maltrattamenti fisici o psicologici, altro. Insomma gli *stalkers* hanno di solito uno squilibrio affettivo che riflette situazioni dell'infanzia che hanno turbato la loro vita di relazione. Sono incapaci di vivere il dolore in modo normale, di lasciar perdere e cercare un altro rapporto. Spesso la rabbia per l'abbandono è una difesa contro il risvegliarsi del dolore e dell'umiliazione intollerabili per rifiuti subiti nell'infanzia, che verrebbero ad aggiungersi alla perdita più recente.

L'autore spiegava che è difficile rendersi conto dell'intensità della paura e dello sgomento provati dalle vittime. L'orrore è talmente intenso e costante che spesso sfugge alla comprensione di chi non ne è coinvolto.

C'era un passaggio evidenziato con un textliner arancione: «A mano a mano che il terrorismo si intensifica la vita del/della perseguitato/a diventa una prigione. La vittima passa in fretta dalla copertura protettiva di casa a quella del luogo di lavoro, e di nuovo a casa, proprio come il detenuto viene trasferito da una cella all'altra. Ma spesso neanche il luogo di lavoro è un rifugio. Alcune vittime sono troppo terrorizzate per uscire di casa. Vivono confinate e sole, sbirciando il mondo, nascoste dietro le persiane sbarrate».

Lasciai andare un rapido fischio; quasi solo un soffio d'aria appena modulato. Esattamente quello che mi aveva detto suor Claudia. *Vive rinchiusa in casa, come se fosse un carcere.* Così aveva detto, e lì per lì non avevo fatto troppo caso a quella frase.

Adesso mi rendevo conto che era qualcosa di più che una battuta.

Ripresi il fascicolo e rilessi i capi di imputazione, che prima avevo guardato solo di sfuggita. Il più interessante era quello per il reato di violenza privata, cioè in pratica per la persecuzione. Scianatico, oltre che per i maltrattamenti, per le lesioni e le molestie telefoniche era imputato:

«*... per il reato di cui agli articoli 81, 610, 61 n. 1 e 5 del codice penale, perché con più azioni esecutive di un medesimo disegno criminoso, agendo per motivi abietti o comunque futili ed approfittando di circostanze di tempo, luogo e persona tali da ostacolare la privata difesa, costringeva Fumai Martina (dopo la cessazione del rapporto di convivenza more uxorio nel cui ambito si verificò il reato di maltrattamenti in famiglia, descritto nel capo che precede), usando violenza e minacce esplicite, implicite e comunque meglio descritte nei capi di imputazione che seguono: 1) a tollerare la sua continua, assillante e persecutoria presenza nelle vicinanze dell'abitazione, sul luogo di lavoro e comunque nei luoghi di abituale frequentazione; 2) ad abbandonare progressivamente le abituali occupazioni e relazioni sociali; 3) a vivere nella sua abitazione in stato di sostanziale privazione della libertà personale, impossibilitata ad uscirne liberamente senza essere sottoposta alle vessazioni di cui sopra ed altresì meglio descritte nei capi di imputazione che seguono; 4) a raggiungere e lasciare il suo luogo di lavoro sostanzialmente limitata nella sua libertà personale e con il necessario accompagnamento (finalizzato a prevenire o a respingere le aggressioni dello Scianatico) di terze persone...*».

Pensai che non avevo mai davvero riflettuto su quel genere di situazioni. Ovviamente mi ero già occupato altre volte di matrimoni e convivenze che finivano male; ovviamente avevo avuto a che fare con la violenza e le vessazioni che spesso seguivano a questi epiloghi. Li avevo sempre considerati dei fatti minori. La coda di rapporti finiti male. Piccole violenze, insulti, molestie ripetute.

Fatti minori.

Non avevo mai pensato a come questi fatti minori potessero devastare la vita delle vittime.

Tornai alle fotocopie che mi aveva dato Alessandra Mantovani.

Il persecutore è un predatore che adotta una condotta tendente a provocare nella vittima afflizione emotiva ed altresì il ragionevole timore di essere uccisa o di subire lesioni fisiche. È difficile rendersi conto dell'intensità della paura e dello sgomento provati dalle vittime. L'orrore è talmente intenso e costante che spesso sfugge alla comprensione di chi non ne è coinvolto. Eccetera.

Cominciai a provare un sano senso di rabbia.

Allora chiusi il fascicolo, misi da parte le fotocopie e cominciai a scrivere la costituzione di parte civile.

11

Margherita era partita per due giorni. A Milano, per lavoro.

Così tornai direttamente nel mio appartamento, con l'idea di allenarmi una mezz'ora. Da quando mi ero semitrasferito a casa di Margherita, avevo creato nel mio appartamento un angolo palestra, con dei manubri e un sacco da pugilato.

Qualche volta riuscivo ad andare nella palestra vera, a saltare la corda, a fare il sacco, a combattere per qualche round. E a prendermi un po' di pugni in faccia da ragazzi ormai troppo più veloci di me. Qualche altra volta, se era troppo tardi, se non avevo il tempo o la voglia di preparare la borsa e andare fino alla palestra, mi allenavo da solo a casa.

Stavo per mettermi in tuta, ma pensai che quella sera era troppo tardi anche per allenarmi a casa. Poi ero quasi soddisfatto del mio lavoro – il che mi capitava di rado – e allora non avevo neanche il senso di colpa, che di solito mi spingeva a fare a pugni con il sacco.

Così decisi di prepararmi la cena. Da quando stavo con Margherita, e spesso abitavo a casa sua, il mio frigo e la mia dispensa erano sempre ben forniti. Prima no, ma da quel momento in poi, sempre.

Mi rendo conto che può sembrare una assurdità, ma è così. Forse era il mio modo di rassicurarmi, sul fatto che la mia indipendenza era comunque salvaguardata. Forse semplicemente, stare con Margherita mi aveva reso più attento ai dettagli; cioè alle cose più importanti.

Insomma, comunque sia, avevo frigo e dispensa pieni. Inoltre avevo anche imparato a cucinare. Anche questo, credo, era collegato a Margherita. Non saprei esattamente spiegare come, ma era collegato a lei.

Dunque mi tolsi la giacca e le scarpe e andai in cucina a controllare se c'erano gli ingredienti per quello che avevo in mente. Fagioli cannellini, rosmarino, un paio di cipollotti, bottarga. E spaghetti. C'era tutto.

Prima di cominciare andai a scegliere la musica. Dopo essere rimasto un po' davanti allo scaffale scelsi le poesie di Yeats musicate da Branduardi. Tornai in cucina mentre la musica cominciava.

Misi a bollire l'acqua per la pasta e la salai subito. Mia personale abitudine, perché se non lo faccio subito poi me ne dimentico e la pasta viene insipida.

Pulii i cipollotti, li tagliai a fettine e li misi a cuocere in padella, con olio e con il rosmarino. Dopo quattro o cinque minuti aggiunsi i fagioli e un pizzico di peperoncino. Lasciai cuocere mentre calavo duecento grammi di spaghetti. Li scolai cinque minuti dopo, perché la pasta mi piace molto dura, e li feci saltare nella padella con il condimento. Dopo aver messo nel piatto, che traboccava alquanto, cosparsi abbondantemente (più di quanto prevedeva la ricetta) con la bottarga.

Mangiai che era quasi mezzanotte, bevendomi mezza bottiglia di un bianco siciliano a 14 gradi che avevo provato qualche mese prima in una enoteca e del quale, il giorno dopo, avevo comprato due cassette.

Dopo aver finito presi uno dei libri dalla pila degli ultimi acquisti, non ancora letti, che tenevo per terra vicino al divano. Scelsi un tascabile Penguin Books.

My family and other animals, di Gerald Durrell; il fratello del più famoso – e molto più noioso – Lawrence Durrell. Era un libro che avevo letto, nella sua traduzione italiana, molti anni prima. Ben scritto, intelligente e, soprattutto, esilarante. Come pochi altri.

Negli ultimi tempi avevo deciso che dovevo riprendere l'inglese – da ragazzo lo parlavo quasi bene – e così avevo cominciato a comprarmi libri di autori americani e inglesi, in lingua originale.

Mi stesi sul divano e cominciai a leggere e, quasi contemporaneamente, a ridere da solo senza ritegno.

Passai senza accorgermene dalle risate al sonno.
Un sonno buono, fluido, sereno, pieno di sogni da ragazzo.
Ininterrotto, fino alla mattina dopo.

12

Quando andai in cancelleria a depositare la costituzione di parte civile ebbi l'impressione che il funzionario addetto alla ricezione degli atti mi guardasse in modo strano.

Andando via mi chiesi se aveva fatto caso a qual era il processo in cui mi ero costituito parte civile e se era per quel motivo che mi aveva guardato in quel modo. Mi chiesi se quel cancelliere avesse rapporti con Scianatico padre, o magari con Dellisanti. Poi mi dissi che forse stavo diventando paranoico e lasciai perdere.

Nel pomeriggio arrivò in studio la telefonata di Dellisanti e così almeno seppi che non stavo diventando paranoico. Il cancelliere doveva averlo chiamato per informarlo non più di un minuto dopo avermi detto arrivederci.

Una parte della fortuna professionale di Dellisanti si basava sulla oculata gestione dei rapporti con cancellieri, assistenti, ufficiali giudiziari. Regali per tutti a Natale e Pasqua. Regali speciali – o anche *molto* speciali, si diceva nei corridoi – per qualcuno, all'occorrenza.

Non perse tempo con preamboli o giri di parole.

«Ho saputo che ti sei costituito parte civile per quella Fumai».

«Le notizie volano evidentemente. Hai una *microspia* in cancelleria, suppongo».

Quel cancelliere era un tipo piccolo e magro. Ma Dellisanti non colse il doppio senso. O se lo colse, non lo trovò spiritoso.

«Ovviamente hai capito chi è l'imputato, vero?».

«Fammi vedere... sì, il signor, cioè il dottor Gianluca Scianatico, nato a Bari...».

Mi stavo incazzando per quella telefonata, e volevo farlo innervosire. Ci riuscii.

«Guerrieri non facciamo i ragazzini. Lo sai che è il figlio del presidente Scianatico?».

«Sì. Non mi hai telefonato solo per darmi questa informazione, spero».

«No, ti ho telefonato per dirti che ti stai ficcando in una storia di cui non hai capito niente e dalla quale potrai tirar fuori solo guai».

Silenzio dalla mia parte del filo. Volevo vedere fin dove arrivava a spingersi.

Passò qualche secondo e lui riprese il controllo. E probabilmente pensò che non era il caso di dire cose troppo compromettenti.

«Ascoltami Guerrieri, non voglio che ci siano fraintendimenti fra noi. Così adesso cerco di spiegarti bene lo spirito della mia telefonata».

Ecco, pensai, spiegamelo bene. Grassone.

«Tu lo sai che la Fumai è una squilibrata, una psicolabile, vero?».

«Cosa vuoi dire?».

«Voglio dire esattamente quello che ho detto. È una che ha avuto ricoveri in ospedali psichiatrici per problemi seri. È una che è sempre in terapia, sotto osservazione psichiatrica. Questo voglio dire».

Adesso era lui a godersi la pausa di silenzio. Il mio silenzio interdetto. Quando pensò che poteva bastare riprese a parlare. Con il tono di uno che ha la situazione sotto controllo, adesso.

«Insomma, noi vorremmo il più possibile evitare situazioni incresciose. Questa ragazza non sta bene. Ha avuto dei problemi seri, ha tuttora dei problemi seri. Il giovane Scianatico è stato così stupido da prendersela in casa, poi la storia è finita e quella si è inventata un romanzo. E quell'altra, che è un'invasata veterofemminista – intendeva la Mantovani – lo ha preso per oro colato. Ovviamente sono andato a parlarle, ma non è servito a niente. Conoscendo il tipo dovevo aspettarmelo».

Resistetti all'impulso di chiedergli quali fossero i problemi psichiatrici di Martina. Non volevo dargli quella soddisfazione.

«Non esistono prove a carico del mio cliente. C'è solo la parola di quella, e ti renderai conto subito di quanto può reggere in un processo. Questo era un fascicolo che non doveva arrivare a dibattimento. Doveva finire molto prima con una bella archiviazione. Adesso evitiamo di scatenare un polverone, inutile e dannoso. Guarda Guerrieri non ti dico niente. Fai i tuoi controlli, prendi le tue informazioni e verifica se ti sto dicendo fesserie. E poi ci risentiamo. Alla fine mi ringrazierai».

Si era interrotto, ma riprese quasi subito a parlare, come se avesse dimenticato qualcosa.

«E naturalmente non ti preoccupare per le tue competenze. Tu trova il modo di tirarti fuori da questa storia e a quello che ti spetta per il lavoro che hai già fatto ci pensiamo noi. Sei un bravo avvocato e soprattutto un ragazzo sveglio. Non fare cazzate inutili. Questa è solo una piccola bega fra un fesso e una squilibrata. Non ne vale la pena».

Mi salutò e poi chiuse il telefono senza aspettare la mia risposta.

La prima volta accadde quando avevo nove anni, una mattina d'estate.

Mia madre era andata a lavorare. Lui era rimasto a casa con me e mia sorella. Più piccola di tre anni. Stava a casa perché lo avevano licenziato. Noi eravamo a casa perché erano cominciate le vacanze estive, ma non avevamo nessun posto dove andare. A parte il cortile del condominio.

Mi ricordo che faceva molto caldo. Ma adesso non lo so se faceva davvero tanto caldo.

Eravamo nel cortile, mia sorella, io e gli altri bambini. Che strano. Mi ricordo che giocavamo a calcio ed io avevo appena fatto un gol.

Lui si affacciò al balcone e mi chiamò. Era in calzoncini corti, beige, e canottiera bianca.

Mi disse di salire su, che gli serviva una cosa.

Io chiesi se potevo finire di giocare e lui mi disse di salire, che in cinque minuti sarei potuta tornare giù. Dissi agli altri bambini che tornavo subito e feci di corsa i due piani che portavano alla nostra casa popolare. L'ascensore non c'era, in quelle palazzine.

Arrivai sul pianerottolo e trovai la porta socchiusa. Quando entrai mi sentii chiamare dalla loro stanza da letto, in fondo al corridoio. Anche la porta di quella stanza era socchiusa.

Dentro, il letto era sfatto e c'era puzza di sigarette. Lui era disteso, con le gambe divaricate, e mi disse di andargli vicino.

Perché doveva spiegarmi una cosa, disse.

Avevo nove anni.

13

Dopo la fine della telefonata con Dellisanti dissi a Maria Teresa che non volevo essere disturbato per dieci minuti. Mi sentivo sempre un po' idiota a dire alla mia segretaria che *non volevo essere disturbato, per nessun motivo*, ma talvolta era necessario. Poggiai i piedi sulla scrivania, misi le mani intrecciate dietro la testa e chiusi gli occhi.

Vecchio metodo, per quando sento montare l'ansia e non so cosa fare.

Riaprii gli occhi una decina di minuti dopo, ritrovai fra le carte il foglietto con quel numero di cellulare e chiamai suor Claudia. Il telefono squillò una decina di volte senza risposta e alla fine schiacciai il tasto rosso di fine chiamata.

Mi stavo chiedendo cosa fare, a quel punto. Quando chiamo un telefono cellulare e non mi rispondono ho sempre la sensazione sgradevole che lo abbiano fatto apposta. Voglio dire: che abbiano visto il numero, si siano accorti che sono io e abbiano deliberatamente evitato di rispondere. Perché non gli va di parlare con me. Un retaggio di insicurezze infantili, presumo.

Squillò il mio cellulare. Era suor Claudia che, evidentemente, non aveva evitato di rispondere, se mi stava richiamando a pochi secondi dalla mia telefonata.

«Sì?».

«Ho avuto una chiamata da questo numero. Con chi parlo?».

«Sono l'avvocato Guerrieri».

Pausa di silenzio interrogativo.

Dissi che avevo bisogno di parlare con lei. Senza che ci fosse Martina e con una certa urgenza. Poteva venire in studio, magari quello stesso pomeriggio?

No, quel pomeriggio non poteva venire; doveva rimanere in casa rifugio. Non c'era nessuna delle sue assistenti e non si poteva lasciare la casa incustodita. Fra l'altro tenevano anche delle ragazze agli arresti domiciliari e ci doveva stare sempre qualcuna di loro; per i controlli dei carabinieri e della polizia, e tutto il resto. E la mattina dopo? Anche la mattina dopo. Ma qual era il problema? Nessun problema. O meglio no, qualche problema c'era ma volevo parlarne di persona, non per telefono.

Non so come mi venne, ma le dissi che allora potevo fare io un salto, lì in casa rifugio, la mattina dopo, visto che non avevo udienze.

Seguì una lunga pausa di silenzio, ed io mi resi conto di avere fatto una bella gaffe. La casa rifugio era in un posto segreto, aveva detto Tancredi. Con la mia estemporanea, molto poco professionale proposta, avevo messo suor Claudia in imbarazzo. O mi diceva che non potevamo vederci in casa rifugio, perché io in quella casa rifugio non ci potevo andare; ed era costretta, anche se la colpa era mia, a dirmi una cosa sgradevole. O mi diceva di andarci, controvoglia, per non essere offensiva.

O mi sparava una bella scusa e, probabilmente, questa era la soluzione migliore.

«Va bene, ci vediamo qui da noi». Lo disse con tono tranquillo, di chi ha valutato la situazione e ha deciso che può fidarsi. Poi mi spiegò come fare ad arrivare, *lì da loro*. Era fuori città e le istruzioni sembravano elaborate da un paranoico terminale.

Mi mossi alle dieci della mattina dopo e ci misi quasi un'ora, fra traffico cittadino ed errori di percorso in campagna. Al momento di partire avevo messo nel lettore cd *The ghost of Tom Joad;* quando arrivai il compact era finito e avevo appena ricominciato ad ascoltarlo. Davanti ai miei occhi la strada sterrata di campagna su cui procedevo lentamente si confondeva con le immagini notturne delle highway americane, popolate di disperati.

Shelter line stretchin' round the corner
Welcome to the new world order
Families sleepin' in their cars in the Southwest
No home no job no peace no rest.*

Alla fine arrivai ad un cancello arrugginito, chiuso con una catena arrugginita e un lucchetto enorme. Non c'era citofono, e così le feci uno squillo sul cellulare per farmi aprire. Poco dopo la vidi spuntare da una curva del vialone, fra pini dall'aria un po' malandata. Aprì il cancello, con un gesto della mano mi indirizzò dietro la curva e gli alberi da cui era arrivata, per parcheggiare; poi richiuse accuratamente cancello e lucchetto mentre io procedevo sul viale di terra battuta e la tenevo d'occhio con lo specchietto retrovisore.

Avevo appena parcheggiato in uno spiazzo alle spalle della casa – che in realtà era una masseria – e stavo scendendo dalla macchina, quando vidi suor Claudia tornare.

Entrammo nella masseria. C'era odore di pulito, di sapone neutro e di qualche altra cosa che doveva essere un'erba, ma che non riuscivo a distinguere esattamente. Eravamo in una grande stanza, con un camino di pietra di fronte all'ingresso, un tavolo al centro, porte sui lati. Suor Claudia ne aprì una e mi fece strada. Percorremmo un corridoio, in fondo al quale c'era una specie di disimpegno quadrato, con tre porte su ciascuno dei lati. Dietro una di quelle porte c'era lo studio di suor Claudia. Era una stanza spaziosa, con una vecchia scrivania di legno chiaro, computer, telefono, fax. Un vecchio, voluminoso impianto stereo, con il giradischi. Due poltroncine di pelle vecchia, nere, con crepe dappertutto. Una chitarra acustica, appoggiata in un angolo. Leggerissimo odore di incenso all'essenza di sandalo.

E poi scaffali. E libri, e dischi. Gli scaffali erano pieni ma ordinati. Riuscii a dare solo un'occhiata. Appena sufficiente per leggere al volo qualche titolo in inglese. *Why they kill,* era uno

* «La linea delle baracche si allunga dietro l'angolo / Benvenuti al nuovo ordine mondiale / Famiglie che dormono in macchina, nel Sudovest / Niente casa, niente lavoro, niente pace, né tregua».

di questi; *Patterns of criminal omicide*, un altro. Mi chiesi di che si trattasse, e perché una suora facesse quel genere di letture.

Niente crocefissi alle pareti, o almeno io non ne vidi. Certamente non ce n'erano dietro la scrivania. Lì c'era un manifesto, con una frase stampata a caratteri corsivi, che imitavano la scrittura di un bambino.

Lasciate che i fanciulli vengano a me e non glielo impedite, perché il Regno di Dio è di quelli che sono simili a loro.

Vangelo secondo Luca, 18, 16.

In un angolo di quel manifesto c'era un disegno. Un bambino di spalle, con le mani a coprire la testa; come per ripararsi dai colpi di qualcuno fuori della scena; per terra, in primo piano, un orsacchiotto abbandonato. Era un disegno molto triste e sotto aveva una scritta come una specie di logo, ma non riuscii a leggerla.

Suor Claudia mi fece cenno di sedermi ad una delle poltroncine e lei scivolò sull'altra, con un movimento fluido.

In casa rifugio quella mattina oltre a lei c'erano solo tre ragazze, due delle quali agli arresti domiciliari. Ed erano ben nascoste, pensai, visto che il posto sembrava completamente deserto.

E allora? mi disse con lo sguardo.

Ovviamente. Ma a quel punto non sapevo da dove cominciare. Nel mio studio sarebbe stato più facile. E inoltre non ero sicuro di sapere davvero per quale motivo fossi voluto andare fin lì. E questo era un problema in più.

«Ho... ho bisogno di sapere qualcosa di più su Martina. In vista del processo che comincia, lo sa, fra qualche giorno».

«In che senso: *qualcosa di più*?».

Ecco, appunto. Martina è forse una psicolabile, pazza, mitomane e ci stiamo per imbarcare in un guaio ancora più grosso di quanto non sembrasse in partenza?

«Voglio dire... le risulta in qualche modo che Martina abbia avuto problemi psichiatrici?».

«Che significa?». Tono molto poco collaborativo.

«È mai stata in terapia, ha sofferto di depressione, esaurimento nervoso, altro?».

È *pazza*?

«Perché mi chiede queste cose? Che c'entrano con il processo?». Tono, come prima. Anzi un po' peggio.

Va bene, non vuoi collaborare. Tanto in udienza vado io a farmi smerdare, e poi quando tutto è finito mi metto a fare l'avvocato degli incidenti stradali. Se mi va bene.

Lunga pausa, mia. Respirazione profonda, dal naso. Mia. Del tipo: sono molto paziente ma cazzo devi lasciarmi fare il mio lavoro. Lei zitta. In attesa. Mi stavo innervosendo.

«Mi stia a sentire, suor Claudia, i processi sono una cosa piuttosto delicata, e soprattutto piuttosto complicata. Gli avvocati esistono per questo motivo, essenzialmente. Il fatto che uno, o una, abbia ragione, non è quasi mai sufficiente. Quando si fa un processo ci sono interrogatori e controinterrogatori; il difensore di un imputato, quando interroga un testimone a carico cerca di screditarlo con tutti i mezzi leciti. E a volte anche con quelli illeciti. Se ci costituiamo parte civile io devo sapere che cosa tirerà fuori l'avvocato di Scianatico. Devo sapere se cercheranno di sostenere che Martina è psicolabile, inattendibile, o altro; per essere pronto a ribattere».

«Non la seguo. Se si prova che lui ha fatto certe cose, non basta? Che c'entrano i problemi di salute di Martina?».

«Vorrei essere chiaro, ma evidentemente non ci riesco. È proprio questo il punto: bisogna provare che lui ha fatto certe cose. E la nostra prova sono proprio le dichiarazioni della signorina Fumai, perché nel processo non c'è molto altro. Tutto gira attorno alla sua attendibilità. O alla sua inattendibilità. Un imputato che si difende in un processo come questo, magari con un avvocato bravo – in questo caso è un avvocato *molto* bravo, e pericoloso – ha tutto l'interesse a far saltare fuori a sorpresa che la presunta vittima…».

«*Presunta* vittima?».

«Fino a quando in un processo non si dimostra che qualcuno ha commesso un certo reato, beh quel qualcuno è un presunto innocente. E se c'è un presunto innocente, al massimo abbiamo una presunta vittima. Che le piaccia o no, dalle nostre parti funziona così».

La mia voce non si era alzata, ma il tono era decisamente teso.
«Martina ha avuto dei problemi psichiatrici» disse finalmente suor Claudia.
«Che tipo di problemi?».
«Non so se sono autorizzata a parlarne. Non so se Martina vuole che si sappiano, queste cose».
«Si sanno già. Voglio dire: le sa già Scianatico e le sa il suo avvocato. È lui che mi ha chiamato, ieri pomeriggio. Mi ha più o meno minacciato e mi ha detto che la mia cliente è una pazza. Non posso non sapere queste cose. Potevo parlarne direttamente con lei, certo. Anzi dovrò farlo di sicuro. Fosse solo per spiegarle cosa potrebbe succedere nel processo. Ma quando le parlo, è meglio che sappia di *cosa* sto parlando. Mi segue?».
Appoggiò il gomito sul bracciolo e la testa sulla mano aperta. Rimase in quella posizione forse per un minuto, senza guardarmi. Senza guardare niente, nella stanza.
«Martina ha avuto problemi da bambina. Escludo che di questi problemi possano sapere qualcosa. Da adulta, negli ultimi anni, ha sofferto di una forma di depressione, unita ad anoressia nervosa. Probabilmente è di questo che sono informati».
«Quando è successo?».
«Forse cinque anni fa, forse un po' di più. Per quanto riguarda l'anoressia si è trattato di una forma, come dicono i medici, particolarmente severa. È stata ricoverata e per qualche giorno hanno dovuto alimentarla in modo artificiale. Anche con una sonda».
«Aveva già conosciuto Scianatico?».
«No. Dopo l'ospedale è stata a lungo in terapia. Quando incontrò quel... quello, era guarita. Nei limiti in cui si guarisce, da questo tipo di problema».
«Vuol dire che ha avuto delle ricadute?».
«No. Almeno non nel senso di essere ricoverata. Nei momenti di crisi ha problemi col cibo, ma sono problemi che riesce a controllare. Ci è riuscita anche nei momenti più difficili della storia con quello. Comunque ha un medico che la segue».
«Uno psichiatra?».
«Uno psichiatra».

Feci una pausa. Per fatto personale. Uno squarcio improvviso sul mio passato; ricordi che scacciai via, senza riuscire a liberarmi completamente della loro cacofonia di accompagnamento.

«E Scianatico sa tutto di questa storia». Non era una domanda.

«A questo punto credo proprio di sì».

Non c'era molto altro da aggiungere. Avevo temuto di peggio. Voglio dire: Martina non era pazza, non schizofrenica o maniaco depressiva o altro. Aveva avuto problemi di depressione e disturbi dell'alimentazione, ma ne era uscita. Più o meno. Era una cosa che si poteva gestire, nel processo. Non proprio una situazione ideale – e questo si sapeva – ma avevo temuto di peggio.

«Adesso ho solo bisogno che sia Martina stessa a parlarmi di queste cose. In primo luogo perché mi servono maggiori dettagli, carte, documentazione medica. Tutto. E poi perché è giusto così. Lei mi dirà esattamente quali sono – quali sono stati – i suoi problemi ed io le dirò a cosa andiamo incontro nel processo. Alla fine deve essere lei a decidere».

Suor Claudia disse va bene, fra qualche giorno avrebbe accompagnato Martina da me in studio. Prima le avrebbe spiegato quello che mi occorreva e le avrebbe spiegato *perché* mi occorreva.

Seguì qualche minuto di silenzio sospeso. Poi ci alzammo tutti e due, quasi contemporaneamente. Ora di andare via.

«Posso farle una domanda?».

Mi guardò negli occhi per qualche istante; poi fece cenno di sì, che potevo.

«Perché mi ha lasciato venire qui?».

Dopo qualche altro istante trascorso a guardarmi, scrollò le spalle e non rispose.

Uscimmo dalla masseria e facemmo a ritroso la strada dell'andata. Non c'era traccia delle ragazze che abitavano in quel posto. Non c'era nessuno. Tutto intorno il vento scuoteva i rami degli ulivi, rovesciandone le foglie che così cambiavano colore, dal verde del dorso al misterioso, argenteo grigio della parte interna.

Camminando lentamente arrivammo alla mia macchina.

«A volte sono aggressiva. Senza ragione». La guardai senza replicare, perché chiaramente non aveva finito.

«È che ho difficoltà a fidarmi delle persone. Anche di quelle che stanno dalla parte giusta. È un problema mio».

«Io cerco di scaricare l'aggressività facendo a pugni». Mi venne da dire così, e subito mi resi conto che l'espressione poteva essere equivoca. «Intendo dire che faccio un po' di pugilato. Aiuta, credo. Come le arti marziali orientali».

Claudia alzò lo sguardo verso di me, leggermente stupita.

«Strano».

«Perché?».

«Io sono istruttrice di boxe cinese».

Beh, questa era davvero forte.

«Boxe cinese? Vuol dire *kung fu*?».

«L'espressione *kung fu* non significa niente. O meglio significa tutto, ma non indica nessuna arte marziale in particolare. *Kung fu* significa, approssimativamente, *lavoro duro*».

La conversazione era lievemente surreale. Eravamo passati dai problemi psichiatrici di Martina alle arti marziali ed alla filosofia cinese, con cenni di filologia.

Chiesi a suor Claudia che cosa fosse esattamente quella boxe cinese di cui era istruttrice. Mi spiegò che secondo la leggenda era una disciplina elaborata in Cina da una giovane monaca, nel sedicesimo secolo. Il nome di quella disciplina era *Wing Tsun*, e suor Claudia teneva le sue lezioni due volte alla settimana in una palestra dove facevano danza e yoga.

Dissi che mi sarebbe piaciuto assistere ad un allenamento e lei, dopo avermi guardato in faccia per qualche istante – come per verificare se parlavo sul serio o avevo detto una cosa tanto per fare conversazione – rispose che mi avrebbe invitato, una volta.

A quel punto era veramente tutto. Così feci un cenno di saluto un po' goffo con la mano, salii in macchina e misi in moto mentre lei andava ad aprire il cancello per lasciarmi uscire.

Allontanandomi lentamente lungo la strada sterrata guardai nello specchietto retrovisore. Suor Claudia non era rientrata. Stava ferma vicino ad una colonna e sembrava guardasse la mia macchina che andava via.

O forse guardava altro, in qualche posto che io non conoscevo e nemmeno mi potevo immaginare. C'era qualcosa nel suo stare lì da sola, sullo sfondo di quella campagna solitaria ed irreale, che mi diede una improvvisa fitta di tristezza.

Dopo dieci minuti trascorsi in una specie di apnea della coscienza mi ritrovai su una strada asfaltata, di nuovo nel mondo esterno.

14

La mattina dopo avevo un processo a Lecce. Così mi alzai presto e dopo doccia e barba misi uno degli abiti seri che indossavo quando andavo in trasferta. Questa dell'abito *serio,* perlopiù grigio scuro, era un'abitudine presa quando ero un giovanissimo procuratore legale. Avevo superato gli esami a venticinque anni e a quell'età avevo un aspetto da matricola universitaria. Per sembrare un vero avvocato dovevo invecchiarmi, pensavo; e l'abito grigio scuro mi sembrava l'ideale.

Col passare degli anni, a Bari dove mi conoscevano, la divisa grigia smise di essere indispensabile. Anche perché, col passare degli anni, la mia faccia da matricola universitaria mostrava qualche segno di evoluzione. Per così dire.

Arrivato a quarant'anni avevo conservato l'abitudine di indossare un abito grigio quando andavo in trasferta. Perché fosse chiaro, dove non mi conoscevano, che ero effettivamente un avvocato. Concetto sul quale io stesso conservavo qualche segreto dubbio.

Insomma comunque misi un abito grigio, una camicia azzurra, una cravatta regimental, presi la borsa che avevo portato a casa dallo studio la sera prima, e uscii dopo aver lasciato il caffè sul comodino di Margherita. Dormiva ancora, con il suo respiro quieto e deciso.

Ero arrivato al garage e stavo per salire in macchina quando squillò il cellulare.

Era il mio collega di Lecce, che mi aveva associato in quella difesa. Mi informava che il presidente del collegio che si occupava della nostra causa era ammalato e che quindi il processo sarebbe stato rinviato. Dunque era inutile che andassi fino a Lecce solo per ascoltare un'ordinanza di rinvio. Effettivamente era inutile, convenni. Ma come faceva a sapere, alle sette e mezzo del mattino che il presidente era ammalato? Ah, sapeva questa cosa dal giorno prima, ma era stata una giornata molto pesante e così si era dimenticato di avvertirmi. Bravo. Comunque mi avrebbe fatto sapere lui la data del rinvio. Ah, grazie, troppo gentile. Allora ciao. Sì, ciao. E vaffanculo.

Io di regola non amo alzarmi la mattina presto, se non è strettamente indispensabile. Se ho voglia di vedermi un'alba – talvolta capita – preferisco piuttosto restare sveglio tutta la notte e poi andare a dormire la mattina. Procedura di una qualche difficoltà, nei giorni lavorativi. Svegliarmi presto – *dovermi* svegliare presto – mi rende piuttosto nervoso.

Quella mattina era successo, per via del mio collega leccese. Così mi ritrovavo in giro per la città, poco prima delle otto, in una bella mattina di novembre. Senza niente da fare visto che quella giornata, secondo i programmi, era dedicata al processo in trasferta che era saltato.

Ovviamente in breve sarei stato ghermito dall'ansia e sarei finito in studio a sbrigare carte che non erano urgenti e a fare telefonate che non erano utili. Lo sapevo bene. Conosco l'ansia. A volte riesco anche a capire i suoi trucchi, e a batterla.

Più spesso vince lei e mi fa fare cose stupide, anche se so benissimo che sono cose stupide. Come andare in studio un giorno in cui potrei andarmene altrove a leggere un libro, ad ascoltare un disco, o a vedere un film in uno di quei cinema in cui fanno le proiezioni di mattina.

Dunque sarei andato in studio, ma non erano ancora le otto; troppo presto anche per farsi risucchiare dal gorgo dell'ansia da produzione. Così pensai che potevo farmi una passeggiata, magari fino al lungomare; potevo fare colazione in un bar di quelli che mi piacevano, sempre dalle parti del mare.

Potevo fumarmi una bella sigaretta.

No, quella no.

Stronza idea questa di smettere di fumare, pensai mentre mi avviavo verso Corso Vittorio Emanuele.

Ero arrivato quasi al rudere del Teatro Margherita ed al suo cantiere di restauro infinito quando vidi, mentre mi veniva incontro, una faccia vagamente familiare. Strizzai gli occhi – gli occhiali non li mettevo, se non per andare al cinema e guidare la macchina – e vidi che quello faceva una specie di sorriso e poi sollevava un braccio, a salutare.

«Guido!».

«Emilio?».

Emilio Ranieri. Forse quindici anni che non ci vedevamo. Forse di più. Quando fummo vicini l'uno all'altro, dopo un attimo di esitazione mi abbracciò. Dopo un altro attimo di esitazione risposi all'abbraccio.

Emilio Ranieri era stato mio compagno di scuola al liceo e poi, per due o tre anni, avevamo frequentato insieme l'università. Lui aveva smesso prima di laurearsi, per andare a fare il giornalista. Aveva cominciato con una radio in Toscana e poi lo avevano assunto all'«Unità», dove era rimasto fino a quando il giornale non aveva chiuso.

Ogni tanto me ne avevano parlato alcuni amici comuni; sempre di meno, col passare degli anni. Nel periodo mitico della mia vita, a cavallo fra la fine degli anni settanta e l'inizio degli anni ottanta, Emilio era stato uno dei miei pochissimi veri amici. Poi era scomparso; e in un certo senso, anch'io ero scomparso.

«Guido. Sono contento. Cazzo se non sei uguale, a parte qualche capello in meno».

Lui non era uguale. Aveva ancora tutti i capelli ma erano quasi completamente bianchi. Agli angoli degli occhi aveva rughe che sembravano scavate nel cuoio; violente e dolorose, mi parvero. E anche il sorriso aveva qualcosa di diverso; di spaurito e vinto.

Però anch'io ero contento. Anzi ero felice di averlo incontrato. Il mio amico Emilio.

«Anch'io sono contento. Che cosa ci fai a Bari?».

«Adesso ci lavoro».

«Come sarebbe: ci lavori?».

«Ero disoccupato da quando ha chiuso l'"Unità". Poi ho saputo che qui a Bari cercavano gente per rinforzare la redazione dell'ANSA, mi sono proposto e mi hanno preso. Con i tempi che corrono si può dire che mi è andata bene».

«Vuoi dire che adesso stai qua stabilmente?».
«Se non mi cacciano. Cosa non impossibile, ma insomma cercherò di comportarmi bene».
Mentre Emilio parlava provai uno stranissimo, doloroso misto di contentezza, rabbia e malinconia. Mi ero reso conto, a un tratto, di una verità che avevo tenuto accuratamente nascosta a me stesso: da tempo non avevo più un solo amico.
Forse questo è normale, quando arrivi dalle parti dei quaranta. Tutti hanno i cazzi loro; famiglie, bambini, separazioni, carriere, amanti; e l'amicizia è un lusso che non si possono permettere. Forse l'amicizia vera è un lusso di quando hai vent'anni.
O forse dico solo cazzate. Certo è che in quel momento mi resi conto, dolorosamente, del fatto che non avevo più amici.
E però ero così contento che Emilio fosse lì con me; contento che quel processo fosse saltato; contento di aver deciso di prendermi un'ora di vacanza.
«Andiamo a prendere un caffè, dai».
Andiamo, fece lui, di nuovo con quel sorriso spaurito. Così incongruo su quella faccia da capo del servizio d'ordine della FGCI ai tempi delle botte con i fascisti da una parte e gli autonomi dall'altra.
Ci sedemmo in un piccolo bar ai confini della città vecchia. Io presi un cappuccino ed un cornetto; Emilio solo il caffè. Dopo averlo bevuto si accese una delle emmesse che fumava sin dai tempi del liceo. Quella non era la sigaretta ultraslim, ultralight di Martina, cui era facilissimo rinunciare. Quella era un pezzo di storia, un prisma di emozioni, una specie di macchina del tempo.
Quando dissi no grazie, con un banale gesto della mano, quasi a respingere il pacchetto che Emilio mi aveva offerto, notai una specie di disappunto sulla faccia del mio amico.
Fumare insieme, lo sapevo bene, aveva sempre avuto un significato speciale. Come un rituale di amicizia.
Scambiammo un po' di parole senza consistenza, di quelle che si dicono per ristabilire un contatto, quando è passato tanto tempo; di quelle che si dicono per ricreare le coordinate di un territorio che è diventato sconosciuto.

E fu senza consistenza che gli chiesi di sua moglie – non l'avevo conosciuta, sapevo solo che Emilio si era sposato sei o sette anni prima, con una collega a Roma – facendo la solita, banale domanda che ci si scambia nei paraggi dei quaranta.

«Tu sei separato o resisti?».

Mentre la facevo, quella domanda, sentii calare un gelo metallico. Prima che Emilio rispondesse; prima ancora di finire quelle parole che ormai erano fuori e che non potevo ritirare.

«Lucia è morta».

La scena diventò in bianco e nero. Muta e assordante. E improvvisamente priva di senso.

Mi venne in mente una frase di Fitzgerald, ma non me la ricordavo bene. Nella notte buia dell'anima sono sempre le tre del mattino.

Si mescolò ai frammenti di una conversazione inesistente tutta nella mia testa, che girava a vuoto. Quando è morta? Perché? Ah, si chiamava Lucia. Molto lieto. È un bel nome, Lucia. Mi dispiace. Quanti anni aveva? Era bella? Come stai, Emilio? Condoglianze. Bisogna andare avanti. Perché nessuno mi ha detto niente? E chi me lo doveva dire? Chi?

Oh merda, merda, merda.

«Si è ammalata ed è morta in tre mesi».

La voce di Emilio era tranquilla, quasi atona. Davanti alla mia faccia muta e dispersa raccontò la sua storia, e quella di Lucia. Ragazza di trentaquattro anni che un giorno di aprile andò dal medico a ritirare delle analisi, e seppe che il suo tempo era quasi scaduto. Anche se aveva tante cose da fare, ancora. Cose importanti, come un bambino, per esempio.

«Sai, Guido, allora pensi un sacco di cose. E soprattutto pensi al tempo sprecato. Pensi alle passeggiate che non hai fatto, alle volte che non hai fatto l'amore, a quando hai mentito. A quando hai fatto il ragioniere con la moneta degli affetti. Lo so che è banale, ma pensi che vorresti tornare indietro e dirle quanto la ami, tutte le volte che non lo hai fatto e avresti dovuto. Cioè sempre. Non è solo il fatto che vuoi che non muoia. È il fatto che vorresti che il tempo non fosse stato sprecato, in quel modo».

Parlava al presente. Perché il suo tempo si era spezzato.

Mi raccontò tutto, con calma. Come se volesse esaurire l'argomento. Mi raccontò di come lei si era trasformata, in quelle poche settimane; di come la sua faccia era diventata piccola, e le sue braccia magre, e le sue mani senza forza.

Io stavo zitto, e pensavo che in tutta la mia vita non avevo mai contemplato il dolore in una forma così tersa, nitida, pura.

Disperata.

Poi arrivò il momento di salutarci.

Ci alzammo dal tavolino e facemmo qualche passo insieme. Emilio sembrava tranquillo. Io no. Tirò fuori il portafoglio, frugò un po' all'interno e poi ne tirò fuori uno scontrino. Di una lavanderia a gettone, di quelle che cominciavano ad apparire in città, con insegne gialle e un nome americano. Ci scrisse sopra il suo numero di telefono e me lo diede, mentre io gli passavo uno dei miei stupidi biglietti da visita. Mi disse di chiamarlo, e che comunque lui mi avrebbe chiamato.

Sembrava tranquillo. I suoi occhi guardavano altrove.

Feci squillare tre, quattro, cinque, sei volte. Ad ogni squillo cresceva l'urgenza, e l'angoscia. Stavo per schiacciare il pulsante di fine conversazione, e provare sul cellulare, quando dall'altra parte sentii la voce di Margherita che rispondeva.

«Sì?». Tono sbrigativo, di chi sta uscendo di casa per andare al lavoro. Io rimasi in silenzio per qualche istante, perché all'improvviso non sapevo che dire, e mi sentivo la gola ostruita.

«Chi parla?».

«Sono io».

«Ehi. Stavo uscendo, mi hai preso sulla porta. Che c'è? Sei già a Lecce?».

«Io volevo dirti...».

«...?».

«Volevo dirti...».

«Guido, cosa c'è? Stai bene? È successo qualcosa?». Adesso una leggera nota di allarme nella voce.

«No, no. Non è successo niente. Non sono andato a Lecce, il processo è saltato».

Mi interruppi, ma questa volta lei non chiese niente. Rimase zitta, ad aspettare.

«Margherita – mentre parlavo mi resi conto che non la chiamavo mai per nome – ti ricordi quella volta che mi mandasti un messaggio sul telefonino...».

Non mi fece finire di parlare.

«Me lo ricordo. Ti scrissi che averti incontrato era una delle cose più belle che mi fossero mai capitate. Non era vero. È stata *la* più bella».

«Ecco, io volevo dirti la stessa cosa. Cioè non proprio la stessa... ma volevo dire che ora non posso spiegarti...». Balbettavo.

«Guido, io ti amo. Come non ho mai amato nessuno in tutta la mia vita».

Allora smisi di balbettare.

«Grazie».

«Grazie? Sei uno strano tipo, Guerrieri».

«È vero. Ceniamo fuori stasera?».

«Offri tu?».

«Sì. Ciao».

«Ciao. A stasera».

La comunicazione si interruppe. Io ero fermo all'angolo fra Corso Vittorio Emanuele e Via Sparano. I negozi stavano aprendo, i camion scaricavano la merce, la gente camminava a testa bassa.

Grazie, dissi di nuovo da solo, prima di rimettermi in cammino.

15

La mattina dopo andai in tribunale direttamente da casa. Avevo un processo per sfruttamento della prostituzione.

La mia cliente era una ex modella, attrice di film porno, accusata di avere organizzato un giro di altre ragazze. Lei, insieme ad altre due, faceva da intermediaria fra le ragazze ed i clienti; lavorava con il telefono ed internet e prendeva una provvigione sulle transazioni andate a buon fine. Lei stessa si prostituiva con pochi, molto selezionati, molto danarosi clienti. Non gestiva una casa di appuntamenti o niente di simile. Semplicemente metteva in contatto la domanda con l'offerta. Le ragazze lavoravano a casa, nessuna veniva sfruttata; nessuno si faceva male.

Con un impegno degno sicuramente di una causa migliore la procura e la polizia avevano indagato per mesi su questa pericolosa organizzazione. Avevano fatto appostamenti, avevano preso i clienti all'uscita delle case delle ragazze; soprattutto avevano intercettato telefoni e computer.

Alla fine dell'indagine era scattata la custodia in carcere per le tre organizzatrici del traffico. Il provvedimento diceva che «*la spiccatissima pericolosità sociale manifestata dalle tre indagate, la loro capacità di avvalersi con disinvoltura, per il compimento dei loro progetti criminosi, degli strumenti più sofisticati della moderna tecnologia (telefoni cellulari, internet etc.), la loro attitudine a reiterare comportamenti antisociali lascia ritenere l'indispensabilità della custodia cautelare nella forma più severa, vale a dire quella carceraria*».

Nadia era stata in carcere per due mesi; per altri due mesi era stata agli arresti domiciliari e poi era stata rimessa in libertà. Nella prima fase del procedimento si era fatta difendere da un altro collega; poi era venuta da me, senza spiegarmi per quale motivo aveva voluto cambiare avvocato.

Era una donna elegante e intelligente. Quella mattina dovevo discutere il suo processo con il rito abbreviato, cioè davanti al giudice dell'udienza preliminare.

La quasi totalità delle prove a suo carico consisteva nelle intercettazioni telefoniche e telematiche. In base ai risultati di quelle intercettazioni era pacifico che Nadia, assieme alle sue due amiche, aveva – come si leggeva nel capo di imputazione – «*organizzato, coordinato, gestito un imprecisato ma comunque ampio numero di donne dedite alla prostituzione, facendo da tramite fra le suddette donne ed i loro clienti e percependo per tale prestazione ed in generale per il supporto logistico fornito all'illecito traffico, percentuali sul compenso delle meretrici, variabili fra il 10 ed il 20 per cento...*» eccetera, eccetera.

Leggendomi gli atti con attenzione mi ero reso conto però che c'era un vizio formale nei provvedimenti con cui le intercettazioni erano state autorizzate. Su quel vizio formale contavo di giocarmi il processo. Se il giudice mi dava ragione le intercettazioni erano inutilizzabili e a carico della mia cliente rimaneva veramente ben poco. Certo non abbastanza per una condanna.

Quando il cancelliere fece l'appello e Nadia disse che era presente, il giudice la guardò senza riuscire a nascondere una sfumatura di stupore. Con il suo tailleur grigio antracite, la camicetta bianca, il trucco impeccabile e sobrio sembrava tutto fuorché una puttana. Chiunque fosse entrato in aula e l'avesse vista seduta lì, vicino a me fra le copie del fascicolo, avrebbe pensato che era un'avvocatessa. Solo molto, molto più carina della media.

Sbrigate le formalità il giudice diede la parola al pubblico ministero. Era un giovane magistrato dall'aria sciatta e annoiata. Sostituiva quello che aveva condotto le indagini e non faceva niente per nascondere il suo tedio. Non mi era molto simpatico.

Disse che la penale responsabilità dell'imputata emergeva pacificamente dagli atti del procedimento, che una completa ricostruzione di fatti e responsabilità era già contenuta nell'ordinanza di applicazione della custodia cautelare, e che la pena adeguata da applicare per questo caso, indubbiamente grave, era la reclusione per anni 3 e la multa di euro duemilacinquecento. Fine della requisitoria.

Nadia socchiuse gli occhi per un secondo, sentendo quelle richieste, e scosse la testa come per scacciare un pensiero molesto. Il giudice mi diede la parola.

«Signor giudice. Potremmo facilmente difenderci nel merito, esaminando punto per punto gli esiti delle indagini e dimostrando come in nessun modo emerga, a carico della mia assistita, un comportamento di sfruttamento, o anche solo di favoreggiamento dell'altrui prostituzione».

Era falso. Esaminando punto per punto gli esiti delle indagini emergeva esattamente che Nadia aveva *organizzato, coordinato, gestito un imprecisato ma comunque ampio numero di donne dedite alla prostituzione*. Appunto.

Ma noi avvocati abbiamo un riflesso condizionato. Comunque sia, il nostro cliente è innocente, e tutto il resto. Non riusciamo a trattenerci.

«Ma il compito di un difensore - proseguii - è anche quello di individuare e proporre al giudice ogni questione che, in prospettiva preliminare, consenta una decisione rapida ed economica».

E spiegai qual era la decisione rapida ed economica. Spiegai che le intercettazioni erano inutilizzabili, perché alcuni decreti erano del tutto sprovvisti della motivazione. La mancanza di motivazione è un vizio insanabile, per un provvedimento di intercettazione. Dissi che se quelle intercettazioni erano inutilizzabili - ed *erano* inutilizzabili - non era possibile nemmeno guardarle, e a carico della mia cliente rimaneva niente altro che un castello di congetture, eccetera eccetera. Mentre parlavo il giudice sfogliava il fascicolo.

Quando finii si ritirò in camera di consiglio e ci rimase quasi un'ora. Poi uscì e lesse una sentenza di assoluzione con formula: *perché il fatto non sussiste.*

Bravo Guerrieri, mi dissi mentre il giudice leggeva. Poi salutai con molta cordialità - noi avvocati salutiamo sempre con cordialità i giudici, quando assolvono i nostri clienti – e uscii dall'aula insieme a Nadia.

Aveva le guance arrossate, come quando sei stato in un ambiente molto riscaldato, o quando ti sei molto agitato. Tirò fuori un pacchetto di Marlboro oro e se ne accese una usando uno zippo.

«Grazie» disse dopo aver tirato un paio di boccate avide.

Feci un cenno del capo, modesto. Ma ero molto soddisfatto.

Mi disse che sarebbe passata il pomeriggio in studio. Per saldare. Poi, dopo avermi guardato in faccia per qualche secondo, mi chiese se poteva dirmi una cosa. Certo che poteva, risposi.

«Lei è un avvocato molto bravo, per quello che posso capire io. Ma è anche qualcosa di più. Faccio un lavoro per cui ho imparato a conoscere gli uomini, e a riconoscere quelli che ne varrebbero la pena. Le rare, rarissime volte che li incontro. Ho avuto due avvocati, prima di lei. Tutti e due mi hanno chiesto – come dire – una integrazione della parcella, direttamente in studio, chiudendo a chiave la porta. Penso che per loro fosse normale, in fondo sono una puttana, e così...».

Aspirò con forza la sigaretta; io non sapevo che dire.

«E così niente. Lei, oltre a farmi assolvere, mi ha trattata con rispetto. E questo non me lo dimenticherò. Quando vengo in studio le porterò un libro. Oltre ai soldi, ovviamente».

Poi mi strinse la mano e andò via.

Decisi di andare a prendermi un caffè, o qualcos'altro. Ero leggero come dopo un esame all'università. O dopo aver vinto un processo, appunto.

Nel corridoio che portava al bar, davanti a me vidi Dellisanti, in mezzo ad un gruppo di praticanti, giovani avvocati, segretarie. Dopo la sua telefonata in studio non ci eravamo risentiti.

Il mio primo impulso fu di girare sui miei passi, uscire dal palazzo di giustizia e andare a prendermi quel caffè in un bar di fuori. Per evitare l'incontro. Rallentai anche, e mi ero quasi fermato quando a voce alta, nella mia testa, sentii dire: «Sei rincoglionito del tutto? Hai paura di quel trombone e della sua banda di scagnozzi? Il caffè te lo prendi dove ti pare e loro si fottano». Testualmente così. A volte mi capita.

Così accelerai di nuovo, superai Dellisanti ed il suo codazzo fingendo di non vederli ed entrai nel bar.

Mi raggiunsero al bancone mentre stavo ordinando una spremuta di arancia.

«Ciao Guerrieri». Cordiale come un pitone.

Mi voltai come se solo in quel momento mi fossi accorto della loro presenza.

«Ah, ciao Dellisanti».

«Allora che mi dici?».

«In che senso?».

«Hai verificato quello che ti ho detto? Su quella signorina, intendo dire».

Non sapevo che dire. Mi seccava dargli qualsiasi tipo di risposta e quell'uomo sapeva come mettere a disagio l'interlocutore. Senza dubbio.

In realtà avrei dovuto dirgli che lui pensasse a difendere il suo cliente. Imputato di reati gravi. Io avrei pensato a difendere la mia cliente. Persona offesa degli stessi gravi reati.

Avrei dovuto dirgli di non provare mai più a farmi telefonate del tipo di quella di qualche giorno prima, che gliene avrei fatta passare la voglia.

Insomma, risposte da uomo.

Invece arrangiai qualcosa del tipo che le cose non sono come sembrano, e comunque erano diverse da come gliele avevano raccontate. E insomma, poi non sapevo come tirarmi fuori solo qualche giorno dopo aver accettato l'incarico. Senza un pretesto valido, niente. Magari fra qualche settimana, o qualche mese, vedendo come andava il processo potevamo riparlarne.

Insomma, risposte da vigliacco.

«Va bene, Guerrieri. Io quello che ti dovevo dire te l'ho detto. Fai un po' come credi, poi ognuno si prende le sue responsabilità e paga le conseguenze delle sue azioni».

Si girò e andò via. Con lui tutti gli altri, in formazione. Perfettamente addestrati.

Dopo una manciata di secondi scossi la testa, con un movimento simile a quello che fanno i cani quando sono bagnati e vogliono togliersi l'acqua di dosso, e poi andai alla cassa del bar per pagare.

«Ha gia fatto l'avvocato Dellisanti» disse il cassiere.

Stavo per rispondergli che la mia spremuta me la pagavo io, o qualcosa di simile. Poi pensai che era meglio evitare il ridicolo.

È sempre meglio, nei limiti del possibile.

Così annuii, feci un cenno di saluto e me ne andai.

Il buon umore per il risultato del processo di quella mattina era scomparso.

16

Martina e suor Claudia vennero in studio il giorno prima dell'udienza.

Non arrivai subito al punto. Ci girai attorno per un po', come faccio quasi sempre. Per prima cosa dissi a Martina che non era necessario si presentasse l'indomani. In quell'udienza ci sarebbero state solo questioni preliminari, atti introduttivi e richieste di prova. Per quello bastava che ci fossi io.

Non c'era bisogno che perdesse una giornata di lavoro, dissi.

Non c'era bisogno che si spaventasse prima del necessario. Pensai.

Lei sarebbe venuta solo all'udienza nella quale avremmo dovuto esaminarla, fra qualche settimana presumibilmente.

Mi chiese cosa sarebbe successo, esattamente a quella udienza. Ecco. Il punto.

Glielo dissi cosa sarebbe successo, con tutta la cautela di cui ero capace.

Sarebbe stata interrogata prima dal pubblico ministero; poi anch'io le avrei fatto qualche domanda. Infine sarebbe stato il turno della difesa.

«Qui viene la parte più... complessa. L'accusa si basa sostanzialmente sulla sua parola e così l'obbiettivo dell'avvocato di Scianatico è molto semplice: screditarla. Cercherà di farlo con ogni mezzo. Cercherà di farla cadere in contraddizione; cercherà di provocarla e farle perdere la calma. È improbabile che si comporti gentilmente, e se lo fa sarà solo per farle abbassare le difese».

Feci una pausa, prima di dirle la parte peggiore. La guardai in faccia. Sembrava calma. Un po' vaga, ma calma.

«Tirerà fuori i suoi problemi di salute, Martina. Tirerà fuori la storia del ricovero e il fatto che ha avuto problemi... cure psichiatriche».

Martina non cambiò espressione. Forse ci fu solo un aumento della vaghezza nello sguardo.

Forse. Però sentii quasi immediatamente l'odore. Intenso e leggermente acido.

Sono sempre stato capace di sentire gli odori delle persone, di riconoscerli, e di accorgermi quando cambiano.

Da bambino quando entravo in ascensore sapevo dire sempre quale dei condomini ci era passato prima. E avevo anche dei nomi, per gli odori. Per esempio c'era una signora che abitava nel nostro palazzo che dava un odore di minestra di fagioli. Una ragazza triste, occhialuta e pallida dava un odore di carta vecchia e polvere. Il padrone di una salumeria lasciava in ascensore un odore caldo e compatto che occupava lo spazio e metteva a disagio. Tanti anni dopo ne ho sentito uno uguale in una bottega ad Istanbul. Era così somigliante che per un attimo pensai che il signor Curci potesse apparire all'improvviso, da qualche parte, con il suo grosso collo, la sua piccola testa, le sue braccia corte e massicce. Passò qualche secondo prima che riuscissi a sfuggire a quel cortocircuito olfattivo ed a ricordarmi che quel signore era morto dieci anni prima, quando ancora abitavo dai miei genitori. E dunque non poteva aggirarsi per le botteghe di Istanbul.

Spesso mi accorgo se una donna è indisposta, dall'odore. È una cosa che di solito non vado a dire in giro, perché non è esattamente il genere di notizia che mette a proprio agio le signore.

Sono capace di sentire e riconoscere l'odore della paura, che è molto brutto, rancido e ancestrale. L'ho sentito tante volte nelle questure, nelle caserme dei carabinieri, nelle carceri, assistendo agli interrogatori dei miei clienti. Di quelli più disperati, più deboli o solo più vigliacchi quando capiscono di essere davvero nei guai, o proprio di non avere scampo.

La prima volta fu quando, appena diventato procuratore legale, mi trovai ad assistere d'ufficio un omino accusato di omicidio. Mi chiamarono in questura di notte – ero di turno – perché dovevano interrogarlo con urgenza. Dicevano che aveva accoltellato un energumeno che poco prima lo aveva preso a schiaffi e pugni in un bar. Dicevano che c'era un testimone che lo aveva visto. L'omino – spalle strette e un po' curve, faccia smarrita da piccolo predatore – si difendeva negando tutto. Non è vero, non è vero, non è vero ripeteva scuotendo la testa con una voce quasi monotona e fuori posto, vista la situazione. Chiedeva di essere messo a confronto con il testimone; che si sbagliava e sicuramente si sarebbe reso conto dell'errore, guardandolo in faccia. Era convincente, nella grigia essenzialità della sua difesa, ed a me venne il dubbio che i poliziotti avessero preso un grosso granchio. E credo che il dubbio venne anche al sostituto procuratore che lo stava interrogando.

Poi ci fu il colpo di scena. Nella stanza dove si svolgeva l'interrogatorio entrarono due poliziotti; uno di loro portava un sacchetto di plastica trasparente, attraverso il quale si vedeva un grosso coltello di quelli tipo *rambo,* con la lama sporca di sangue. I due poliziotti avevano la faccia del gatto che porta in bocca un topo. Quello con il sacchetto lo fece dondolare davanti agli occhi dell'omino.

«E adesso sei proprio fottuto, stronzetto. Era meglio se ce lo facevi ritrovare tu. Adesso non sappiamo che farcene della tua confessione. Ci sono più impronte qua sopra che in tutto l'archivio della questura. E queste sono tutte tue».

Si capiva bene che il poliziotto avrebbe voluto sottolineare le sue parole con un paio di schiaffi ben dati. Ma purtroppo non si poteva – dovette pensare – davanti al giudice e all'avvocato.

Non mi ricordo cosa successe dopo, esattamente. L'uomo smise di negare e poco dopo confessò, questo è certo. Ma non ricordo bene la sequenza, e quello che disse, e quello che gli chiedeva il pubblico ministero, e quello che anch'io dissi per dare un senso alla mia inutile presenza. A quel punto non era importante. Quello che mi ricordo bene invece è l'odore, che in breve riempì quella piccola stanza della questura. Coprendo la puzza di fumo – quello freddo di anni e quello caldo di una notte di interrogatori – gli odori delle persone, della carta, della polvere, degli avanzi di caffè nei bicchierini di plastica.

Era un odore acre, invadente e un po' osceno. Inconfondibile per me, dopo quella notte.

Subito dopo aver detto a Martina che l'avvocato di Scianatico avrebbe frugato fra i suoi problemi personalissimi, sentii quell'odore. Non fortissimo, ma inequivocabilmente quello. E non fu piacevole. Cercai di ignorarlo mentre cominciavo a darle istruzioni su come comportarsi.

«Come abbiamo detto, cercherà di provocarla. E dunque la prima regola è: non accettare le provocazioni. È quello che vuole e noi non glielo dobbiamo dare».

«Come... come può cercare di provocarmi?».

«Tono di voce; insinuazioni; domande aggressive». Prima di proseguire feci una breve pausa. Per respirare, e lanciare un'occhiata a suor Claudia. La sua faccia aveva l'espressione vivace di una statua dell'isola di Pasqua.

«Riferimenti ai suoi problemi... come le ho detto».

«Ma cosa c'entrano i miei problemi con il processo?».

Già, cosa c'entravano? Buona domanda. Se hai avuto bisogno di uno psichiatra non puoi fare il testimone? E l'avvocato? L'avvocato lo puoi fare? mi chiesi prima di rispondere, ricordandomi frammenti angosciosi del mio passato.

«In astratto, e sottolineo: in astratto, la circostanza che un teste abbia avuto qualche... problematica di disagio, può essere rilevante. Per valutare l'attendibilità di quello che dice, per ricostruire meglio la storia delle sue dichiarazioni, eccetera. In concreto noi – voglio dire, sia io che il pubblico ministero – staremo attentissimi per impedire abusi. Però non sarebbe una buona idea opporsi ad ogni domanda sulle sue difficoltà di salute..».

Problematiche di disagio. Difficoltà di salute. Mi fermai a pensare che stavo facendo delle vere acrobazie verbali per non chiamare le cose con il loro nome.

«... sulle sue difficoltà di salute, perché potrebbe sembrare che abbiamo qualcosa da nascondere. Così la mia idea è questa, se voi... se lei è d'accordo. Giochiamo d'anticipo. Quando toccherà a me interrogarla, sarò io il primo a farle domande su questi argomenti. Ricovero, terapie psichiatriche, eccetera.

Così facciamo emergere il fatto con tranquillità, facciamo vedere che non abbiamo niente da nascondere, gli togliamo l'effetto sorpresa e la suggestione sul giudice, riduciamo il rischio di momenti di tensione. Che ne dice?».

Martina si voltò a guardare suor Claudia; poi guardò di nuovo me; fece un sì meccanico con la testa. L'odore era diventato più acuto, e mi chiesi se suor Claudia potesse sentirlo. Se lo sentiva, non si riusciva a capire dalla faccia. Non si riusciva a capire niente, dalla faccia. Ripresi a parlare.

«Naturalmente per fare questa cosa c'è bisogno che lei mi racconti tutto, con calma».

Accese una sigaretta. Si guardò attorno come se cercasse qualcosa fra gli scaffali, sulla scrivania o fuori dalla finestra.

Poi mi raccontò tutto. Una storia comune, come tante altre.

Problemi con l'alimentazione, dall'adolescenza. Problemi con lo studio all'università. L'esaurimento nervoso per via di un esame che non riusciva a superare. La depressione, l'anoressia, il ricovero. E poi l'inizio del recupero. I farmaci, la psicoterapia. L'incontro con un'infermiera che lavorava anche come volontaria a *Safe Shelter*. L'incontro con suor Claudia, l'impegno nella casa rifugio con le ragazze. La laurea, finalmente. Il lavoro.

L'incontro con Scianatico.

E tutto il resto, che in parte sapevo già. Mi disse anche alcune cose che non sapevo, a proposito della convivenza con Scianatico e di certe sue propensioni. Cose molto spiacevoli ma che forse avremmo potuto tirar fuori nel processo, se riuscivo a trovare il modo.

Disse anche qualcosa della sua famiglia. Di sua madre, poco. E di sua sorella minore, che era sposata e adesso aveva anche un bambino. Del padre invece non parlò e mi venne naturale pensare che fosse morto, ma non le feci nessuna domanda.

Il racconto di Martina durò almeno tre quarti d'ora. Sembrava un po' più tranquilla, come se si fosse tolta un peso, alla fine, e mi ripeté che non prendeva più medicine, da almeno quattro anni.

Speriamo non debba prenderle dopo questo processo le medicine, pensai.

«Posso chiederle una cosa?» disse dopo avere acceso un'altra delle sue sigarette.

«Dica».

«Lui sarà in aula quando io verrò interrogata?».

«Non lo so. È libero di venire o non venire; lo sapremo solo quella mattina. Ma per lei deve essere indifferente, che lui ci sia o non ci sia».

«Ma mi potrà fare anche lui delle domande?».

«No. Le domande può fargliele solo il suo avvocato. E a proposito si ricordi questo: quando la interroga, e quando risponde, non guardi verso di lui. Guardi verso il giudice, guardi davanti a sé; ma non verso di lui. Si ricordi che non deve entrare in conflitto con lui, e questo è più facile se evita di fronteggiarlo con lo sguardo. E poi se non capisce bene una domanda non cerchi di rispondere. Cortesemente, senza guardarlo, dica all'avvocato che non ha capito e chieda di ripetere. E se io o il pubblico ministero facciamo una opposizione a qualche sua domanda, lei si fermi, non risponda e aspetti che il giudice decida sull'opposizione. Tutte queste cose gliele ripeterò il giorno prima dell'udienza in cui verrà esaminata, ma cerchi di ricordarle da ora».

Chiesi se c'era qualche altra cosa che volevano sapere. Martina scosse il capo. Suor Claudia mi guardò per qualche istante. Poi pensò che non era il momento per quella domanda, qualunque fosse. Anche lei fece no con la testa.

«Tutto a posto, allora. Ci risentiamo domani pomeriggio, così vi dico cosa è successo». Dissi così mentre le accompagnavo alla porta.

Non ero affatto convinto che fosse tutto a posto.

Quando furono uscite andai a spalancare le finestre, anche se fuori faceva freddo. Per far cambiare l'aria.

Non volevo che l'odore acre della paura rimanesse a lungo lì dentro.

17

Chiusi studio, tornai a casa, cenai con Margherita e al momento di andare a dormire dissi che scendevo nel mio appartamento. Dovevo lavorare, controllare alcune carte per il processo del giorno dopo e avrei fatto tardi. Non volevo disturbarla e così avrei dormito da me.

Era vero solo che non volevo disturbarla. Ci sono sere in cui sai già che si prepara una notte di insonnia. Non è che ci sia un segno speciale, eclatante ed inequivocabile. Semplicemente lo sai. Quella sera lo sapevo. Sapevo che mi sarei messo a letto e ci sarei rimasto, sveglissimo, per un'ora o poco più. Poi mi sarei dovuto alzare, perché non puoi restare a letto nelle notti di insonnia. Avrei dovuto girare per casa, avrei letto qualcosa nella speranza che mi facesse venire sonno, avrei acceso la televisione e tutto il resto del rituale. Non volevo che questo accadesse da Margherita. Non volevo che mi vedesse malato, anche solo di una insonnia occasionale. Mi vergognavo.

Quando le dissi che andavo a casa mia per lavorare lei mi guardò diritto negli occhi.

«Vai a lavorare, adesso?».

«Sì, ti ho detto, c'è questo processo che comincia domani. Ci saranno un sacco di questioni preliminari, è un processo rognoso e insomma devo ricontrollare un po' tutto».

«Sei uno dei bugiardi più scarsi che abbia mai conosciuto».

Rimasi qualche secondo senza dire niente.

«Proprio scarso, eh?».

«Dei peggiori».

Mi strinsi nelle spalle, pensando che una volta ero piuttosto bravo a dire le bugie. Con lei però non mi ero tenuto in esercizio.

«Qual è il tuo problema? Se hai voglia di stare da solo basta dirlo».

Già, basta dirlo.

«Stanotte non credo che dormirò e allora non voglio tenere sveglia anche te».

«Non dormirai? E perché?».

«Non dormirò. Non lo so esattamente perché. A volte mi capita. Voglio dire: di saperlo in anticipo».

Mi guardò di nuovo negli occhi, ma con una espressione diversa, adesso. Si chiedeva quale fosse il problema, visto che io non glielo avevo detto, e forse nemmeno lo sapevo. Si chiedeva se poteva fare qualcosa. Alla fine concluse che quella sera, quella notte non poteva fare niente. Allora mi poggiò la mano sulla spalla, mi strinse per qualche secondo e poi mi diede un rapido bacio.

«Va bene, buonanotte, ci vediamo domani. E se ti viene sonno non rimanere sveglio solo per coerenza».

Me ne andai accompagnato da un senso di colpa indefinito e molesto.

Dopo, andò tutto secondo copione. Un'ora a girarmi nel letto, nella stupida speranza di essermi sbagliato ad interpretare i segni premonitori. Più di un'ora davanti alla televisione a vedere, fino alla fine, *Il lupo della Sila*, con Amedeo Nazzari, Silvana Mangano, Vittorio Gassman.

Tantissimi interminabili minuti a leggere *Minima Moralia*. Nella speranza, che cercavo di tenere nascosta a me stesso perché il trucco funzionasse, di annoiarmi fino al sonno invincibile. Mi annoiai, ma il sonno non arrivò.

Mi assopii leggermente – una specie di dormiveglia affannoso – solo quando una luce malata ed un leggero, metodico, inesorabile rumore di pioggia cominciavano a filtrare dalle tapparelle, ad annunciare la giornata che si preparava.

Attraversai la città sotto la stessa pioggia, cercando di proteggermi con un ombrello tascabile comprato qualche settimana prima da un cinese. Come di regola al secondo uso – cioè quella mattina – l'ombrello si ruppe, ed io mi bagnai. Quando, poco prima delle nove e mezzo, arrivai in tribunale non ero di buon umore.

18

L'aula dove teneva udienza Caldarola era nel mezzo di un corridoio di passaggio. Come tutti i giorni di udienza la confusione era grande. C'erano, mischiati fra loro, gli imputati, i loro avvocati, i poliziotti ed i carabinieri che dovevano deporre, alcuni pensionati che trascorrevano le loro mattinate interminabili a vedersi i processi invece che giocare a briscola sulle panchine dei giardinetti. Ormai li conoscevano tutti e loro conoscevano e salutavano tutti.

A qualche metro di distanza da questo gruppone c'erano altre persone con foglietti in mano e l'aria spaesata; l'aria di chi non avrebbe voluto essere lì. Avevano ragione. Erano i testimoni dei processi, di regola vittime dei reati. Su quei foglietti c'era scritto che erano obbligati a presentarsi davanti al giudice e che «*in caso di mancata comparizione non dovuta a legittimo impedimento avrebbero potuto essere accompagnati coattivamente a mezzo della polizia giudiziaria e condannati al pagamento di una somma...*» eccetera, eccetera.

Stavano per vivere un'esperienza surreale, nel migliore dei casi. Un'esperienza che non avrebbe aumentato la loro fiducia nella giustizia.

Fra i due gruppi filtrava la folla di passaggio con un movimento ininterrotto. Commessi con carrelli e cumuli di fascicoli, imputati che cercavano la propria aula o il proprio avvocato; agenti di polizia penitenziaria che accompagnavano detenuti in catene; facce nere e sperdute; masnadieri tatuati con modi da cliente abituale di tribunali e questure; altri masnadieri che dopo qualche istante ti accorgevi che erano poliziotti dell'antiscippo; giovani avvocati con abbronzature fuori stagione, grossi colletti, grossi nodi di cravatta; persone normali sparpagliate nel tribunale per i motivi più vari. Quasi mai buoni.

Tutti avrebbero voluto andarsene al più presto. Anch'io.

Seduta su una panca, lo sguardo fisso su un muro sudicio c'era suor Claudia. Con il solito giubbotto di pelle nera, pantaloni di tipo militare a tasconi. Nessuno aveva preso posto vicino a lei. Nessuno di quelli in piedi le stava troppo vicino. *Distanza di sicurezza* mi comparve scritto in testa per uno o due secondi.

Non so come fece a vedermi, perché appunto aveva lo sguardo apparentemente fisso sul muro davanti a lei ed io arrivavo di lato, fra la folla. Certo è che quando fui a cinque o sei metri da lei, girò la testa come obbedendo ad un comando silenzioso e subito dopo si alzò con quel suo movimento fluido e pericoloso, da predatore.

Mi fermai davanti a lei, a qualche decina di centimetri. Sconfinando in quella bolla dove gli altri non entravano. La salutai con un cenno del capo e lei rispose nello stesso modo.

«Come mai è venuta?».

Mi parve, per una frazione di secondo, di cogliere nella sua faccia qualcosa di simile all'imbarazzo; e un'ombra di rossore. Una frazione di secondo, e forse me lo immaginai soltanto. Quando parlò la sua voce era quella delle altre volte; grigia come l'acciaio di certi coltelli.

«Martina non viene. Glielo ha detto lei. Allora sono venuta io per vedere cosa succede e poi raccontarglielo».

Annuii e dissi che potevamo entrare in aula. L'udienza sarebbe cominciata fra poco ed era meglio essere lì per sentire a che ora sarebbe stato trattato il nostro processo. Mentre dicevo così mi resi conto che non avevo ancora visto Scianatico e nemmeno Delisanti.

19

Suor Claudia si sedette a ridosso della balaustra che separa lo spazio destinato al pubblico da quello dove si trovano gli avvocati, gli imputati, il pubblico ministero, il cancelliere. Il giudice. Insomma dove si fa il processo.

Dopo averle spiegato in breve cosa sarebbe successo di lì a poco, andai dal cancelliere che era già seduto al suo posto. Davanti aveva due colonne di fascicoli: i processi che in teoria si sarebbero dovuti celebrare in quell'udienza.

In teoria. In pratica ci sarebbero state sospensioni, nullità, rinvii su richiesta della difesa oppure «*per l'eccessivo carico di procedimenti dell'odierna udienza*». In pratica, alla fine dell'udienza il giudice non avrebbe deciso che tre o quattro cause al massimo.

Caldarola non pensava che l'eccesso di lavoro fosse dignitoso, per un magistrato.

Chiesi al cancelliere di vedere il fascicolo. Volevo controllare le liste dei testimoni del pubblico ministero e della difesa. Io non avevo depositato liste perché davo per scontato che Alessandra Mantovani avesse indicato tutti i testimoni rilevanti.

Il cancelliere mi diede il fascicolo ed io andai a sedermi su uno dei banchi degli avvocati. Tutti ancora vuoti, nonostante la folla di fuori.

La Mantovani, come previsto, aveva indicato tutti i testimoni necessari. Martina, ovviamente; l'ispettore di polizia che aveva fatto le indagini; un paio di ragazze di *Safe Shelter*; la mamma di Martina; i medici. Nessuna sorpresa.

Sorprese spiacevoli invece ce n'erano nella lista della difesa. C'erano una decina di testi che avrebbero dovuto deporre:

1) sui rapporti fra il professor Scianatico e la presunta parte offesa Fumai Martina in costanza di convivenza;

2) in particolare su quanto constatato in occasione delle frequentazioni con il professor Scianatico e la presunta parte offesa;

3) su quanto a loro conoscenza in ordine a patologie fisiche e psichiche della presunta persona offesa e sui risvolti comportamentali di tali patologie;

4) sulle ragioni a loro note della cessazione della convivenza.

Ma il vero problema non erano quei testimoni. Quelli servivano solo a fare il polpettone. Il problema era il nome che concludeva la lista. Il professor Genchi, ordinario di medicina legale e psichiatria forense. Era indicato come consulente perché riferisse: «... *in ordine alle condizioni di salute mentale della presunta persona offesa valutate alla stregua del contenuto delle dichiarazioni testimoniali e delle acquisizioni documentali che verranno richieste; ciò allo scopo di verificare l'idoneità mentale della presunta persona offesa a rendere testimonianza e, in ogni caso, allo scopo di valutare l'attendibilità dei contenuti di tale testimonianza*».

Conoscevo quel professore; l'avevo incontrato in molti processi. Era una persona seria, ben diverso da alcuni suoi colleghi, che fanno consulenze compiacenti e ben pagate su criminali detenuti. Per sostenere che hanno gravi malattie psichiatriche, che con quelle malattie non possono assolutamente restare in carcere e che, dunque, devono essere mandati al più presto agli arresti domiciliari. Inutile dire che questi signori, novantanove casi su cento, sono sani come pesci. Inutile dire che quei consulenti lo sanno benissimo, ma di fronte a certi onorari non vanno troppo per il sottile.

Genchi era una persona seria, uno cui i giudici davano ascolto. Giustamente. Non si sarebbe mai prestato a venire a deporre in un processo per dire sciocchezze o per proporre una consulenza addomesticata. Dellisanti aveva scelto uno che non si sarebbe mai fatto forzare la mano per esagerare le sue valutazioni. Questo significava che si sentiva molto sicuro.

Mentre leggevo e mi preoccupavo avvertii una presenza alle mie spalle. Mi voltai sollevando lo sguardo. Alessandra Mantovani, con la toga già sulle spalle. Mi salutò in modo professionale – buongiorno avvocato – ed io risposi nello stesso modo. Buongiorno dottoressa.

Poi andò a sedersi al suo posto. Aveva la faccia impercettibilmente tesa. Piccole pieghe agli angoli della bocca; gli occhi appena socchiusi. Fui certo che avesse già letto la lista di Dellisanti.

Il commesso che la seguiva depositò sul suo banco due faldoni polverosi, pieni di fascicoli con le copertine scolorite. Passò qualche minuto e finalmente entrò Dellisanti con il solito codazzo di segretarie, assistenti, praticanti avvocati. Quasi subito dopo suonò la campanella elettrica che segnalava l'inizio dell'udienza.

Erano arrivati praticamente insieme. L'avvocato dell'imputato e il giudice.

Un caso, di sicuro.

20

I preliminari si esaurirono in fretta.

Il giudice dichiarò aperto il dibattimento e fece leggere i capi di imputazione dal cancelliere; integralmente, come prevede la legge. Di solito non si fa, nella pratica. Il giudice chiede alle parti: «Diamo per letti i capi di imputazione?». Poi, di solito, non ascolta nemmeno la risposta e va avanti. Dà per scontato che a nessuno interessi sentire la lettura delle imputazioni, perché tutti le conoscono già benissimo da prima.

Quel giorno Caldarola non diede per letti i capi di imputazione e così dovemmo ascoltarli tutti dalla voce nasale e carica di un accento greve del cancelliere Filannino da Barletta. Un uomo magro, con la pelle grigiastra, pochi capelli, una smorfia di tristezza cattiva agli angoli della bocca.

Questo non mi piacque. Caldarola era uno che sopra ogni altra cosa desiderava sbrigarsi. Suonava male che perdesse tempo con formalità e questo doveva significare qualcosa, ma non capivo bene cosa.

Dopo la lettura delle imputazioni Caldarola invitò il pubblico ministero a fare le sue richieste di prova. Alessandra si alzò e la toga le scese perfettamente lungo il corpo, senza che ci fosse bisogno di aggiustarla sulle spalle. Come succedeva quasi a tutti e, per esempio, a me.

Parlò pochissimo. In pratica si limitò a dire che avrebbe provato i fatti indicati nelle imputazioni attraverso i testi della sua lista e la produzione dei documenti. Dal modo in cui guardava il giudice, mi resi conto che anche lei aveva una sensazione simile alla mia. Che qualcosa stesse accadendo alle nostre spalle.

Poi toccò a me, ed io dissi ancora meno. Mi riportavo alle richieste del pubblico ministero, chiedevo l'esame dell'imputato, se lui accettava di rispondere, mi riservavo di fare le mie osservazioni sulle richieste della difesa quando le avessi sentite.

«La parola alla difesa dell'imputato».

Dellisanti si alzò.

«Grazie signor giudice. Noi siamo tutti qui, ma non dovremmo esserci. Infatti ci sono processi che non dovrebbero nemmeno cominciare. Questo è uno di quei processi».

Prima pausa. La testa si girò verso il banco dove eravamo seduti Alessandra ed io. Alla ricerca della provocazione. Alessandra aveva una faccia priva di espressione, e guardava il vuoto, da qualche parte dietro il banco del giudice. Io non ero così bravo, e invece di ignorarlo gli tenni gli occhi addosso; ma era esattamente quello che voleva.

«Un professionista, un accademico integerrimo, membro di una delle famiglie più importanti e rispettate della nostra città è stato trascinato nel fango da accuse false e originate solo dal risentimento di una donna squilibrata e...».

Mi alzai in piedi quasi di scatto. Avevo abboccato.

«Giudice, la difesa non può fare di queste considerazioni offensive. Men che meno in questa fase, nella quale deve limitarsi alle richieste di prova. Io la prego di invitare l'avvocato Dellisanti ad attenersi scrupolosamente al disposto di legge: indicare i fatti che intende provare e chiedere l'ammissione delle prove. Senza commenti».

Caldarola mi disse che non era il caso di agitarmi. Che poi, se non stavo calmo era esattamente lo stesso. Il gioco non era nelle mie mani.

«Avvocato Guerrieri, non se la prenda così. La difesa deve pur chiarire il contesto e le ragioni delle sue richieste di prova. Altrimenti come faccio a capire se queste richieste sono rilevanti? Lei vada avanti, avvocato Dellisanti. E, avvocato Guerrieri, cerchiamo di evitare ulteriori interruzioni».

Figlio di puttana. Pensai, ma avrei voluto dirlo. Grandissimo figlio di puttana. Cosa ti hanno promesso?

Dellisanti riprese a parlare, a suo agio.

«Grazie signor giudice, lei ha colto perfettamente il senso, come sempre. È infatti evidente che per introdurre i nostri temi di prova devo formulare alcune considerazioni che di tali temi di prova costituiscono la premessa. In sostanza, se vogliamo formulare – come effettivamente faremo – una richiesta di audizione di un consulente psichiatrico, dobbiamo dire, e dobbiamo *poter* dire, che lo facciamo perché riteniamo la presunta persona offesa affetta da gravi turbe psichiche, che ne compromettono la credibilità e la stessa capacità di rendere testimonianza. Su queste cose, soprattutto quando è in ballo l'onorabilità, la libertà, la stessa vita di un uomo come il professor Scianatico, c'è poco spazio per convenevoli o giri di parole. Piaccia o non piaccia al pubblico ministero e alla parte civile».

Altra pausa. La sua testa si girò di nuovo verso il nostro banco. Alessandra era una specie di sfinge. Anche se guardandola attentamente si poteva individuare una piccolissima, ritmica contrazione della mascella, poco sotto lo zigomo. Ma appunto, bisognava guardare molto attentamente.

«E dunque in primo luogo noi chiediamo di provare che la presunta – diceva *presunta* con un sibilo, quasi uno sputo – persona offesa è affetta da patologie psichiatriche, che verranno meglio indicate dal nostro consulente, puntualmente indicato in lista, professor Genchi. Un nome che non richiede presentazioni. Chiediamo inoltre di provare la sussistenza di tali patologie, le ragioni della separazione a suo tempo verificatasi e più in generale una situazione di grave disadattamento sociale e inadeguatezza personale della *presunta* parte offesa, attraverso i testi indicati nella nostra lista. Chiediamo anche noi l'esame del professor Scianatico il quale, lo comunico sin d'ora, certamente acconsente ad essere esaminato ed a rispondere alle domande per fornire ulteriori elementi di prova della sua innocenza. Non abbiamo nessuna considerazione da fare sulle richieste di prova del pubblico ministero. E nemmeno su quelle della parte civile che, per la verità, non sembra averne fatte di significative. Grazie signor giudice, ho finito».

Dellisanti finì di parlare e già Caldarola stava cominciando a dettare la sua ordinanza.

«Il giudice, sentite le richieste delle parti, ritenuto...».

«Chiedo scusa giudice, avrei qualche osservazione sulle richieste di prova formulate dalla difesa. Se mi dà la parola».

Alessandra aveva parlato con una voce bassa e tagliente, appena modulata dal suo leggero accento veneto. Caldarola fece un'espressione un po' imbarazzata e mi parve anche di notare un accenno di rossore sulla sua faccia solitamente giallastra. Come se fosse stato scoperto a fare qualcosa di vagamente vergognoso. Appunto.

«Prego, pubblico ministero».

«Non ho osservazioni sulla richiesta di ammissione dei numerosi testi indicati in lista. Mi appaiono sovrabbondanti, ma non è questione che intendo porre. Non adesso, perlomeno. Voglio dire qualcosa invece sulla richiesta di audizione del professor Genchi, indicato dalla difesa come consulente, specialista in psichiatria. Voglio porre un paio di questioni, su questa richiesta. Una riguarda specificamente la vicenda processuale di cui oggi cominciamo ad occuparci. L'altra ha carattere più generale, sull'ammissibilità di simili richieste. Il professor Genchi ha mai visitato la signora Martina Fumai? Il professore ha mai almeno *visto* la signora Martina Fumai? La difesa non ce lo ha detto, mentre ci ha detto con grande, apodittica, e soprattutto offensiva sicurezza che la signora Martina Fumai è una *squilibrata.* Se, come io credo, il professor Genchi non ha mai visitato la persona offesa di questo processo, allora mi chiedo su cosa dovrebbe vertere la sua deposizione di consulente. Perché la difesa, violando nella sostanza il dovere di *discovery,* non ce lo ha detto. E questa considerazione introduce il secondo problema che voglio porre. È possibile richiedere l'espletamento di accertamenti psichiatrici su un testimone – o anche su un imputato – senza che dagli atti emerga alcun elemento da cui se ne possa desumere la necessità? A questa domanda di carattere generale bisogna rispondere prima di decidere sull'istanza della difesa. Perché, giudice, accogliere una simile istanza senza che essa sia fondata su qualche elemento di fatto significa creare un pericoloso precedente. Ogni volta che un teste non ci piace, per le più varie ragioni, buone e meno buone, potremo chiedere che venga uno psichiatra a parlarci dei privati, personalissimi problemi di questo teste. E chi non ha problemi personali, disagio psichico, o dipendenze. Magari da alcol. E questi problemi sono solo affari suoi e vorrebbe legittimamente che rimanessero solo affari suoi?».

Scandì le ultime parole voltandosi a guardare Dellisanti, seduto al suo banco. Fra le varie voci sul suo conto c'era quella di una sua inclinazione ai superalcolici. Anche in orari non convenzionali, come per esempio la prima mattina nei bar dalle parti del suo studio. Quello non si voltò. Aveva una brutta faccia, con le mascelle serrate. Il clima stava diventando pesante.

«E dunque, giudice, io mi oppongo fermamente a che venga ammessa la deposizione del consulente indicato dalla difesa. Almeno fino a quando non ci verrà chiarito in termini concreti su cosa dovrebbe effettivamente riferire, e come le cose su cui dovrebbe riferire possono riguardare l'oggetto di questo processo».

Io mi associai all'opposizione del pubblico ministero. Poi Dellisanti chiese di nuovo la parola. Il suo tono non era più rilassato come all'inizio.

«Io davvero signor giudice non capisco di cosa abbiano paura il pubblico ministero e la parte civile. O forse lo capisco, per essere sinceri, ma voglio evitare gli spunti polemici. E comunque i casi sono due. O la signorina Martina Fumai non ha problemi di natura psichiatrica, e allora non c'è nulla di cui preoccuparsi, nel momento in cui si prospetta l'audizione di uno specialista come il professor Genchi. O la signorina Fumai *ha* problemi di natura psichiatrica. Ma allora questi problemi – li chiamo così in termini volutamente riduttivi – devono emergere, perché se ne possa valutare l'incidenza sulla capacità di rendere una testimonianza e, più in generale, per valutare l'attendibilità di questa testimonianza. E in ogni caso, signor giudice, allo scopo di evitare il trascinarsi di una polemica e di opposizioni chiaramente strumentali, io posso sin d'ora produrre in fotocopia documentazione medico psichiatrica riguardante la presunta persona offesa».

Dellisanti prese una cartellina celeste e la protese leggermente, con un gesto vago, verso il giudice. Uno dei suoi addestrati portaborse si alzò di scatto, prese la cartellina e la depositò sul banco del giudice.

A quel punto mi alzai e chiesi la parola. «Brevemente», mi ammonì Caldarola che adesso cominciava a spazientirsi.

«Solo due parole, giudice – mi sentivo parlare e la mia voce era tesa. – Innanzitutto ci farebbe piacere sapere come la difesa sia giunta in possesso di queste fotocopie. Anzi, per la verità, ci piacerebbe in primo luogo esaminarle, queste fotocopie, visto che l'avvocato Dellisanti non ha avuto l'amabilità di metterle a disposizione del pubblico ministero e della parte civile. Come, prima ancora che le regole processuali, quelle della cortesia avrebbero imposto».

Dellisanti, che si era appena seduto su una sedia che conteneva a stento il suo enorme culo, si alzò di nuovo con una agilità insospettabile. Diventò molto rosso, in faccia ed anche sul collo. Il rossore faceva uno strano contrasto con il colletto bianco della camicia. Stretto su un collo brutale, che era quasi il doppio del mio. Urlò che lui non accettava lezioni di procedura, e tanto meno di buona educazione, da nessuno. Urlò altre cose, presumo offensive; ma non le sentii perché anch'io alzai la voce, e in breve l'udienza si trasformò in quello che si dice una indegna gazzarra.

A volte capita. Le cosiddette aule di giustizia raramente sono posti di convegno di gentiluomini. Non quelle che ho visto e frequentato io. Non quella di Caldarola, quella mattina.

Finì nel modo peggiore. Almeno per me. Il giudice disse che mi toglieva la parola. Io dissi che mi sarebbe piaciuta parità di trattamento, fra me e l'avvocato dell'imputato. Lui mi diffidò dal fare insinuazioni offensive e comunque ripeté – «per l'ultima volta» – che mi toglieva la parola. Io non smisi di parlare, e il tono e il volume della voce non erano bassi, né tranquilli. Lo sapevo che stavo facendo una cazzata. Ma non riuscivo a fermarmi. Proprio come quando da ragazzino, durante le partite di calcio dei campionati scolastici, accettavo le più stupide provocazioni, mi lanciavo nelle risse, e regolarmente venivo espulso.

Finì più o meno come in quelle partite di calcio. Il giudice sospese l'udienza per cinque minuti. Quando rientrò non aveva una faccia cordiale. Per salvare le forme consentì a me e ad Alessandra di consultare il fascicolo di Dellisanti. C'era la copia di una cartella clinica di una casa di cura privata del nord, dove Martina era stata ricoverata per alcune settimane.

Sia Alessandra che io ci opponemmo nuovamente a quella acquisizione e all'audizione di Genchi. Caldarola dettò a verbale la sua ordinanza con la solita voce monocorde, dove però adesso si intuivano sfumature di astio e di minaccia.

Il giudice, sentite le richieste delle parti in ordine alle prove;

ritenuto che tutte le prove richieste sono ammissibili e pertinenti all'oggetto del processo;

ritenuto in particolare che è rilevante l'acquisizione della documentazione medico-psichiatrica relativa alla parte offesa ed altresì l'audizione dello specialista in psichiatria, entrambe richieste dalla difesa dall'imputato, allo scopo (come espressamente prevede l'articolo 196 del codice di procedura penale) di valutare le dichiarazioni della suddetta parte offesa e verificarne l'idoneità fisica e mentale a rendere testimonianza;

ritenuto altresì che il comportamento del difensore di parte civile avvocato Guerrieri nell'odierna udienza non sembra immune da censure disciplinari e deve essere quindi sottoposto alla valutazione delle competenti Autorità;

per questi motivi:

ammette tutte le prove richieste dalle parti;

rinvia per l'inizio dell'istruttoria dibattimentale all'udienza del 15 gennaio 2002;

dispone trasmettersi copia del verbale dell'odierna udienza al signor Procuratore della Repubblica in sede ed al Consiglio dell'Ordine degli Avvocati di Bari perché valutino, per quanto di rispettiva competenza, la sussistenza di profili di responsabilità disciplinare in capo all'avvocato Guerrieri Guido, del Foro di Bari.

«Hai fatto una cazzata» mi sibilò Alessandra mentre uscivamo dall'aula.

«Lo so».

Cercai qualcosa da aggiungere ma non trovai niente. Alle nostre spalle c'era Dellisanti, con i suoi. Parlavano fra loro. Commentavano, ed anche se non distinguevo le parole, non c'erano dubbi sul tono. Soddisfatto.

Salutai Alessandra e accelerai, perché non volevo sentirli. Chi avesse seguito la scena, e avesse visto quello che era successo prima, avrebbe pensato che scappavo.

Suor Claudia, che era stata in aula per tutto il tempo, mi scivolò vicino, senza che mi accorgessi da dove arrivava.

Venne via con me, senza fare domande.

Non mi fece male, quella volta. Quando finì mi disse che quello era un segreto, fra lui e me. Non dovevo dire niente a nessuno. Se avessi detto qualcosa a qualcuno sarebbero successe cose brutte.

C'era un cucciolo, nel cortile. Era un bastardino bianco e l'avevo chiamato Snoopy. Dormiva in uno scatolone ed io gli portavo da mangiare i nostri avanzi, e qualche volta un po' di latte allungato con l'acqua. Dicevo che era il mio cane, anche se sapevo benissimo che non mi avrebbero mai permesso di portarlo su a casa.

Lui mi disse che se avessi parlato a qualcuno del nostro segreto, il cucciolo sarebbe morto. Io tornai nel cortile, dissi agli altri bambini che non avevo più voglia di giocare e andai ad abbracciare Snoopy. Fu solo allora che mi misi a piangere.

Delle volte che vennero dopo non ho un ricordo così chiaro. Sono confuse, mescolate una all'altra. Sempre in quella camera, con il letto sfatto, la puzza delle sigarette. Gli altri odori. Bottiglie di birra vuote sul comodino, o rovesciate sul pavimento. I rumori che lui faceva, quando stava... finendo. La paura che la mia sorellina, che spesso era nella stanza vicina, potesse entrare, e vederci.

Era passato più di un anno – me lo ricordo bene perché facevo la prima media – quando lui mi disse che stavo diventando grande, e che c'erano delle cose – delle altre cose – che dovevo sapere, e che lui doveva insegnarmi. Era un pomeriggio di pioggia, e mia madre era fuori. Lavorava anche il pomeriggio, quando poteva, perché lui era sempre disoccupato e non ce la facevamo ad andare avanti.

Quella volta mi fece male. Molto male. E il dolore mi rimase per tanti giorni.

Dopo aver finito mi disse che ero una donna, adesso. Mentre me lo diceva mi diede un pizzicotto sulla guancia; con l'indice e il medio. Come un gesto di tenerezza.

In quel momento, per la prima volta, pensai che avrei voluto che morisse.

21

Andare al supermercato mi rilassa. È sempre stato così da quando ero bambino. Allora mia madre ed io andavamo alla Standa di Corso Vittorio Emanuele, scendevamo al piano interrato, prendevamo un carrello e facevamo la spesa.

Mi ricordo il senso piacevole di freddo che si avvertiva scendendo l'ultima rampa di scale, entrando fra i banchi frigorifero e l'odore misto di cibi crudi. La carne – nei banchi frigorifero, appunto – le verdure, la salumeria, la plastica; tutto mescolato in un odore unico, complicato e un po' asettico che era «l'odore della Standa», per me. All'epoca non ce n'erano tanti di supermercati e andare alla Standa era un po' come andare al luna park della Fiera del Levante, che c'era a settembre, poco prima dell'inizio della scuola.

Al supermercato della Standa c'erano alcuni prodotti che non si trovavano altrove. Per esempio certi formaggini in vaschetta, dall'aria vagamente esotica, dei quali non ricordo il nome. Ma il sapore sì, quello me lo ricordo bene; davano di prosciutto, una specie di gusto rustico, molto più intenso di quei triangolini che ero abituato a mangiare e che non sapevano di niente. C'erano dei biscotti francesi che sembravano pasticcini. Erano un articolo di lusso e non si potevano mangiare come i biscotti ordinari, con il latte, per esempio. E c'erano tante altre cose con cui riempivamo il carrello che volevo sempre guidare io; cose che adesso riempiono la mia memoria con i colori sgranati e nostalgici di certe pellicole in superotto.

Credo che a tutti i bambini miei coetanei piacesse andare al supermercato.

A me piace ancora adesso. Ci sono dei pomeriggi che non ne posso più dei clienti, delle carte, dello studio, delle telefonate con i colleghi. Allora mi viene voglia di uscire, per andare in libreria, o al supermercato. Perlopiù me la faccio passare, quella voglia di uscire, perché ci sono altri clienti, altre carte, altri colleghi rompicoglioni con cui parlare al telefono. Qualche volta però, quando sono veramente al limite, esco. E qualche volta prendo la macchina, e me ne vado per un'ora, o anche due, in uno dei giganteschi ipermercati della periferia.

Mi dà un senso di libertà girare di pomeriggio fra gli scaffali con un carrello e comprarmi le cose più inutili, il cibo più improbabile, i libri con lo sconto del venti per cento, gli articoli elettronici – che poi non uso mai – in offerta speciale. Quando rientro in studio mi sento meglio; non proprio impaziente di tornare a lavorare ma, insomma, meglio.

Quel pomeriggio ero appunto al mio supermercato preferito. Un capannone immenso nel bel mezzo di una delle periferie più degradate. Un posto quasi irreale.

Ero davanti agli scaffali del cibo etnico e stavo facendo incetta di tacos messicani, riso basmati, barattoli di zuppa di noodles tailandese, quando dalla tasca del giaccone sentii arrivare, in crescendo, le note di «oh Susanna». L'ultima improbabile suoneria con cui avevo personalizzato il mio cellulare. Non riconobbi il numero.

«Pronto?».

«Guido Guerrieri?». Voce di donna.

«Chi parla?».

«Claudia».

Stavo per dire Claudia chi? Poi la riconobbi.

«Ah, ciao». Subito dopo mi ricordai che ci davamo del lei. Perché mi era venuto di dire ciao, non lo so. Ci fu un istante di silenzio.

«... ciao».

A quel punto ero in imbarazzo. Non sapevo se dovevo darle del tu o del lei, anche se dicendole *ciao* in qualche modo le avevo dato già del tu. A volte penso di essere socialmente inadeguato. Scelsi la forma impersonale. Tipica dei socialmente inadeguati, appunto. Quelli che quando incontrano per strada qualcuno cui non sanno come rivolgersi dicono: *salve*.

«Tutto bene? Ci sono novità?».

«Ho telefonato al tuo studio e mi hanno detto che non c'eri. Allora mi sono ricordata che mi avevi chiamato sul cellulare e che avevo memorizzato il tuo numero. Ti ho disturbato?».

Beh, starei trattando una delicata questione di traffico internazionale di involtini primavera, ma comunque vedrò di trovare un minuto per te, suora.

Nessun disturbo, ovviamente.

Mi disse che l'indomani avrebbe tenuto uno stage della sua arte marziale. Era aperto al pubblico, e se avevo ancora voglia di vedere com'era, potevo andare in questa palestra dalle parti del carcere. Lei ed i suoi allievi sarebbero stati lì dalle sei alle nove di sera.

Ero sorpreso, ma dissi che ci sarei andato; lei disse va bene, e riattaccò. Senza salutare.

Il pomeriggio dopo uscii dallo studio alle sei e mezzo facendo rinviare un appuntamento con un cliente che doveva venire a pagare, e che quindi non fece nessuna obiezione. Decisi di andare a piedi, anche se era piuttosto lontano, e alle sette e un quarto ero all'indirizzo che mi aveva dato Claudia. Era una palestra dove facevano danza, yoga, cose del genere. Si chiamava *Corpopsiche* ed entrando pensai che stavo per assistere a qualcosa di vagamente esoterico del tipo zen, meditazione, movimenti languidi e spiritualità orientale. Cose per cui non vado matto.

Allora mi sentii improvvisamente un po' a disagio all'idea di perdere un pomeriggio di lavoro in quel modo e così mi dissi che sarei rimasto una mezz'ora per buona educazione. Poi avrei salutato e me ne sarei tornato in studio, magari chiamando un taxi per fare prima.

La palestra aveva il parquet, un grande specchio che occupava tutta una parete, un corrimano per gli esercizi della danza classica. Esattamente quello che mi ero aspettato vedendo l'insegna. C'erano alcune panche, occupate da una decina di spettatori. Mi sedetti in uno dei pochi posti liberi.

Se la palestra corrispondeva a quello che avevo immaginato, le cose che succedevano sul parquet – la lezione – erano molto diverse. C'erano una ventina di allievi, quasi tutti maschi. Indossavano pantaloni neri di tela, magliette bianche a mezze maniche e scarpette nere. Suor Claudia era vestita allo stesso modo, ma la sua maglietta era nera e non bianca. Doveva essere il segno distintivo del maestro, come una cintura nera o qualcosa del genere.

Quello che facevano non assomigliava affatto alla danza, o allo yoga o a qualche cianfrusaglia new age. Si picchiavano con velocissimi pugni, e calci, e ginocchiate, e gomitate. Non controllavano i colpi, come si fa in molte arti marziali. Non erano movimenti eleganti, ma si capiva benissimo cosa sarebbe successo se quelle tecniche fossero state applicate in una situazione reale, in mezzo ad una strada, in una rissa.

Ero stupito, anche se, in un certo senso, quello che vedevo era coerente con le sensazioni che mi aveva comunicato suor Claudia, quando ci eravamo incontrati. Mentre seguivo l'allenamento mi venivano in mente le parole, in sequenza, per nominare quelle sensazioni. Diretta, veloce, brusca, aggressiva.

Cattiva.

La parola *cattiva*, come le altre, mi si materializzò spontaneamente in testa. In libera associazione; in sequenza, appunto. Non appena la sentii pronunciare dalla mia voce interna mi sentii a disagio come se l'avessi detta ad alta voce. O come se avessi scoperto e nominato una cosa che era meglio rimanesse nascosta.

Claudia, la suora cattiva.

Ad un certo punto dell'allenamento suor Claudia prese da una borsa un lungo fazzoletto nero, se lo passò sugli occhi, lo annodò dietro la nuca. Poi assunse una specie di posizione da combattimento mentre quello che sembrava l'allievo più esperto si metteva davanti a lei, vicino. Era un ragazzo alto almeno un metro e novanta, con i capelli rasati a zero e l'aria pericolosa.

Ad un segnale silenzioso ed invisibile lo studente cominciò a sferrare pugni verso il viso di Claudia, e lei cominciò a pararli. Tutti, ad occhi bendati.

Ho fatto pugilato per tanti anni. Ho visto, dato, parato, schivato e soprattutto preso un sacco di pugni. Nelle palestre, sui ring dei dilettanti, e anche per strada. Prima di quella sera non avevo mai visto una cosa del genere.

Si muovevano con un ritmo preciso e regolare che mi fece tornare in mente un documentario sul circo visto tanti anni prima. La televisione era ancora in bianco e nero e c'era un signore piuttosto anziano dall'aria simpatica che, sulla pista di un circo con le gradinate deserte, faceva scuola di giocoleria ad un gruppo di ragazzini. Anche lui aveva gli occhi bendati e faceva girare in aria tre, o quattro, o cinque palle senza farle mai cadere e procedendo sempre con lo stesso ritmo. Preciso e regolare. Sembrava avesse dei magneti sulle mani, e che le palle ne fossero inevitabilmente, fatalmente attratte.

Claudia faceva più o meno la stessa cosa, con i cazzotti lanciati verso la sua faccia al posto delle palle. Aveva le mani magnetiche e con quelle mani magnetiche attirava e deviava i pugni, rendendoli innocui come palle di pezza.

Nel pugilato ci avevano sempre detto di non chiudere mai gli occhi. Quando si attaccava e soprattutto quando ci si difendeva. Non bisognava mai perdere il controllo della situazione. *Vedere* quello che faceva l'avversario, percepire con gli occhi il suo movimento appena cominciava, ed essere pronti a reagire; parare, o schivare e contrattaccare. Mi ero sempre trovato a mio agio con questa idea. Occhi aperti, sempre. Associavo gli occhi chiusi alla paura, e gli occhi aperti, banalmente, al coraggio. Guardare diritto in faccia il problema, o l'avversario, o quello che sia. Una delle mie poche certezze.

Ad un certo punto il ritmo regolare parve alterarsi. Impercettibilmente i pugni, o le parate, diventarono più veloci e poi in un attimo fu tutto finito. L'allievo era a terra e suor Claudia su di lui. Gli torceva un braccio e gli teneva un ginocchio sulla faccia. Non ero riuscito a seguire bene il movimento che aveva portato a quella conclusione.

Lei si tolse la benda e tutti insieme fecero degli esercizi di rilassamento. Poi gli allievi si misero in fila davanti alla maestra. Si salutarono con un leggerissimo inchino, tenendo il pugno destro nel palmo della mano sinistra, le braccia flesse davanti al petto.

Solo allora lei sembrò accorgersi della mia presenza e venne verso di me, mentre la classe lasciava il parquet, verso gli spogliatoi.

Mi alzai, lei mi salutò con un cenno del capo, ed io risposi allo stesso modo. Ero curioso adesso, avevo voglia di fare delle domande e mi ero del tutto dimenticato il progetto di prendere un taxi e tornare in studio.

«Non avevo mai visto una cosa del genere» dissi, senza un particolare sforzo di originalità. Gli incipit e le partenze non sono mai stati il mio forte. Lei non rispose niente, perché non c'era niente da rispondere.

«Non mi ricordo, come si chiama esattamente questa disciplina?» riprovai.

«Si chiama *Wing Tsun*».

«Non è proprio una cosa da ragazzine».

«La maggior parte delle cose da ragazzine, come quelle da ragazzini, non sono interessanti. La leggenda racconta che il *Wing Tsun* fu ideato da una monaca, per consentire anche a persone fisicamente deboli di prevalere su avversari molto grossi e forti. Del resto leggende del genere esistono in tutte le arti marziali. La più bella è quella sulle origini del *ju-jutsu*. Quella del medico giapponese e del salice piangente. La conosci?».

«No. Raccontamela».

«C'era un medico, nel Giappone antico, che aveva passato molti anni a studiare i metodi di combattimento. Voleva scoprire il segreto della vittoria ma era insoddisfatto, perché alla fine in ogni sistema a prevalere era la forza, o la qualità delle armi, o espedienti ignobili. Questo significava che per quanto uno si allenasse e studiasse le arti marziali, per quanto fosse forte o preparato, avrebbe sempre potuto trovare un altro più forte, o meglio armato, o più scaltro, che l'avrebbe sconfitto».

Si interruppe, come se le fosse passato per la testa un pensiero molesto.

«Ti interessa davvero o vuoi solo essere gentile?».

Cosa si risponde a una domanda del genere? Fatta da una signorina – una suora – che ha appena finito di pestare un energumeno di unmetroenovanta, come se stesse facendo un gioco di prestigio? Niente, si risponde. È chiaro.

Mi limitai a guardarla in faccia con una espressione leggermente buffa del tipo: *potremmo-anche-finirla-con-queste-schermaglie*. O anche: *non-sono-il-tipo-che-dice-una-cosa-solo-per-essere-gentile*.

Incredibilmente funzionò. I suoi tratti si rilassarono un poco, e la sua faccia per la prima volta perse un po' della sua durezza. Trasformandosi. Carina, mi scappò di pensare, ma subito repressi il pensiero, vergognandomene. Anche se molto, molto strana, Claudia era una suora; ed io dalle suore avevo fatto tutte le scuole elementari. Certi schemi, certi modelli, certe associazioni sono molto difficili da abbandonare, se hai fatto le elementari dalle suore. Non si dice, e nemmeno si pensa che una suora è *carina*.

Claudia riprese a raccontare senza fare altri commenti. Io smisi di pensare alle suore, in generale ed in particolare; e ai miei banali tabù.

«Insomma, questo medico era avvilito, perché non faceva progressi nella sua ricerca. Un giorno d'inverno era seduto vicino ad una finestra, mentre fuori nevicava da ore. Guardava fuori, seguendo i suoi pensieri. Tutto il paesaggio era imbiancato, con tanta, tantissima neve. I prati, le rocce, le case erano coperti di neve. Ed anche gli alberi. I rami degli alberi erano carichi di neve, e a un certo punto il medico vide il ramo di un ciliegio che cedeva per il peso della neve, e si spezzava. Poi successe la stessa cosa con una grossa quercia. Era una nevicata mai vista».

Certamente io ho un'indole infantile. Mi piace che mi raccontino delle storie, se chi le racconta è bravo. Claudia era brava ed io volevo sapere come andava a finire.

«Nel parco, un po' più lontano dalla finestra, c'era uno stagno e intorno dei salici piangenti. La neve cadeva anche sui rami dei salici, ma non appena cominciava ad accumularsi, quei rami si piegavano e la neve cadeva a terra. I rami dei salici non si spezzavano. Vedendo quella scena il medico provò un improvviso senso di esultanza e si rese conto di essere giunto alla fine della sua ricerca. Il segreto del combattimento era nella non-resistenza. Chi è cedevole supera le prove; chi è duro, rigido, prima o poi viene sconfitto, e spezzato. Prima o poi troverà qualcuno più forte. *Ju-jutsu* significa: *arte della cedevolezza.* Il segreto era la cedevolezza. Nel *Wing Tsun* è più o meno la stessa cosa».

Pensai che se il segreto era la cedevolezza, non sembrava che lei se ne fosse impossessata del tutto. Per dirla chiaramente: Claudia non dava l'impressione di una persona *cedevole.*

Lei mi lesse nel pensiero. O più probabilmente si limitò a proseguire il discorso che aveva in mente.

«Ovviamente bisogna intendersi su cosa significhi cedevolezza. Significa resistere fino ad un certo punto, e poi sapere esattamente in quale momento cedere, e sviare la forza dell'avversario, che alla fine si ritorce contro di lui. Il segreto dovrebbe essere nel saper trovare il punto di equilibrio fra resistenza e cedevolezza; cedevolezza e resistenza; debolezza e forza. Il principio della vittoria dovrebbe essere tutto qui. Fare esattamente il contrario di quello che l'avversario si aspetta, e che a te verrebbe naturale, o spontaneo. Qualunque cosa significhino queste due parole».

Già, pensai. Vale anche per altro. Fare esattamente il contrario di quello che l'avversario si aspetta, e che a te stesso verrebbe naturale o spontaneo. Qualunque cosa significhino queste due parole.

Mi venne in mente un libro che avevo letto qualche mese prima.

«È una bella storia. Mi ricorda quello che dice Sun Tzu in quel libro di strategia militare cinese».

Una sfumatura di stupore le attraversò la faccia. Che ne sapevo io, di Sun Tzu, della strategia militare cinese e tutto il resto?

«L'arte della guerra».

«Appunto. Dice che la strategia è l'arte del paradosso».

«Giusto. Hai letto quel libro?».

No, ho un manuale con tutte le citazioni utili per ogni circostanza. Questa l'ho presa dal capitolo: *Come impressionare le suore maestre di arti marziali.*

«Sì».

«Perché?».

Che cazzo di domanda. Perché? Perché si legge un libro? Che ne so? Perché mi andava. Perché me lo sono trovato davanti quando non avevo niente da leggere, o da fare. Perché mi ha incuriosito la copertina; o il titolo. O due parole messe una vicina all'altra, in una pagina aperta a caso.

Perché si legge un libro?

«Non lo so. Voglio dire, non c'è un perché. L'ho visto in libreria, l'ho preso e l'ho letto. Questa storia del paradosso era quella che mi aveva colpito di più, anche se non ero sicuro di aver capito, quando l'ho letto. Adesso mi sembra più chiaro».

Claudia mi guardò ancora qualche istante in faccia. Non era più sicura della classificazione che mi aveva attribuito, qualunque essa fosse.

Poi piegò le labbra, per una frazione di secondo. La sua idea di un sorriso. Il primo. Alzò la mano a fare ciao; un gesto un po' goffo, questo, e simpatico. Poi, senza dire niente altro si girò e andò verso gli spogliatoi. Senza aspettare la mia risposta.

Così uscii dalla palestra e guardai l'orologio. Non avrei preso nessun taxi, e del resto non sarei nemmeno tornato in studio.

Erano quasi le dieci, ed era ora di andare a casa.

Mi misi in movimento a testa bassa. Camminando veloce verso il centro, fra negozi chiusi, circoli ricreativi e pub, mescolavo nella testa tutto quello che avevo visto e sentito.

22

A Bari Vecchia, proprio di fronte al fossato del Castello Svevo, tanti anni fa c'era una pizzeria. Piccolissima, una sola stanza con il bancone del pizzaiolo, il forno, la cassa.

Da Nino, si chiamava. Non c'erano tavoli – e dove li dovevano mettere? Facevano solo la pizza Margherita e la romana con le acciughe. Il pizzaiolo era un uomo sulla cinquantina, piccolo e magro, con la faccia scavata, gli occhi febbricitanti che non guardavano nessuno. Poggiava le pizze bollenti con la pala, su un minuscolo piano di marmo dove un ragazzo grasso, con la faccia butterata ed ostile, le incartava ad una ad una e ce le consegnava con gesti bruschi. Come se volesse toglierci di torno al più presto perché, chiaramente, noi non gli eravamo simpatici. Nessuno gli era simpatico.

Noi eravamo quattro amici e andavamo a mangiarci le pizze con le mani, sul muretto del fossato. La pizza migliore di Bari, dicevamo scottandoci lingua e palato, cercando di evitare che la mozzarella incandescente ci finisse sugli abiti.

Non lo so se era davvero la pizza migliore di Bari. Forse era solo una pizza normale, come tante altre; ma noi ci sentivamo molto bohémien a sconfinare di sera nella città vecchia, che allora era un posto proibito e pericoloso. Forse era solo una pizza normale, ma noi avevamo vent'anni e la mangiavamo, e bevevamo la birraperoni dalle bottiglie grandi, e poi accendevamo le nostre sigarette stando seduti su quel muretto. Restavamo lì a parlare, e a fumare, e a bere birra fino a tardi, tollerati dagli abitanti della zona; fino a quando gli abitanti della zona non se ne andavano a dormire e la pizzeria chiudeva.

Non mi ricordo di cosa parlavamo. Solite cose di ragazzi di vent'anni, credo. Ragazze, politica, sport, libri che leggevamo

– o che avremmo voluto scrivere – di come avremmo cambiato le cose, e lasciato un segno, se non ci avesse preso la stanchezza. Come era successo agli altri.

Quando era molto tardi, in certe sere di primavera avanzata, tornavamo a casa attraversando la città vecchia, completamente deserta. Densa di odori forti, sporca, inquietante e bella.

L'aria vibrava delle nostre possibilità infinite, in quelle sere di primavera. Vibrava nei nostri occhi un po' sfuocati dalla birra, sulle nostre pelli tese e abbronzate, sui nostri muscoli giovani.

Sulla nostra voglia rabbiosa di tutto.

Emilio Ranieri si era suicidato di martedì. Il giorno più stupido.

Se ne era andato di sera sulla perimetrale dell'aeroporto, dove tanti anni prima andavamo a guardare l'atterraggio notturno dell'ultimo volo da Roma. Aveva attaccato un tubo di gomma allo scappamento della sua macchina e aveva fatto passare l'altra estremità nell'abitacolo. Poi aveva chiuso tutti i finestrini, aveva acceso il motore e aveva aspettato.

Lo avevano trovato la mattina dopo, quelli della polizia aeroportuale. Nessun biglietto in macchina, nessun biglietto a casa. Niente.

La notizia la seppi nel pomeriggio, mentre ero in studio. Continuai a lavorare come se non fosse successo niente, fino alla chiusura. Quando rimasi solo telefonai a Margherita.

Non ci fu bisogno di dirle che non rientravo a casa, quella sera.

Me ne andai in giro per la città, alla ricerca di ricordi, di un senso o di qualcosa d'altro. Che naturalmente non c'era.

Andai in giro per i nostri posti. Andai davanti al mare, vicino all'ingresso monumentale della Fiera del Levante; camminai intorno al Teatro Petruzzelli, che non era più un teatro, ma solo un involucro rosso nel centro della città; mi sedetti su una macchina di fronte a dove c'era stato il Jolly, minuscolo, mitico cinema di terza visione. Dove adesso c'è solo una saracinesca chiusa e sporca. Ogni tanto facevo caso a certi tristi addobbi natalizi, alle luci intermittenti e angosciose sui balconi e nei negozi. Mancavano meno di due settimane a Natale.

A un certo punto mi venne anche in mente di prendere la macchina e andare sulla perimetrale dell'aeroporto.

Non lo feci. Per paura dei fantasmi, forse. O forse solo per timore che mi trovasse la polizia, magari mi portasse in ufficio e mi chiedesse cosa ci facevo lì, se c'entravo in qualche modo con il suicidio di Ranieri Emilio e tutto il resto. Non ci andai per non avere grane. Per vigliaccheria.

Alla fine mi ritrovai che era molto tardi davanti al castello, seduto sul muro del fossato, di fronte a dove era esistita la pizzeria *Da Nino*.

Quella è una zona che non è mai stata invasa dal movimento notturno degli ultimi anni. A poche centinaia di metri c'è un confine invisibile. Di là i pub, le vinerie, le pizzerie, i piano bar, i ristoranti vegetariani, le finte osterie tradizionali; e una fiumana di gente per tutta la notte. Di qua, intorno al castello, appunto, quelli di barivecchia. Giusto un paio di vecchi spacci di birra; una signora che d'estate arrostisce la carne su un fornello abusivo per strada; un'altra che frigge le sgagliozze di polenta. Ragazzini che giocano a pallone per strada; pregiudicati, sorvegliati speciali a gruppetti vicino al ponte levatoio. Cioè quello che era stato un ponte levatoio, ma che adesso è un piccolo ponte di pietra e basta. Polizia che ogni tanto arriva e si porta via i sorvegliati speciali, per *fare il verbale,* come dicono loro. I sorvegliati speciali hanno il divieto di incontrarsi fra loro, e in generale di frequentare pregiudicati. Se lo fanno commettono un reato. Ma loro lo fanno lo stesso. Gli altri pregiudicati sono i loro amici. Con chi dovrebbero incontrarsi e fermarsi a fare due chiacchiere? Il loro posto preferito è il ponte del castello. Lo sanno tutti e ovviamente lo sa anche la polizia – la questura è a poche centinaia di metri – che va lì quando ha bisogno di fare un po' di statistica con le denunce.

Quelli della vita notturna non vanno vicino al castello e nemmeno ci si avvicinano. Così la sera tardi, quando la gente del posto è andata a dormire, lì è deserto. Com'era tanti anni prima.

Mi sedetti sul muretto senza sapere perché ero andato lì. Senza sapere perché me ne ero andato in giro. Senza sapere niente. Guardando nel vuoto, senza nemmeno riuscire a mettere a fuoco un ricordo preciso. Un discorso, una voce, qualcosa percepita dai sensi in qualche momento del passato remoto. Nel quale avevamo abitato prima di partire verso il niente.

«Avvocato, tutto a posto? Ci stanno problemi?».

Sussultai, come quando ti scuotono mentre sei sul punto di addormentarti.

Era uno spacciatore che avevo difeso qualche anno prima; non mi ricordavo il suo nome. La sua faccia assomigliava al muso di una tartaruga, con qualcosa di bonario e di assente insieme.

«Un mio vecchio amico si è suicidato, e io sono triste. Molto triste».

Quello non disse niente – solo un lieve cenno col capo – e dopo averci pensato qualche secondo si sedette sul muro, vicino a me. Rimanemmo così in silenzio, mentre anche dai vicoli del borgo antico si spegnevano gli ultimi rumori ed io avvertivo una strana sensazione di quiete.

Dopo qualche minuto faccia-di-tartaruga si alzò e sempre senza dire niente mi diede la mano. Mi venne naturale alzarmi in piedi, in segno di rispetto.

Aveva una mano piccola e una presa delicata, ma non debole.

Se ne andò verso la Cattedrale. Io mi incamminai nell'altra direzione, ascoltando il rumore dei miei passi sulle vecchie pietre lucide e deserte.

23

Dopo quella sera non pensai più ad Emilio. I giorni passarono, fluidi e silenziosi. Senza ritmo, senza colore. Senza niente.

Qualche giorno prima di Natale mi telefonò Claudia. Una telefonata strana. Mi fece gli auguri, io ricambiai e poi rimanemmo in silenzio. Un silenzio carico di imbarazzo. Mi sembrò che avesse chiamato per un motivo preciso, per dirmi una cosa precisa, diversa dagli auguri di Natale; e mentre il telefono squillava avesse cambiato idea.

Rimanemmo in silenzio ed io avevo la strana sensazione di stare in bilico da qualche parte, o su qualcosa. Poi avevamo chiuso senza che io avessi capito.

E probabilmente senza che anche lei avesse capito.

Il ventitré dicembre arrivò in studio una cartolina dal Senegal. C'era scritto solo: *per Natale e per il nuovo anno*. Senza firma.

Era Abdou Thiam, il mio cliente senegalese – venditore ambulante in Italia, maestro elementare in Senegal – che l'anno prima era stato processato con l'accusa di avere rapito e ucciso un bambino di nove anni. Dopo essere stato assolto era tornato nel suo paese e ogni tanto mi mandava delle cartoline, con poche parole o a volte nessuna. Sempre senza firma e senza il suo indirizzo. Abdou era andato vicinissimo all'ergastolo e quelle cartoline erano il suo modo per farmi sapere che non dimenticava quello che avevo fatto per lui. Ripensai per qualche minuto a quel processo e a tutti i fatti che erano accaduti subito prima e subito dopo. Mi parve che fosse passata una vita intera, invece che meno di due anni e allora mi dissi che non avevo nessuna voglia di affrontare una riflessione sul senso del tempo e sulla natura dei ricordi. Così misi via la cartolina, in un cassetto insieme alle altre e chiamai Maria Teresa. Per sbrigare le ultime carte, andare via e lasciarmi risucchiare, e stordire, dalle strade affollate e frenetiche.

Per la sera della vigilia di Natale eravamo stati invitati a casa di amici. Margherita disse che noi due ci saremmo scambiati i regali prima di uscire e così, alle nove, vestiti di tutto punto, ci ritrovammo a casa sua vicino al piccolo albero di Natale decorato con pigne giganti e fette sottili di agrumi essiccati. Erano quasi trasparenti e mandavano riflessi colorati. La casa era piena di odori buoni. Di aghi d'abete, di pulito, di candele profumate, del dolce al cioccolato e alla cannella che Margherita aveva preparato per quella sera di festa. Le casse dell'impianto stereo diffondevano le note allegre di *Bright side of the road*.

«Sei pericolosamente a mani vuote, Guerrieri? Se tiri fuori da sotto la giacca un altro libro o un disco o qualunque cosa non sia un *vero* regalo giuro che ti lascio stasera stessa e poi vado a fidanzarmi – per così dire – con un maestro di balli sudamericani».

«Mi ero sbagliato sul tuo conto. Pensavo che fossi una ragazza sensibile, poco materiale, interessata alle arti, alle lettere, alla musica. E comunque non mi sembra di vedere cumuli di regali per me, sotto quest'albero».

«Siediti e aspetta qui» fece lei scomparendo in direzione della cucina. Tornò un minuto dopo, spingendo un enorme pacco, di forma irregolare, confezionato con carta blu elettrico e un fiocco rosso.

«Questo è il tuo regalo, ma se non vedo il mio non ti puoi nemmeno avvicinare».

«Ma non conosci il piacere puro di donare, per la gioia dell'altro, senza contropartite che non siano la sua gratitudine e il suo sorriso? Non conosci...».

«No. Conosco il baratto. Tira fuori il mio regalo».

Scossi la testa. Va bene, visto che non capisci la poesia del donare, vado.

Andai alla porta, uscii sul pianerottolo e tornai dentro portando per il manubrio una bicicletta elettrica rossa, lucida e bellissima.

«Come schiaffo morale ti sembra sufficiente?».

Margherita accarezzò a lungo la bicicletta, come se averla vista non bastasse. Come una persona che conosce le cose toccandole, e non solo guardandole. Poi mi diede un bacio e disse che adesso potevo aprire il mio regalo.

Era una sedia a dondolo, di legno e vimini. Ne avevo sempre desiderata una, da quando ero piccolo, ma non mi ricordavo di averlo mai detto. Mi ci sedetti e provai a dondolarmi chiudendo gli occhi.

«Buon Natale» dissi dopo uno o due minuti. Sottovoce, sempre con gli occhi chiusi, come se stessi parlando da solo in una specie di dormiveglia.

«Buon Natale» rispose – anche lei sottovoce – mentre con le dita mi sfiorava i capelli, il viso, gli occhi.

Seconda parte

1

Sinistro, sinistro, destro, ancora gancio sinistro.
Jab, jab, montante destro, gancio sinistro.
Sinistro, destro, sinistro.
Destro.
Fine.

Steso sul divano guardavo un documentario sportivo; su Cassius Clay-Mohammed Alì. Per chi ha un'idea di quello che davvero succede su un ring, guardare i combattimenti di Mohammed Alì è strabiliante.

Per esempio il movimento delle gambe. Per capirlo davvero devi essere salito su di un ring. Pochi lo sanno ma la superficie del ring è soffice. Non è facile saltellarci su.

È strabiliante vedere quell'uomo, che adesso si trascina sotto i colpi del Parkinson, ballare in quel modo. Centodieci chili che danzano con la leggerezza di una farfalla. Ballo come una farfalla, pungo come una vespa, così diceva di sé.

I pugni fanno male, e di regola sono brutti. Proprio per questo c'è qualcosa di incredibile in quella grazia sovrumana. Come un superamento della materia e della paura, un salire dal fango e dal sangue verso una specie di ideale di bellezza.

Il documentario finiva mescolando le immagini del giovane Cassius Clay – bello e invincibile – che ballava leggero, quasi immateriale durante un allenamento in palestra, a quelle del vecchio Mohammed Alì che accendeva il fuoco dell'olimpiade di Atlanta. Tremando, con la faccia terribilmente concentrata per non sbagliare quel movimento così facile, una espressione perduta in lontananza.

Pensai a quando sarei diventato vecchio. Mi chiesi se me ne sarei accorto. Pensai che ne avevo una paura tremenda. Mi chiesi se a settant'anni – se ci fossi arrivato – sarei stato capace di reagire, quando qualcuno mi avesse aggredito per strada. È un pensiero idiota, lo so. Ma pensai proprio quello e mi sentii infradiciare dalla paura.

Così mi alzai dal divano mentre scorrevano i titoli di coda del documentario, mi tolsi scarpe, camicia e pantaloni e rimasi in calze e mutande. Poi presi i guantoni che erano appesi al muro, li misi e impostai la sveglia sui tre minuti di un round regolare, da professionista.

Ne feci otto, di round, con intervalli di un minuto ogni volta, picchiando come se fosse in gioco un titolo, o la vita. Senza pensare a niente. Nemmeno alla mia vecchiaia che sarebbe arrivata, prima o poi.

Poi andai a ficcarmi sotto la doccia. Le braccia mi facevano male e avevo gli occhi un po' annebbiati. Ma il resto era passato, per quella sera.

2

Con Martina e Claudia ci incontrammo in un bar vicino al tribunale, mezz'ora prima dell'inizio dell'udienza. Per riepilogare le istruzioni su come Martina doveva comportarsi.

Nei giorni precedenti mi aveva portato la sua documentazione clinica, ed io l'avevo confrontata con quella prodotta in udienza da Dellisanti. Era la stessa. Cioè quella di Dellisanti era una fotocopia della nostra. Mentre le confrontavo avevo fatto caso ad un particolare, che avevo annotato sui miei appunti con la penna rossa. Era un particolare importante.

Martina si ricordava bene di tutto quello che le avevo detto un mese prima. Era tesa, fumò, una dopo l'altra, cinque o sei sigarettine, ma tutto sommato sembrava avesse il controllo.

Quando finimmo il riepilogo delle istruzioni tornò a chiedermi se Scianatico ci sarebbe stato quella mattina. Le dissi di nuovo che non lo sapevo ma che, dovendo fare una previsione, avrei detto di sì. Io, al posto di Dellisanti, lo avrei fatto comparire in udienza.

Vide che mi ero portato la documentazione clinica e mi chiese a cosa mi servisse. Per farle quelle domande di cui avevamo già parlato, risposi.

Mi serviva anche per un'altra cosa. Che Dellisanti ed il suo cliente non si aspettavano, ma questo lo tenni per me. Chiesi se c'erano altre domande. Non ce n'erano e allora dissi che potevamo andare in tribunale.

Scianatico c'era. Seduto vicino al suo avvocato consultava il fascicolo. Sembrava tranquillo. Un professionista in mezzo ad altri professionisti. Era elegante e abbronzato. A guardarlo così non aveva l'aspetto di uno che deve difendersi da una accusa infamante. Come si dice.

Con lui e con Dellisanti scambiammo solo un cenno di saluto, il minimo indispensabile.

Alessandra Mantovani invece non era in aula. Al suo posto un viceprocuratore onorario; uno mai visto prima, con sopracciglia foltissime, peli che gli uscivano da grandi narici e dalle orecchie, occhi cerchiati, semichiusi e leggermente iniettati di sangue. Aveva l'espressione di un facocero e seri problemi di padronanza del *basic italian*.

Trattenendo il fiato gli chiesi se era stato delegato per tutta l'udienza. Cioè anche per il nostro processo. Nel qual caso potevamo andare tutti a casa senza perdere nemmeno un minuto di più.

No – rispose Facocero – non era delegato per tutta l'udienza; c'era una cosa che doveva fare personalmente la dottoressa Mantovani e lui doveva chiamarla quando fossero finiti gli altri processi. Poi si accasciò sui fascicoli che aveva davanti, sul banco; esausto per lo sforzo di eloquenza. Notai che portava la fede, e mi venne spontaneo chiedermi come potesse essere sua moglie, e se lui l'aveva conquistata con quei bei peli lunghi e neri che venivano fuori dal naso e dalle orecchie. Magari li aveva anche lei, uguali.

Magari io ero fuori di testa, pensai conclusivamente archiviando l'argomento.

Arrivò Caldarola, ci fu qualche patteggiamento, qualche rimessione di querela, qualche rinvio. Poi il giudice andò in camera di consiglio a scrivere i dispositivi di sentenza ed il viceprocuratore-facocero scomparve.

Qualche minuto dopo arrivò Alessandra Mantovani. Scianatico e Dellisanti si alzarono per stringerle la mano, cosa che non avevano fatto con me. Non mi piacque. Non che avessi voglia di stringere loro la mano. Ma quel comportamento era un messaggio. Significava: lo sappiamo che tu, pubblico ministero, fai il tuo lavoro e non ce l'abbiamo con te. Lo stronzo è lui – cioè io – e con lui faremo i conti, quando questa storia sarà finita. Alessandra restituì la stretta di mano, prima a Dellisanti, poi a Scianatico, con un sorriso gelido. Solo le labbra si mossero, una frazione di secondo; gli occhi invece rimasero immobili, gelidi e puntati sulle loro facce.

Anche quello era un messaggio.

Poi suonò la campanella che annunciava il rientro in aula del giudice.

Stavamo per cominciare.

«Allora chi è il primo testimone del pubblico ministero?».

«Giudice, il pubblico ministero chiama a deporre la persona offesa, signora Martina Fumai».

L'ufficiale giudiziario uscì dall'aula e si sentì la sua voce che chiamava il nome di Martina. Qualche istante dopo rientrarono insieme. Martina era in jeans, maglione a collo alto e giacca.

Si sedette, diede le generalità e poi il cancelliere le passò il cartoncino plastificato, sudicio delle mille mani che lo avevano toccato, con la formula da recitare prima della deposizione.

«Consapevole della responsabilità morale e giuridica che assumo con la mia deposizione mi impegno a dire tutta la verità e a non nascondere nulla di quanto a mia conoscenza».

La voce era sottile, ma abbastanza ferma. Martina guardava avanti a sé e sembrava concentrata.

«Il pubblico ministero può procedere all'esame».

«Buongiorno dottoressa Fumai. Può dirci quando ha conosciuto l'imputato Scianatico Gianluca?».

Alessandra Mantovani era nata per fare quel lavoro. Interrogò Martina per più di un'ora, senza sbagliare un colpo. Le sue domande erano brevi, chiare, semplici. Il tono era professionale, ma non freddo. Martina raccontò tutta la sua storia e non ci fu una sola opposizione in tutto l'esame. Quando toccò a me, come mi ero aspettato, era rimasto molto poco da chiedere. Praticamente solo la questione del ricovero e dei problemi psichiatrici. Il giudice mi diede la parola, e dal suo tono si capì benissimo che non aveva dimenticato quello che era successo la scorsa udienza.

«Dottoressa Fumai, lei ha già risposto a lungo alle domande del pubblico ministero. Non tornerò su quegli argomenti. Ho da farle solo qualche domanda su alcune sue vicende passate. Va bene?».

«Va bene».

«Negli anni passati lei ha avuto qualche problema di natura nervosa?».

«Sì. Ho avuto un esaurimento nervoso».

«Può dirci se ciò è accaduto prima o dopo di conoscere l'imputato?».

«È accaduto prima».

«Ci dica per piacere quando, e ci racconti brevemente quale fu la causa di questo esaurimento».

«Credo, due... no forse tre anni prima che ci conoscessimo. Ebbi dei problemi legati allo studio».

«Ci può brevemente illustrare la natura di questi problemi?».

«Non riuscivo a laurearmi. Mi mancava un solo esame, lo avevo tentato più volte senza riuscirci... e insomma a un certo punto ebbi un crollo».

«Mi rendo conto che per lei è piuttosto penoso ricordare questi fatti, ma potrebbe dirci cosa successe?».

Alla mia destra Dellisanti e Scianatico parlavano concitatamente. Non si aspettavano quello che stava succedendo. Mi immaginai le domande insinuanti che dovevano essersi preparate. Ha avuto *malattie* psichiatriche? È stata sottoposta a terapie di psicofarmaci? È pazza? Eccetera. Pensai soddisfatto alle uova rotte nei loro panieri. Fanculo.

«Dopo aver provato quell'esame per... cinque volte, la sesta ero disperata. Avevo avuto una vita universitaria difficile, faticosa. Quando mi era rimasto un solo esame avevo pensato che oramai fosse fatta. E invece mi stavo bloccando, proprio sull'ultimo ostacolo. Per il sesto tentativo studiai follemente, quattordici ore al giorno, forse anche di più. Non riuscivo a dormire ed ero costretta a prendere degli ansiolitici. La notte prima dell'esame rimasi completamente sveglia, cercando di ripassare. Quando la mattina dopo fu il mio turno, mi ero addormentata sul banco e non sentii la chiamata».

«Quanti anni aveva allora? E quanti ne ha adesso?».

«Ne avevo ventotto, quasi ventinove. Adesso ne ho trentacinque».

«Fu dopo questo fatto che si rivolse ad uno specialista?».

«Dopo una decina di giorni fui ricoverata».

«Può dirci quali erano i suoi sintomi?».

Ci fu una pausa. Quello era il momento più difficile; se riuscivamo ad andare avanti il più era fatto. Martina fece un lungo respiro; faticoso, a scatti come se ci fosse una valvola che le impediva di prender fiato a pieni polmoni.

«Non avevo interesse per niente, pensavo alla morte, piangevo. Mi svegliavo la mattina presto, quando era ancora buio, in preda all'angoscia. Fisicamente mi sentivo debolissima, avevo continue cefalee, e anche dolori in tutto il corpo. Ma soprattutto avevo problemi gravi col cibo. Non riuscivo ad alimentarmi. Se provavo ad ingerire qualcosa, subito dopo la rigettavo».

Fece un'altra pausa, come se stesse raccogliendo le forze.

«Dovettero alimentarmi artificialmente. Flebo e anche una sonda».

Lasciai che la crudezza di quel racconto si depositasse, prima di passare alle altre domande.

«Aveva disturbi della percezione, allucinazioni, altro?».

Martina per la prima volta distolse lo sguardo dal punto indefinito davanti a sé, sul quale era stata concentrata, disciplinatamente, dall'inizio della deposizione. Si voltò verso di me e mi guardò. Stupita. Che volevo dire? Che c'entravano le allucinazioni?

«Aveva allucinazioni dottoressa Fumai? Vedeva cose inesistenti, sentiva voci?».

«No, certamente no. Non ero... non sono pazza. Avevo un esaurimento nervoso».

«Per quanto tempo è stata ricoverata?».

«Tre settimane, forse qualcosa di più».

«Perché la dimisero?».

«Perché avevo ricominciato ad alimentarmi».

«E dopo?».

«Facevo incontri di psicoterapia, e prendevo dei farmaci».

«Quanto è durata la terapia?».
«Con i farmaci qualche mese. Le sedute di psicoterapia... forse un anno e mezzo».
«Poi è riuscita a laurearsi?».
«Sì».
«Quando conobbe l'imputato si era già laureata?».
«Sì, lavoravo già».
«Quando conobbe l'imputato lei era ancora in terapia?».
«No, la terapia vera e propria era finita. Ogni tre o quattro mesi avevo un incontro con il mio terapista. Erano, come si dice... incontri di verifica».
«Durante la vostra relazione lei raccontò all'imputato dei problemi di cui adesso ci ha parlato?».
«Certo».
«Lei ha una copia della documentazione clinica relativa al suo ricovero?».
«Sì».
«L'aveva anche durante la convivenza con l'imputato?».
Altra pausa. Altro sguardo perplesso. Martina non capiva dove volevo arrivare. Io però lo sapevo bene. Dellisanti e Scianatico probabilmente lo stavano capendo.
«Certo».
«La documentazione clinica è questa? Giudice posso avvicinarmi alla teste e mostrarle questi documenti?».
Caldarola fece un cenno col capo e un gesto con la mano. Potevo avvicinarmi. Grazie stronzo.
Martina guardò per qualche istante quelle carte. Non aveva bisogno di molto tempo per riconoscerle visto che me le aveva date lei. Sollevò lo sguardo verso di me. Sì, era la sua cartella clinica; sì, quella che aveva tenuto a casa quando conviveva con Scianatico. No, non era mai stata custodita con qualche particolare accortezza; non in cassaforte e nemmeno chiusa a chiave in qualche cassetto.
«Grazie dottoressa Fumai. Io non ho altre domande per il momento, giudice. Invece devo chiedere l'acquisizione al fascicolo del dibattimento della documentazione esibita alla teste e dalla teste riconosciuta».

Dellisanti ci cascò e fece opposizione. Avrei dovuto chiedere l'acquisizione nella fase introduttiva, disse senza nemmeno alzarsi. E poi, a quanto pareva, si trattava della stessa documentazione che avevano prodotto loro. E quindi era una richiesta superflua.

«Giudice, potrei dire che se si tratta della stessa documentazione prodotta dalla difesa dell'imputato, non si capisce il perché dell'opposizione. O forse si capisce molto bene, ma su questo ci soffermeremo al momento opportuno. È vero, si tratta della stessa documentazione prodotta dalla difesa dell'imputato. La loro è una copia ed anche la nostra è una copia, fatta direttamente dalla cartella clinica della casa di cura. Ma sulla nostra copia ci sono alcune annotazioni a penna, fatte dal medico che ebbe in cura la persona offesa dopo il ricovero. Queste annotazioni, dicevo, sulla nostra copia sono a penna in originale. E dunque si può dire che la nostra documentazione è contemporaneamente copia ed originale. Basta dare un'occhiata alla nostra documentazione e a quella prodotta dalla difesa, per rendersi conto che la loro è una copia della nostra. Per le ragioni che spiegheremo meglio in sede di discussione ma che lei, giudice, ha già sicuramente intuito, è rilevante l'acquisizione di questa nostra copia».

Caldarola non aveva argomenti per rigettare la mia richiesta, e quelli proposti da Dellisanti erano davvero inconsistenti. Così ammise la produzione e poi disse che avremmo fatto dieci minuti di pausa prima di passare al controesame della difesa.

3

Quando Caldarola disse a Dellisanti che poteva procedere al controesame, quello rispose, senza alzare la testa: «Grazie signor giudice, un attimo solo». Frugava fra le sue carte, come se stesse cercando un documento indispensabile per cominciare il suo interrogatorio.

Faceva finta. Un trucco, per aumentare la tensione di Martina; per costringerla a girarsi verso di lui e incrociare il suo sguardo. Lei fu brava. Rimase immobile per tutto il tempo. Non si voltò verso il banco della difesa ed alla fine, quando il silenzio stava diventando imbarazzante, fu Dellisanti a cedere. Chiuse il suo fascicolo, senza tirar fuori niente, e cominciò.

Il primo colpo ti è andato male grassone, pensai.

«Se ho capito bene lei incontra periodicamente, sistematicamente, uno psichiatra. È esatto, *signorina*?». Calcò *signorina*; perché fosse chiaro che era un insulto. Voleva dire: donna che si avvia alla mezza età e che non è riuscita a farsi sposare da nessuno.

«Abbiamo degli incontri, ogni tre, quattro mesi. È una specie di consulenza. E comunque è uno psicoterapeuta».

«È corretto dire dunque che dal momento del suo crollo nervoso e del suo ricovero in un reparto psichiatrico lei non ha mai interrotto il trattamento dei suoi disturbi psichici?».

Mi alzai a metà, con le mani appoggiate sul banco.

«Opposizione giudice. Strutturata in questi termini la domanda è inammissibile. Non mira ad ottenere una risposta, cioè informazioni testimoniali utili per la decisione, ma di fatto, è concepita per ottenere solo un effetto offensivo ed intimidatorio».

«Non faccia il processo alle intenzioni avvocato Guerrieri. Vediamo cosa ha da dire la teste. Risponda alla domanda signorina. È vero che non ha mai interrotto la terapia?».

«No signor giudice, non è vero. La terapia vera e propria è durata, come ho detto prima, un anno e mezzo, forse un po' di più. Durante quel periodo avevo due incontri alla settimana con il mio terapeuta. Poi abbiamo ridotto ad una volta alla settimana, poi due volte al mese...».

«Riformulo la domanda, *signorina*. È corretto dire che lei non ha *mai* interrotto i suoi incontri con lo psichiatra, ma ne ha solo ridotto la frequenza?».

«Messa in questi termini...».

«Può dirmi se ha mai interrotto gli incontri con lo psichiatra? Sì o no?».

Martina serrò la bocca e le sue labbra diventarono sottilissime. Per un attimo ebbi l'assurda convinzione che si sarebbe alzata e se ne sarebbe andata senza dire più una parola.

«Non ho mai interrotto gli incontri con lo psicoterapeuta. Lo vedo tre o quattro volte all'anno».

«Quando è stata l'ultima volta che il suo psichiatra l'ha visitata?».

Ripeteva sistematicamente la parola *psichiatra*. Era quella che alludeva in modo più forte, anche se implicito, all'idea di malattia mentale. Era un gioco elementare e un po' sporco ma aveva senso, dal suo punto di vista.

«Non sono visite, sono incontri in cui parliamo».

«Non ha risposto alla mia domanda».

«L'ultima volta che sono andata dal mio...».

«Sì».

«... una settimana fa».

«Ah, una interessante casualità. Visto che lei insiste a precisare che si tratta di uno psicoterapeuta e tanto per chiarire l'equivoco terminologico: si tratta di un medico specializzato in psichiatria o di uno psicologo?».

«È un medico».

«Specializzato in psichiatria?».

«Sì».

«Per quale ragione continua ad andarci se è guarita, come lei dice?».

«Lui ritiene opportuno che ci incontriamo per verificare la situazione generale...».

«Scusi, la interrompo perché questo mi interessa. È lo psichiatra che ritiene necessari questi incontri periodici?».

«Non è che ritenga necessario...».

«Scusi. È lo psichiatra che ha detto, a un certo punto, quando riteneva che la sua situazione psichica fosse migliorata: non è più necessario che ci vediamo due volte alla settimana, ne basta una?».

«Sì».

«È lo psichiatra che ha detto, a un certo punto e per gli stessi motivi: non è più necessario che ci vediamo una volta alla settimana; ne bastano due al mese?».

«Sì».

«Lo psichiatra ha detto che dovrete incontrarvi per tutta la vita, anche se solo con quattro visite all'anno?».

«Tutta la vita? Che dice?».

«Quindi non prevede di averla in cura per tutta la vita».

«Certamente no».

«Quando i suoi problemi saranno del tutto superati lei potrà smettere di avere questi incontri? È esatto?».

Martina finalmente si girò verso di lui, lo guardò con la faccia di una bambina che si chiede perché gli adulti sono così stronzi. E non rispose. Lui non insistette. Non ce n'era bisogno. Era riuscito ad arrivare dove voleva. Avrei voluto spaccargli la faccia, ma era stato bravo.

Dellisanti fece una lunga pausa, per fissare bene il risultato che aveva ottenuto. Aveva una faccia apparentemente senza espressione. In realtà scrutando fra i suoi lineamenti si riusciva a cogliere una sfumatura indefinitamente brutale, e oscena.

«È esatto che una volta, durante una discussione alla presenza anche di altre persone – vostri amici – il professor Scianatico esasperato le disse testualmente: tu sei una *mitomane*, sei una *mitomane* e una *squilibrata*, sei *inaffidabile e pericolosa* per te stessa e gli altri?». Dellisanti cambiò tono, calcò la voce sulle parole mitomane, squilibrata, inaffidabile, pericolosa. Chi avesse ascoltato distrattamente avrebbe avuto la percezione di un avvocato che offendeva la testimone. Il che, poi, in fin dei conti era esattamente quello che Dellisanti stava facendo. Un vecchio trucco da quattro soldi, una provocazione per far perdere la calma. A volte funziona.

Stavo per fare opposizione, ma all'ultimo momento mi trattenni. Pensai che fare opposizione a quella domanda significava far vedere che ne avevo paura; che pensavo che Martina non fosse in grado di rispondere e di cavarsela. Rimanendo seduto e in silenzio, nei pochi secondi che passarono fra la domanda di Dellisanti e la risposta di Martina, sentii la tensione nei muscoli delle gambe e i battiti accelerati. I segni del corpo che sta per agire d'istinto e poi viene fermato da un comando del cervello. Gli stessi di quando stai per fare a botte e poi un lampo di ragionamento ti blocca.

Ebbi la certezza che anche Alessandra Mantovani avesse fatto lo stesso percorso mentale. Quando mi girai verso di lei vidi che si risistemava impercettibilmente sulla sedia, come se un attimo prima si fosse spinta sul bordo per alzarsi e fare opposizione.

Poi Martina rispose.

«Credo di sì. Credo che mi abbia detto più o meno quelle cose. Non una sola volta».

«Quello che voglio sapere è se lei si ricorda di una specifica occasione in cui queste cose le furono dette in presenza di vostri amici. Lo ricorda?».

«No, non ricordo una specifica occasione. Di sicuro mi ha detto cose del genere. E del resto mi diceva anche altre cose. Per esempio...».

Dellisanti la interruppe. Il tono era quello seccato e arrogante di chi si rivolge ad un subalterno che non esegue correttamente gli ordini ricevuti.

«Lasci stare le altre cose, *signorina.* La mia domanda era sul contenuto, sul contesto di quel litigio, se lo ricorda. Non quello che...».

«Giudice, vogliamo lasciare che la teste completi le sue risposte? La difesa formula una domanda per capire il contesto in cui certe espressioni – gravemente offensive, per inciso – furono formulate. Non può pretendere di delimitare arbitrariamente questo contesto a quello che desidera sentire, e censurare il resto della narrazione della teste. Tra l'altro utilizzando un tono inaccettabilmente intimidatorio».

Alessandra era ancora in piedi quando Dellisanti si alzò a sua volta, quasi gridando.

«Stia attenta a come parla. Io non permetto a nessun pubblico ministero di rivolgersi a me con questo tono e con simili contestazioni».

Non so come Alessandra fece ad incunearsi in quella sfuriata, con una sola frase, breve, rapida e micidiale come una pugnalata.

«Stia attento lei, avvocato; stia attento *a* lei». Lo disse con un tono che faceva gelare il sangue. C'era una violenza, in quelle parole sibilate, che lasciò esterrefatti tutti i presenti, me incluso.

A quel punto Caldarola si ricordò di essere il giudice e che forse era il caso di intervenire.

«Io vi prego tutti di calmarvi. Non capisco questa animosità e vi invito ad essere sereni. Ognuno faccia il suo lavoro cercando di rispettare quello altrui. Lei ha altre domande avvocato Dellisanti?».

«No signor giudice. Prendo atto che la teste non sa o non vuole ricordare l'episodio cui faccio riferimento. Ce lo faremo raccontare dal professor Scianatico e soprattutto dai testi che abbiamo indicato nella nostra lista. Ho finito».

«Il pubblico ministero vuole concludere l'esame?».

«Sì, un paio di domande la cui necessità è sorta a seguito del controesame difensivo».

La precisazione, tecnicamente, non era indispensabile. Ma era un modo per sottolineare che quel prolungamento della deposizione – sicuramente non favorevole all'imputato – dipendeva da un errore dell'avvocato difensore. Insomma, non era un gesto di conciliazione.

«Dottoressa Fumai, vuole riferirci le altre cose che le diceva l'imputato? Per intenderci: quello che stava per dire quando è stata interrotta?».

Martina le disse, quelle altre cose. Raccontò le altre umiliazioni, oltre alle botte e alle violenze psicologiche di cui aveva detto prima. Scianatico le diceva che lei era una fallita; che la sua unica fortuna era di averlo incontrato e che lui avesse deciso di occuparsi di lei; che lei era incapace di prendere decisioni sulla sua vita, e che *doveva* eseguire i suoi ordini e le sue prescrizioni di comportamento. Doveva essere disciplinata, e stare al suo posto.

Le diceva che era una cagna, e le cagne devono obbedire al padrone.

Raccontò tutto, e la sua voce non era incrinata o debole. Ma forse era peggio. Era neutra, senza tono e senza colore. Come se qualcosa le si fosse spezzato dentro, di nuovo.

Caldarola rinviò a tre settimane e fece una specie di calendario dell'istruttoria dibattimentale. All'udienza successiva avremmo sentito gli altri testi del pubblico ministero. Poi l'interrogatorio dell'imputato. Infine, in due udienze, avremmo sentito i testi ed il consulente della difesa.

Salutai Alessandra Mantovani e mi voltai verso l'uscita dell'aula di udienza per seguire Martina, che si era alzata dalla sedia dei testimoni e mi precedeva di qualche passo. Fu in quel momento che vidi Claudia in piedi, appoggiata alla balaustra. Sembrava assorta. Poi mi resi conto che guardava Scianatico, e Dellisanti. Li guardava in un modo che non potrò mai dimenticare, e cogliendo quello sguardo pensai, senza avere un vero controllo sui miei pensieri, che quella donna era capace di uccidere.

Può sembrare incredibile, ma nei mesi che avevano preceduto quel pomeriggio, avevo trovato una specie di assurdo equilibrio. Lui mi faceva – o mi faceva fare – quelle cose. Io volevo solo che finisse subito. Poi uscivo da quella camera e nascondevo quello che era successo. Ero una bambina triste, non avevo amiche, ma avevo Snoopy; e la mia sorellina; e i libri che prendevo a scuola e leggevo in ogni momento libero. Non credo che mia madre, fino a quel giorno, si sia davvero accorta di niente.

Dopo quel pomeriggio di pioggia, non so come, le parlai. No, non è esatto. Provai a parlarle. Non ricordo cosa le dissi, esattamente. Ma di sicuro non tutto quello che era successo. Credo che cercassi di vedere se potevo parlarle, se era disposta ad ascoltarmi; se era disposta ad aiutarmi.

Non lo era.

Non appena capì di cosa stavo parlando si arrabbiò moltissimo. Mi stavo inventando delle cose brutte. Ero una bambina cattiva. Volevo rovinare la nostra famiglia, con tutti i sacrifici che faceva lei per tenerla in piedi? Disse più o meno così, ed io non parlai più.

Qualche giorno dopo tornai da scuola e Snoopy non c'era più. Lo cercai nel cortile, lo cercai fuori, per strada. Chiesi a tutti quelli che incontravo se lo avevano visto, ma nessuno sapeva niente. Se esiste il dolore nella forma più pura, e disperata, io lo provai quella mattina. Se ripenso a quel momento vedo una scena muta, livida e in bianco e nero.

Il pomeriggio lui mi chiamò dalla camera da letto, ed io non ci andai. Lui mi chiamò di nuovo, ed io non ci andai. Stavo in cucina, su una sedia, abbracciata alle mie ginocchia. Con gli occhi spalancati che non vedevano niente. Credo che pochi sentimenti, poche emozioni si mescolino fra loro con tanta forza come l'odio e la paura. Poi uno si comporta in un modo o nell'altro a seconda di quello che prevale. La paura. O l'odio.

Venne a prendermi in cucina e mi trascinò in camera da letto. Io cercai di resistere, per la prima volta. Non lo so bene cosa feci. Forse cercai di dargli dei calci, o pugni; o forse solo non rimasi paralizzata a lasciarlo fare. Lui era stupito, e furibondo. Mi picchiò forte, mentre mi violentava. Schiaffi e pugni, in faccia, in testa, nelle costole.

Eppure – strano – quando finì non mi sentivo peggio delle altre volte. Certo, avevo male dappertutto, ma avevo anche una strana, feroce esultanza. Mi ero ribellata. Le cose non sarebbero state mai più come prima. Anche lui, in qualche modo, lo capì.

Quando mia madre tornò a casa vide in che condizioni era la mia faccia. Io la guardai senza dire niente, pensando che mi avrebbe chiesto cosa era successo. Pensando che adesso, di fronte all'evidenza, mi avrebbe creduto, e aiutato.

Lei si girò dall'altra parte. Disse qualcosa a proposito di preparare la cena, o di fare alcune faccende; o altro.

Lui aprì una bottiglia grande di birra e se la bevve tutta. Alla fine fece un rutto, silenzioso e osceno.

4

Ero stravaccato sul divano di casa mia. Aspettavo che Margherita rientrasse e che mi chiamasse, per andare su da lei, a cena. Mi piaceva il fatto che, pur vivendo più o meno insieme, andare da lei la sera era come uscire per un invito. Anche se si trattava solo di fare due piani a piedi. Rendeva le cose meno ovvie. Non scontate.

Ascoltavo Lou Reed: *Transformer*. L'album di *Walk on the Wild Side*.

Non un cd, ma un vero, originale trentatré giri in vinile. Con tanto di fruscii, graffi e tutto il resto.

L'avevo comprato quel pomeriggio, nella cosiddetta pausa pranzo. Quando c'era molto da fare, magari avevo appuntamenti nel primo pomeriggio, o altro, non rientravo a casa all'ora di pranzo. Andavo in uno dei bar del centro, dove mangiano i bancari, e mi facevo un panino e una birra in piedi. Poi sfruttavo la pausa in qualche libreria e in qualche negozio di dischi con l'orario continuato.

Quel pomeriggio ero finito nel negozietto di un ragazzo, che suonava il basso in una band; facevano una specie di rock jazzato, ed erano anche piuttosto bravi. Li avevo sentiti suonare più volte, nei posti che frequentavo la notte. Dove, negli ultimi anni, cominciavo a sentirmi sgradevolmente fuori posto.

Fare il rock jazzato o qualunque cosa fosse, comunque non gli dava da vivere, anche perché lui e il suo gruppo si rifiutavano di suonare nei matrimoni. Così vendeva dischi, osservando orari personalissimi. C'erano dei giorni che restava chiuso senza preavviso; altri che apriva la mattina verso le undici e restava aperto ininterrottamente fino a notte, quando lì dentro si incontravano strani, surreali personaggi. Gente che ti chiedevi dove si nascondesse, di giorno.

Oltre ai cd nuovi, in quel negozietto si potevano trovare anche un sacco di vecchi lp in vinile, rigorosamente di seconda, o di terza, o di quarta mano. Quella mattina, nello scaffale degli lp ci trovai una copia, originale americana, di *Transformer*, sigillata con la plastica. Un disco che non avevo mai posseduto; avevo avuto varie cassette con alcuni dei pezzi di quel trentatré e comunque le avevo tutte perse o distrutte.

Sono uno dei pochi che possiedono ancora un giradischi perfettamente efficiente e pensai che quel disco non dovevo farmelo scappare. Quando arrivai alla cassa – che poi significava: quando arrivai davanti alla sedia su cui il bassista leggeva *Il mucchio selvaggio* – e sentii il prezzo, pensai che forse potevo anche farmelo scappare, comprarmi una versione masterizzata; e con quello che avanzava andare a cena in un ristorante di lusso.

Rigurgito adolescenziale, di quando non avevo denaro. Adesso guadagnavo molto di più di quello che riuscivo a spendere. Così – senza che il cassiere bassista si fosse reso conto di tutto questo monologo interiore – tirai fuori i soldi, pagai, mi feci dare un sacchetto rigorosamente usato, ci misi dentro il vecchio Lou con la sua faccia da Frankenstein e me ne andai.

Il disco era finito una prima volta e stavo per rimettere in moto il piatto, ricollocare la puntina e ricominciare ad ascoltare, quando Margherita mi chiamò e mi disse di salire, che anche quella sera era disposta a farmi mangiare.

Aveva fatto fave e cicorie, nella versione antica, di campagna. Purè di fave, cicorielle selvatiche, cipolla rossa di Acquaviva, pane raffermo e in un piatto a parte peperoncini fritti. Roba di lusso, avrebbe detto il contadino dal quale, quando ero bambino, i miei genitori compravano la frutta, le verdure e le uova fresche.

Per me c'era anche una bottiglia di aglianico del Vulture.

Solo per me. Margherita non beve vino, né altri alcolici. Prima che la conoscessi, per anni è stata un'alcolizzata; poi ne è venuta fuori e non ha nessun problema se qualcuno beve vicino a lei, adesso.

«Fra dieci giorni ho il primo lancio. Se il tempo lo permette».

Ci era andata davvero, a fare il corso di paracadutismo. Aveva finito la teoria e la preparazione atletica e adesso si preparava a lanciarsi nel vuoto da quattro, cinquecento metri di altezza. Mentre lei parlava io provai a immaginarmi la situazione, e sentii una specie di mano che mi stringeva alla bocca dello stomaco.

Lei continuava a parlare, ma la sua voce si allontanò, mentre io rotolavo a ritroso, velocissimo, fino ad un pomeriggio di primavera, tanti anni prima.

Ci sono tre ragazzini sul lastrico solare di un palazzo di otto piani. Tutto intorno a questo lastrico solare c'è un parapetto basso; sui lati, oltre il parapetto, un cornicione molto largo, almeno un metro; quasi un marciapiede. Oltre questo marciapiede, il vuoto. Terribile, nella sua banalità fatta di gatti e piante spelacchiate nel cortile di sotto.

Uno dei ragazzini – quello che gioca meglio a pallone, che ha già fumato qualche sigaretta e che sa spiegare agli altri la vera funzione del pisello, a parte la pipì – propone una gara di coraggio.

Sfida gli altri due a scavalcare il parapetto e a camminare sul cornicione per tutto il perimetro. Non si limita a dirlo, lo fa. Scavalca e cammina con passo spedito, fa il giro e poi scavalca di nuovo, tornando al sicuro. Allora ci prova anche il secondo; i primi passi li muove con esitazione, poi però cammina anche lui rapido e in breve anche lui ha finito.

Adesso tocca al terzo ragazzino. Ha paura, ma non in modo esagerato. Non ha molta voglia di camminare sul vuoto, ma non gli sembra una cosa proibitiva. Gli altri due lo hanno fatto senza problemi e così potrà farlo anche lui, pensa. Al massimo si terrà molto vicino al parapetto, tanto per maggior sicurezza.

Così scavalca anche lui, un po' goffamente – non è molto agile, certo meno degli altri – e comincia a camminare, guardando i due compagni. Cammina facendo scorrere una mano sulla parte interna del parapetto; come per mantenersi. Quello che gioca bene a pallone, esperto di uso del pisello, eccetera, dice che così non vale. La deve togliere, quella mano, e camminare nel mezzo del cornicione, non appoggiato, così come sta facendo. Se no non vale, ripete.

Allora il ragazzino toglie la mano, e si sposta di qualche centimetro, verso il vuoto; e muove qualche passo. Passi corti, guardandosi i piedi. Ma guardando i piedi gli occhi si spostano, fuori dal controllo cosciente, fino ad inquadrare un punto del cortile, giù in fondo. Sono meno di trenta metri, ma sembra un abisso che può risucchiare tutto. Dove può *finire* tutto.

Il ragazzino distoglie lo sguardo e prova ad andare avanti. Ma adesso l'abisso gli è entrato dentro. In quel preciso momento scopre che dovrà morire. Forse proprio in quel momento; forse un'altra volta, ma dovrà morire.

Capisce cosa significa, con una intuizione folgorante e completa.

Allora si aggrappa al parapetto e si abbassa, quasi si raggomitola. Come per offrire meno superficie al vento – in realtà è solo una brezza leggerissima – che potrebbe fargli perdere l'equilibrio.

Adesso è quasi rannicchiato, appoggiato a quel muretto con le spalle all'abisso; e non ha il coraggio di rialzarsi, nemmeno quel poco che gli consentirebbe di scavalcare e passare dall'altra parte, al sicuro.

I due amici stanno dicendo qualcosa, ma lui non li sente; o meglio: non capisce quello che dicono. Però d'un tratto gli viene un'altra paura. Che si avvicinino per fargli uno scherzo, tipo accennare una spinta; o scavalcare anche loro, di nuovo, per fare qualche gioco spaventoso.

Allora dice *aiuto, mamma*; lo dice sottovoce e gli viene da piangere, forte. Poi, partendo dalla posizione rannicchiata si arrampica lentamente sul parapetto, quasi strisciando, graffiandosi le mani, sbucciandosi le ginocchia e tutto. Se si alzasse in piedi sarebbe facile scavalcare, ma lui *non può* alzarsi in piedi; non può correre il rischio di guardare giù, di nuovo.

E alla fine è dall'altra parte. Gli altri due lo sfottono e lui mente, dice che camminando ha preso una storta ed è per questo che non ha potuto proseguire; ed è per questo che ha scavalcato in quel modo ridicolo, da sciancato. E poi quando vanno via

– e anche nei giorni successivi – sta molto attento a zoppicare, per convincerli che la storia della storta era vera, mica una scusa per nascondere la sua paura. Zoppica per un'intera settimana, e ripete la storia – ai due amici ed a se stesso – tante volte che alla fine lui stesso confonde quello che ha inventato con i fatti come si sono verificati davvero.

Quel ragazzino, da allora e a intervalli ricorrenti, sogna di scavalcare la ringhiera di una terrazza, e di saltare giù. Direttamente e senza nessuna esitazione. A volte sogna di salire sulla ringhiera e di camminarci sopra come una specie di equilibrista pazzo; sicuro non già di riuscire a farcela, ma di cadere da un momento all'altro; cosa che puntualmente accade. Altre volte sogna i suoi amici che lo prendono in giro; e allora lui corre verso la ringhiera, ci poggia sopra una mano, fa un volteggio, scavalca, precipita nel vuoto, mentre loro guardano allibiti e sgomenti.

Così imparano a prendermi in giro, pensa mentre si sveglia in preda ad una tristezza invincibile, per la sua vita di ragazzo che è finita; che poteva essere tante cose. Che non saranno.

Quando mi sveglio penso sempre proprio questo. Potevo essere tante cose che non saranno, perché non ho avuto il coraggio di provarci.

Allora apro – o chiudo? – gli occhi, mi alzo e vado incontro alla mia giornata.

«Guido, mi stai ascoltando?».

«Sì, sì, scusami, mentre parlavi mi è venuta in mente una cosa e mi sono distratto».

«Che cosa?».

«No, niente, una cosa di lavoro. Che ho lasciato in sospeso».

«Una cosa importante?».

«No, niente, una fesseria».

5

Una sola udienza non bastò per sentire gli altri testi del pubblico ministero. L'ispettore di polizia che era stato delegato per le indagini e che fra l'altro aveva acquisito i tabulati dei telefoni di Martina e Scianatico. I medici del pronto soccorso che si limitarono a confermare quello che avevano scritto nei loro referti, di cui ovviamente non ricordavano nemmeno una parola. Un paio di ragazze della comunità che avevano fatto da scorta a Martina, in qualche occasione; e che ne avevano raccolto le confidenze.

La mamma di Martina.

Era una donna sovrappeso, triste e scialba. Lei e la figlia non si assomigliavano per niente. Raccontò con voce monotona e priva di vita del ritorno a casa di Martina, delle telefonate notturne, delle citofonate. Ci tenne a precisare che lei non sapeva altro; che non aveva mai assistito a litigi fra la figlia ed il suo fidanzato. Che sua figlia non aveva l'abitudine di confidarsi con lei.

Era chiaro che non le piaceva essere stata costretta a venire lì, e che voleva andarsene via il più presto possibile.

Durante tutta la deposizione non guardò mai in direzione della figlia. Quando fu licenziata dal giudice se ne andò in fretta. Senza salutare Martina; senza nemmeno guardarla.

Ci vollero due udienze, per sentire questi testimoni. Furono udienze tranquille, senza scontri, perché tutti – Mantovani, Dellisanti, io – sapevamo benissimo che il processo non si decideva su quelle testimonianze. Quelle erano contorno, cornice. Il processo, ridotto all'essenziale, era la parola di Martina contro quella di Scianatico. Nessuno aveva assistito alle percosse. Nessuno aveva assistito alle umiliazioni domestiche. Nessuno, che fosse stato possibile individuare, aveva assistito alle aggressioni per strada.

E nessuno aveva assistito ad altre cose. Di cui Martina mi parlò solo qualche giorno prima dell'udienza per la quale era previsto l'interrogatorio di Scianatico. Quando ci incontrammo in studio ed io le feci ogni tipo di domande. Incluse quelle più imbarazzanti, perché avevo bisogno di ogni informazione utile per preparare il controesame.

Quelle altre cose, che vennero fuori nell'incontro al mio studio, potevano esserci molto utili. Se trovavo il modo di farle ammettere a Scianatico, in udienza, davanti al giudice.

Quell'udienza fu fissata per il venti di aprile. Era lì che probabilmente si sarebbe deciso il processo.

Sempre che non fosse stato già deciso altrove, fuori dell'aula. In stanze nelle quali io non ero ammesso.

La telefonata arrivò in studio la mattina verso le otto e mezzo, poco prima che uscissi per andare in tribunale. Maria Teresa mi disse che era dalla procura, dall'ufficio della dottoressa Mantovani.

«Pronto?».

«Avvocato Guerrieri?».

«Sì?».

«Ufficio del sostituto procuratore Mantovani. Attenda in linea, per piacere, le passo la dottoressa».

Ebbi una sensazione di inquietudine. Cattive notizie. Ansia.

«Guido, sono Alessandra Mantovani. Scusami se ti ho fatto chiamare dalla segreteria, ma non è la migliore delle mattinate. Sono di turno e sta succedendo di tutto».

«Non ti preoccupare, che è successo?».

«Volevo parlarti cinque minuti, e così se oggi devi venire in tribunale forse potresti passare a trovarmi».

«Posso venire anche fra un quarto d'ora».

«Ti aspetto».

Uscendo dal mio studio, camminando verso il tribunale, attraversando i corridoi densi di odore di carte e di umanità sentivo l'ansia aumentare. Un'ansia di cose che sfuggono al tuo controllo. Una brutta sensazione flaccida, collocata, non so perché, nella parte destra dell'addome.

Dovetti aspettare qualche minuto fuori dalla stanza di Alessandra. Era occupata con i carabinieri, mi disse la segretaria in anticamera. Quando quelli uscirono – alcuni li conoscevo bene – portavano con sé alcuni fogli, avevano facce tese, pronte all'azione. Fui certo che andavano ad arrestare qualcuno.

Entrai nella stanza proprio mentre Alessandra si stava accendendo una sigaretta. Sulla scrivania c'era un pacchetto di Camel appena aperto.

«Non sapevo che fumassi».

«Ho smesso... avevo smesso sei anni fa» disse tirando una boccata avida. Ebbi quasi un giramento di testa per il desiderio di prenderne una anch'io, e per lo sforzo di resistere. Se lei me ne avesse offerta una l'avrei accettata, ma non lo fece.

«Due mesi fa è arrivata una richiesta del Consiglio Superiore della Magistratura. Una richiesta di disponibilità per una applicazione, alla procura di Palermo». Altra boccata, quasi violenta.

«Questo non è un bel periodo per me. In ufficio e soprattutto fuori. Se fossi incline a drammatizzare direi che non ce la faccio più. Ma non voglio affliggerti con i miei problemi. Al massimo se voglio sfogarmi scrivo una lettera, con nome falso ovviamente, a un rotocalco femminile. Una bella storia del tipo donna quarantenne in cosiddetta carriera, deserto affettivo, ponti tagliati alle spalle, consapevolezza incipiente che non diventerà mai madre eccetera, eccetera».

Che sensazione strana. Alessandra Mantovani mi aveva sempre dato una idea di invulnerabilità. Adesso, all'improvviso, ce l'avevo davanti come una donna normale, che guardava sgomenta gli anni che passavano, e quelli che arrivavano; nel pieno di uno sforzo disperato per non andare in pezzi.

«Scusa. Non ti avevo chiamato per piangere sulla tua spalla».

Feci un gesto come per dire che non c'erano problemi, che se voleva poteva piangere sulla mia spalla, eccetera. Lei non lo vide nemmeno, quel gesto.

«Ho dato la disponibilità per questa applicazione. Quasi senza pensarci. Perché non so cosa fare in questo periodo. Non so quello che voglio... insomma va bene. Ho dato la disponibilità e ieri mattina mi è arrivato questo».

Mi allungò un fax. L'intestazione era in caratteri corsivi un po' antiquati. Consiglio Superiore della Magistratura. Il testo diceva che la dottoressa Alessandra Mantovani, magistrato di corte d'appello con funzioni di sostituto procuratore della Repubblica presso il tribunale di Bari, era stata applicata, avendo dato la sua disponibilità, per un periodo di sei mesi, prorogabile per ulteriori periodi sempre di sei mesi, alla Procura della Repubblica presso il tribunale di Palermo. La dottoressa Mantovani doveva presentarsi presso la Procura di Palermo entro sette giorni dalla comunicazione del provvedimento.

Seguivano i dettagli tecnici. Gergo puro. Smisi di leggere e sollevai lo sguardo.

«Vai a Palermo». Non proprio la frase più intelligente della mia vita, pensai subito dopo.

«Devo essere lì entro lunedì prossimo. Se volevo un cambiamento, beh sono stata accontentata».

Io non sapevo cosa dire, e così rimasi in silenzio. In attesa. Lei schiacciò il filtro in un posacenere di vetro. Lo schiacciò molto di più di quanto fosse necessario per spegnere la sigaretta.

«Ci sono alcuni processi e alcune indagini che mi dispiace abbandonare. A parte il resto. Uno è il nostro, quello di Scianatico. Per questo e per alcuni altri ho la sensazione spiacevole di essere una che scappa via».

Stavo per dire qualcosa ma lei mi fermò con un gesto della mano. Non aveva voglia di sentire frasi di circostanza.

«In realtà non sono nemmeno sicura di sapere perché ti ho chiamato. Forse mi sento vigliacca e volevo dirtelo direttamente, di persona, che in qualche modo ti lascio da solo con questa rogna. In udienza verrà chi capita. Magari va bene e viene uno bravo. O una brava. Magari invece no...».

«Pensi che ci resterai, a Palermo?».

«E chi lo sa? L'applicazione, come hai letto, è di sei mesi, prorogabili. Di fatto è sempre almeno un anno e spesso di più. Ci penserò fra un anno, a cosa fare. Certo è che non ho moltissime cose che mi legano, a Bari. Nemmeno ad altri posti, per dirla tutta».

Mi sentii triste e vecchio. Mi sentii come uno che guarda passare il tempo; come uno che guarda gli altri che cambiano, bene o male diventano grandi, se ne vanno. Fanno delle scelte. Mentre lui rimane sempre nello stesso posto, a fare le stesse cose, lasciando che sia il caso a decidere per lui. Uno che guarda passare la vita.

Cazzo come la volevo quella Camel.

La conversazione non durò ancora a lungo. Dissi ad Alessandra che sarei ripassato dal suo ufficio per salutarla, ma lei mi rispose che era meglio salutarci in quel momento. Non sapeva quanto sarebbe stata in ufficio, in quei giorni; preparativi, e tutto il resto.

Fece il giro della scrivania mentre io mi alzavo. La guardai in faccia, subito prima di abbracciarci.

Aveva delle piccole chiazze rosse; e delle rughe che non avevo mai notato prima.

Richiudendo la porta la vidi accendere un'altra sigaretta. Guardava verso la finestra, in qualche posto, fuori.

6

Alessandra partì senza che avessimo occasione di rivederci. Come aveva previsto.

La primavera si avvicinava. La vita scorreva normale. Qualunque cosa significhi, la parola normale. Uscivamo, con Margherita e a volte con i suoi amici. Con i miei amici mai. Ammesso che esistessero ancora, miei amici.

Dopo il funerale di Emilio, in qualche momento mi era venuto in mente di chiamare qualcuno. Usciamo una sera a farci due birre, e due chiacchiere sulla vita. Poi fortunatamente avevo lasciato perdere.

Due o tre volte Margherita mi chiese se ci fosse qualcosa che non andava, e se avevo voglia di parlare. Io dissi che grazie no, per il momento. Quale fosse il momento, non era chiaro. Lei non insistette. È una esperta di aikido e sa benissimo che non puoi spingere – o aiutare – un altro a fare qualcosa che non abbia cominciato da solo.

Sempre più spesso rimanevo a dormire nel mio appartamento.

Una volta che ero rimasto da lei, mentre stavo disteso sul letto fui assalito da una sensazione strana. Socchiusi gli occhi e all'improvviso mi trovai ad osservare la scena da una posizione diversa da quella in cui ero fisicamente. In quella scena riuscivo a vedere anche me stesso. Ero uno spettatore.

Margherita si spogliava, la luce era bassa, c'era silenzio, io ero disteso sul letto e avevo gli occhi socchiusi, ma non stavo dormendo.

Era una scena molto triste, come certi silenziosi interni di Hopper.

Allora mi alzai e rivestendomi dissi che avevo bisogno di prendere un po' d'aria, e che andavo a fare un giro. Margherita mi guardò e per la prima volta ebbi l'impressione che fosse davvero preoccupata per me.

Per noi.

Rimase così qualche secondo, e nel suo sguardo c'era una specie di consapevolezza triste, una fragilità che non le era consueta. Sembrò sul punto di dire qualcosa, ma alla fine non lo fece. Buonanotte, mi disse soltanto e io scappai via.

Per strada finalmente mi sentii un po' meglio. L'aria era fresca, quasi fredda, e asciutta. Le strade erano deserte. Come è normale attorno a mezzanotte di un mercoledì, in quella zona della città.

Senza pensarci, né quasi rendermi conto di quello che facevo, telefonai a suor Claudia. Mentre componevo il numero mi dissi che se stava dormendo sicuramente il cellulare era staccato. Se non stava dormendo...

Rispose al secondo squillo. Appena una nota perplessa nella voce, ma non mi chiese cosa fosse successo, né per quale motivo telefonassi a quell'ora. Fu un bene che non mi facesse quella domanda, perché non avrei saputo rispondere.

Ero in giro per la città, da solo. Non avevo sonno. Forse avevo voglia di fare due passi e due chiacchiere? Sì che avevo voglia. No, non c'era bisogno che andassi a prenderla, potevamo darci un appuntamento da qualche parte. Andava bene in fondo a Corso Vittorio Emanuele, davanti al rudere del Teatro Margherita? Andava bene. Fra mezz'ora. Mezz'ora. Ciao. Click.

Per farla passare, quella mezz'ora, andai in un bar che sta aperto tutta la notte. Una specie di macchia luminosa nel buio un po' squallido e irreale della zona di confine fra centro murattiano e quartiere Libertà. È sempre stato aperto tutta la notte quel bar, da molto prima che la città si riempisse di ogni tipo di locali e ci fosse solo l'imbarazzo della scelta su dove tirare tardi. Quando ero ragazzo quel bar era sempre pieno, perché era uno dei pochissimi posti dove andare a prendere un caffè, o le sigarette vendute abusivamente, nel pieno di una notte di cazzate. Adesso è quasi sempre deserto, perché il caffè lo si può prendere dappertutto e per le sigarette ci sono i distributori automatici.

Quando entrai c'era solo una coppia di mezza età, cioè solo di qualche anno più grandi di me. Stavano ad una estremità del bancone a forma di L, sul lato corto. Io mi sedetti su uno sgabello, sull'altro lato, dando le spalle alla grande vetrata ed alla strada. L'uomo era in giacca e cravatta e fumava, e parlava con il magro barista biondo in giacca e cappellino bianchi; la donna, una rossa dall'aria triste, sciattamente truccata e con profonde occhiaie, aveva lo sguardo perso nel vuoto e sembrava si chiedesse come aveva fatto a ridursi così.

Ordinai un caffè di cui non avevo alcun bisogno, perché quella notte non avrei comunque dormito. Per i dieci minuti che rimasi in quel bar non entrò nessun altro cliente ed io non riuscii a liberarmi della sensazione inquietante di avere già vissuto – o di avere già *visto* – quella scena.

Claudia scese dal furgoncino con il solito movimento fluido. Era vestita come sempre – jeans, maglietta bianca, giubbotto di pelle – ma aveva i capelli sciolti, e non raccolti a coda come tutte le altre volte che l'avevo vista.

Mi salutò con un cenno del capo ed io risposi nello stesso modo. Senza dire altro ci incamminammo sul lungomare, illuminato dai lampioni di ferro antico.

«Non so perché ti ho telefonato».

«Eri solo, forse».

«È un motivo valido?».

«Uno dei pochi».

«Perché sei diventata suora?».

«Perché sei diventato avvocato?».

«Non sapevo cosa fare. E se lo sapevo, ho avuto paura di provarci».

Sembrò stupita che avessi risposto; e sembrò considerare la mia risposta. Poi scosse la testa e non disse niente. Per diversi minuti camminammo in silenzio.

«Vivi da solo?».

Ebbi l'impulso di dire sì, e subito me ne vergognai.

«No. Cioè ho una mia casa, ma vivo con una persona».

«Vuoi dire: una donna».

«Sì, sì, una donna».

«E lei non ha niente da dire sul fatto che tu esca da solo nel cuore della notte?».

Mentre Claudia mi faceva quella domanda nella mia testa si sovrapposero le facce di Margherita e di Sara, la mia ex moglie. Questo mi diede una vertigine; voglio dire: proprio una vertigine, cioè la sensazione di essere in alto, senza nessun parapetto, senza nulla cui aggrapparmi; la sensazione di essere lì per cadere nel vuoto, e che tutto andasse in pezzi, irrimediabilmente.

Poi le due facce si separarono e tornarono ai propri posti, nella mia testa. Quali che fossero, quei posti. Non avevo risposto alla domanda di Claudia, e lei non insistette.

Da quel momento camminammo veloci, come se avessimo avuto una meta, o qualcosa di preciso da fare. Ci fermammo in fondo al lungomare, al confine sud della città e ci sedemmo vicini, sul parapetto di pietra calcarea a meno di due metri dall'acqua.

Non dovrei essere qui, pensai mentre sentivo il contatto della sua gamba muscolosa sulla mia, e il suo odore leggero, un po' amaro. Troppo vicino.

Tutto è fuori posto e ancora una volta non capisco quello che succede, pensai mentre le nostre mani – la mia destra e la sua sinistra – si toccavano in un modo innocuo, e del tutto vietato. Tutti e due guardavamo fisso avanti. Come se ci fosse qualcosa da guardare fra i brutti palazzi che nel buio sfumano verso la periferia triste e malfamata del rione Iapigia.

Rimanemmo così, a lungo, senza mai guardarci in faccia. Pensai, senza che lei avesse detto o fatto nulla, che dalla sua mano sembrava fluisse una corrente pura di dolore.

«C'è un disco – fece lei, voltandosi verso di me senza preavviso – che ascolto spesso, da anni. Non sono sicura che mi faccia bene, ascoltarlo. Ma lo faccio lo stesso».

Mi voltai anch'io.

«Che disco?».

«*Out of time*, dei R.E.M. Lo conosci?».

Certo che lo conosco. Con chi credi di parlare, suora?

Non dissi così. Feci solo un cenno del capo, per dire sì, lo conosco.

«C'è una canzone...».

«*Losing my religion*».

Strizzò gli occhi e poi disse di sì.

«Lo sai che vuol dire, *Losing my religion*?».

«Alla lettera: perdendo la mia religione. Vuol dire altro?» risposi.

«*Losing my religion* è una espressione idiomatica. Significa qualcosa del tipo: non farcela più».

La guardai stupito. Mi sarei aspettato di tutto, tranne che sentire una cosa simile, da lei. La stavo ancora guardando, senza sapere cosa dire, quando la sua faccia fu più vicina, e poi più vicina, fino a quando non riuscii più a distinguerne i lineamenti.

Ebbi solo il tempo di pensare che la sua bocca era dura e morbida contemporaneamente; che la sua lingua mi ricordava i baci con le bambine mie coetanee, a quattordici anni; ebbi solo il tempo di poggiare la mia mano sulla sua spalla, e di sentire muscoli che avevano la consistenza di cavi metallici.

Poi si ritrasse di scatto, rimanendo con gli occhi sbarrati sul mio viso, per qualche secondo. Fino a quando non si alzò, senza dire niente, e prese a camminare nella direzione dalla quale eravamo venuti. Io le andai dietro e un quarto d'ora dopo eravamo di nuovo al suo furgoncino.

«Non sono molto brava a parlare».

«Non è indispensabile».

«A volte capita di averne voglia, però».

Annuii. Spesso, capita. Il problema è trovare chi ti ascolta.

«Un'altra volta voglio parlare con te. Voglio dire: senza schermaglie e tutto il resto. Non so perché, ma ho voglia di raccontarti una storia».

Feci un gesto che significava, più o meno: se vuoi, anche adesso.

«No, adesso no. Non questa notte».

Dopo una breve esitazione mi diede un rapido bacio. Sulla guancia, molto vicino alla bocca. Prima che potessi dire altro era già sul furgone, e poi via nella notte.

Tornai a casa camminando piano, scegliendo le vie più deserte e buie, con la testa assurdamente leggera.

Prima di andare a letto cercai fra i miei dischi. *Out of time* c'era, così lo misi nel lettore, diedi un colpo al pulsante dello skip, e lasciai partire la canzone numero due. *Losing my religion*, appunto.

La ascoltai tenendo in mano il libretto con i testi, perché volevo cercare di capire.

That's me in the corner
That's me in the spotlight
Losing my religion
Trying to keep up with you
And I don't know if I can do it
O no, I've said too much
I haven't said enough.*

Ho detto troppo. Non ho detto abbastanza.

* «Sono io, nell'angolo / Sono io, sotto i riflettori / E non ce la faccio più / Mentre cerco di restare con te / E non so se riesco a farcela / Oh no. Ho detto troppo / Non ho detto abbastanza».

7

I vice procuratori onorari non sono magistrati di carriera. Sono avvocati – perlopiù giovani avvocati – che hanno un incarico temporaneo. Vengono pagati a udienza. Se nell'udienza ci sono due o venti fascicoli, il loro compenso è lo stesso. Se l'udienza dura venti minuti o cinque ore, il loro compenso è lo stesso.

Non è difficile immaginare che, di regola, cerchino di sbrigarsi il prima possibile per tornare ai loro studi.

Come ci si poteva aspettare, Alessandra Mantovani fu sostituita da un vice procuratore onorario. Era una ragazza appena nominata, che non avevo mai visto prima.

Lei invece evidentemente mi conosceva, perché quando entrai in aula mi venne subito incontro con una faccia preoccupatissima.

«Ieri mi sono guardata i fascicoli dell'udienza».

Brillante idea, pensai. Magari se li guardavi qualche giorno prima potevi anche studiarli. Ma questo forse è chiedere troppo.

Le feci una specie di sorriso di gomma, senza dire niente. Lei tirò fuori dal raccoglitore il fascicolo del nostro processo, lo poggiò sul banco e toccando la copertina col dito indice mi chiese se aveva capito bene chi era l'imputato.

«Questo Scianatico è il figlio del *presidente* Scianatico?».

«Già».

Fece una faccia sgomenta.

«Ma come è possibile che mandino me a fare un processo del genere. Madonna, questa è la mia quarta udienza da quando mi hanno nominato. E poi di che si tratta, esattamente?».

Ma non avevi detto che li avevi guardati i fascicoli, cazzo?

Essere degli idioti non è mica obbligatorio per fare l'avvocato. Non ancora, almeno. E comunque, detto questo, hai ragione. Come è possibile che mandino te a fare un processo del genere?

Non dissi così. Invece fui addirittura gentile, le spiegai di cosa si trattava, le dissi che il processo era della dottoressa Mantovani, ma che lei era stata applicata a Palermo. Evidentemente chi aveva fatto il calendario delle udienze non si era accorto che quella non era un'udienza normale.

Non se n'era accorto?

Mentre le davo queste cortesi spiegazioni pensavo che ero nella merda. Fino al collo. Stavamo per giocare una partita del tipo Cassano Murge-Manchester United. E la mia squadra non era il Manchester.

«E oggi che cosa bisogna fare, esattamente?».

«Esattamente bisogna fare l'interrogatorio dell'imputato».

«Madonna. Guarda, io non faccio niente. Tanto conosci il processo benissimo e puoi fare tutto tu. Io potrei fare solo danni».

Ecco, su questo hai ragione. Hai dannatamente, completamente ragione.

«Oppure magari chiediamo un rinvio. Diciamo che ci vuole un magistrato togato per fare questo processo e chiediamo al giudice di rinviarlo ad un'altra udienza. Che dici?».

«Come ti chiami?».

Mi guardò perplessa, prima di rispondere. Poi me lo disse. Si chiamava Marinella. Marinella Nonsocome, perché parlava veloce e mangiandosi le parole.

«Allora ascoltami, Marinella. Ascoltami bene. Tu stai lì tranquilla al tuo posto. Come hai detto prima: non fare niente. Adesso ti dico quello che succederà. La difesa esaminerà l'imputato. Quando sarà il tuo turno il giudice ti chiederà se hai domande e tu dirai che no, grazie, non hai nessuna domanda. Nessuna. Poi il giudice chiederà a me se ho domande ed io dirò che sì, grazie, ho qualche domanda. In un'oretta o poco più sarà tutto finito, senza nemmeno che tu te ne sia accorta. Ma tu non farti venire in mente idee di chiedere rinvii o cose del genere».

Marinella mi guardò, ancora più spaurita. La mia faccia, il

tono con cui avevo parlato, non erano stati gentili. Fece di sì con la testa, con l'aria di chi sta parlando con uno squilibrato pericoloso; con l'aria di una che vorrebbe essere altrove e che spera finisca davvero tutto presto.

Caldarola tolse i suoi occhiali da presbite e guardò verso Dellisanti e Scianatico.

«Allora, per l'udienza di oggi era previsto l'esame dell'imputato. Se conferma la sua intenzione di sottoporvisi».

«Sì, signor giudice, l'imputato conferma la sua disponibilità a rendere interrogatorio».

Scianatico si alzò in modo deciso e coprì in un secondo lo spazio che c'era fra il banco della difesa e la sedia dei testimoni. Caldarola lesse gli avvisi rituali. Scianatico aveva diritto di non rispondere, ma il procedimento avrebbe comunque seguito il suo corso; se accettava di rispondere le sue dichiarazioni sarebbero sempre state utilizzabili contro di lui, eccetera, eccetera.

«Quindi lei conferma di voler rispondere».

«Sì, signor giudice».

«Allora la difesa può procedere all'esame».

L'esame cominciò in modo noioso. Dellisanti si fece raccontare da Scianatico quando aveva conosciuto Martina, in che circostanze; come era cominciato il loro rapporto e tutto il resto. Scianatico rispondeva con tono quasi affabile, come a dare l'impressione di non avercela con Martina, nonostante tutto il male che lei, ingiustamente, gli aveva fatto. Una parte che avevano provato e riprovato in studio, da Dellisanti. Sicuro.

Ad un certo punto si interruppe nel mezzo di una risposta. Fu un attimo, in cui vidi il suo sguardo che si muoveva verso l'ingresso dell'aula; vidi un leggero trasalimento; vidi che la sua stronza espressione piena di sussiego si incrinava un poco.

Erano arrivate Martina e Claudia, e si sedettero proprio dietro di me. Mi voltai, ci salutammo, e Martina, seguendo le istruzioni che le avevo dato il giorno prima quando era passata in studio, mi consegnò un pacchetto in modo che a nessuno in quell'aula potesse sfuggire il gesto. In modo che, soprattutto, non potesse sfuggire a Scianatico.

Dalla forma e dalle dimensioni era chiaro che il pacchetto conteneva una videocassetta.

Dellisanti fu costretto a ripetere la sua ultima domanda.

«Le ripeto, professor Scianatico, può dirci quando, e per quali motivi i suoi rapporti con la signorina Fumai cominciarono ad incrinarsi?».

«Non... non so indicare un momento preciso. A poco a poco Martina, cioè la signorina Fumai, cambiò il suo modo di comportarsi».

«Può spiegarci in cosa cambiò il suo modo di comportarsi?».

«Sbalzi di umore. Sempre più bruschi e sempre più frequenti. Aggressioni verbali, alternate a crisi di pianto e di sconforto. In un paio di occasioni cercò anche di aggredirmi fisicamente. Era fuori di sé. Io avevo l'impressione...».

«Opposizione giudice. L'imputato sta per esprimere una opinione personale, il che come tutti sappiamo, è vietato».

Caldarola disse a Scianatico di evitare le opinioni personali e di attenersi ai fatti.

«Ci dica cosa accadeva durante queste crisi della signorina Fumai».

«Soprattutto gridava. Diceva che non capivo i suoi problemi e che stare con me l'avrebbe fatta ammalare di nuovo».

«Mi scusi se la interrompo. Disse proprio che si sarebbe ammalata di nuovo? A che malattia alludeva?».

«Alludeva ai suoi problemi psichiatrici».

«Vada avanti. Continui a raccontarci cosa accadeva durante queste crisi».

«Quello che ho già detto. Grida, pianti isterici, tentativi di percosse e... ah sì, poi mi accusava di avere delle amanti. Non era vero, naturalmente. Ma lei era gelosa. Patologicamente gelosa».

«Non è vero. Brutto stronzo, non è vero» sentii Martina sussurrare alle mie spalle.

«... sempre più spesso mi diceva che me l'avrebbe fatta pagare. Prima o poi e in un modo o nell'altro».

«Fu in occasione di uno di questi litigi che lei ebbe a dire, anche davanti ad alcuni amici comuni, questa frase: *tu sei una mi-*

tomane, sei una mitomane e una squilibrata, sei inaffidabile e pericolosa per te stessa e gli altri?».

«Sì, purtroppo sì. Persi anch'io la calma. Non avrei dovuto dire certe cose davanti a terze persone. Purtroppo però era la verità».

«Cerchiamo di analizzare questa frase, che lei non avrebbe voluto dire davanti a terzi, ma che non riuscì a trattenere. Perché le disse che era inaffidabile e pericolosa?».

«Aveva violente esplosioni di ira. In due occasioni mi aveva aggredito. In altre si era lasciata andare a gesti di autolesionismo».

«Perché le disse che era una mitomane?».

«Si inventava le cose. Mi dispiace dirlo, nonostante quello che mi ha fatto. Ma si inventava delle storie incredibili. In particolare quella volta mi aveva detto che era certa che io avessi una relazione con una signora che quella sera era con noi, a casa di amici. Non era vero, ma non ci fu verso di farla ragionare. Mi disse che voleva andare via, io le risposi di non comportarsi da bambina e non fare scenate, ma in breve la situazione degenerò».

Dovetti resistere all'impulso di voltarmi verso Martina.

«Lei ha mai minacciato la signorina Fumai?».

«Mai, nel modo più assoluto».

«Le ha mai usato violenza fisica, durante e dopo la convivenza?».

«Mai di mia iniziativa. Certo, nelle due occasioni in cui mi aggredì dovetti difendermi, per bloccarla, cercare di neutralizzarla. Furono le due volte in cui poi lei dovette farsi medicare al pronto soccorso. Dove, ci tengo a precisarlo, fui io stesso ad accompagnarla. E ce l'accompagnai anche un'altra volta. Una di quelle in cui si era praticata dei gesti di autolesionismo particolarmente violenti. Come le ho detto, aveva questa abitudine».

«Può dirci esattamente che gesti di autolesionismo?».

«Non ricordo con esattezza. Certamente quando perdeva la calma durante le liti, perché non riusciva ad avere ragione, si dava degli schiaffi e anche dei pugni in faccia».

«Dopo la cessazione della convivenza lei ha avuto contatti con la signorina Fumai?».

«Sì. L'ho chiamata molte volte al telefono. Un paio di volte ho cercato anche di parlarle di persona».

«In queste occasioni, per telefono o di persona, lei ha mai minacciato la signorina Fumai?».

«Assolutamente no. Io ero... ho imbarazzo a dirlo, ma insomma ero ancora innamorato di lei. Cercavo di convincerla a tornare insieme. Tra l'altro ero molto preoccupato che le sue condizioni di salute psichica potessero ulteriormente peggiorare e lei potesse fare qualche gesto inconsulto. Intendo autolesionistico, o peggio. Pensavo che tornando insieme fosse possibile ricostruire qualcosa, e fosse possibile aiutarla a risolvere i suoi problemi».

Commovente. Veramente una storia strappalacrime. Quel figlio di puttana avrebbe dovuto fare l'attore.

«In conclusione, professor Scianatico, lei conosce le imputazioni a suo carico. C'è qualcuno dei fatti che le vengono attribuiti dall'accusa che lei abbia effettivamente commesso?».

Prima di rispondere Scianatico fece una specie di sorriso amaro. Significava, più o meno, che le persone e il mondo erano cattivi e ingrati. Per questo motivo lui era lì, ingiustamente processato per colpe che non aveva. Ma era di indole buona, e dunque non portava rancore verso la responsabile di tutto questo. Che tra l'altro era una povera squilibrata.

«Come le ho detto, abbiamo avuto due piccole colluttazioni, durante la convivenza. E inoltre sì, come ho già detto le ho fatto molte telefonate, qualcuna anche di notte per cercare di convincerla a tornare insieme. Per il resto, naturalmente, non è vero niente».

Naturalmente. Le telefonate non le poteva negare, visto che c'erano i tabulati. Per il resto la pazza si era inventata tutto nel suo delirio di distruzione.

Così terminò l'esame diretto. Il giudice disse al pubblico ministero che poteva procedere al controesame. Marinella Nonsocome, disciplinatamente, rispose che no grazie, non aveva domande. Dal tono, dalla faccia con cui rispose sembrava che il giudice le avesse chiesto: «Scusi lei ha l'AIDS?».

«Lei ha domande, avvocato Guerrieri?».

«Sì giudice, grazie. Posso procedere?».

Fece sì col capo. Anche lui sapeva che era a quel punto che arrivavano le rogne. E a lui le rogne non piacevano. Peggio per te, pensai.

Le manovre di avvicinamento erano inutili, in questo caso. Così cominciai in modo diretto, senza preliminari.

«Lei ha fotocopiato la documentazione clinica della dottoressa Fumai, all'epoca della vostra convivenza?».

«Sì, è vero. L'ho fotocopiata perché...».

«Può dirci esattamente *quando* l'ha fotocopiata, se lo ricorda?».

«Vuol dire il giorno, il mese?».

«Voglio dire, ad occhio e croce, il periodo. Se poi ricorda anche il giorno...».

«Non saprei rispondere con precisione. Certo non fu nel primo periodo di convivenza».

«Chiese l'autorizzazione alla dottoressa Fumai per estrarre quelle fotocopie?».

«Guardi la mia intenzione...».

«Chiese l'autorizzazione?».

«Io volevo...».

«Chiese l'autorizzazione?».

«No».

«Informò successivamente la dottoressa Fumai che aveva estratto copia di una sua documentazione privata, a sua insaputa?».

«Non la informai perché io ero preoccupato e volevo far vedere quella documentazione a qualche psichiatra mio amico. Per capire insieme, esattamente quali problemi avesse Martina e poterla aiutare».

«Quindi, riepilogando. Lei ha fatto quelle fotocopie senza chiedere il permesso alla dottoressa Fumai, e dunque di nascosto. E successivamente non l'ha informata del fatto. È corretto?».

«Era per il suo bene».

«Quindi possiamo dire che lei, *per il bene* della dottoressa Fumai era disposto a fare cose a sua insaputa, invadendo la sua sfera privata, senza autorizzazione».

«Opposizione signor giudice – fece Dellisanti – questa non è una domanda, è una conclusione. Inammissibile».

«Avvocato Guerrieri, riservi le sue conclusioni al momento dell'arringa» disse Caldarola.

«Con il dovuto rispetto, giudice, io ritengo si trattasse di una vera e propria domanda, su ciò che l'imputato *era disposto* a fare, seguendo la sua idea del tutto soggettiva di quale fosse il bene della dottoressa Fumai. Ma posso rinunciarci tranquillamente e passare ad un'altra domanda. Fu la dottoressa Fumai a dirle dove custodiva la sua documentazione medica?».

«Non ho capito la domanda».

«La dottoressa Fumai le disse: guarda, le carte del mio ricovero, la copia della mia cartella clinica sono nel tale o nel talaltro posto?».

«No. Cioè, non ricordo».

«Dunque lei dovette cercare questa documentazione, per poterla fotocopiare. Fu costretto a *frugare* fra le cose private della dottoressa Fumai. È così?».

«Non ho frugato. Ero preoccupato per lei e così ho cercato quelle carte per farle vedere a un medico».

Scianatico non sembrava più a suo agio. Stava perdendo la calma, e quell'immagine di virile, serena sopportazione. Esattamente quello che volevo.

«Sì, questo ce l'ha già detto. Può indicarci lo psichiatra cui lei mostrò quelle carte, dopo averle fotocopiate clandestinamente?».

«Opposizione, opposizione. Il difensore di parte civile deve evitare i commenti, ed anche solo un avverbio – clandestinamente – è un commento».

Era ancora Dellisanti. Capiva benissimo che le cose non stavano andando per il verso giusto. Per loro. Io parlai prima che Caldarola potesse intervenire.

«Giudice, la mia opinione è che l'avverbio *clandestinamente* definisca in modo preciso le modalità di acquisizione di quella documentazione da parte dell'imputato. Cionondimeno posso tranquillamente riformulare la domanda perché non ho interesse alle polemiche». E perché comunque ho ottenuto il mio risultato, pensai.

«Allora, può indicarci lo psichiatra?».

«... alla fine non feci nessun uso di quella documentazione. I nostri rapporti degenerarono rapidamente e poi lei andò via di casa. E insomma, non ne feci più nulla».

«Ma conservò quella documentazione fotocopiata».

«Rimase lì dov'era. Me ne ero dimenticato, fino a quando non è cominciata... questa storia».

Seguì una pausa piuttosto lunga. Io scartai il pacchetto che mi aveva consegnato Martina; ne tirai fuori la videocassetta e un paio di fogli. Per quasi un minuto feci finta di leggere quello che era scritto sui fogli. Che erano solo un accessorio della messa in scena, e con il processo non c'entravano niente. Erano le fotocopie di due vecchie note spese, ma Scianatico non lo sapeva. Quando pensai che la tensione fosse diventata sufficiente rialzai la testa dalle carte e ricominciai ad interrogare.

«Ha mai imposto alla dottoressa Fumai la videoregistrazione di rapporti sessuali?».

Successe esattamente quello che mi ero aspettato. Dellisanti si alzò in piedi gridando. Era inammissibile, oltraggioso, inaudito che si ponessero domande del genere. Cosa c'entrava quello che accadeva nel chiuso di una camera da letto fra adulti consenzienti, rispetto all'oggetto del processo penale. Eccetera, eccetera.

«Giudice, mi consente di chiarire la domanda, e la sua rilevanza?».

Caldarola annuì. Per la prima volta dall'inizio del processo mi parve irritato verso Dellisanti. Aveva scavato fra le cose private più intime e dolorose di Martina. Per valutare l'attendibilità della *presunta persona offesa*, aveva detto. E adesso si ricordava all'improvviso dell'inviolabilità della vita privata di una coppia.

Fu più o meno quello che dissi. Spiegai che se c'era bisogno di valutare la personalità della persona offesa, per verificarne l'attendibilità, la stessa esigenza esisteva rispetto all'imputato, nel momento in cui aveva accettato di sottoporsi all'esame e, fra l'altro, aveva fatto una serie di dichiarazioni infamanti ed offensive sulla mia cliente.

Caldarola ammise la domanda, e disse a Scianatico di rispondere. Lui guardò il suo avvocato, alla ricerca di aiuto. Non ne trovò. Si spostò ancora sulla sedia, che sembrava fosse diventata molto scomoda. Si stava disperatamente chiedendo come fossi potuto entrare in possesso di quella cassetta. Che, ne era convinto, conteneva una imbarazzante documentazione di sue privatissime abitudini. Alla fine me lo chiese.

«Chi... chi le ha dato quella cassetta?».

«Può cortesemente rispondere alla mia domanda? Se non è chiara o non l'ha sentita bene posso ripeterla».

«Era un gioco, una cosa privata. Che c'entra col processo?».

«È una risposta affermativa? Ha videoregistrato rapporti sessuali avuti...».

«Sì».

«In una sola occasione? In più occasioni?».

«Era un gioco. Eravamo d'accordo tutti e due».

«In una sola occasione o in più occasioni?».

«Qualche volta».

Presi in mano la videocassetta e la osservai per qualche secondo, come se stessi leggendo qualcosa sull'etichetta.

«Ha mai videoregistrato pratiche sessuali di tipo sadomasochista?».

Nell'aula si fece silenzio. Passarono parecchi secondi prima che Scianatico rispondesse.

«Non... non ricordo».

«Riformulo la domanda. Ha mai richiesto o comunque effettuato pratiche sessuali di tipo sadomasochista?».

«Io... noi facevamo dei giochi. Solo giochi».

«Ha mai preteso che la dottoressa Fumai si sottoponesse a legature ed altre pratiche di contenzione sessuale?».

«Non ho preteso. Eravamo d'accordo».

«Allora è corretto dire che vi sono state le pratiche sessuali di cui ho detto, e lei non ricorda se le ha videoregistrate o meno».

«Sì».

«Giudice, io ho finito il controesame dell'imputato. Ma ho da formulare una richiesta...».

Dellisanti scattò, nei limiti in cui la mole glielo consentiva.

«Vi è anticipata, fermissima opposizione all'acquisizione di cassette relative alle pratiche sessuali dell'imputato e della persona offesa. Mantengo ogni riserva sulla rilevanza delle domande formulate sul punto dal difensore di parte civile, ma comunque il fatto che certe pratiche vi siano state è ormai acquisito. Così non c'è nessun bisogno di acquisire documentazione pornografica agli atti del processo».

Proprio quello che volevo sentirgli dire. Era acquisito che certe pratiche c'erano state. Appunto. Avevano abboccato in pieno, tutti e due.

«Giudice, si tratta di una eccezione superflua. Non avevo nessuna intenzione di chiedere l'acquisizione di questa o altre cassette. Come ha giustamente detto il difensore dell'imputato, il fatto che certe pratiche ci siano state, è un dato acquisito. La mia richiesta è un'altra. Nella fase introduttiva del processo la difesa ha chiesto – e la signoria vostra ha ammesso – una consulenza tecnica di tipo psichiatrico sulla persona offesa. Ciò allo scopo di valutarne l'attendibilità in relazione al quadro complessivo del suo stato psichico. Ciò che è emerso dal controesame impone, in applicazione del medesimo principio, la necessità di analogo adempimento sulla persona dell'imputato. Lo psichiatra che lei potrà nominare per esaminare l'imputato, avrà modo di dirci se il bisogno compulsivo di pratiche sessuali di tipo sadomasochistico, ed in particolare di quelle che implicano la contenzione, siano abitualmente collegate a impulsi e comportamenti di tipo persecutorio, di invasione della vita privata altrui. In altre parole se l'uno e l'altro fenomeno siano – o possano essere – entrambi l'espressione di un bisogno compulsivo di controllo. E sia chiaro che prescindo in questo momento da ogni valutazione o ipotesi sull'eventuale carattere psicopatologico di queste propensioni».

La faccia di Scianatico era grigia. L'abbronzatura aveva perso ogni segno di vita, come se sotto il sangue avesse smesso di scorrere. Marinella Nonsocome era paralizzata.

Dellisanti ci mise qualche secondo prima di riprendersi e di opporsi alla mia richiesta. Più o meno con gli stessi argomenti che io avevo usato per oppormi alla sua. Diciamo che non si pose problemi di coerenza.

Caldarola sembrava indeciso sul da farsi. Fuori dall'aula, nei colloqui privati che sicuramente c'erano stati, gli avevano raccontato una storia diversa. Il processo era basato su niente di più che le accuse di una pazza squilibrata contro uno stimato professionista di ottima famiglia. Si trattava di chiudere senza troppo scandalo questo increscioso incidente.

Adesso le cose non sembravano più così chiare e lui non sapeva che fare.

Passò forse un minuto di strano silenzio sospeso e poi Caldarola dettò la sua ordinanza:

«Il giudice, sentita la richiesta formulata dalla difesa di parte civile; rilevato che l'istruttoria ammessa in fase introduttiva non si è ancora esaurita; rilevato che la richiesta di parte civile è concettualmente riferibile alla categoria di cui all'art. 507 c.p.p.; rilevato che per tali prove ogni decisione può essere presa solo al termine dell'istruttoria; per tali motivi riserva ogni decisione sulla richiesta perizia psichiatrica all'esito dell'istruttoria dibattimentale e dispone procedersi oltre».

Era una decisione tecnicamente corretta. Su tutte le richieste nuove di prova si decide alla fine dell'istruttoria. Lo sapevo benissimo, ma avevo fatto quella richiesta, in quel momento, per fare capire esattamente dove volevo arrivare. Per far capire al giudice cosa significavano davvero quelle domande sulle pratiche sessuali e tutto il resto.

Per far capire a tutti che non avevamo nessuna intenzione di stare lì a farci massacrare.

A Dellisanti non piacque quella decisione interlocutoria. Lasciava una porta pericolosamente aperta ad accertamenti intollerabili; e ad uno scandalo se possibile peggiore dello stesso processo. Così ci provò.

«Signor giudice le chiedo scusa, ma noi vorremmo che lei rigettasse sin d'ora questa richiesta. Non è possibile lasciare sul capo dell'imputato questa ulteriore, infamante spada di Damocle...».

Caldarola non lo lasciò finire.

«Avvocato le sarei grato se non discutesse i miei provvedimenti. Su quella istanza deciderò alla fine dell'istruttoria, cioè dopo avere sentito i vostri testi ed anche il vostro consulente. Lo psichiatra, appunto. Con questo credo che abbiamo finito per oggi, se da parte sua non ci sono altre domande per l'imputato».

Dellisanti rimase per qualche istante zitto, come se stesse cercando qualcosa da dire e non riuscisse a trovarla. Una situazione inconsueta per lui. Alla fine si arrese e disse che no, non c'erano altre domande per l'imputato. Scianatico aveva una faccia irriconoscibile quando si alzò dalla sedia dei testimoni per tornare al suo posto accanto al suo avvocato.

Caldarola fissò l'udienza di rinvio a due settimane di distanza; per «sentire i testi della difesa e per le eventuali ulteriori richieste di prove integrative ai sensi dell'articolo 507 del codice di procedura penale».

Fu girandomi verso Martina e Claudia, mentre mi toglievo la toga dalle spalle, che mi accorsi di quanto pubblico c'era in udienza. E in mezzo a quel pubblico almeno tre o quattro giornalisti.

Scianatico, Dellisanti ed il corteo di praticanti e portaborse se ne andarono in fretta, in silenzio. Solo per qualche secondo Scianatico si voltò, in direzione di Martina. Aveva uno sguardo strano; molto strano e non riuscii a decifrarlo, anche se mi fece pensare a certe bambole rotte, con gli occhi sbarrati e folli.

Ai giornalisti che mi chiedevano dichiarazioni dissi che non avevo nessun commento da fare. Fui costretto a ripeterlo tre o quattro volte e alla fine si rassegnarono. Del resto il materiale per scrivere non mancava, dopo quello che avevano visto e sentito.

Ripiegai i due fogli con le copie delle note spese e li misi in borsa con la videocassetta. Non volevo rischiare di dimenticarla. L'avevo registrata una notte di insonnia, anni prima, e mi piaceva rivederla, di tanto in tanto. Conteneva un vecchio film di Pietro Germi, con un grande Massimo Girotti. Un film introvabile ed epico.

In nome della legge.

Dopo quel pomeriggio dovetti andare nella camera da letto pochissime altre volte.

Era come se lui avesse perso interesse. Non lo so se perché ora facevo sempre resistenza; o perché ero cresciuta, e non ero più una bambina. O più probabilmente per tutti e due i motivi.

Comunque a un certo punto smise.

E allora mi accorsi di come guardava mia sorella.

Fui presa dall'angoscia. Non sapevo cosa fare, con chi parlare. Ero sicura che presto, molto presto lui l'avrebbe chiamata nella camera da letto.

Per cinque minuti, e poi puoi tornare a giocare.

Cominciai a non andare in cortile, se Anna non scendeva con me. Se lei diceva che voleva restare in casa per leggersi un giornalino o guardare la televisione, io rimanevo con lei. Rimanevo proprio vicino a lei. Con i nervi tesi, aspettando di sentire quella voce, impastata dalle sigarette e dalla birra, che chiamava. Non sapendo cosa avrei fatto, in quel momento.

Non dovetti aspettare molto. Successe una mattina, il primo giorno delle vacanze di Pasqua. Giovedì santo. Nostra madre era fuori, al lavoro.

«Anna».

«Che vuoi babbo?».

«Vieni qui un minuto, che ti devo dire una cosa».

Anna si alzò dalla sedia in cucina, dove eravamo tutte e due. Poggiò sul tavolo le due bambole con cui stava giocando. Si mosse verso il piccolo corridoio, stretto e oscuro, in fondo al quale c'era la camera.

«Aspetta un attimo» dissi io.

8

Ho ripensato spesso a quell'udienza, e a quello che successe dopo. Mi sono chiesto spesso se le cose potevano andare diversamente, e quanto siano dipese da me, dal mio comportamento nel processo, dal modo in cui interrogai Scianatico.

Non ho mai trovato una vera risposta, e probabilmente è meglio così.

C'erano diversi testimoni e tutti raccontarono i fatti in modo pressoché identico. Il che capita di rado. Con alcuni di questi testimoni ci parlai personalmente; di altri lessi i verbali fatti in questura, nelle ore immediatamente successive al fatto.

Martina rientrava dal lavoro – erano le cinque e mezzo o poco più tardi – e aveva parcheggiato a qualche decina di metri dal portone di casa della madre.

Lui era lì ad aspettarla da almeno un'ora, come disse il proprietario di un negozio di abbigliamento, sull'altro lato della strada. Lo aveva notato perché «c'era qualcosa di strano, nel suo comportamento, nel suo modo di muoversi».

Quando lei lo vide si fermò un attimo; forse pensò di andarsene dall'altra parte, di scappare via. Poi invece riprese a camminare andandogli incontro. Con decisione, disse il negoziante.

Aveva deciso di affrontarlo. Non voleva scappare. Non più.

Parlarono brevemente, in modo sempre più concitato. Poi alzarono la voce, soprattutto lei che gli gridava di andarsene e di lasciarla in pace una volta per tutte. Subito dopo ci fu una specie di colluttazione. Scianatico la colpì più volte, con schiaffi e pugni; lei cadde, forse perse i sensi e lui la trascinò di peso nell'androne.

La telefonata di Tancredi arrivò mentre parlavo con un cliente importante. Un grosso imprenditore indagato dalla Finanza per una serie di frodi fiscali, morto di paura all'idea di poter essere arrestato. Uno di quei clienti che pagavano subito e bene, perché avevano molto da perdere.

Gli dissi che avevo un'emergenza assoluta, lo pregavo di scusarmi; ci saremmo visti domani, anzi no, meglio dopodomani, mi scusi ancora devo scappare arrivederci. Quando lasciai la mia stanza lui era ancora lì dentro, in piedi davanti alla scrivania. Con la faccia di uno che non capisce, suppongo. E si chiede se non sia il caso di cambiare avvocato.

Mentre correvo verso casa di Martina, che era a un quarto d'ora di cammino normale dal mio studio, telefonai a Claudia. Non mi ricordo esattamente cosa le dissi, nell'affanno della corsa. Mi ricordo bene però che lei interruppe la comunicazione mentre ancora stavo parlando; non appena ebbe capito di *cosa* stavo parlando.

Sul posto c'era una confusione pazzesca. Fuori dalle transenne la folla dei curiosi. Dentro molti poliziotti in divisa e qualche carabiniere. Uomini e donne in borghese, con le placche dorate della polizia giudiziaria sulle cinture, o sulle giacche, o appese al collo come dei medaglioni. Alcuni di loro avevano le pistole infilate nella cintura, sul davanti; altri le tenevano in mano, puntate verso terra, come se da un momento all'altro avessero dovuto usarle; un paio tenevano in mano, appesi come borsoni semivuoti, dei giubbotti antiproiettile, con l'aria di chi sta per indossarli da un momento all'altro.

Chiesi a Tancredi chi dirigeva le operazioni, ammesso che si potesse parlare di operazioni e di direzione, in quel casino. Mi indicò un tipo anonimo in giacca e cravatta, che teneva in mano un megafono ma sembrava non sapesse cosa farne, esattamente.

«È il vice capo della Mobile. Se restava a casa era meglio, ma del resto il gran capo è all'estero e quindi, in pratica, dobbiamo sbrigarcela da soli. Abbiamo chiamato anche il sostituto procuratore di turno e ci ha detto che lui fa il magistrato, che non è affare suo mettersi a trattare con quel signore e tantomeno decidere se effettuare un intervento. Però ha detto di tenerlo informato. Di molto aiuto questo stronzo, eh?».

«Siete riusciti a parlare con Scianatico?».

«Sul telefono fisso di casa. Ci ho parlato io. Ha detto che è armato, e di non provare ad avvicinarci. Ho dei dubbi che sia vero, voglio dire il fatto che sia armato. Ma non mi sentirei di scommetterci».

Tancredi esitò qualche istante.

«Aveva una voce che non mi è affatto piaciuta. Soprattutto quando gli ho chiesto se mi faceva parlare con lei. Gli ho detto se me la faceva solo salutare e lui ha risposto che no, adesso non *poteva*. Aveva una brutta voce, e subito dopo ha interrotto la comunicazione».

«Brutta come?».

«È difficile da spiegare. Incrinata, come se stesse per spezzarsi, da un momento all'altro».

«E la madre di Martina?».

«Non lo sappiamo. Voglio dire, non dovrebbe essere in casa. Gli ho chiesto se c'era anche la mamma e lui mi ha detto di no. Ma dove sia non lo sappiamo. Probabilmente è uscita a fare spese o altro, tornerà da un momento all'altro e troverà questa sorpresa. Abbiamo cercato anche il padre di lui, il presidente, per chiedergli di venire e parlare con quel pazzo fottuto del figlio. Siamo riusciti a contattarlo, ma è a Roma per un convegno. Una macchina della mobile di Roma è andata a prenderlo, e lo porta in aeroporto a prendere il primo aereo. Ma nel migliore dei casi potrà essere qui fra cinque ore. Speriamo che per allora non ce ne sia più bisogno».

«Che ne pensi? Cosa bisogna fare?».

Tancredi abbassò la testa e serrò le labbra. Come se cercasse una risposta. No, come se avesse una risposta pronta che non gli piaceva, e cercasse un'alternativa.

«Non lo so – disse alla fine rialzando lo sguardo – queste situazioni sono imprevedibili. Per cercare di decidere una strategia bisogna capire cosa vuole il figlio di puttana; cioè qual è la sua vera motivazione».

«E in questo caso?».

«Non lo so. L'unica cosa che mi viene in mente, non mi piace affatto».

Stavo per chiedergli qual era, questa cosa che gli veniva in mente e che non gli piaceva affatto, quando vidi arrivare il furgoncino di Claudia. Cioè: lo sentii arrivare. In sequenza: stridore di gomme su una curva, rumore di marcia scalata con violenza, ruote anteriori sul marciapiede, urto del paraurti su un cassonetto della spazzatura. Si fece strada fra la folla, nella nostra direzione. Un poliziotto in divisa le disse che non poteva oltrepassare la transenna che segnava la zona delle operazioni. Lei lo scostò senza dire una parola e proprio mentre quello stava cercando di bloccarla arrivò Tancredi, di corsa, e disse di lasciarla passare.

«Dove sono?».

Rispose Tancredi. «Si è barricato a casa di Martina. Probabilmente è armato, o almeno lui dice così».

«Lei come sta?».

«Non lo sappiamo. Con lei non siamo riusciti a parlare. La aspettava sotto casa. Quando lei è arrivata hanno parlato per qualche secondo, poi lei ha gridato qualcosa del tipo di andarsene subito, altrimenti avrebbe chiamato la polizia, o il suo avvocato o tutti e due. È stato a quel punto che lui l'ha colpita, più volte. Lei deve aver perso i sensi, o comunque era stordita, perché l'hanno visto che la trascinava dentro tenendola da dietro, da sotto le ascelle. Qualcuno ha chiamato il 113, è arrivata subito una volante e qualche minuto dopo siamo arrivati noi».

«E adesso?».

«E adesso non lo so. Entro un paio d'ore dovrebbero arrivare da Roma i NOCS e poi qualcuno dovrà prendersi la responsabilità di autorizzare l'intervento. In questi casi non si capisce niente. Voglio dire se deve essere il giudice, il capo della mobile, il questore o chi altro. L'alternativa sarebbe di tentare una trattativa. A dirsi, facilissimo. Ma chi ci parla con questo pazzo?».

«Ci parlo io» disse Claudia. «Telefonagli, Carmelo, e fammi parlare con lui. Gli parlo e gli chiedo se mi lascia entrare e mi fa vedere come sta Martina. Sono una donna, una suora. Non dico che si fiderà, ma potrebbe essere meno sospettoso che per uno di voi». Aveva uno strano tono di voce. Stranamente calmo, in contrasto con la faccia, sconvolta.

Tancredi mi guardò come se cercasse la mia opinione, ma senza chiedermi niente. Io mi strinsi nelle spalle.

«Devo chiedere a quello» disse alla fine, indicando con il capo il funzionario della mobile che continuava ad aggirarsi con l'inutile megafono in mano. Lo raggiunse e parlarono per qualche minuto. Poi vennero insieme verso di noi e fu il funzionario a parlare.

«È lei la suora?» disse rivolgendosi a Claudia.

No, sono io. Non lo vedi il velo, coglione?

Claudia fece sì con il capo.

«Vuol provare a parlarci?».

«Sì, voglio parlarci e chiedergli se mi lascia entrare. Potrebbe funzionare, dottore. Lui mi conosce. Potrebbe fidarsi e se entro credo di poterlo convincere. Mi conosce bene».

Che stava dicendo? Non si conoscevano affatto. Non si erano mai parlati. Mi voltai a guardarla, con un punto di domanda disegnato sulla faccia. Lei mi restituì lo sguardo per non più di un paio di secondi. I suoi occhi dicevano: «non provare ad aprire bocca; non pensarci nemmeno». Intanto il funzionario diceva che si poteva tentare. Almeno la telefonata non costava niente.

Tancredi tirò fuori il suo cellulare, pigiò il tasto di ripetizione della chiamata e aspettò, con il telefono schiacciato contro l'orecchio. Alla fine Scianatico rispose.

«Sono ancora l'ispettore Tancredi. C'è una persona che vuole parlarle. Posso passargliela? No, non è un poliziotto, è una suora. Va bene, certo. Non ci pensiamo nemmeno ad avvicinarci. Va bene ora gliela passo».

Sì era suor Claudia, l'amica di Martina. Era da molto tempo che avrebbe voluto parlare con lui, aveva molte cose importanti da dirgli. Poteva, prima di continuare, salutare Martina? Ah, non stava molto bene. Sulla faccia di Claudia si aprì una specie di crepa, ma la sua voce non cambiò, rimase ferma e tranquilla. D'accordo, non fa niente, ci parlo dopo, se tu vuoi naturalmente. Io credo che Martina voglia tornare con te; me lo ha detto molte volte, anche se non sapeva come fare ad uscire da tutta la strana situazione che si era creata. Ti sento male. Sì, ti sento male, deve essere questo cellulare. Che dici se vengo su e parliamo un po' tutti insieme? Ovvio, io da sola. Sono una donna, una suora, puoi stare tranquillo. E poi i poliziotti non piacciono neanche a me. Allora vengo su? Certo, certo, tu guardi dallo spioncino e così sei sicuro che non ci sia nessun altro, insieme a me. Ma comunque hai la mia parola, puoi fidarti. E ti sembra che una suora possa avere armi? Va bene adesso salgo. Da sola, certo, siamo d'accordo. Ciao.

A parte le cose che disse, quello che mi lasciò quasi ipnotizzato fu il tono di voce. Calmo, rassicurante, ipnotico appunto.

«Vuoi mettere un giubbotto antiproiettile?» disse Tancredi. Lei lo guardò senza nemmeno rispondergli.

«Allora prima di salire ti chiamo sul cellulare tu mi rispondi, adesso, e poi lo lasci acceso. Così almeno possiamo sentire quello che dite, e quello che succede».

Si voltò verso due tipi sulla trentina, con l'aspetto da spacciatori del CEP. Due agenti della sua squadra.

«Cassano, Loiacono voi due venite con me. Saliamo insieme e rimaniamo sulle scale, senza arrivare sul pianerottolo».

Sentii la mia voce che veniva fuori indipendentemente dalla mia volontà.

«Vengo con voi».

«Non dire cazzate, Guido. Tu fai l'avvocato e noi facciamo i poliziotti».

«Aspetta, aspetta. Se magari Claudia riesce a intavolare una trattativa io potrei subentrare, potrei aiutarla. Lui mi conosce, sono l'avvocato di Martina. Gli posso dire qualche fesseria, del tipo che il processo lo chiudiamo, ritiriamo le accuse e così via. Posso essere di aiuto, se la trattativa va avanti. Se invece dovete intervenire, ovviamente mi tolgo di mezzo».

Il funzionario disse che per lui poteva andare bene. L'importante era che fossimo prudenti. Grandissimo consiglio. Non fece cenno alla possibilità di venire anche lui. Per evitare un inutile affollamento, presumo. Il suo ideale di poliziotto non era l'ispettore Callaghan.

Quello che successe dopo è, nella mia memoria, un film in bianco e nero, girato a camera sporca e con il montaggio di un pazzo. Eppure presente, tanto presente che non riesco a raccontarmelo al passato.

I tre poliziotti sono davanti a me, sull'ultima rampa di scale prima del pianerottolo. Fin dove si può arrivare senza il rischio di essere visti. Siamo vicinissimi, quasi uno addosso all'altro; io sento il sudore acido del più grosso; Loiacono, forse, o forse Cassano. Il campanello ha un rumore strano, fuori tempo. Una specie di *din don dan*, con echi antichi, e inquietanti. Claudia dice qualcosa in risposta alla voce che viene dall'appartamento. Poi silenzio, lungo. Lui sta guardando dallo spioncino, penso. Poi rumore di congegni, di serrature, di chiavi che ruotano. Poi di nuovo silenzio, a parte il rumore del nostro respiro trattenuto.

Tancredi ha il cellulare attaccato all'orecchio sinistro; con l'altra mano tiene la pistola, come gli altri due. Lungo la gamba, la canna puntata verso terra. Mi ritorna in mente il gesto che hanno fatto tutti e tre, prima di entrare. Indietro il carrello, colpo in canna, percussore appoggiato dolcemente per evitare colpi accidentali.

Guardo la faccia di Tancredi, per intuire quello che sente e che sta succedendo. A un certo punto la faccia si deforma e prima che io debba sforzarmi ad interpretare lui grida.

«Merda, sta succedendo il casino. Sfondiamo cazzo, sfondiamo subito».

Il più grosso dei due – Cassano, o forse Loiacono – arriva per primo davanti alla porta, solleva un ginocchio quasi al petto, distende la gamba colpendo la porta con la pianta del piede, all'altezza della serratura. Rumore di legno che si spezza, ma la porta non cede. L'altro poliziotto fa un movimento identico. Altro rumore di legno spezzato, ma ancora la porta non cede.

Si apre dopo altri due, tre, quattro di quei calci violentissimi. Entriamo tutti insieme. Tancredi per primo, noi dietro. Nessuno mi dice di restare fuori e di fare l'avvocato, che loro fanno i poliziotti.

Passiamo attraverso stanze, guidati dalle urla di Scianatico.

Quando arriviamo in cucina la scena sembra quella di un rituale pauroso.

Claudia è a cavalcioni sulla faccia di Scianatico; lo tiene immobilizzato con la stretta delle gambe, e con una mano gli inchioda la gola. Le dita penetrano nel collo, come dei pugnali. Con l'altra mano chiusa a pugno lo colpisce ripetutamente in faccia. Con metodo selvaggio; e mentre la guardo *so* che lo sta uccidendo. L'inquadratura si allarga fino a includere Martina. È a terra, vicino al lavandino. Non si muove. Sembra una bambola rotta.

Cassano e Loiacono afferrano Claudia da sotto le ascelle e la tirano via, sollevandola. Quando lei riappoggia i piedi per terra i poliziotti si aspettano tutto, tranne che essere colpiti entrambi, così velocemente che i pugni e i calci non si vedono; si possono appena intuire. Tancredi fa un passo indietro e dirige la pistola verso le gambe di Claudia.

«Non fare cazzate Claudia. Non facciamo cazzate».

Lei è sorda e fa due passi verso di lui. Sembra che non mi abbia nemmeno visto, anche se sono vicinissimo, alla sua sinistra.

Non è che io decida di fare quello che faccio. Succede, e basta. Lei non mi vede, e nemmeno vede il mio destro che parte e la colpisce al mento, di striscio. Il più classico dei colpi da KO. Puoi essere l'uomo più forte del mondo, ma se arriva un buon diretto, dato nel modo giusto alla punta del mento, non c'è niente da fare. Si spegne la luce e basta. È come un'anestesia.

Claudia cade per terra. I due poliziotti le sono addosso, le torcono le braccia dietro la schiena e la ammanettano, con i movimenti automatici ed efficienti di chi lo ha fatto tante volte. Poi fanno lo stesso con Scianatico, ma la fretta è inutile con lui. Ha la faccia irriconoscibile per tutti i colpi presi, emette dei monosillabi e non riesce a muoversi.

Tancredi si avvicina a Martina e le poggia l'indice e il medio sul collo. Per vedere se c'è ancora sangue che circola. Ma è un gesto meccanico, e inutile. Gli occhi sono sbarrati, la faccia è di cera, la bocca semiaperta lascia vedere i denti, un rivolo di sangue già secco scende giù dal naso. La faccia della morte; della morte violenta. Una faccia che Tancredi ha già visto tante volte; e che anch'io ho visto, ma solo nelle fotografie dei fascicoli di omicidio. Mai, prima d'ora, così concreta, presente, spaventosamente banale.

Tancredi le passa una mano sugli occhi, per chiuderli. Poi si guarda attorno, trova uno strofinaccio colorato, lo prende e le copre il viso.

Cassano – o Loiacono – fa per uscire e andare a chiamare gli altri, ma Tancredi lo ferma, gli dice di aspettare. Si avvicina a Claudia, che è seduta per terra con le mani ammanettate dietro la schiena. Si piega sulle ginocchia e le parla sottovoce per qualche secondo; alla fine lei fa un cenno di sì, con la testa.

«Toglietele le manette».

Cassano e Loiacono lo guardano in faccia. Lo sguardo che restituisce non ha bisogno di essere interpretato; significa che non ha voglia di ripetere l'ordine e basta. Quando Claudia è di nuovo libera Tancredi ci dice di uscire tutti dalla cucina e lui viene con noi.

«Allora ascoltatemi bene perché fra qualche secondo qui non si capirà più niente».

Lo guardiamo.

«Vi dico quello che è successo. Claudia è entrata. Lui l'ha aggredita ed è iniziata una colluttazione. Abbiamo sentito tutto al telefono e allora abbiamo sfondato. Quando siamo arrivati in cucina loro stavano lottando. *Tutti e due*. Siamo intervenuti, lui ha fatto ancora resistenza e ovviamente abbiamo dovuto colpirlo. Alla fine lo abbiamo immobilizzato ed ammanettato. E basta. Non è successo altro».

Fa una pausa, per guardarci ad uno ad uno.

«Chiaro?».

Nessuno dice niente. E che dobbiamo dire? Lui ci guarda ancora per qualche istante e poi si rivolge a Cassano, o forse a Loiacono.

«Chiama gli altri, senza fare troppo casino. Non uscire gridando, che tanto non serve a niente. E fai entrare anche quelli dell'ambulanza. Per quel pezzo di merda».

Quello si volta per andare e Tancredi lo richiama.
«Ehi».
«Sì?».
«Non voglio vedere giornalisti qui dentro. Chiaro?».

Uscimmo mentre la casa si riempiva di poliziotti, carabinieri, medici, infermieri. Il vice capo della mobile riprese, per così dire, il comando delle operazioni.

Tancredi mi disse di portarmi via Claudia, di assicurarmi che si fosse calmata e di richiamarlo un'ora dopo. Dovevamo andare in questura per la deposizione di Claudia, e voleva essere lui a verbalizzarla, ovviamente.

Mentre parlava non la guardava in faccia. Lei invece guardava lui e sembrava volesse dire qualcosa. Non ci riuscì, ma probabilmente non ce n'era bisogno.

Ce ne andammo verso il suo furgoncino che se ne stava lì, ammaccato contro il cassonetto della spazzatura.

«Puoi guidare tu, per piacere?».

«Vuoi che andiamo da un medico?».

«No» disse mentre la mano le andava inconsciamente al mento, e lo prendeva fra il pollice e le altre dita; a controllare che fosse tutto a posto, dopo il pugno.

«No. È solo che non mi sento di guidare».

C'era ancora luce e l'aria era fresca e dolce. Pensai questo mentre salivo su quel vecchio arnese dal lato del guidatore.

Pensai che era aprile.

Il più crudele dei mesi.

9

Percorremmo tutti i lungomari della città, due, tre volte, con il furgoncino di Claudia, senza dire una parola. Quando vidi che era passata un'ora le chiesi se potevamo andare in questura. Lei disse di sì. Senza nessun tono, senza nessun colore nella voce.

Andammo in questura e la sentirono a verbale. C'era Tancredi e c'era una agente, una ragazza dall'aria e dai modi gentili. Scrissero la storia che aveva già raccontato Tancredi, quando eravamo ancora in casa di Martina.

Non ci volle molto, e Claudia firmò senza leggere.

Quando chiesi se dovevano verbalizzare anche le mie dichiarazioni, Tancredi mi guardò diritto negli occhi, per qualche istante.

«Quali dichiarazioni? Tu sei entrato lì dentro quando era finito tutto. E allora che dichiarazioni vuoi fare?».

Pausa. Io d'istinto guardai verso la donna poliziotto, ma quella stava facendo una fotocopia e non badava a noi.

«Andatevene adesso, che a noi ci tocca lavorare la notte per completare tutti gli atti da mandare in procura, domani».

Giusto. Che dichiarazioni volevo fare?

Non c'era da aggiungere altro e così Claudia ed io ce ne andammo.

Margherita era fuori, per lavoro. Fui contento che non ci fosse perché non avevo voglia di raccontare quello che era successo. Non quella sera, almeno. Così non riaccesi il cellulare che avevo spento quando eravamo entrati in questura.

Ritornammo al furgoncino senza dire una parola. Solo quando ci fummo seduti Claudia ruppe il silenzio. Parlava guardando avanti, la faccia senza espressione.

«Non ho voglia di tornare. Ho voglia di andare in giro».

Anch'io non avevo voglia di tornare. Da nessuna parte. Misi in moto senza dire niente e andai. Imboccai l'autostrada dal casello Bari-Nord e dopo cinquecento metri mi fermai al primo autogrill. Assurdamente avevo voglia di mangiare. In quel modo provvisorio, senza regole e bellissimo dei lunghi viaggi in macchina. Forse ero entrato in autostrada proprio per quel motivo. Prendemmo due cappuccini e due fette di torta. Perché anche Claudia, assurdamente, aveva fame.

Al momento di pagare chiesi al cassiere un accendino ed un pacchetto di MS. Un pacchetto morbido, e lo tenni in mano qualche secondo prima di metterlo in tasca.

Ci rimettemmo in movimento, verso il buio quieto e accogliente di quella notte di aprile.

«Ti ricordi? Volevo raccontarti una storia?».

«Sì».

«Fermiamoci da qualche parte. Dove possiamo stare in pace».

Una ventina di chilometri dopo mi infilai in un'area di parcheggio; fra gli alberi deserti, bui e silenziosi e la luce fioca di pochi lampioni. Il rumore delle macchine che sfrecciavano, rare, giungeva attutito e aveva qualcosa di strano e rassicurante. Scendemmo dal furgoncino e andammo a sederci su una panchina.

Le notti bianche, mi venne in mente. Voglio dire: proprio le parole scritte nella testa in caratteri tipografici. E le immagini del film, e le parole del libro. Una panchina, e due che non dormono, e passano la notte a parlare. Sospesi, in un universo sospeso.

Scartai il pacchetto con calma. Prima il filo argentato, poi la plastica sulla sommità, poi la carta stagnola. Un colpo con indice e medio sulla parte chiusa, per far venir fuori la sigaretta.

Chiusi gli occhi sentendo il fumo arrivare nei polmoni e l'aria fresca sulla faccia.

Pensai che non mi importava niente di niente, mentre fumavo ad occhi chiusi quella sigaretta aspra e forte. Persi il contatto; fluttuavo in qualche posto, che era lì, in quell'area di parcheggio, e contemporaneamente altrove. Tanti anni prima, in un buio e un ignoto dimenticati e cordiali.

«Io non sono una suora».

Aprii gli occhi e mi voltai verso di lei. Aveva un gomito poggiato sulla gamba e la testa appoggiata sulla mano. Guardava – o sembrava guardasse – verso l'ombra nera di un eucalipto.

Me la raccontò, quella storia.

Aprii la porta e mi fermai uno o due passi dentro la camera, le braccia distese lungo il corpo. Lui sollevò la testa e mi guardò. C'era un'ombra di stupore in quegli occhi appannati.

«Dov'è Anna?».

Mentre rispondevo mi accorsi che tremavo tutta. Proprio tutta. Gambe, braccia, spalle, mento.

«Lasciala stare».

Allungò la testa verso di me socchiudendo gli occhi, in un gesto istintivo. Come non credesse a quello che aveva sentito. Come non credesse che potevo sfidarlo in quel modo.

«Dì ad Anna di venire subito qui».

«Lascia stare la bambina».

Si alzò dal letto.

«Adesso ti faccio vedere io, piccola troia».

Io tremavo tutta, ma rimasi ferma, due passi dentro la camera. Alzai soltanto il braccio destro, mentre lui era oramai vicinissimo.

Fu in quel momento che lui vide il coltello. Era un coltello lungo, appuntito ed affilato. Di quelli che si usano per tagliare la carne. Lui era così vicino che potevo vedere i peli che gli uscivano dal naso e dalle orecchie. Potevo sentire l'odore del suo corpo e del suo alito.

«Che cazzo credi di fare con quel coltello, troia?».

Furono le sue ultime parole. Appoggiai la mano sinistra sulla destra, e spinsi con tutta la forza che avevo. Dal basso verso l'alto, fino in fondo. Lui ebbe solo un sussulto e poi, lentamente, mise le sue mani sulle mie, in un gesto di difesa che ormai era inutile. Rimanemmo così, uniti per un attimo interminabile, mani nelle mani, occhi negli occhi.

Nei suoi c'era solo uno stupore infinito. Nei miei non c'era niente.

Poi liberai le mie mani, feci qualche passo indietro, senza voltarmi. E chiusi la porta.

Anna non aveva sentito niente – lui non aveva fatto nemmeno un gemito – e non si accorse di niente. Io la presi per mano e le dissi che dovevamo andare in cortile. Lei prese le sue bambole e mi seguì. Ad un certo punto, mentre scendevamo le scale si fermò. Indicò con il dito.

«Ti sei fatta male, Angela. Ti esce il sangue dalla mano».

«Non è niente. Mi lavo al rubinetto del cortile».

«Ma ti devi disinfettare».

«Non c'è bisogno. Basta l'acqua».

Dopo, i ricordi sono confusi. A spezzoni. Alcune cose nitide, altre buie che non si vede niente.

Ad un certo punto tornò mia madre, ci passò davanti e salì a casa. Non mi ricordo se ci salutò, o se soltanto ci vide. Qualche minuto dopo sentimmo le sue grida, spaventose. Poi gente che si affacciava ai balconi, o scendeva in cortile, o saliva nella nostra palazzina. Poi rumori di sirene e luci intermittenti blu. Divise scure, una folla che si accalcava davanti al nostro portone, le ore che passavano, il buio che cominciava a scendere, la gente che parlava sottovoce mentre due uomini con dei camici bianchi portavano via una lettiga, con dentro il corpo, coperto da un lenzuolo.

Rimasi dietro, tenendo per mano mia sorella, fino a quando una signora gentile si avvicinò e ci disse che dovevamo andare con lei.

Ci portarono in un ufficio dove c'era anche un uomo, e quella signora ci chiese se volevamo qualcosa da mangiare. Mia sorella disse di sì; io risposi che no grazie non avevo fame. Le portarono un panino col prosciutto e una coca cola, e quando finì di mangiare ci fecero delle domande. Volevano sapere se era venuto qualcuno a trovare il babbo, se avessimo visto qualche sconosciuto entrare nella nostra palazzina, e altro. Io chiesi se potevano fare uscire la bambina, perché dovevo dire loro delle cose. Si guardarono negli occhi e poi la signora prese per mano mia sorella e la portò fuori da quella stanza.

Quando rientrò io stavo già raccontando la mia storia. Con calma, raccontai tutto, da quella mattina di estate fino a quel giovedì santo.

Con calma, senza provare niente.

10

Accesi la terza o forse la quarta emmesse e sentii con gratitudine il fumo che mi spaccava i polmoni.

Claudia mi raccontò il resto. Quello che accadde dopo. Gli anni del riformatorio. La scuola. Suor Caterina, che lavorava come volontaria nell'istituto. Ci andava quasi tutti i giorni a trovare i ragazzi e le ragazze che erano rinchiusi lì. Era una suora strana, diversa dalle altre. Si vestiva in modo normale, era giovane, era simpatica, non voleva parlare di religione a tutti i costi, e diventò amica della piccola Angela. Che era l'unica ad essere rinchiusa lì dentro per un omicidio, commesso prima di compiere quattordici anni. Sottoposta alla misura di sicurezza del riformatorio giudiziario perché minore degli anni quattordici, non imputabile. E pericolosa.

Suor Caterina insegnò un sacco di cose a quella bambina strana e silenziosa, che stava per i fatti suoi e non faceva amicizia con nessuno. Le portava dei libri, e la bambina li divorava e ne chiedeva sempre di nuovi. Le insegnò a suonare la chitarra, le insegnò a cucinare dei dolci buonissimi. Le insegnò il pronto soccorso, perché lei era infermiera.

Un giorno, mentre chiacchieravano insieme nel cortile dell'istituto la bambina, che ormai era diventata una ragazza, disse alla suora che non voleva più essere chiamata Angela. Sarebbe uscita presto dal riformatorio e voleva che suor Caterina le desse un nome nuovo. Per il fuori. Per la sua nuova vita.

La suora fu turbata da quella richiesta e disse alla ragazza che avrebbe dovuto pensarci. Quando tornò la volta successiva, la ragazza per prima cosa le domandò se avesse il suo nuovo nome. Suor Caterina disse che la sua mamma si chiamava Claudia. La ragazza disse che era un bel nome, e che da allora si sarebbe chiamata Claudia. Suor Caterina stava per dire qualcosa, ma poi rimase in silenzio. Si tolse il piccolo crocefisso di legno che portava sempre – l'unico segno visibile del suo essere una suora – e lo mise al collo della ragazza.

Quando uscì dall'istituto Claudia fu affidata ad una famiglia del nord, perché a casa dalla madre aveva detto che non ci voleva tornare. Prese il diploma in un istituto professionale, cominciò a lavorare come operaia, cominciò a praticare le arti marziali. Prima il karate e poi quella disciplina micidiale inventata secoli prima da una monaca.

Un giorno seppe che in una comunità che accoglieva ex prostitute e ragazze abusate cercavano volontari, per dare una mano. Si presentò e nel colloquio disse che era una suora. Suor Claudia, dell'ordine delle Francescane Minori. L'ordine di suor Caterina.

«Non lo so come mi venne, di dire che ero una suora. Non saprei spiegarlo nemmeno adesso. Forse, inconsciamente, pensavo che se ero una suora sarei stata al sicuro. Non voglio dire fisicamente. Sarei stata al sicuro dai rapporti con le persone. Sarei stata al sicuro... dagli uomini, forse. Pensai che sarebbe stato tutto più facile, che non avrei dovuto spiegare un sacco di cose».

Si voltò per guardarmi, poi si passò la mano sul viso, poi riprese a parlare.

«Penso di sapere a cosa stai pensando. Non temevo di essere scoperta? Non lo so. Certo nessuno ha mai dubitato che io fossi veramente una suora. Può sembrare strano ma è così. È buffo. Dici che sei una suora e a nessuno viene di controllare se lo sei davvero. Nessuno ti chiede i documenti. Perché una dovrebbe inventarsi di essere una suora? La gente lo accetta e basta. Al massimo qualcuno ti chiede come mai non porti l'abito, tu spieghi che nel tuo ordine non è obbligatorio e finisce lì. E così in breve, diventi una suora, per tutti».

Altra pausa. Di nuovo quella mano passata sul viso in ombra.

«Era rassicurante. Era il mio modo di nascondermi stando in mezzo alla gente. Era il mio modo di proteggermi. Era il mio modo di scappare, rimanendo lì».

Non c'era molto ancora da raccontare. Aveva cominciato a lavorare in quella comunità. Faceva parte di una associazione, che ne aveva altre in tutta Italia. Quando seppe che volevano aprire una nuova casa rifugio vicino a Bari, e cercavano qualcuno con esperienza che andasse lì, a lavorarci a tempo pieno con un piccolo stipendio per avviare la comunità, lei si offrì.

Quando finì la sua storia mi chiese una sigaretta. Fui stranamente contento che lo facesse, e di potergliela offrire mentre io stesso ne prendevo ancora un'altra, e di potere fumare insieme, in silenzio mentre di tanto in tanto si sentivano i rumori delle macchine che si avvicinavano, passavano davanti alla nostra area di parcheggio, si allontanavano sfrecciando.

«C'è un sogno che faccio una o due volte all'anno. Lui chiama dalla camera da letto la bambina Angela, quella mattina d'estate. La bambina Angela ci va, lui le fa chiudere la porta, la fa sedere sul letto, e in quel momento la porta si riapre ed entra suor Claudia. A salvare la bambina. Ma non ci riesce mai, perché sempre, in quel momento, mi sveglio».

Girò fra le dita la sigaretta quasi completamente consumata. Guardò la brace, come se nascondesse qualche segreto, o una risposta.

«Una volta ho anche sognato che qualcuno mi riportava alla casa rifugio il cane Snoopy. Che non era morto ma solo scappato via».

Fece una specie di sorriso, socchiudendo gli occhi, cercando di vedere una cosa lontana.

Io avevo la gola ostruita e dovevo sforzarmi per deglutire.

«Sai, suor Caterina, nell'istituto, mi fece leggere una poesia di una poetessa di cui non ricordo il nome. Era inglese, o americana forse. Era dedicata a un cane bastardo, come Snoopy. Cominciava così: *Se non c'è un Dio per te, non c'è un Dio neanche per me*».

«È bellissima». Mentre lo dicevo mi resi conto che erano le prime parole che pronunciavo, da quando ci eravamo seduti su quella panchina, in quell'area di servizio, in quell'autostrada.

Provai uno strano senso di pace, mentre lo dicevo. Mentre lei mi prendeva la mano e la teneva stretta, senza guardarmi.

Io invece la guardai.

Piangeva in silenzio.

Prima di risalire sul furgoncino trovai un bidone della spazzatura e buttai le sigarette con l'accendino.

Claudia disse che avrebbe guidato lei, e mi riportò a casa in poco meno di un'ora.

Mi tenne di nuovo la mano per un poco, prima di salutarmi. Fuori, il buio della notte cominciava a diluirsi.

Quando rientrai in casa per prima cosa mi lavai i denti, per togliermi il sapore del fumo.

Poi aprii tutte le finestre, presi un vecchio, raro disco in vinile e lo misi sul piatto.

La casa fu attraversata dal vento fresco dell'alba ed io mi appoggiai allo schienale della sedia a dondolo proprio mentre cominciavano a diffondersi le prime note fruscianti.

Albinoni, celebre adagio. Su quelle note, come venisse da un'altra dimensione, la voce recitante e misteriosa di Jim Morrison.

11

Scianatico fu arrestato per sequestro di persona e omicidio. E resistenza a pubblico ufficiale naturalmente, visto che stando a quello che c'era scritto sui verbali, aveva cercato di opporsi ai poliziotti che facevano irruzione nell'appartamento per arrestarlo.

L'autopsia accertò che Martina era morta per alcuni colpi – pugni, verosimilmente – violentissimi al capo e per un urto contro una superficie rigida. Muro o pavimento. Il perito disse che quando Martina fu trascinata nel palazzo e poi nell'appartamento, probabilmente era ancora viva.

Anche nel processo che seguì con una rapidità inconsueta Scianatico fu difeso da Dellisanti, che in tutti i modi tentò di farlo dichiarare incapace di intendere e di volere. Il suo consulente parlò di scompenso psicotico all'origine dell'aggressione e dell'omicidio; di mancata elaborazione del lutto per la fine della relazione, di grave sindrome depressiva al momento della comprensione del gesto compiuto, e una caterva di altre simili cazzate. Scianatico cercò di confermare la diagnosi con due discutibilissimi tentativi di suicidio in carcere.

Lo psichiatra nominato dalla corte d'assise però non la bevve, disse che i due tentativi di suicidio erano atti simulati e concluse la sua perizia scrivendo che l'imputato era un soggetto con «*... bisogno compulsivo di controllo, bassissima tolleranza alle frustrazioni, struttura di personalità borderline, e disturbo narcisistico... ma tecnicamente capace di intendere (nel senso di capire perfettamente il significato delle sue azioni) e di volere (nel senso di determinarsi liberamente scegliendo le proprie sequenze comportamentali)*».

E così la corte, dopo tre mesi di processo accanitamente seguito da giornali e televisioni, ritenne Scianatico capace di intendere e di volere e lo condannò a sedici anni di carcere, derubricando l'imputazione di omicidio volontario in quella di omicidio preterintenzionale. Il concetto era, in italiano comune: è andato lì per massacrarla di botte ma non aveva intenzione di ucciderla.

Tecnicamente una decisione corretta, ma nel giro di sette, otto anni quell'animale sarebbe uscito in semilibertà, fu la prima cosa che pensai quando lessi sul giornale la notizia. Sempre che in corte d'appello non gli facciano qualche altro sconto.

In corte d'appello però non gli fecero altri sconti. In un caso così clamoroso, così sotto l'attenzione dei media, nessuno voleva rischiare l'accusa di avere favorito il figlio del presidente Scianatico.

In realtà: dell'ex presidente Scianatico. Il vecchio si mise in aspettativa subito dopo il fatto e poi, senza mai rientrare in servizio, andò in pensione.

Caldarola non finì mai il processo in cui ci eravamo costituiti parte civile. Qualche mese dopo gli ultimi fatti fu trasferito in corte d'appello e così il processo dovette ricominciare con un altro giudice. Questa volta Dellisanti scelse una linea difensiva, come dire, più blanda. Con il processo per omicidio in corso non avevano nessun interesse ad un ulteriore riepilogo, magari con grancassa giornalistica, di quello che Scianatico aveva fatto prima. Non avevano interesse a parlare di pestaggi, di sesso violento, di angherie, di persecuzioni. Di come era stata la vita della vittima dell'omicidio, nei mesi e negli anni prima di diventare la vittima dell'omicidio. Così alla prima udienza chiesero e ottennero un tranquillo patteggiamento a sei mesi di reclusione.

Il mio procedimento disciplinare fu archiviato. Anche lì nessuno aveva interesse a ridiscutere i perché ed i come di un processo che aveva avuto quel genere di epilogo. Nemmeno io. Il provvedimento di archiviazione diceva, in due righe, che non avevo commesso nessun illecito disciplinare, ma che mi ero «*limitato ad interpretare con vigore, ma entro i limiti della correttezza deontologica, il mandato di difensore di parte civile*».

Alessandra Mantovani è rimasta a Palermo. Quando l'applicazione stava per finire, chiese e ottenne il trasferimento definitivo. Adesso lavora alla direzione antimafia e ogni tanto leggo il suo nome, e vedo la sua fotografia – con una faccia stanca e indurita – su qualche giornale. Ogni volta questo mi dà una punta strana di tristezza. La stessa che provai quando mi disse che andava via.

Claudia è rimasta a Bari, invece. Dirige sempre la casa rifugio ma ha smesso di farsi chiamare suora. Non è che ad un certo punto abbia fatto una conferenza o dei manifesti per rivelare a tutti di non essere una suora.

Semplicemente quando arriva una nuova ragazza in comunità si presenta con il suo nome, e basta. Quando qualcuno che la conosceva da prima la chiama *suora*, lei dice che va bene anche solo il suo nome. Cioè Claudia.

Che poi non è il nome che ha sui documenti, ma questo ha poca, o nessuna importanza. Il suo vero nome è Claudia. Il nome sui documenti glielo avevano dato i suoi genitori naturali. Qualunque cosa significhi la parola *naturale* per un padre che fa quelle cose alla sua figlia bambina. E per una madre che glielo lascia fare, fingendo di non vedere, di non sentire.

La sua vera madre, la sua famiglia era stata quella suora, nell'istituto.

12

Quando dissi a Margherita che volevo provare a lanciarmi con il paracadute lei mi guardò a lungo senza dire niente. Volevo dimostrare che ero capace di stupirla? C'ero riuscito, disse quando trovò le parole.

Qualche giorno dopo cominciai il corso.

In quelle settimane provai una sensazione stranissima e sconosciuta, che era un misto di nitida paura e di serenità inquietante. Un senso dell'ineluttabile e una dignità misteriosa.

La notte prima del lancio non dormii nemmeno un minuto. Ovviamente.

Però rimasi a letto tutto il tempo, perfettamente sveglio, a pensare e a ricordarmi tante cose. La più viva di tutte: quel gioco terribile di bambini sul cornicione, tanti anni prima.

Ogni tanto arrivava un'ondata di paura purissima. Lasciavo che fluisse, che mi attraversasse tutto il corpo, come una corrente fisica di energia. E così passava. Qualche volta era più forte, e più lunga. Qualche volta pensavo che il giorno dopo sarei morto. Qualche volta pensavo che all'ultimo momento mi sarei tirato indietro. Ma anche quello passava.

Se Margherita si era accorta che ero rimasto sveglio non me lo disse, al mattino.

Ed io, stranamente, non mi sentivo stanco. Al contrario avevo le braccia e le gambe sciolte e la mente sgombra e pulita. Non pensavo a niente.

Il rumore assordante dell'aereo si ridusse fino a diventare una specie di brontolio di fondo. Forte ma ordinato, nella penombra della carlinga. Il pilota aveva rallentato la velocità al minimo e sembrava quasi che l'aereo fosse fermo, fra la terra e il cielo.

Dovevamo lanciarci in sei. Io ed altri tre eravamo al primo lancio. Poi l'istruttore e Margherita, che aveva chiesto di esserci e me lo aveva detto solo quella mattina.

Quando il portellone fu spalancato entrarono il vento e una luce inquietante.

Ero vicinissimo al mistero della vita e della morte.

L'istruttore mi disse di mettermi sul varco, di traverso come mi era stato insegnato. Feci quello che mi aveva detto. Passò qualche secondo e lui mi fece segno di andare. Io guardai giù e rimasi fermo. Fermo per il tempo infinito di una scena al rallentatore, sgranata fotogramma per fotogramma. Lui mi ripeté di andare, ma io non mi mossi. Tutto era assurdamente immobile.

A quel punto Margherita mi venne vicino e mi disse qualcosa all'orecchio, stringendomi un braccio. Nel rumore dell'aereo non capii le parole, ma non ce n'era bisogno.

Così chiusi gli occhi e mi lasciai andare.

Qualche secondo, e qualche secolo dopo sentii lo *stunf* del paracadute vincolato che si apriva. E l'incredibile silenzio del vuoto, con l'aereo che era già lontano.

Avevo ancora gli occhi chiusi quando mi accorsi di un rumore strano, eppure familiare. Ci misi un poco per capire che era il mio respiro, che emergeva dalle profondità del silenzio, del volo, della paura.

Avevo ancora gli occhi chiusi quando sentii chiamare il mio nome. Fu solo allora che li aprii, e vidi dov'ero. Vidi il mondo sotto di me, che stavo volando senza paura. E vidi Margherita, trenta o quaranta metri più in là, che mi salutava con la mano.

Sentii un'emozione che non si può spiegare, mentre anch'io alzavo la mano.

Mentre alzavo tutte e due le mani, salutando come facevo da bambino piccolo, quando ero molto felice.

Ragionevoli dubbi

Zero

Quando Margherita disse che doveva parlarmi, pensai che aspettasse un bambino.

Era un tardo pomeriggio di settembre. Con tutta la luce drammatica dell'estate che finisce, che preannuncia la penombra e i misteri dell'autunno. Un buon momento per sapere che diventerai padre, pensai distintamente mentre ci sedevamo in terrazza, il sole basso alle nostre spalle.

«Ho avuto un'offerta per un nuovo lavoro. Un'offerta molto buona. Ma se l'accetto devo partire e stare fuori parecchi mesi. Forse un anno».

La guardai con l'espressione di chi non ha sentito bene, o non ha capito le parole. Cosa c'entrava questa offerta di lavoro con il bambino che avremmo avuto fra qualche mese? Non capivo e lei mi spiegò.

Una importante agenzia pubblicitaria americana – mi disse anche il nome, ma lo dimenticai subito o forse non lo ascoltai nemmeno – le aveva offerto di coordinare la campagna per il rilancio di una compagnia aerea. Disse un nome grossissimo. Disse che era una opportunità irripetibile.

Opportunità irripetibile. Lasciai che queste parole rimbalzassero nella mia testa, facendomi male come le pulsazioni sorde di una emicrania. D'un tratto mi parve che il senso di tutto ruotasse attorno a un punto invisibile, che non ero capace di scoprire o definire.

«Quando l'hai avuta, questa offerta?».

«A luglio. Prima c'erano stati dei contatti, ma l'offerta è stata formalizzata a luglio».

«Prima che partissimo per le vacanze» dissi, come se la cosa avesse importanza.

Ma forse ne aveva davvero.

Poi mi resi conto. Se me lo diceva a settembre, due mesi dopo aver ricevuto l'offerta, chissà quanto tempo dopo i contatti, *voleva dire che aveva già deciso, o aveva addirittura già accettato.*

«Hai già accettato».

«No. Prima dovevo dirtelo».

«Hai deciso».

Esitò brevemente – fu l'unico momento – e poi fece sì con la testa.

Pensavo stessi per dirmi che aspettavi un bambino. Pensavo che a quarantadue anni la mia vita insulsa all'improvviso, per magia, avrebbe trovato un senso e una ragione. Per questo bambino, o questa bambina cui avrei fatto in tempo a insegnare delle cose, prima di diventare vecchio.

Non dissi così. Mi tenni tutto dentro, come una cosa che ti vergogni anche solo di avere pensato. Perché ti vergogni della tua debolezza, della tua fragilità.

Invece le chiesi quando sarebbe partita e la mia faccia doveva essere assurdamente calma, perché lei mi guardò con uno stupore leggero e inquieto. Dalla strada venne il ringhio rabbioso e prolungato di un ciclomotore con la marmitta alterata, e io pensai che me lo sarei ricordato, quel rumore. Pensai che lo avrei risentito ogni volta che mi fosse tornata alla mente quella scena, inattesa e spietata.

Non lo sapeva, quando sarebbe partita. Dieci, quindici giorni. Entro la fine del mese, comunque, doveva essere a Milano, per la metà di ottobre a New York.

E quindi lo sapeva, quando doveva partire. Pensai.

Restammo in silenzio per due, tre minuti. O di più.

«Non vuoi sapere perché?».

Non lo volevo sapere il perché. O forse sì, ma dissi di no lo stesso. Non volevo che mi scaricasse addosso le sue ragioni – che sicuramente erano ottime ragioni – alleggerendosi il cuore, o l'anima o dovunque le nostre colpe si vanno a posare. Io mi tenevo la mia, di sofferenza, e lei si teneva la sua. Ci avrei pensato nelle prossime settimane e nei prossimi mesi, a tormentarmi con quella domanda e con i ricordi e tutto il resto.

Ma per quel tiepido, spietato pomeriggio di settembre, bastava.

Mi alzai e dissi che tornavo a casa mia, o forse uscivo.

«Guido, non fare così. Dì qualcosa, ti prego».

Io però non dissi niente. Non lo sapevo, cosa dire.

«Non vado mica via per sempre. Se fai così mi fai sentire un verme».

Appena ebbe finito di dire quelle parole si pentì. Forse vide qualcosa nella mia faccia sperduta, o forse semplicemente capì che non era giusto. Probabilmente era inevitabile – di sicuro ci aveva pensato a lungo in tutte quelle settimane –, ma certo non era giusto.

Disse altre parole, con la voce incrinata. E però sembravano quello che erano. Scuse.

E mentre diceva queste parole io smisi di ascoltarla, tutta la scena prese la consistenza irreale di un negativo fotografico, e così rimase piantata nel mio ricordo.

Uno

Aspettavo che i giudici entrassero in aula e che il mio processo cominciasse, quando notai una ragazza seduta fra il pubblico. Orientale, ma con qualcosa di europeo nei tratti; bella, con l'espressione un po' smarrita.

Mi domandai per chi fosse venuta e mi voltai a guardarla più di una volta, fingendo di aggirarmi attorno al mio banco.

Sembrava guardasse me, il che naturalmente non aveva senso. Una così non mi avrebbe mai guardato, neanche in tempi migliori, pensai. Peraltro, quali fossero stati i tempi migliori non lo sapevo bene, pensai ancora.

In questo modo passarono almeno dieci minuti. Poi finalmente i giudici uscirono dalla camera di consiglio, l'udienza cominciò e io smisi di fare riflessioni idiote.

Era un processo per rapina a mano armata e dovevamo sentire il teste principale, cioè la vittima. Un rappresentante di gioielli cui avevano tolto il campionario e anche l'inutile pistola che portava con sé.

Due dei responsabili erano stati arrestati poco dopo il fatto, con il bottino in macchina. Avevano scelto il giudizio abbreviato ed erano già stati condannati a pene abbastanza miti. Il mio cliente era accusato di avere fatto il palo. La vittima lo aveva riconosciuto in questura, su un album fotografico di pregiudicati. Il processo era in contumacia perché il mio cliente – il signor Albanese, calciatore dilettante e criminale professionista – quando aveva saputo che lo cercavano si era dato alla latitanza. Aveva appena finito di scontare una condanna e non voleva tornare dentro. In questo caso era innocente, diceva.

L'esame da parte del pubblico ministero fu piuttosto rapido. Il rappresentante di gioielli aveva l'aria decisa e non sembrava intimorito dalla situazione. Confermò tutto quello che aveva già detto durante le indagini, confermò il riconoscimento fotografico, la fotografia fu acquisita al fascicolo del dibattimento e il presidente mi diede la parola per procedere al controesame.

«Lei ha riferito che gli autori della rapina erano tre. Due le tolsero materialmente il campionario e la pistola, il terzo si teneva a distanza e le parve facesse il palo. Giusto?».

«Sì. Il terzo era all'angolo, ma poi se ne sono andati tutti e tre insieme».

«Può confermarci che il terzo, quello che poi lei ha riconosciuto in fotografia, era a una ventina di metri di distanza?».

«Quindici, venti metri».

«Bene. Adesso vorrei che ci raccontasse brevemente come si svolse la ricognizione fotografica che lei ha fatto in questura, il giorno dopo la rapina».

«Mi diedero da guardare degli album e su uno di questi c'era la foto di questa persona».

«Lo aveva mai visto prima? Voglio dire prima della rapina?».

«No. Ma quando ho visto la sua faccia sull'album mi sono detto subito: io questo lo conosco. E poi mi sono reso conto che era quello che faceva il palo».

«Lei gioca a calcio?».

«Scusi?».

«Le chiedevo se lei gioca a calcio».

Il presidente mi chiese che pertinenza avesse quella domanda con l'oggetto del processo. Io assicurai che sarebbe stato chiaro nel giro di un paio di minuti e lui mi disse di andare avanti.

«Gioca a calcio? Partecipa a qualche campionato, a qualche torneo?».

Quello disse di sì. Io tirai fuori dal mio fascicolo una foto con due squadre di calcio, di quelle che si fanno prima delle partite. Chiesi al presidente il permesso di avvicinarmi e la mostrai al testimone.

«Riconosce qualcuno in questa fotografia?».

«Certo. Ci sono io, gli altri della mia squadra...».

«Può dirci quando è stata scattata?».

«L'estate scorsa, era la finale di un torneo».

«Ricorda la data?».

«Credo fosse il venti, o il ventuno agosto».

«Circa un mese prima della rapina».

«Mi pare, sì».

«Quelli dell'altra squadra li conosceva?».

«Qualcuno, non tutti».

«Vuole guardare di nuovo la foto e dirmi per piacere chi riconosce, dell'altra squadra?».

Quello prese la foto e la esaminò, scorrendo con l'indice le facce dei calciatori.

«Questo lo conosco, ma non so come si chiama. Quest'altro mi sembra si chiami Pasquale... non mi ricordo il cognome. Questo...».

Fece una strana espressione. Si girò verso di me, con una faccia stupita, poi tornò a guardare la foto.

«Ha riconosciuto qualcun altro?».

«Questo... assomiglia...».

«A chi assomiglia?».

«Assomiglia un poco a quella fotografia...».

«Vuol dire a quello che lei ha riconosciuto nell'album della questura?».

«Un poco si assomiglia. Ora non è facile...».

«Effettivamente è la stessa persona. Lo ricorda adesso?».

«Sì, potrebbe essere lui».

«Adesso che si è ricordato, può affermare che la persona che giocò a pallone contro la sua squadra quella sera di agosto era la stessa che partecipò alla rapina?».

«... adesso non so... è difficile dopo tanto tempo».

«Certo, mi rendo conto. Le faccio una domanda un po' diversa. Quando lei subì la rapina e vide, a venti metri di distanza, il terzo complice, si rese conto che poteva trattarsi della stessa persona con cui giocò a pallone circa un mese prima?».

«No, come facevo... era lontano...».

«Era lontano, giusto. Io ho finito presidente, grazie».

Il presidente dettò a verbale la data del rinvio e mentre diceva all'ufficiale giudiziario di chiamare un altro processo io mi voltai per cercare la ragazza orientale. Ci misi qualche secondo, perché non era più seduta al suo posto, quello dove l'avevo vista all'inizio dell'udienza. Stava in piedi, vicinissima all'uscita, pronta ad andarsene.

I nostri sguardi si incrociarono per pochi istanti. Poi lei si girò e scomparve nei corridoi del tribunale.

Due

Il telegramma arrivò due giorni dopo. La formula è più o meno sempre la stessa.

Il detenuto Pinco Pallino ti nomina suo difensore, indica il numero del procedimento e ti chiede di andare in carcere a trovarlo, per parlare della sua posizione.

In questo caso il detenuto non si chiamava Pinco Pallino, ma Fabio Paolicelli, indicava il numero del procedimento e mi chiedeva di andarlo a trovare in carcere *con urgenza*.

Fabio Paolicelli. E chi era? Il nome mi diceva qualcosa, ma non riuscivo ad afferrare cosa. Mi infastidii molto perché da un po' di tempo mi ero convinto di non riuscire più a ricordare bene i nomi. Mi sembrava un inquietante presagio del deterioramento delle mie facoltà mentali. Una cazzata, naturalmente, perché io i nomi non me li sono mai ricordati e avevo lo stesso problema a vent'anni. Ma passati i quaranta gli stupidi pensieri si moltiplicano e fenomeni insignificanti diventano sintomi della vecchiaia che si avvicina.

Comunque mi arrovellai per qualche minuto e poi lasciai perdere. Avrei scoperto di lì a poco se davvero conoscevo quel tipo, andando a trovarlo in carcere.

Chiamai Maria Teresa e le chiesi se avevamo appuntamenti per quel pomeriggio. Lei mi disse che aspettavamo il signor Abbaticchio, ma che sarebbe arrivato sul tardi, in chiusura.

Così, visto che erano le quattro, che era giovedì, che di giovedì è possibile incontrare i clienti detenuti fino alle sei del pomeriggio, e soprattutto che non avevo nessuna voglia di mettermi a studiare i fascicoli per le udienze del giorno dopo, decisi di andare a conoscere il signor Fabio Paolicelli, che voleva vedermi *con urgenza*. Così, per quel pomeriggio, saremmo stati tutti soddisfatti. Più o meno.

Da qualche mese usavo la bicicletta. Da quando Margherita era andata via avevo fatto qualche cambiamento. Non sapevo bene perché, ma fare qualche cambiamento mi aveva aiutato. Fra questi, comprarmi una bella bicicletta vecchio stile, nera e senza le marce, visto che per le strade di Bari non servono a niente. In breve avevo smesso di usare la macchina e questo mi piaceva. Avevo cominciato andando in tribunale con la bici; poi avevo proseguito andando in carcere, che è più lontano, e alla fine avevo abbandonato la macchina anche per le uscite serali, visto che di regola, dovunque andassi, ci andavo da solo.

C'è qualche rischio, a girare per Bari in bicicletta: non esistono le piste ciclabili e gli automobilisti ti considerano poco più che un impedimento molesto; ma si arriva dappertutto molto prima che con la macchina. E così un quarto d'ora dopo, alquanto infreddolito, ero all'ingresso del carcere.

Il sottufficiale che quel pomeriggio si occupava dei controlli era nuovo e non mi conosceva. Così fece tutto molto fiscalmente. Esame dei documenti, ritiro del cellulare, verifica della nomina. Alla fine mi fece passare e attraversai la solita serie di porte blindate che si aprivano e richiudevano al mio passaggio, fino alla sala avvocati. Sempre quella, accogliente come la reception di un obitorio di provincia.

Se la presero piuttosto comoda e il mio nuovo cliente arrivò almeno un quarto d'ora dopo, quando stavo pensando di dare fuoco al tavolo o a qualche sedia, per scaldarmi e attirare l'attenzione.

Non appena entrò lo riconobbi, anche se erano passati più di venticinque anni dall'ultima volta che l'avevo visto.

Fabio Paolicelli detto Fabio Raybàn, con l'accento sulla seconda sillaba, alla barese. Lo chiamavano così per via degli occhiali da sole che portava sempre, anche di sera. Ecco perché non riuscivo a ricordarmi chi fosse. Per me, per tutti, quello era sempre stato Fabio Raybàn.

Erano gli anni Settanta. Un lungo, livido telegiornale in bianco e nero che nei miei ricordi comincia con le immagini di Piazza Fontana subito dopo la bomba. Avevo sette anni ma ricordo tutto benissimo: le fotografie sui quotidiani, i servizi in televisione, persino i discorsi in casa fra i miei genitori e con gli amici che venivano a trovarli.

Un pomeriggio, forse il giorno dopo la strage, chiesi a nonno Guido perché avevano messo quella bomba, se fossimo in guerra, e con quale paese. Lui mi guardò e rimase in silenzio. Fu l'unica volta che non trovò parole per rispondere alle mie domande.

Mi ricordo quasi tutti i fatti importanti di quegli anni. Me li ricordo in quei telegiornali in cui a poco a poco cominciarono ad apparire facce di ragazzi, come le nostre.

Io frequentavo sporadicamente e senza troppa convinzione i gruppi della sinistra extraparlamentare.

Fabio Raybàn invece era un picchiatore fascista.

E forse più che un semplice picchiatore. Di lui, e di altri come lui, si raccontavano molte cose. Si raccontava di rapine a mano armata fatte per il gusto del gesto ardito. Di campi paramilitari nelle zone più sperdute della Murgia, assieme a equivoci personaggi delle forze armate e dei servizi segreti. Di cosiddette feste ariane in ville lussuose della periferia. Soprattutto si diceva che Raybàn avesse fatto parte della squadraccia che aveva assassinato a coltellate un ragazzo di diciotto anni comunista e poliomielitico.

Dopo un lungo processo uno di quei fascisti fu condannato per l'omicidio e poi, molto opportunamente, si uccise in carcere. Lasciando cadere una pietra tombale sulla possibilità di identificare gli altri responsabili.

Nei giorni che seguirono a quell'assassinio Bari fu riempita dal fumo dei lacrimogeni, dall'odore acre delle macchine incendiate, dal rumore dei passi di corsa su marciapiedi deserti. Biglie di metallo che spaccavano le vetrine. Sirene e lampeggianti blu che spaccavano la quiete grigia dei pomeriggi di fine novembre.

I fascisti erano organizzati in modo professionale. Come *delinquenti* professionali. I loro argomenti politici erano le spranghe di ferro, le catene e i coltelli. Quando non saltavano fuori le pistole. Bastava passare per via Sparano, dalle parti della chiesa di San Ferdinando, considerata *zona nera,* con il giornale, il libro, o addirittura l'abito sbagliato, per finire nel mezzo di pestaggi bestiali.

Capitò anche a me.

Avevo quattordici anni e portavo sempre un eskimo verde di cui ero molto fiero. Un pomeriggio stavo facendo una passeggiata in centro con due miei amici poco più che bambini, come me, quando da un momento all'altro ci trovammo circondati. Erano ragazzi di sedici, diciassette anni, ma sembravano uomini. A quell'età due anni di differenza sono una vita.

Fra di loro un tipo biondo, alto e magro, con una faccia alla David Bowie. Portava occhiali scuri Rayban, anche se era già buio. Sorrideva con labbra sottili, in un modo che mi fece gelare il sangue.

Uno basso e robustissimo, con un incisivo spezzato, si avvicinò di più e mi disse che ero un bastardo rosso. Dovevo togliermi subito quell'eskimo di merda, altrimenti ci avrebbero pensato loro a darmi l'olio di ricino che mi meritavo.

Nel terrore ottuso di quel momento trovai il modo di chiedermi cosa volesse dire quella frase. Fino ad allora non avevo mai sentito parlare di olio di ricino, purghe fasciste e cose del genere.

Il mio amico Roberto si fece la pipì addosso. Non metaforicamente. Vidi la traccia del liquido che si diffondeva sui suoi jeans scoloriti mentre io, con un filo di voce, chiedevo perché me lo dovevo togliere, l'eskimo. Quello mi diede un ceffone fra la guancia e l'orecchio. Molto forte.

«Toglitelo, compagno di merda».

Ero terrorizzato e mi veniva da piangere, e però non me lo tolsi, l'eskimo. Cercando disperatamente di trattenere le lacrime, chiesi di nuovo perché. E quello mi diede un altro ceffone, e poi un pugno, e poi calci, e ancora pugni e schiaffi, in mezzo alla gente che passava e guardava dall'altra parte.

A un certo punto – io ero a terra, raggomitolato per proteggermi dai colpi – qualcuno li fece scappare via.

Quello che successe dopo è più nitido e presente, nel ricordo.

Un signore mi aiuta ad alzarmi e mi chiede con un forte accento barese se voglio andare al pronto soccorso. Io dico di no, che voglio andare a casa. Ho le chiavi di casa, aggiungo, come se la cosa possa interessarlo, o abbia un senso.

E poi me ne vado, e i miei amici non ci sono più e non lo so quando sono scomparsi. Sulla strada piango. Non tanto per il dolore delle botte, ma per l'umiliazione e la paura. Poche cose si ricordano bene come l'umiliazione e la paura.

Maledetti fascisti.

E piangendo, tirando su col naso dico a voce alta che però l'eskimo non me lo sono tolto. Questo pensiero mi fa raddrizzare la schiena, e mi fa smettere di piangere. Non me lo sono tolto l'eskimo, fascisti di merda. E mi ricordo le vostre facce.

Un giorno ve la farò pagare.

Quando Paolicelli entrò nella sala avvocati mi ritornò tutto in mente, tutto insieme. Con la violenza di una ventata improvvisa che spalanca le finestre, fa sbattere le porte, disperde le carte.

Quello mi tese la mano e io ebbi un attimo di esitazione prima di stringergliela. Mi domandai se l'avesse notato. I ricordi – cose imprecise, rumori, voci di ragazzi e ragazze, odori, grida di paura, le canzoni degli Inti Illimani, la faccia di uno di cui non ricordavo il nome e che era morto di overdose a diciassette anni, nei cessi della scuola – si affollavano nella mia testa come creature liberate all'improvviso da un sortilegio che le teneva prigioniere negli scantinati, o nelle soffitte della memoria.

Certamente lui non si ricordava di me.

Lasciai passare una manciata di secondi, per non essere troppo brusco, prima di chiedergli perché mi aveva nominato e quindi per quale motivo si trovava là dentro.

«Mi hanno arrestato un anno e mezzo fa per traffico internazionale di stupefacenti. Ho fatto il processo con il rito abbreviato e mi hanno dato sedici anni, più una multa così enorme che nemmeno me la ricordo».

Era il tuo destino, fascista. Paghi adesso per tutto quello che non hai pagato allora.

«Rientravo da una vacanza in Montenegro. Al porto di Bari i finanzieri facevano dei controlli con i cani antidroga. Quando sono arrivati alla mia macchina i cani sembravano impazziti. Mi hanno portato in caserma, hanno smontato la macchina e sotto la scocca hanno trovato quaranta chili di cocaina purissima».

Quaranta chili di cocaina purissima giustificavano quella pena, anche in abbreviato. E comunque la storia dei controlli casuali potevano raccontarla alle loro nonne, i finanzieri. Qualcuno aveva soffiato la notizia che c'era un corriere di passaggio al posto di frontiera e, secondo copione, avevano organizzato la sceneggiata del controllo di routine. Per non bruciare l'informatore.

«La droga non era mia».

Le parole di Paolicelli interruppero bruscamente la sequenza dei miei pensieri.

«In che senso non era sua? C'era qualcun altro in macchina con lei?».

«In macchina con me c'erano mia moglie e mia figlia. Tornavamo da una settimana al mare. E la droga non era mia. Non so chi ce l'ha messa».

Ecco, pensai. Si vergogna perché ha trasportato la droga nella stessa macchina in cui c'erano la moglie e la bambina. Tipico di voi fascisti: non siete capaci nemmeno di fare dignitosamente i criminali.

«Scusi Paolicelli, ma come è possibile che qualcuno ce l'abbia messa a sua insaputa? Voglio dire, parliamo di quaranta chili, di un imballaggio sotto la scocca che... insomma non sono esperto di queste cose, ma avrà richiesto del tempo. Ha prestato la macchina a qualcuno in Montenegro?».

«Non l'ho prestata a nessuno, ma per tutta la vacanza è stata nel parcheggio dell'albergo. E il portiere dell'albergo aveva le chiavi, bisognava lasciarle perché il parcheggio era pieno e a volte c'era bisogno di spostare una macchina, fare manovre. Qualcuno, d'accordo con il portiere, deve averci messo la droga di notte, probabilmente l'ultima prima della partenza, e pensava di recuperarla, o farla recuperare da qualche complice in Italia, dopo il passaggio della dogana. Lo so che sembra assurdo, ma la droga non era mia. Giuro che non era mia».

Appunto. Era assurdo.

Era una delle tante storie assurde che capita di sentire nelle aule di giustizia, nelle caserme, nelle carceri. La più classica di queste storie la raccontano immancabilmente quelli che vengono trovati in possesso di pistole oliate, efficienti e con il colpo in canna. Dicono tutti di averla appena trovata per caso, di regola sotto un cespuglio, o sotto un albero, o in un cassonetto della spazzatura. Dicono tutti di non averne mai maneggiata una prima e che si accingevano a portarla ai carabinieri o alla polizia per consegnarla. Proprio a questo scopo la portavano nella cintura col colpo in canna, aggirandosi, faccio per dire, nei paraggi di una gioielleria o della casa di un concorrente in affari illeciti.

Volevo dirgli che non me ne importava niente del fatto che avesse portato quaranta chili di droga dal Montenegro all'Italia, e che non me ne importava niente se lo aveva già fatto altre volte, e quante. E dunque che poteva raccontarmi tranquillamente la verità, il che avrebbe anche semplificato le cose. Facevo l'avvocato penalista e mi toccava difendere quelli come lui. E figuriamoci se mi interessava esprimere giudizi sui miei clienti. Volevo dirgli più o meno queste cose, ma non lo feci. All'improvviso mi resi conto di quello che stava succedendo nella mia testa, e non mi piacque.

Capii che volevo una confessione, da lui. Per essere certissimo che fosse colpevole e per accompagnarlo al suo destino di galeotto di lungo corso senza nessun problema di coscienza professionale, deontologia, e cose simili.

Capii molto chiaramente che volevo essere il suo giudice – e forse anche il suo boia – piuttosto che il suo avvocato. Volevo regolare un vecchissimo conto.

E questo non andava bene. Mi dissi che dovevo pensarci, perché se mi sembrava di non saper controllare quell'impulso, allora dovevo rinunciare alla difesa. O meglio: non dovevo nemmeno accettarla.

«Dopo l'arresto cosa è successo?».

«Dopo il ritrovamento della droga mi hanno proposto di collaborare. Mi hanno detto che volevano fare una... come si chiama?».

«Una consegna controllata?».

«Ecco, sì, una consegna controllata. Mi hanno detto che mi lasciavano andare con la macchina e la droga a bordo. Dovevo andare a fare la consegna come se non fosse successo niente. Loro mi avrebbero seguito e al momento opportuno avrebbero arrestato quelli che aspettavano il carico. Mi hanno detto che avrei avuto uno sconto grossissimo sulla pena, che me la sarei cavata con tre anni al massimo. Io gli ho detto che la droga non era mia e che quindi non sapevo dove portarli. Loro allora hanno detto che mi arrestavano, e che arrestavano anche mia moglie perché era ovvio che eravamo d'accordo. Mi ha preso il panico e ho detto che sì, la droga era mia, ma che lei non ne sapeva niente. Hanno telefonato al pubblico ministero e quello gli ha detto di arrestare solo me, dopo aver messo a verbale la mia dichiarazione. Così hanno verbalizzato la mia confessione e poi mi hanno arrestato. Ma hanno lasciato andare mia moglie».

Parlava con un tono cortese e un sottofondo di disperazione.

Mi chiese una sigaretta e io dissi che non avevo sigarette perché avevo smesso da un paio d'anni. Anche lui non aveva fumato per più di dieci anni, disse. Aveva ripreso il giorno dopo l'ingresso in carcere.

Chi aveva nominato come difensore al momento dell'arresto? E perché aveva deciso di cambiarlo? Dal modo in cui mi guardò prima di rispondere, capii che stava aspettando quella domanda.

«Quando mi hanno arrestato mi hanno chiesto chi fosse il mio avvocato, perché lo dovevano avvertire. Io non ce l'avevo un avvocato e ho detto che non sapevo chi nominare. Mia moglie era ancora lì – la bambina era venuta a prendersela un'amica – e le ho detto di consigliarsi con qualcuno per trovare un buon avvocato. Il giorno dopo lei ha fatto una nomina».

«E chi ha nominato?».

Lì cominciò la parte strana della faccenda, se Paolicelli stava dicendo la verità.

«Mia moglie stava uscendo di casa quando fu avvicinata da un tizio che disse di venire da parte di amici che volevano aiutarci. Le disse di nominare un avvocato di Roma, un certo Corrado Macrì, che mi avrebbe tirato fuori dai guai. Le diede un foglietto con il nome e un numero di cellulare e disse di nominarlo subito, così sarebbe potuto venire a trovarmi in carcere prima dell'interrogatorio davanti al magistrato».

«E sua moglie?».

La moglie di Paolicelli, che non sapeva cosa fare e non conosceva nessun avvocato, nominò questo Macrì. Lui arrivò da Roma in poche ore come se stesse aspettando la nomina e non avesse altri impegni. Andò a trovare Paolicelli in carcere e gli disse di non preoccuparsi, che avrebbe sistemato tutto lui. Quando Paolicelli gli chiese chi lo avesse incaricato e chi fosse la persona che aveva avvicinato sua moglie, quello gli ripeté di non preoccuparsi e di pensare solo a seguire i suoi consigli, che si sarebbe trovato bene. E, per prima cosa, al momento dell'interrogatorio davanti al giudice doveva avvalersi della facoltà di non rispondere, ché altrimenti rischiava di aggravare la situazione.

Mi chiesi con quale sforzo di fantasia si potesse pensare di *aggravarla*, quella situazione, ma non lo dissi a Paolicelli.

Fecero ricorso al tribunale della libertà, che confermò la custodia cautelare.

E avrei voluto ben vedere il contrario, pensai io. Ma non dissi neanche questo.

Macrì fece ricorso per cassazione, dicendo che c'era una irregolarità formale – non specificò quale – che gli dava buone speranze di fare annullare il provvedimento del tribunale della libertà.

Le buone speranze si rivelarono infondate perché anche la cassazione confermò la custodia cautelare. Macrì continuava a mostrare ottimismo. Diceva a Paolicelli, e anche alla moglie, che non dovevano preoccuparsi e che, con un po' di pazienza, avrebbe sistemato tutto nel modo migliore. Lo diceva – spiegò Paolicelli – con tono allusivo. Quello di chi ha le chiavi giuste e che al momento opportuno le userà.

Si arrivò all'udienza preliminare, Macrì si raccomandò ancora una volta che Paolicelli non facesse alcuna dichiarazione, chiesero il giudizio abbreviato. Come era finita lo sapevo già.

«E allora cosa ha detto Macrì?».

«Mi ha detto di nuovo di non preoccuparmi, che avrebbe sistemato tutto lui».

«Scherza?».

«No. Disse che in primo grado era scontato che finisse così – nelle settimane precedenti invece mi aveva assicurato che nel peggiore dei casi me la sarei cavata con quattro, cinque anni – e che in appello le cose si sarebbero raddrizzate. È stato proprio dopo aver letto l'atto di appello – una paginetta dove non c'era scritto praticamente niente – che mi sono incazzato».

«E allora?».

«Gli ho detto che stava giocando con la mia vita. Gli ho detto che lo sapevo benissimo chi lo aveva mandato. E poi gli ho detto che mi ero rotto le palle e che avrei chiamato il magistrato e gli avrei raccontato tutto».

«E che cosa voleva raccontare al magistrato?».

«Non pensavo a niente di preciso. Mi è venuto da dire quella cosa nel pieno della rabbia, per scuoterlo, per produrre un effetto. In realtà non ho idea di chi lo abbia mandato. Ma lui deve avermi creduto, deve aver pensato che davvero avessi qualcosa di importante da raccontare».

«E cosa ha detto?».

«Ha cambiato tono, bruscamente. Ha detto che dovevo stare molto attento a quello che facevo e soprattutto a quello che dicevo. Ha detto che in carcere possono succedere incidenti, a quelli che non sanno come comportarsi».

Mi accorsi che aveva il fiato corto. Ansimava leggermente e dovette respirare un po' prima di ricominciare.

«Io non avevo niente da raccontare al magistrato. A parte il fatto che la droga non era mia. Cosa alla quale non avrebbe creduto, come del resto non ci ha creduto lei».

Feci per replicare. Poi mi dissi che aveva ragione, rimasi zitto e lo lasciai continuare.

«Comunque quello mi ha detto che se non avevo più fiducia in lui non c'era ragione perché continuasse a difendermi. Rinunciava al mandato, ma io dovevo ricordarmi quello che mi aveva detto. Se avessi chiesto di parlare con il magistrato, *loro* lo avrebbero saputo subito. E se n'è andato».

Adesso ero io a volerla la sigaretta. Ormai succedeva abbastanza di rado, più che altro nei momenti in cui le cose diventavano poco chiare. E se Paolicelli stava dicendo la verità, quella storia *era* poco chiara, come minimo.

«Ah, mi stavo dimenticando altre due cose».

«Sì?».

«Non si è fatto pagare. Non ha voluto un soldo, nonostante i viaggi, tutte le volte che è venuto, le spese. Niente. Io dicevo che volevo pagare e lui diceva di non preoccuparmi, che quando avessimo sistemato tutto – parlava sempre di *sistemare tutto* – gli avrei fatto un regalo. E poi, quando ha ottenuto dal pubblico ministero il dissequestro della macchina, che è intestata a mia moglie, è voluto andare lui personalmente a ritirarla. Non mi sembra un comportamento normale per un avvocato».

No. Non era affatto un comportamento normale.

Tutta quella storia dell'avvocato era strana. Troppo contorta per essere inventata. E così non capivo bene di fronte a cosa mi trovavo. Cercavo di pensare e lui se ne rese conto, perché non mi interruppe. Poteva davvero essere che la droga non fosse sua? Poteva davvero essere successo che qualcuno avesse escogitato un simile sistema per trafficare cocaina a chili? Più ci pensavo e più le mie riflessioni diventavano schizofreniche. Da un lato mi dicevo che erano congetture prive di senso, che certe cose succedono solo nei film o nei romanzi. Dall'altro l'idea che Paolicelli potesse dire la verità mi sembrava agghiacciante e terribilmente realistica. Guardavo la faccenda come fosse una di quelle figurine magiche che da piccolo trovavo nelle confezioni dei formaggini: a seconda di come le spostavi l'immagine cambiava, il protagonista si muoveva, altri personaggi apparivano. Quella faccenda sembrava proprio una figurina magica, con personaggi foschi e vaghi sentori putridi quando ti avvicinavi troppo per cercare di cogliere i particolari.

Gli dissi che per il momento poteva bastare. Adesso dovevo guardare le carte, per farmi un'idea più precisa. Lui rispose che la copia di tutto il fascicolo ce l'aveva sua moglie e che me l'avrebbe portata in studio entro il fine settimana.

Mi chiese quanto dovessero versarmi come acconto e io risposi che prima di accettare l'incarico dovevo guardare le carte visto che fra l'altro era coinvolto un collega. Lui annuì e non mi chiese altro.

Mi ero già alzato e stavo recuperando l'impermeabile quando pensai che c'era una cosa che volevo sapere, prima di andarmene.

«Perché io? Voglio dire: perché ha nominato me?».

Quello sorrise, con una strana espressione. Si aspettava quella domanda.

«In carcere si parla un sacco. Si parla un sacco dei giudici, e dei pubblici ministeri. Quelli buoni, quelli stronzi, quelli bravi, pericolosi, corrotti. E si parla degli avvocati».

Si interruppe e mi guardò. La mia faccia diceva che lo stavo seguendo.

«Quelli bravi ma stronzi. Quelli onesti ma scarsi, o sottomessi ai giudici. Leccaculi. Quelli che hanno – o dicono di avere – le scorciatoie giuste per arrivare dappertutto. Si dicono un sacco di cose».

Altra pausa, altro sguardo. La mia faccia era la stessa. Lui cercava le parole.

«Di lei si dice che non ha paura».

«In che senso?».

«Si dice che non si tira indietro, se è per una cosa giusta. Si dice che lei è una persona per bene».

Sentii un leggero formicolio, sul cuoio capelluto e poi lungo la schiena.

«E si dice che lei è molto bravo».

Non sapevo cosa dire. Lui continuò a parlare e la sua voce si incrinò, come se avesse esaurito le forze per controllarsi.

«Mi tiri fuori di qui. Sono innocente, glielo giuro. Ho una bambina. È la sola cosa davvero importante della mia vita. Ho fatto un sacco di cose balorde ma quella bambina è la ragione della mia vita. Non la vedo da quando sono stato arrestato. Non ho voluto che venisse a trovarmi in carcere e così non la vedo da quella maledetta mattina».

Le ultime parole furono una via di mezzo fra un rantolo e un sussurro.

Adesso avevo voglia di uscire di lì. Avevo voglia di scappare e così gli dissi che avrei studiato le carte, non appena le avessi ricevute; che ci saremmo rivisti presto per parlarne. Poi ci stringemmo la mano e andai via.

Tre

Nemmeno le dovevo guardare le carte, mi dissi invece quella sera a casa.

Io Fabio Raybàn non lo potevo difendere. Tutto quello che mi era passato per la testa quando l'avevo riconosciuto era un segnale di allarme. Una cosa che non potevo trascurare.

Dovevo comportarmi da professionista serio e da uomo maturo.

Probabilmente Paolicelli era colpevole ed era stato giustamente condannato. Ma proprio per questo aveva diritto a essere difeso in modo professionale, da qualcuno che non avesse le mie riserve mentali e vecchissimi conti in sospeso.

Dovevo rinunciare all'incarico senza nemmeno leggere gli atti. Sarebbe stato molto meglio per tutti.

Sarebbe stato *giusto*.

Nel giro di un paio di giorni sarei tornato in carcere e gli avrei detto che non potevo difenderlo. Gli avrei detto la verità, o avrei inventato una scusa.

Ma una cosa era certa. Non potevo accettare quella difesa.

Quattro

Maria Teresa bussò alla mia porta, si affacciò e disse che c'era la signora Kawabata.

«Chi?».

Entrò, chiuse la porta e mi spiegò che la signora Kawabata veniva per la pratica Paolicelli.

«Ma Kawabata è un nome giapponese».

«Direi di sì. Anche lei sembra giapponese, del resto».

«E che c'entra con Paolicelli?».

«C'entra abbastanza, è la moglie. Dice che ha le copie degli atti».

Quando entrò nella mia stanza la riconobbi subito.

Disse buonasera, mi diede la mano, si sedette davanti alla scrivania senza togliersi il cappotto e senza nemmeno sbottonarlo. Aveva un profumo leggero, essenza di ambra, con una nota più aspra che non riuscivo a decifrare. Vista da vicino sembrava meno giovane e ancora più bella di qualche giorno prima in tribunale.

«Sono la moglie di Fabio Paolicelli. Le ho portato tutte le copie del processo e la sentenza».

Parlava con una bislacca punta di accento napoletano. Svuotò la borsa, poggiò un pacco di fotocopie sulla scrivania e mi chiese se potevamo parlare qualche minuto. Certo che potevamo parlare. Mi pagano per parlare, essenzialmente.

«Ho bisogno di sapere che speranze, *quante* speranze ci sono per Fabio in appello».

Niente preamboli. Giusto, dal suo punto di vista. Io però i preamboli dovevo farli, e non solo per darmi un tono professionale.

«È impossibile dirlo adesso. Devo leggere la sentenza e soprattutto devo leggere gli atti».

E devo anche decidere se accettare il caso. Ma questo non lo dissi.

«Fabio le ha raccontato di che si tratta».

Ebbi un sussulto di impazienza. Cosa voleva, che facessi una diagnosi sulla base del racconto in carcere dell'imputato?

«Mi ha raccontato sommariamente, ma come le dicevo...».

«Io credo che ci siano poche speranze per una assoluzione, anche in appello. Mi hanno detto che invece sarebbe possibile fare un patteggiamento. Fabio potrebbe cavarsela con sei, sette anni. In tre o quattro anni potrebbe avere dei permessi... potrebbe avere la... come si chiama?».

«La semilibertà, si chiama». Ero un po' infastidito dal suo tono. E più in generale non mi piacciono molto i clienti – o peggio: i parenti dei clienti – che hanno studiato la lezione e vengono a dirti quello che puoi o non puoi fare.

«Vede, signora – odiai il sussiego nella mia voce, nel momento stesso in cui cominciavo a parlare –, come le dicevo, è necessario esaminare gli atti per esprimere una opinione sensata. Per ipotizzare delle alternative, incluso il patteggiamento, è indispensabile avere una idea precisa, anche di questioni processuali, tecniche, che possono sfuggire a un non addetto ai lavori».

Insomma, l'avvocato sono io. Tu dedicati all'ikebana, alla cerimonia del tè o a quello che ti pare. E poi non è affatto detto che accetti di difendere quel picchiatore fascista – e probabilmente anche trafficante – di tuo marito. Ché con lui e con i suoi amici ho un conto in sospeso da una trentina di anni.

Pensai queste parole, alla lettera. Senza rendermi conto di come fossi rapidamente passato dalla certezza di rifiutare l'incarico al dubbio sull'accettarlo.

Quella fece una smorfia, che però la fece sembrare ancora più bella.

La mia risposta da avvocato non le piaceva. Voleva che le placassi l'ansia, in qualche modo. Anche solo dicendole che non c'era alternativa al patteggiamento. La gente vuole molte cose dall'avvocato; fra queste soprattutto che le tolga l'angoscia di trovarsi ad avere a che fare con poliziotti, pubblici ministeri, giudici e processi. Con la cosiddetta giustizia. Vuole che l'avvocato le tolga l'angoscia di pensare.

«Da quello che mi ha raccontato suo marito la situazione non è facile. Se le cose stanno negli esatti termini – esatti termini? ma come cazzo parlavo? – che mi ha riferito lui, l'appello non è facile. Diciamo che è decisamente difficile e quindi, certo, il patteggiamento è una ipotesi da prendere in seria considerazione. Peraltro...».

«Peraltro?».

«Suo marito dice di essere innocente. E certo, se è innocente è un po' dura l'idea di patteggiare sette, otto anni, ammesso che si riesca a scendere a tanto. È un po' dura, anche con la prospettiva dei permessi e della semilibertà».

Non si aspettava quella risposta. Si rese conto che aveva tenuto il cappotto e lo sbottonò nervosamente, come se all'improvviso avesse avuto caldo o le fosse mancata l'aria. Le chiesi se volesse toglierlo e darmelo, ché lo avrei appeso. Lei disse di no, grazie. Subito dopo però se lo tolse e lo poggiò sulle gambe.

«Lei crede davvero che possa essere innocente?».

Ecco. Me l'ero cercata.

«Vede, signora Paolicelli, è difficile rispondere a questa domanda. Nella maggior parte dei casi noi avvocati non conosciamo la verità. Non lo sappiamo se il nostro cliente è colpevole o innocente. Per certi aspetti è anche meglio così, perché una difesa professionale può essere addirittura più efficace...».

«Lei non crede alla sua storia, vero?».

Respirai profondamente, scacciando l'impulso a dire altre cazzate.

«Una idea davvero precisa potrò farmela solo dopo aver letto le carte. E però sì, quella di suo marito è una storia alla quale è molto difficile credere».

«Anch'io non lo so, se la sua storia è vera. Non lo so se mi ha detto la verità, anche se lui giura che la droga non era sua. Me lo ha giurato in tutti i modi. A volte gli credo, altre volte penso che neghi tutto perché si vergogna e non potrebbe mai ammettere di essersi portato quella roba in macchina con me e la bambina».

È quello che penso anch'io. È l'ipotesi più plausibile, e probabilmente è la verità.

Mi dissi queste cose mentre la guardavo in silenzio, con una faccia priva di espressione. E mentre la guardavo pensai una cosa.

Non era vero che aveva dei dubbi. Era *convinta* che il marito fosse colpevole e quella, più di ogni altra cosa, era la sua maledizione da quando quella storia era cominciata.

«Fabio mi ha detto che lei deciderà se accettare l'incarico solo dopo aver letto il fascicolo. Posso chiederle perché? Vuol dire che se si convince senz'altro che è colpevole non lo difenderà?».

Ecco, avevo giusto bisogno di quella domanda. No, che sia colpevole o meno non mi frega niente. Difendo colpevoli ogni giorno che passa. È che tuo marito – chissà se te lo ha mai raccontato – ha un passato da delinquente e forse da assassino, o almeno complice di assassini. E lo dico per fatto personale, non so se mi spiego. Non lo so se sono capace di difenderlo decentemente, con queste premesse.

Non dissi così.

Dissi che era una mia abitudine professionale, quella di accettare gli incarichi solo dopo aver esaminato le carte. Dissi che era il mio modo consueto di procedere, che non mi piaceva accettare incarichi a scatola chiusa. Era una bugia, ma questa non potevo fare a meno di dirla.

«Quando mi farà sapere se accetta?».

«Il fascicolo non è voluminoso e così potrò guardarmelo nel fine settimana. Lunedì, massimo martedì posso darle una risposta».

Tirò fuori dalla borsa un grosso portafogli di foggia maschile.

«Fabio ha detto che lei non voleva anticipi, prima di decidere se accettare o no. Però lei deve leggere il fascicolo, e questo è lavoro. Così...».

Alzai le mani aperte verso di lei, scuotendo la testa. Non volevo soldi, per il momento. Grazie, ma quello era il mio modo di procedere. Lei non insistette. Invece di prendere denaro o assegni, tirò fuori dal portafogli un biglietto da visita e me lo passò.

Natsu Kawabata, Cucina Giapponese, era scritto al centro del biglietto. Sotto, due numeri di telefono, un fisso e un cellulare. Dopo averlo esaminato rialzai lo sguardo verso di lei, con una sfumatura di domanda.

Mi disse che era cuoca. Per tre sere alla settimana lavorava in un ristorante – disse il nome di un posto alla moda – e poi preparava sushi, sashimi e tempura per le feste private di quelli che potevano permetterselo. Il cibo giapponese non è mai stato economico.

La frase mi venne fuori senza che riuscissi a trattenerla.

«Avrei detto che facesse la modella o qualcosa di simile. Non la cuoca». Mi pentii prima ancora di finire la frase, sentendomi un perfetto idiota.

Lei però sorrise. Solo un principio di sorriso, ma bellissimo.

«Ho fatto anche la modella – il sorriso si spense –, è stato allora che ci siamo conosciuti con Fabio, a Milano. Sembra tanto tempo fa, sono cambiate tante cose».

Lasciò la frase sospesa, e nei secondi di silenzio che seguirono provai a immaginarmi come fosse cominciata la loro storia, perché da Milano fossero venuti a Bari. Altre cose. Fu lei a interrompere il silenzio e i miei pensieri.

«Ma fare la cuoca mi piace di più. Conosce la cucina giapponese?».

Dissi che sì, la conoscevo bene e mi piaceva molto.

Lei disse che allora, una volta o l'altra, avrei dovuto provarne la sua interpretazione.

Era una cosa tanto per dire, per essere gentile, pensai.

E però sentii un brivido di quelli che ti capitavano a sedici anni quando la più bella della classe, in un momento di inattesa, stupenda benevolenza, si fermava a parlare con te nei corridoi della scuola.

Natsu mi pregò di chiamarla, non appena avessi letto gli atti e avessi deciso cosa fare.

Poi se ne andò, e io pensai che non aveva detto una parola, sul fatto di essere venuta in tribunale, a vedermi lavorare. Mi domandai perché e non trovai una risposta.

Nell'aria era rimasto un leggero profumo di ambra. Con quella nota più aspra che non riuscivo a riconoscere.

Cinque

Qualche minuto prima delle nove Maria Teresa venne a chiedermi se mi occorreva ancora qualcosa, visto che stava per andare via. Le chiesi di ordinarmi una pizza e una birra, prima di andarsene. Lei mi guardò con una espressione che diceva: è venerdì sera, ti sembra il caso di restare in studio a mangiare una squallida pizza, a bere una squallida birra e a lavorare?

Io la guardai, e la mia faccia diceva: sì, mi sembra il caso, anche perché non ho niente di meglio da fare. O comunque non ho voglia di fare niente di meglio.

E a dirla tutta, non ho nemmeno voglia di pensarci.

Lei fece per replicare ma poi rinunciò, disse che ordinava la pizza e che ci saremmo rivisti il lunedì mattina.

Mangiai la pizza, bevvi la birra, ripulii la scrivania, misi nel lettore l'ultimo Leonard Cohen – *Dear Heather* – e mi dedicai alle carte che mi aveva portato la signora Natsu Kawabata.

Si chiamava Kawabata come lo scrittore, pensai. Com'era il titolo di quel racconto? *La casa delle belle addormentate*, mi sembrava. Yasunari Kawabata. Triste e bellissimo, era. Pensai che dovevo rileggerlo. Chissà se Natsu era parente – che ne so, la nipote – del Kawabata premio Nobel.

Un pensiero intelligentissimo, mi dissi. Veramente intelligentissimo. Come se un giapponese, conoscendo un signor Rossi, si chiedesse: «Ah Rossi, chissà se è parente del motociclista».

Leggiamo questo fascicolo, che è meglio.

Non ci misi molto. Le cose stavano come le aveva raccontate Paolicelli. Nel verbale di arresto e in quello di sequestro si parlava di un controllo di routine nella zona del porto a mezzo di cani antidroga. Pensai la stessa cosa del giorno prima, quando Paolicelli mi aveva raccontato la sua storia. I finanzieri avevano probabilmente ricevuto una soffiata e così, sul foglio bianco che tenevo accanto al fascicolo, annotai: *perché il controllo?* Subito dopo mi dissi che era una domanda destinata a rimanere senza risposta, e passai oltre.

Con i verbali di arresto e sequestro c'erano le dichiarazioni di Paolicelli.

Verbale di spontanee dichiarazioni rese dall'indagato, c'era scritto nella intestazione. Sicuramente spontanee, certo. Il verbale era molto breve e, a parte i preamboli, il succo era in questa frase:

«Prendo atto del ritrovamento, all'interno della mia vettura, del quantitativo di kg 40 di cocaina. Al proposito spontaneamente dichiaro che la droga è di mia esclusiva pertinenza e che mia moglie Natsu Kawabata, in altri atti compiutamente generalizzata, è del tutto estranea all'illecita operazione di traffico, riferibile solo al sottoscritto. Ho caricato lo stupefacente sulla vettura all'insaputa di mia moglie. Non intendo indicare i soggetti da cui ho acquistato il predetto quantitativo di stupefacente, né quelli cui dovevo consegnarlo. Non ho altro da aggiungere».

Letto, confermato e sottoscritto.

Sul foglio degli appunti annotai: *utilizzabilità spontanee dichiarazioni?*

Significava che c'erano seri dubbi sulla validità e sulla utilizzabilità di quelle dichiarazioni, verbalizzate in assenza di un avvocato. Era uno spunto debole ma considerata la situazione non si poteva tralasciare niente.

Passai rapidamente all'informativa della Finanza, dove c'erano le stesse cose dei verbali di arresto e sequestro. Poi l'interrogatorio davanti al giudice per le indagini preliminari, nel quale il mio – forse – cliente dichiarava di avvalersi della facoltà di non rispondere. In quel verbale faceva la prima comparsa l'avvocato Corrado Macrì.

Sul foglio degli appunti scrissi: *avv. Macrì: chi stracazzo sei?*

Il bello degli appunti personali è che uno ci scrive quello che gli pare, porcate incluse. Per quanto mi riguarda, le parolacce mi aiutano a pensare. Se nei miei appunti scrivo qualche bella frase piena di zozzerie è più facile che mi vengano delle buone idee.

A volte però mi scordo questi appunti dove non dovrei. Per esempio fra i documenti da allegare a un atto di appello, o a una costituzione di parte civile.

Di regola Maria Teresa controlla tutto, scopre questi ameni foglietti, li elimina e mi salva la reputazione. Di regola.

Una volta lei si ammalò e per un paio di giorni fui costretto a fare l'avvocato e il segretario. In quei due giorni, fra le altre cose, depositai un'istanza per la concessione degli arresti domiciliari a un mio cliente. Un signore che aveva costituito un bel po' di società finanziarie di cartapesta, con le quali aveva fatto sparire nel nulla diversi milioni di euro.

La procura e la guardia di finanza si erano interessate a lui e l'avevano sbattuto in galera dopo aver scoperto l'imbroglio. Un avvocato non dovrebbe dire queste cose, ma insomma, avevano fatto bene.

La mia istanza faceva riferimento ad alcuni documenti da cui risultava che le responsabilità del mio assistito – il signor Saponaro, ragioniere commercialista, notoriamente omosessuale – erano meno gravi di quanto era apparso all'inizio. Alludeva al periodo già trascorso in carcere – tre mesi – dal mio cliente, all'attenuazione delle esigenze cautelari, alla «non indispensabilità di una misura cautelare così afflittiva come la custodia carceraria». Il solito repertorio.

Qualche giorno dopo il deposito dell'istanza arrivò in studio una chiamata dalla cancelleria di quel giudice. Il consigliere voleva parlarmi? Certo sarei venuto quella mattina stessa, ma era possibile sapere di cosa si trattava? Così, per prepararmi. Ah, non aveva detto di cosa voleva parlarmi. Va bene, il tempo di uscire dallo studio e arrivare in tribunale.

Mezz'ora dopo ero nella stanza di quel giudice.

«Buongiorno, consigliere. Mi ha fatto chiamare». Sorriso, faccia educatamente interrogativa.

«Buongiorno, avvocato. Sì, l'ho fatta chiamare perché volevo mostrarle una carta».

Così dicendo tirava fuori un foglietto da un fascicolo rosso.

«Credo che questo sia suo. Devo considerarlo un allegato all'istanza per il signor Saponaro?».

Mi allungò il foglietto. Erano gli appunti che avevo preso redigendo l'istanza. Sentii un rombo lontano nella mia testa, come una gigantesca ondata o un branco di bufali in arrivo. Diventai rosso.

Il succo di quegli appunti ruotava intorno ai poco giuridici concetti di «ricchionazzo, porco e ladro». Anche un mediocre interprete di quel manoscritto avrebbe rapidamente capito che il ricchionazzo, porco e ladro era il signor Saponaro e che il suo avvocato – io – non era intimamente convinto che il suo assistito fosse innocente.

Cercai qualcosa da dire al giudice, per tentare di giustificare quella catastrofe. Naturalmente non trovai nulla.

Gli chiesi solo se, ai fini della mia prossima radiazione dall'albo, desiderava provvedere personalmente a comunicare il fatto al consiglio dell'ordine, o se preferiva che mi autodenunciassi. Per me, chiarii, era la stessa cosa. Lo pregavo soltanto di non dare pubblicità alla mia infelice espressione – ricchionazzo – cripticamente allusiva ai gusti sessuali del mio assistito. Avrei preferito evitare, se possibile, che, oltre alla mia reputazione di avvocato, anche quella di uomo di sinistra venisse devastata da quel volgare infortunio.

Il giudice era una persona di molto spirito. Mi restituì il foglietto e non mi denunciò.

Non accolse l'istanza per il signor Saponaro, ma questo sarebbe stato davvero pretendere troppo.

Il fascicolo non conteneva molte altre cose rilevanti.

C'era la relazione tossicologica sulla sostanza stupefacente. La cocaina era pura al 68%, e cioè di ottima qualità. Era possibile, scriveva il consulente, ricavarne centinaia di migliaia di dosi da spaccio al minuto.

C'erano i tabulati dei telefoni cellulari di Paolicelli e della moglie. I finanzieri li avevano acquisiti per vedere se saltava fuori qualche contatto interessante, subito prima o subito dopo il controllo che aveva portato al ritrovamento della droga. Evidentemente non c'era nulla di interessante, perché i tabulati erano stati trasmessi in procura con una nota striminzita. «Nessun contatto rilevante è emerso dai tabulati del traffico telefonico acquisiti». Fine.

C'era l'ordinanza di custodia cautelare, con non più di dieci righe di motivazione, e c'era la sentenza. Anch'essa, a dire la verità, non troppo lunga. E del resto cosa c'era da scrivere più che «è provata la penale responsabilità dell'imputato alla stregua di un quadro indiziario del tutto tranquillizzante. Egli portava lo stupefacente a bordo della sua vettura ed ha peraltro ammesso spontaneamente, prima dell'arresto, la sua responsabilità. Su tali basi appare letteralmente impossibile ipotizzare una qualsivoglia, plausibile ipotesi alternativa peraltro nemmeno prospettata dal Paolicelli che, in sede di interrogatorio di garanzia, si è – comprensibilmente, considerata l'insostenibilità della sua posizione – avvalso della facoltà di non rispondere».

Cerchiai con la penna quell'espressione. *Plausibile ipotesi alternativa.* Il problema era quello. È sempre quello nei processi penali. Fornire una spiegazione alternativa, *plausibile*, alle prove offerte dall'accusa.

Che ipotesi alternativa si poteva proporre in un caso del genere?

L'unica era che Paolicelli mi avesse detto la verità e che la droga sulla macchina ce l'avesse messa – chissà come, chissà quando – qualcun altro. Ma se quella storia era vera Paolicelli era nella merda fino al collo.

Era possibile che qualcuno avesse voluto incastrare Paolicelli? Mettergli la droga in macchina e poi soffiare la notizia ai finanzieri?

Scartai immediatamente questa ipotesi. Non si buttano via quaranta chili di cocaina per incastrare qualcuno. Se vuoi incastrare qualcuno gli metti dieci grammi divisi in quaranta dosi, nessuno può dubitare che siano destinate allo spaccio e l'operazione si realizza. Efficace e a costo contenuto.

No, era impossibile che gli avessero messo quaranta chili solo per farlo arrestare. Certo era probabile che qualcuno avesse detto ai finanzieri che in quella macchina in arrivo dal Montenegro c'era un bel carico di cocaina purissima. Ma chi aveva fatto la soffiata non poteva essere il proprietario della droga, o qualcuno che ce l'aveva messa solo per rovinare il signor Fabio Raybàn.

Togliamo di mezzo l'ipotesi che chi ha messo la droga nella macchina sia la stessa persona che ha soffiato la notizia ai finanzieri. E ammettiamo che Paolicelli dica la verità. Se davvero lui è innocente, cosa diavolo si può fare, a questo punto?

Scoprire chi ce l'ha messa, la droga, mi dissi.

Ah be', ma allora è un gioco da ragazzi. Scopro la rete di trafficanti internazionali che ha piazzato la droga, li trascino a deporre nel processo di appello, e loro in preda al rimorso confessano, scagionando il mio cliente. Lui viene assolto, la giustizia trionfa, il mito dell'avvocato Guerrieri si consolida.

Se davvero Paolicelli era innocente, quello era il caso peggiore che mi fosse capitato in tutta la mia cosiddetta carriera, mi dissi mentre sfogliavo le ultime pagine. Dal fondo del fascicolo saltò fuori la copia del certificato penale di Paolicelli. C'era quello che mi sarei potuto aspettare. Vecchissimi precedenti da minorenne per rissa, lesioni, porto abusivo di armi. Tutta roba degli anni dei pestaggi e delle squadracce fasciste. E comunque non c'era più niente dal 1981.

Mentre esaminavo quel certificato penale mi sorpresi a pensare che, fino a qualche ora prima, ero deciso a *non* accettare quell'incarico.

Fino a quando nel mio studio non era entrata la signora Natsu Kawabata.

Sei

Riordinai gli appunti e soprattutto cercai di riordinare le idee.

Perché Paolicelli avesse una possibilità di scamparla – cosa molto improbabile – occorreva fare qualche indagine, e lì cominciavano i problemi.

Solo un paio di volte, in passato, mi ero rivolto a investigatori privati, con risultati catastrofici. E si trattava di affari, come dire, molto meno problematici del caso Paolicelli. Dopo la seconda esperienza avevo giurato che si trattava anche dell'ultima.

Mi dissi che avrei dovuto parlarne con Carmelo Tancredi.

Carmelo Tancredi è un ispettore di polizia, specializzato nella caccia ai peggiori rifiuti dell'umanità: gli stupratori, i seviziatori, i trafficanti di bambini.

Ha l'aspetto mite e un po' sfigato dei peones messicani di certi film western di serie B, un intuito che di regola si trova solo in certi poliziotti da romanzo, la presa di un pitbull incazzato.

Avrei parlato con lui e gli avrei chiesto cosa ne pensava di tutta quella faccenda. Se era davvero possibile che qualcuno avesse piazzato in Montenegro la droga sulla macchina di Paolicelli per poi recuperarla in Italia. E gli avrei chiesto se per lui aveva un senso fare delle indagini per cercare di scagionare il mio cliente.

Poi avrei fatto qualche domanda in giro per vedere se qualcuno conosceva questo avvocato Macrì. Per cercare il suo posto nel mosaico.

Ammesso naturalmente che un mosaico ci fosse e che le cose non stessero nel modo più semplice. E cioè che la droga fosse di Paolicelli e di qualche suo compare rimasto ignoto, che l'avvocato – come capita in questi casi – fosse stato ingaggiato e pagato dai complici rimasti in libertà e che la moglie, naturalmente, non ne sapesse niente.

L'idea di avere un programma – parlare con Tancredi, indagare su questo Macrì – mi diede la sensazione di aver concluso qualcosa. Guardai l'orologio e mi resi conto che erano le due.

Per un attimo, solo per un attimo, mi venne in mente la figura di Margherita. Prima che sfumasse nel negativo fotografico di quel pomeriggio di settembre, per poi sparire lontano, verso ovest.

Grande venerdì sera, mi dissi, uscendo dallo studio per tornarmene a casa.

Sette

Il lunedì mattina dissi a Maria Teresa di chiamare la signora Kawabata per comunicarle che accettavo l'incarico. Entro la fine della settimana sarei andato in carcere a trovare il marito. Lei – Maria Teresa – sarebbe dovuta passare dalla cancelleria della corte di appello per controllare se fosse stata già fissata la data del processo.

A quel punto esitai, come se ci fosse ancora qualcosa, che però non riuscivo a ricordare. Maria Teresa mi chiese se doveva dire alla signora Kawabata di passare in studio per lasciare un acconto e io dissi che sì, ecco, era proprio quello che mi sfuggiva. Doveva dirle di passare in studio. Per lasciare un acconto.

Certo.

Poi avevo preso le carte che mi servivano per le udienze di quella mattina ed ero uscito.

Fuori faceva un freddo porco e mi dissi che non era indispensabile prendere ogni volta la bicicletta, e che si potevano anche fare quattro passi. Entrai nel bar sotto lo studio, presi un cappuccino e uscendo per incamminarmi verso il tribunale chiamai Carmelo Tancredi.

«Guido! Non dirmi che qualcuno di questi vermi che abbiamo preso stanotte è tuo cliente. Per piacere non dirmelo».

«Ok, non te lo dico. Chi avete preso stanotte?».

«Un bel club di pedofili che organizzavano vacanze in Thailandia. Maiali da esportazione. Ci abbiamo lavorato su per sei mesi, anche con agenti sotto copertura. Due dei nostri si sono infiltrati, hanno fatto un viaggio con questi animali, raccolto prove a tonnellate. Incredibile a dirsi, anche la polizia thailandese ha collaborato».

«E stanotte li avete arrestati?».

«Già. Non ti immagini cosa gli abbiamo trovato a casa».
«Non me lo immagino e non lo voglio sapere».
Era vero solo a metà. Non lo volevo sapere, ma mi immaginavo perfettamente che cosa potevano aver trovato nelle perquisizioni. Qualche volta – sempre difendendo le vittime – mi ero occupato di casi di pedofilia, e avevo visto il materiale sequestrato a quella gente. Al confronto, le foto delle autopsie sono uno spettacolo rilassante.
«Visto che fortunatamente non sei l'avvocato di nessuno di questi vermi, perché mi chiami?».
«Volevo offrirti un caffè e fare due chiacchiere, ma se hai lavorato stanotte e adesso vai a dormire, non fa niente. Mi rendo conto che ormai hai un'età...».
Disse una frase in siciliano stretto. Non capii bene le parole ma intuii che si trattava di valutazioni garbatamente critiche sul mio umorismo.
Poi tornò all'italiano. Mi disse che doveva aspettare che fossero pronti i verbali degli arresti, dei sequestri e tutte le altre carte dell'operazione. Disse che doveva controllarli uno a uno perché i ragazzi della sua sezione erano bravissimi quando si trattava di lavorare sul campo – pedinare, inseguire, appostarsi, sfondare porte, acchiappare i cattivi, magari anche malmenarli un po' che a volte non guasta –, ma bisognava tenerli sotto stretta sorveglianza quando mettevano mano al computer o ai codici. Avrebbe finito verso mezzogiorno e così, se volevo, potevo passare a prenderlo in questura e offrirgli un aperitivo.
Dissi che andava bene e che sarei passato da lui alle dodici e mezza.
Poi me ne andai in tribunale e feci le mie udienze. Secondo un ritmo consolidato, in una specie di apnea della coscienza.
Nei primi anni della professione – da praticante e anche quando ero già procuratore legale – il momento dell'arrivo in tribunale, la mattina, era quello che mi piaceva di più. Arrivavi una ventina di minuti prima dell'inizio delle udienze, incontravi qualche amico, andavi a prendere il caffè, fumavi una sigaretta, ché allora nei corridoi ti lasciavano fumare. A volte capita-

va anche di incontrare qualche ragazza che ti piaceva e combinavi per la sera.

A poco a poco questi rituali si erano sfaldati e poi erano scomparsi. Fisiologico. Come capita inevitabilmente quando non hai più trenta anni. Comunque, col tempo, mi era piaciuto sempre meno il momento dell'ingresso in tribunale, il rituale del caffè, eccetera. A volte mi guardavo intorno, passando dal bar. Guardavo i giovani avvocati, spesso eleganti in modo eccessivo, guardavo le ragazze, segretarie, praticanti, e anche qualche giovane magistrata in tirocinio.

Mi sembravano tutti un po' scemi e pensavo banalmente che da giovani *noi* eravamo diversi, e migliori.

Concepire certe sciocchezze è un automatismo implacabile. Se *loro* sono così fessi, non c'è motivo di invidiarli; non c'è motivo di invidiare la loro giovinezza, le loro articolazioni sciolte, le loro infinite possibilità. Sono coglioni, si vede da come si comportano, al bar e dappertutto. Noi eravamo meglio, e siamo meglio, e allora perché invidiarli?

Già, perché? Fanculo.

Insomma feci le mie udienze trattenendo metaforicamente il fiato e alle dodici ero fuori.

Alle dodici e venti ero davanti alla questura e chiamai Tancredi per dirgli di scendere e raggiungermi. Quando mi venne incontro pensai che aveva l'aria di uno che ha dormito su un divano, tenendo il cappotto e le scarpe. Probabilmente proprio quello che era successo, quella notte.

Non ci vedevamo da parecchio e così per prima cosa lui mi chiese di Margherita. Gli dissi che era fuori da qualche mese, per lavoro, e cercai di dirlo con una faccia naturale, neutra. Naturalmente non mi riuscì, come era evidente dalla sua espressione. Per cambiare discorso gli chiesi della sua tesi. Tancredi aveva finito da tempo gli esami a psicologia e gli mancava solo la tesi per laurearsi. Disse che era un po' di tempo che non ci lavorava, a quella tesi, e dal modo in cui lo disse capii che avevo ricambiato la gaffe.

Eravamo pari e potevamo andare a prenderci quell'aperitivo.

Scegliemmo un'enoteca, a qualche centinaio di metri dalla questura, gestita da un amico di Tancredi. Era un posto frequentato per lo più di notte. All'ora dell'aperitivo era deserto e l'ideale per chiacchierare in pace.

Ordinammo un vino bianco siciliano e ostriche. Ne mangiammo un primo vassoio e concordammo che non erano sufficienti. Così ne ordinammo altre, e bevemmo diversi bicchieri.

Dopo aver svuotato l'ultima ostrica Tancredi mise in bocca il mozzicone di toscano che portava sempre appresso senza accenderlo quasi mai, spostò indietro la sedia e mi chiese cosa volessi da lui. Gli raccontai tutta la storia di Paolicelli, cercando di non tralasciare nessun dettaglio, e alla fine gli dissi che mi serviva una consulenza.

Lui mi fece segno di andare avanti, con la mano che teneva il mozzicone di sigaro.

«Prima cosa, preliminare direi. Ti risulta che sia mai stata trasportata droga in Italia piazzandola di nascosto su macchine di persone che non ne sapevano niente? È stata mai accertata una cosa simile, in qualche indagine?».

«È stata accertata, eccome. Era un sistema che usavano moltissimo i trafficanti turchi di eroina. Puntavano turisti italiani che erano andati fin lì in macchina. Gli rubavano l'auto, la imbottivano di eroina e poi gliela facevano ritrovare, prima che quelli andassero alla polizia per denunciare. E quello che gliela faceva ritrovare si prendeva pure una ricompensa per la buona azione. Poi i turisti ripartivano per tornare a casa, e i bravi turchi gli stavano dietro a distanza, per tenere sotto controllo il carico. Se la macchina veniva beccata a qualche frontiera il problema era tutto dell'ignaro turista. Dopo l'attraversamento della frontiera entravano in gioco gli amici italiani. Alla prima occasione la macchina veniva rubata di nuovo, con la sola differenza che questa volta non veniva restituita. Fine della storia».

«A quando risale questa storia?».

«Questo è un *modus operandi* che è stato accertato, per quello che ne so, in due occasioni. Una volta in una grossa indagine della procura e della squadra mobile di Trieste e un'altra volta a Bari, dalla nostra narcotici. Sono cose di tre, quattro anni fa».

Mi passai la mano sul viso, strofinandola contropelo sulla barba. In astratto, Paolicelli poteva aver detto la verità, anche se non aveva parlato di furti della macchina. La storia del portiere dell'albergo aveva senso.

«E ti risulta di operazioni del genere realizzate senza rubare la macchina?».

«In che senso? Che dopo avergliela caricata gli lasciano la droga in regalo?».

«Bella battuta. Volevo dire: senza rubarla la prima volta, per piazzarci la droga».

Mentre rispondeva ebbi l'impressione nettissima che non mi stesse dicendo tutto quello che sapeva.

«Non mi risulta, ma non è impossibile. Se sai dov'è la macchina e hai un po' di tempo puoi fare l'operazione senza rubarla o prendendola e riportandola senza che il proprietario si accorga di nulla».

«Tanto per parlare: se tu fossi un investigatore privato e ti incaricassero di fare indagini per cercare di scagionare Paolicelli, cosa faresti?».

«Così, tanto per parlare, vero? Prima di tutto non sono un investigatore privato. E poi non mi sembra che abbiamo appurato che il tuo nuovo cliente è innocente. È *possibile* che qualcuno si ritrovi la macchina imbottita di droga non sua, e va bene. Ma il fatto che sia possibile non significa che sia accaduto in questo caso. L'ipotesi più realistica...».

«Odio gli sbirri che fanno speculazioni logiche. Lo so bene, l'ipotesi più realistica è che la droga fosse sua. Se qualcuno ha l'auto piena di cocaina la prima ipotesi da prendere in considerazione è che quella cocaina sia sua. Detto questo: se tu fossi un investigatore privato...».

«Se fossi un investigatore privato, prima di dire una sola parola o muovere un dito, mi farei rilasciare un bell'acconto. Poi, per prima cosa, mi risentirei l'amico Paolicelli e la signora. Che, mi sembra di intuire, non deve essere un mostro».

Tancredi era capace di leggere un sacco di cose nella faccia di una persona. Constatarlo non mi fece particolarmente piacere, in quel momento.

«Cercherei di verificare se c'è modo di sospettare seriamente di questo portiere dell'albergo. Anche se non so dove potrebbe portare la cosa».

«In che senso?».

«Per scoprire qualcosa di concreto sul portiere, sul personale dell'albergo, ci vorrebbe una indagine ufficiale. Bisognerebbe chiedere la collaborazione della polizia del Montenegro. Non so se hai presente di chi stiamo parlando. Alcuni dei loro capi, assieme a qualche ministro, hanno gestito per anni il contrabbando internazionale delle sigarette».

Avevo presente.

«Comunque mi farei raccontare da Paolicelli e da sua moglie se hanno notato qualcosa di strano durante la vacanza, e soprattutto negli ultimi giorni. Anche dettagli insignificanti. Se hanno conosciuto qualcuno, magari molto simpatico e desideroso di fare amicizia. Se hanno chiacchierato con qualcuno, e questo qualcuno ha fatto un sacco di domande. Da dove venite, quando siete arrivati e, soprattutto, quando tornate a casa. E mi farei raccontare tutto quello che riescono a ricordarsi del portiere, o dei proprietari dell'albergo, di qualche dipendente – che ne so, un cameriere – che per qualche ragione ha attirato la loro attenzione».

«E poi?».

«Dipende da quello che ti rispondono. Se per caso salta fuori che c'era un ficcanaso, lì in Montenegro, converrebbe verificare se per caso ha viaggiato anche lui sullo stesso traghetto».

«E come faccio a fare questi accertamenti?».

Assunse una finta espressione dispiaciuta.

«Ah già. Effettivamente non puoi».

«Dai Carmelo, per piacere aiutami. Voglio solo verificare se mi ha detto un sacco di cazzate o se invece è davvero innocente. Se è così è una porcheria grossa».

Non rispose subito. Fece rotolare il mozzicone di sigaro fra l'indice e il pollice, guardandolo come se fosse un oggetto molto interessante. Ignorandomi per qualche secondo, come se si stesse chiedendo nuovamente quanto poteva raccontarmi. Alla fine scrollò le spalle.

«È possibile che il tuo cliente dica la verità. Qualche mese fa un mio confidente mi ha raccontato che stavano arrivando grossi carichi di cocaina, dall'Albania, dal Montenegro, dalla Croazia, esattamente con quel metodo. Riempiendo la macchina senza nemmeno rubarla».

«Cazzo».

«Riempiono la macchina, uno o due giorni prima della partenza del corriere inconsapevole. Poi sul traghetto sale qualcuno della banda, per tenere d'occhio la merce. Quando i controlli doganali sono superati, si arriva alla fase finale: vale a dire che, alla prima occasione, i complici a terra rubano l'auto e recuperano la droga».

«C'è una indagine su tutto questo?».

«No, o almeno non mi risulta. Ho passato l'informazione del mio confidente a quelli della narcotici. E per tutta risposta mi hanno detto che volevano sapere chi fosse il confidente, e che ci volevano parlare loro».

Fece una faccia di puro schifo. Un vero sbirro non chiede mai a un collega di dirgli il nome del suo confidente. Roba da dilettanti o da mascalzoni.

«E tu gli hai detto di fottersi».

«Ma molto garbatamente».

«Certo. E così l'informazione è rimasta inutilizzata».

«Per quello che ne so. In ogni caso non è questo che ci interessa. Devi parlare con il tuo cliente e la sua bella signora e devi tirare fuori tutto quello che riescono a ricordarsi. Poi, in base a cosa ti dicono è possibile ipotizzare qualche accertamento».

«Carmelo, io con quelli ci parlo e mi faccio raccontare tutto. Ma dopo tu mi devi aiutare. Per esempio potremmo recuperare la lista dei passeggeri del traghetto. Per vedere se c'è qualche nome che salta fuori dai vostri archivi. Tu non ci metti niente, parli con qualche collega della polizia di frontiera e...».

«Vuoi anche che ti lavi i vetri della macchina? Così, per fare un servizio completo».

«In effetti è un sacco di tempo che...».

Tancredi disse di nuovo delle cose in siciliano stretto. Non molto diverse da quelle che aveva detto qualche ora prima al telefono, mi parve.

Alla fine però mi disse di chiamarlo dopo aver parlato con Paolicelli.

«Se dalla vostra chiacchierata salta fuori qualche elemento utile vediamo un po' se è possibile svilupparlo. Tu comunque faresti bene a cercare anche di saperne di più su questo tuo collega che si è materializzato da Roma. Se Paolicelli e la moglie dicono la verità, questo signore ha a che fare con i proprietari della droga. Sapere chi è questo avvocato potrebbe dare qualche spunto».

Giusto. La chiacchierata aveva dato qualche frutto e potevo essere quasi soddisfatto.

Mi alzai e andai alla cassa per pagare il conto, ma il proprietario mi disse che nessuno poteva pagare in quel locale, senza il permesso di Tancredi.

E io il permesso quel giorno non ce l'avevo.

Otto

Natsu Kawabata venne in studio il martedì pomeriggio.

Indossava lo stesso cappotto blu dell'altra volta. Ogni volta sembrava più bella.

Certamente era figlia di giapponesi e occidentali. Visto che si chiamava Kawabata il padre doveva essere giapponese e la madre doveva essere italiana. Se no come faceva a parlare quell'italiano perfetto, addirittura con una leggera inflessione napoletana. Chissà se era nata in Italia o in Giappone. E quella carnagione scura doveva averla presa dalla mamma, ché i giapponesi di solito sono piuttosto pallidi.

«Buonasera, avvocato».

«Buonasera. Prego, si accomodi».

Nella mia voce percepii un eccesso di enfasi che mi fece sentire a disagio.

Questa volta Natsu si tolse il cappotto, si sedette, e addirittura abbozzò un sorriso. Nell'aria si era già diffuso lo stesso profumo leggero dell'altra volta.

«Sono contenta che abbia accettato l'incarico. Fabio ci teneva molto. Dice che in carcere...».

Ebbi un moto interiore di fastidio. Non volevo che proseguisse. Non volevo che mi dicesse quanta fiducia in me aveva il signor Fabio Raybàn. Non volevo mi ricordasse che avevo deciso di difenderlo per un motivo che a lui non sarebbe piaciuto e che io non avrei confessato. Così feci un gesto con la mano che diceva: lasciamo perdere, sono modesto, non mi piacciono i complimenti. Una bugia gestuale: i complimenti mi piacciono molto, invece.

«Come le ho detto, è una routine per me. Preferisco esaminare prima gli atti per controllare che non ci sia qualche ragione che mi impedisce di accettare l'incarico».

Perché continuavo a dire quelle fesserie?

Per darmi un tono, è ovvio. Per interpretare un personaggio. Per fare bella figura. Mi stavo comportando come un liceale.

«Che idea si è fatto leggendo il fascicolo?».

«Non molto diversa dall'idea iniziale. La situazione è molto difficile. Ammesso...».

Mi interruppi, ma troppo tardi. Stavo per dire: ammesso che tuo marito dica la verità – ammesso e niente affatto concesso – provarlo, o almeno creare un dubbio ragionevole sarà difficilissimo. Mi interruppi perché non volevo risvegliare i *suoi* dubbi, più che ragionevoli. Ma lei lo capì.

«Vuol dire: ammesso che la storia di Fabio sia vera?».

Feci sì col capo, abbassando gli occhi. Quella sembrò volesse dire qualcos'altro ma le sue parole rimasero sospese e alla fine non vennero fuori. Così toccò a me proseguire.

«Per cercare di ottenere un'assoluzione bisognerebbe provare che la droga non era di suo marito. O quantomeno fornire alla corte degli argomenti per dubitare seriamente che la droga fosse di suo marito».

«Cioè bisognerebbe scoprire chi ce l'ha messa».

«Precisamente. E siccome il tutto è accaduto in Montenegro un anno e mezzo fa, lei intuisce bene...».

«Che non c'è niente da fare. È così?».

Le risposi che, certo, non c'erano tantissime cose che potevamo fare. Dovevamo cercare di ricostruire insieme, con ogni possibile dettaglio, quello che era successo nei giorni che avevano preceduto l'arresto. In breve le dissi, appropriandomene, le cose che mi aveva suggerito di fare Tancredi. Parlai con il tono di chi è abituato a fare di queste indagini. Come fossero state cose normali, per me.

Quando ebbi finito di spiegare il mio piano investigativo lei sembrava impressionata.

Caspita, ero uno che sapeva il fatto suo.

Mi chiese se volessi cominciare con lei a ricostruire i fatti. Le dissi che preferivo prima parlare con suo marito, che sarei andato a trovarlo l'indomani e che noi ci saremmo potuti rivedere entro la fine della settimana.

Disse che andava bene. Mi chiese per l'acconto, io dissi una cifra e quando tirò fuori un libretto degli assegni la pregai di sbrigare questa parte della faccenda con la mia segretaria. Noi principi del foro non ci sporchiamo le mani con soldi o assegni.

Era tutto, per quel pomeriggio.

Quando se ne fu andata mi sentivo abbastanza bene, come uno che ha fatto bella figura con la persona giusta. Evitai accuratamente di pensare alle implicazioni.

Nove

Adesso avevo bisogno di informazioni su questo Macrì.

Per cominciare accesi il computer e mi collegai al sito del consiglio dell'ordine degli avvocati di Roma. Digitai il suo nome e mi vennero fuori le poche informazioni che può offrire un albo professionale. Macrì era nato nel 1965, era iscritto all'albo di Roma da poco più di tre anni e prima era stato iscritto a Reggio Calabria. Il suo studio era in una via dal nome strano. E non aveva un telefono fisso. Nella casella dedicata ai recapiti telefonici c'era solo un numero di cellulare. Strano, pensai. Uno studio legale senza telefono. Annotai mentalmente la cosa, che forse aveva un significato.

Dovevo rivolgermi a qualche amico romano, per cercare di scoprire qualcosa di più. Così passai in rassegna i miei cosiddetti amici romani, e non fu un'operazione lunga.

C'erano un paio di colleghi che associavo alla difesa per i ricorsi in cassazione o per qualche processo davanti al tribunale di Roma. Definirli amici era francamente eccessivo. C'era un giornalista che per qualche anno aveva lavorato a Bari nella cronaca giudiziaria della «Repubblica». Era un ragazzo simpatico, qualche volta avevamo preso un caffè o un aperitivo insieme ma i nostri rapporti erano sempre stati superficiali. E poi che ne sapevo se, chiamandolo e chiedendogli informazioni su Macrì, non rischiavo di scatenare la sua curiosità professionale.

Rimaneva il mio vecchio amico e compagno di università Andrea Colaianni, sostituto procuratore alla direzione distrettuale antimafia di Roma. L'unico cui potevo rivolgermi tranquillamente e che forse poteva darmi le informazioni che mi occorrevano.

Cercai sulla rubrica del mio cellulare, trovai il suo numero e rimasi qualche minuto a guardare il display colorato. Da quanto tempo non ci sentivamo, Colaianni e io? Anni, certamente. Una volta ci eravamo incontrati a Bari per strada. Lui era venuto a trovare i suoi genitori, avevamo scambiato solo poche parole e io avevo pensato che la nostra amicizia, come tante altre, era finita. Adesso che gli telefonavo – ammesso che quel vecchio numero fosse ancora attivo – cosa avrebbe pensato? Cosa dovevo dirgli? Fare chiacchiere per un poco, così per rendere socialmente accettabile la richiesta di aiuto che dovevo fargli?

Ho sempre avuto seri problemi con i telefoni e le telefonate. E se si scocciava? Magari stava interrogando qualcuno, magari era impegnato in qualche altro modo. E poi i magistrati – anche se amici – sono creature imprevedibili.

Ok, basta.

Schiacciai il pulsante dell'invio e Colaianni rispose dopo due squilli.

«Guido Guerrieri!». Mi stupii che avesse il mio numero in memoria.

«Ciao Andrea. Come stai?».

«Io sto bene. Tu come stai?».

Così cominciammo a chiacchierare. Chiacchierammo almeno dieci minuti di cose varie. Famiglia – chi ce l'aveva, cioè lui –, lavoro, vecchi amici comuni che nessuno dei due vedeva o sentiva più da un tempo infinito. Sport. Continui a fare pugilato? Sei sempre pazzo, Guerrieri.

Alla fine gli raccontai il motivo della mia chiamata. Gli spiegai tutto, in breve. Gli dissi che brancolavo nel buio, che non sapevo cosa fare e cosa suggerire al cliente. Che avevo bisogno di qualche informazione per cercare di chiarirmi le idee. Anche solo per poter dire al cliente che l'unica prospettiva seria era quella di un onorevole patteggiamento.

Colaianni mi disse che non aveva mai sentito nominare Macrì, ma in un posto come Roma questo non significava niente. Avrebbe chiesto un po' in giro però, e in qualche giorno mi avrebbe fatto sapere.

«Tu non farti illusioni comunque. L'ipotesi più probabile è che il tuo cliente stesse veramente trasportando quella droga, senza averlo detto alla moglie. Nega contro ogni evidenza perché si vergogna e non ha il coraggio di confessarlo a lei».

Già. Lo sapevo e quasi sperai che le cose stessero davvero così.

Sarebbe stato tutto più facile.

Dieci

Prima o poi doveva succedermi. Voglio dire: che tornassi a pormi quella domanda. Accadde in modo naturale mentre aspettavo Paolicelli nella sala avvocati del carcere.

Erano vere le cose che si raccontavano in quegli anni? Era lui, davvero, uno dei colpevoli della morte di quel ragazzo? O almeno era nella squadraccia da cui uscirono gli accoltellatori?

Per molti mesi dopo quell'omicidio fui perseguitato dall'immagine, creata dalla mia fantasia turbata, di Paolicelli che guardava morire quel ragazzo con lo stesso sorriso sottile e cattivo che gli avevo visto in faccia mentre il suo amico fascista mi riempiva di botte.

In qualche momento pensavo anche che ero stato fortunato, perché quelli erano dei pazzi criminali. Mi era andata bene, a non prendermi anche una coltellata, la sera delle botte per l'eskimo.

Per molto tempo fui ossessionato dall'idea della vendetta. Quando fossi diventato grande, forte e soprattutto capace di fare a botte (intanto avevo cominciato a fare pugilato) sarei andato a prenderli a uno a uno e avremmo fatto i conti. Per primo il basso muscoloso, poi gli altri, le cui facce però non ricordavo benissimo, ma questo era un dettaglio. Per ultimo il biondino con la faccia di David Bowie, che si era goduto lo spettacolo sorridendo. E forse spaccandogli la faccia sarei anche riuscito a farmi raccontare cosa era successo davvero quella sera del 28 novembre, chi erano gli accoltellatori e se lui era uno di loro.

«Avvocato, buongiorno».

Mi ero così abbandonato dietro i miei pensieri che non avevo nemmeno sentito la porta aprirsi. Controllai un leggero sobbalzo e risposi con un leggero cambiamento di espressione. Il massimo della cordialità che ero disposto ad accordare a Paolicelli dopo quel flusso di ricordi.

«Sono molto contento che abbia accettato l'incarico. Mi dà l'impressione che ci sia una possibilità, adesso. Anche mia moglie ha detto che lei ispira fiducia».

Mi diede disagio che dicesse di sua moglie. E mi dava disagio che lui fosse così diverso dal ragazzino con la faccia cattiva che avevo odiato per tutta la mia adolescenza. Era uno normale, quasi simpatico.

Ma io non volevo che mi fosse simpatico.

«Signor Paolicelli, è bene essere chiari da subito. Per non alimentare aspettative irrealistiche. Ho deciso di accettare il suo caso e farò il possibile per lei. Decideremo insieme la strategia e le scelte processuali, ma quello che lei deve sapere, quello di cui lei deve essere assolutamente consapevole, è che la sua situazione è, e resta, molto difficile».

Così andava bene. Il tono tecnico era l'ideale per far sparire l'imbarazzo che avevo provato qualche istante prima. Ed era anche una bella manifestazione di cattiveria, mascherata da efficienza professionale, privarlo subito anche di quell'istante di sollievo. Del conforto che prova chi, dopo mesi di prigionia e di pensieri orribili sul futuro, incontra qualcuno che è dalla sua parte e che può aiutarlo.

La ragione stessa, fondamentalmente, dell'esistenza degli avvocati.

Sei veramente uno stronzo, Guerrieri, mi dissi.

Ripresi a parlare, senza guardarlo, mentre aprivo la borsa per tirarne fuori le carte.

«Ho esaminato tutti gli atti, ho preso un po' di appunti e adesso sono qui per decidere con lei la linea difensiva. Le possibilità sono sostanzialmente due. Molto diverse l'una dall'altra».

Alzai lo sguardo per controllare se mi stesse seguendo. Fu quella la prima volta che lo guardai davvero in faccia, come era davanti a me. Voglio dire, vedendo la sua vera faccia di uomo di oltre quaranta anni, con le rughe e una incomprensibile sfumatura di mitezza negli occhi blu, e non quella – stampata nella memoria del me stesso ragazzo – del fascista adolescente dal sorriso cattivo.

Fu una sensazione molto strana. Metteva le cose fuori posto, mi confondeva.

Paolicelli annuì, perché avevo smesso di parlare e lui voleva sapere quali fossero le due possibilità che *sostanzialmente* avevamo.

«E dunque, dicevo, due possibilità. La prima è quella della minimizzazione del rischio e del danno. Significa che andiamo in appello e, sperando di trovare un sostituto procuratore generale malleabile, facciamo un patteggiamento cercando di ottenere il più forte sconto possibile...».

Quello stava per interrompermi ma io lo fermai con la mano aperta, come a dire: aspetta, fammi finire.

«Ma so che lei dice che la droga non è sua. Lo so, ma io adesso le devo sottoporre tutte le diverse possibilità, e le relative implicazioni. Poi lei deciderà cosa fare. Dunque come dicevo la prima possibilità è questa. Con un po' di fortuna possiamo scendere fino a dieci anni, forse addirittura meno, il che significa...».

«Mia moglie ha detto che lei pensa si possano fare delle indagini. Per scoprire chi mi ha messo la cocaina nella macchina».

Perché mi dava fastidio che citasse continuamente sua moglie? Perché mi dava fastidio che sua moglie gli avesse parlato del contenuto dei nostri colloqui? Mi feci queste domande e non aspettai l'arrivo delle risposte. Troppo ovvie per doverle verbalizzare.

«Si potrebbe provare».

«Per cercare di ottenere un'assoluzione?».

«Per cercare di ottenere un'assoluzione. Ma è necessario essere chiari. Non è affatto detto, anzi è molto difficile che riusciamo a trovare qualcosa. Adesso ci facciamo una chiacchierata e vediamo se salta fuori qualche particolare utile. Ma anche se riusciamo a fare una ipotesi concreta su come quella droga può essere finita sulla sua macchina, il nostro vero problema è di convincere la corte d'appello. E può stare certo che non ci riusciremo con le congetture».

«Che cosa vuole sapere?».

Recitai la lezione che mi aveva insegnato Tancredi.

«Durante la vacanza avete conosciuto qualcuno? Non so, qualcuno molto simpatico, anche troppo. Che faceva domande, che si è informato sulla vostra provenienza, su quando rientravate?».

Aspettò un poco prima di rispondere.

«No. Voglio dire: abbiamo conosciuto gente, ma non abbiamo fatto amicizie. Non abbiamo frequentato nessuna delle persone che ci è capitato di conoscere».

«Nessuno che si sia informato sulla data del vostro rientro?».

Ancora una volta non rispose subito. Si sforzava di recuperare ricordi utili, senza riuscirci. Alla fine si arrese.

«Va bene, non importa. Parliamo del parcheggio dell'albergo».

«Come le ho detto, le chiavi le davamo al portiere perché il parcheggio era piccolo e sempre strapieno. C'erano macchine parcheggiate in doppia fila e le chiavi servivano per evitare che qualcuno rimanesse bloccato».

«E questo è successo anche l'ultima sera prima della partenza?».

«Tutte le sere, tutte le sere lasciavo le chiavi in portineria. La mattina, se dovevamo fare una gita in macchina, le ritiravo. Se no rimanevano lì anche tutto il giorno».

«Il portiere era sempre lo stesso?».

«No, ce n'erano tre che si davano il turno, di giorno e di notte».

«Si ricorda chi dei tre era di turno l'ultima notte che siete stati lì?».

Non si ricordava. Ci aveva già pensato altre volte, disse, e non era mai riuscito a mettere a fuoco la faccia di quello cui aveva lasciato le chiavi per l'ultima volta.

Rimanemmo in silenzio, in un vicolo cieco.

Io elaborai mentalmente quello che poteva essere successo, sempre che Paolicelli non stesse prendendo in giro me e sua moglie.

Di notte si erano portati la macchina in qualche posto sicuro. Un'officina, un garage o semplicemente un posto isolato in campagna. Con tutta calma l'avevano imbottita di droga e poi l'avevano riportata nel parcheggio dell'albergo. Facile e sicuro, con pochissimi rischi.

In ogni caso con l'ipotesi dei portieri saremmo andati poco lontano, visto che non avevamo nessun elemento per individuare quello che, dei tre – ammesso che uno dei tre fosse davvero coinvolto –, aveva partecipato all'operazione.

E anche se avessimo potuto, poi? Che cosa avrei fatto? Una bella telefonata all'Interpol per delegare le indagini internazionali utili per scagionare il mio cliente? Mi dissi che stavamo perdendo solo tempo. Innocente o colpevole, Paolicelli era incastrato. L'unica cosa seria, da professionista, che potevo fare era limitare i danni al minimo.

Gli chiesi se sul traghetto avesse notato qualcuno già visto in Montenegro, in albergo o altrove.

«Sul traghetto c'era uno che stava nel nostro stesso albergo. È l'unico che mi ricordi».

«Si ricorda di dov'era, come si chiamava questo qua?».

Paolicelli scosse la testa con decisione.

«Non è che non mi ricordo. Non lo so. L'avevo visto qualche volta in albergo. Poi l'ho rivisto un attimo sul traghetto e ci siamo scambiati un saluto. Fine. L'unica cosa che posso dire è che era italiano».

«Ma se lo vedesse sarebbe in grado di riconoscerlo?».

«Sì, credo di sì. Me lo ricordo abbastanza bene. Ma come si fa a rintracciarlo?».

Risposi con un gesto della mano che voleva significare: non preoccuparti. So io come fare, questo è il mio lavoro. Quando sarà il momento provvederemo. Che era complessivamente una muta ma ben articolata idiozia. Infatti non era il mio lavoro – essendo affare da poliziotti e non da avvocati, rintracciare le persone – e soprattutto non avevo idea di come fare. A parte ripassare da Tancredi e chiedere il suo aiuto.

A quello però il mio gesto sembrò sufficiente. Se sai come fare e questo è il tuo lavoro, beh allora sono tranquillo. Ho scelto l'avvocato giusto, quello che mi tirerà fuori dai guai. Questo Perry Mason delle Murge.

Pensai che per quella mattina poteva bastare.

Capì che il colloquio stava per terminare, che io stavo per andarmene e lui stava per tornare nella sua cella. Ma la sua faccia diceva che non voleva rimanere di nuovo solo.

«Mi scusi avvocato, ho ancora una domanda. Lei ha detto che possiamo patteggiare oppure decidere di giocarci il processo in appello. Quando bisogna decidere questa cosa? Voglio dire, qual è l'ultimo momento utile?».

«Il giorno dell'udienza. È allora che dobbiamo dire se intendiamo patteggiare e chiudere il processo in questo modo, o se vogliamo andare avanti. Per l'udienza ci vorrà qualche settimana e così abbiamo un po' di tempo per pensarci. Per vedere se riusciamo a scoprire qualcosa di utile. Se non salta fuori niente, ogni strada diversa da un patteggiamento sarebbe puro suicidio».

Non c'era molto da aggiungere, e lo sapevamo tutti e due. Lui distolse lo sguardo da me, lo indirizzò da qualche parte sul pavimento e rimase così. Dopo un poco cominciò a torcersi le mani, con metodo e fino al limite della lussazione.

Stavo per alzarmi, per salutare e andare via. Sentii l'impulso dei muscoli delle gambe che cercavano di spingermi in piedi, via dalla sedia e via da quel posto.

Però non mi mossi. Pensai che aveva diritto a qualche minuto di silenzio. A frugare in pace nella sua disperazione. A torcersi le mani senza che io lo interrompessi dicendo che per quel giorno avevamo terminato, che stavo andando via – fuori da quel posto dove lui invece doveva rimanere – e che ci saremmo rivisti presto.

Naturalmente quando decido io, e non quando decidi tu.

Perché io sono libero e tu no.

Aveva diritto a quei minuti di silenzio in mia compagnia, per andarsene all'inseguimento dei suoi pensieri.

Per occupare quel tempo anch'io lasciai scorrere i miei pensieri e ancora una volta pensai alla situazione in cui ci trovavamo. Io consapevole, lui inconsapevole. Io sapevo che ci eravamo incontrati tantissimi anni prima, e lui non lo sapeva. In un certo senso non lo aveva mai saputo, perché con ogni probabilità non aveva nemmeno davvero guardato in faccia quel ragazzino che il suo amico aveva riempito di botte. E di sicuro, comunque, aveva dimenticato l'episodio.

Così non lo sapeva, di essere stato un'ossessione della mia adolescenza.

Non lo sapeva che, nei miei sogni di rivalsa a occhi aperti, tante volte avevo spaccato la faccia a pugni, prima al suo amico e poi a lui. Non lo sapeva e adesso io ero il suo avvocato, e dunque la sua unica speranza.

Continuava a torcersi le mani mentre nella mia testa riaffiorava il discorso che mi ero immaginato di fargli, quando fosse arrivato il momento.

Te lo ricordi quando tu e i tuoi amici avete picchiato e umiliato quel ragazzino che non si voleva togliere l'eskimo? Te lo ricordi? Quello stronzo del tuo amico gli ha spaccato la faccia e tu guardavi e sorridevi soddisfatto. Beh, ero io quel ragazzino e adesso sono qui per spaccarti la faccia. Ti cambio questi connotati da David Bowie delle periferie e finalmente chiudiamo i nostri conti.

Anzi no, prima di chiudere i conti mi devi dire se sei stato tu ad accoltellare quel ragazzo. Eri tu con il coltello e avete fatto condannare quel povero bastardo che poi si è ammazzato in carcere? E se non eri tu, con il coltello in mano, almeno c'eri in quella squadra di assassini? Dimmelo, cazzo.

Mi accorsi che stavo serrando i pugni, sotto la scrivania che ci divideva.

Fu allora che lui mi ringraziò. Per la mia chiarezza, e la mia correttezza. Disse di essere certo che se esisteva una possibilità, io sarei riuscito a trovarla.

Poi disse un'altra cosa.

«Lei ha capito che avevo bisogno di sfogarmi e non mi ha interrotto, e non ha detto che doveva andare via. Niente. Lei è una brava persona».

Mentre uscivo dal carcere quelle parole mi rimbalzavano nella testa con un rumore metallico.

Ero una brava persona.

Sicuro.

Undici

Il giorno dopo richiamai Tancredi e gli raccontai del mio colloquio in carcere con Paolicelli.

Lui ascoltò senza dire una parola fino a quando non ebbi finito.

«Come ti ho detto l'altra volta, per cercare di identificare il personale dell'albergo occorrerebbe un fascicolo ufficialmente aperto. In questo modo potremmo rivolgerci ufficialmente tramite Interpol alla polizia di Podgorica e lasciare che ci prendano ufficialmente per il culo».

«Io pensavo all'uomo del traghetto. Quello che stava nello stesso albergo di Paolicelli e che lui ha rivisto nella traversata di ritorno in Italia».

«E quale sarebbe la tua idea? Ah, già, le liste dei passeggeri. Rintracciamo tutti i passeggeri maschi di quel traghetto – qualche centinaio al massimo, e che sarà mai, diamine –, li fotosegnaliamo e portiamo le foto in carcere al tuo cliente. Ecco guarda è questo? No? È questo, no è quest'altro! Tombola. Abbiamo identificato un pericoloso turista che potremo accusare di villeggiatura internazionale aggravata. Hai praticamente vinto la causa».

«Carmelo, ascoltami. Lo so benissimo che con quelli dell'albergo o in generale con quello che è successo in Montenegro non andiamo da nessuna parte. Però io te lo devo dire: più ci penso, più ho la sensazione che Paolicelli dica la verità. Lo so che l'intuizione e cose del genere sono perlopiù cazzate, ma io ci ho parlato e il modo in cui la racconta, la sua faccia, tutto...».

«Già, ecco Guido Guerrieri: l'uomo a cui è impossibile mentire».

Ma questa la disse senza troppa convinzione. Come un'ultima schermaglia. Carmelo lo sapeva che non mi appassionavo facilmente alle storie dei clienti.

«Vabbe', cosa vorresti che facessimo?».

«Le liste dei passeggeri, Carmelo. Procuratele, tiriamo fuori i nomi dei cittadini italiani – Paolicelli dice che quello era italiano – e poi tu provi a controllare nella vostra banca dati se qualcuno di questi ha precedenti per droga».

Mi sembrava di vederlo, mentre scuoteva la testa. Disse che gli sarebbe costata almeno una giornata di lavoro, che avrebbe dovuto sprecarci uno dei suoi giorni di riposo, che comunque non sarebbe servito a niente, ma alla fine si annotò i dati della nave e della traversata.

«Sarai in debito per tutta la vita, dopo questa storia, Guerrieri». E chiuse la comunicazione.

Passai tutto il pomeriggio a prepararmi la discussione di un processo per la mattina dopo.

Mi ero costituito parte civile per una associazione di cittadini che vivevano a poche centinaia di metri da un impianto per lo smaltimento dei rifiuti. Quando il vento soffiava dalla parte sbagliata – cioè dallo stabilimento verso il centro abitato – le loro case si riempivano di un odore rivoltante.

I rappresentanti dell'associazione erano venuti in studio, mi avevano esposto la questione e, prima di affidarmi formalmente l'incarico, avevano preteso che mi facessi una passeggiata dalle loro parti. Volevano che mi rendessi conto direttamente della natura del problema.

Entrando in casa del presidente dell'associazione avevo avvertito un sottofondo leggero e nauseante. Un odore che suggeriva l'idea di misteri innominabili nascosti in quella abitazione apparentemente normale. Quel signore mi disse di seguirlo in cucina, mi fece accomodare, la moglie preparò il caffè.

A un certo punto ebbi l'impressione che si scambiassero degli sguardi di intesa. Lui, la moglie e gli altri membri dell'associazione. Della serie: adesso gli facciamo vedere noi.

Sono una setta satanica, mi dissi. Adesso qualcuno mi passa alle spalle e mi dà una botta in testa. Poi mi portano in un garage attrezzato per sabba e messe nere e mi fanno a pezzetti con coltelli da cerimonia acquistati all'hard discount di quartiere. E magari prima mi impongono un accoppiamento rituale con la sacerdotessa di Mefisto qui presente. Guardai la signora – un metro e cinquantacinque per una ottantina di chili, faccia simpatica, baffi da corsaro – e mi dissi che quella doveva essere la parte più satanica della faccenda.

La signora servì il caffè e lo prendemmo in silenzio.

Poi, sempre in silenzio, aprirono la finestra e in pochi secondi l'aria si riempì di un odore denso, dalla consistenza quasi fisica. Era un misto di uova marce e ammoniaca, con una robusta aggiunta di essenza di animale selvatico putrefatto.

Il presidente mi chiese se capivo il loro problema. Dissi che sì, ora lo capivo molto meglio. Se volevano scusarmi adesso dovevo proprio scappare via – e davvero intendevo: *scappare via* –, ma potevano stare certi che avrei trattato la pratica con l'attenzione che meritava. E dicevo sul serio.

Ottimi persuasori, pensai mentre ritornavo in studio, sentendo quell'odore negli abiti e nello stomaco; sapendo che non mi avrebbe abbandonato così facilmente.

Dodici

Quando finii di preparare la discussione di quel processo e mi restavano solo alcuni dettagli da esaminare dissi a Maria Teresa di telefonare alla signora Kawabata e di chiederle quando poteva venire in studio, possibilmente in settimana, perché avevo bisogno di parlarle.

Ufficialmente perché dovevo sentire la sua versione sugli ultimi giorni di vacanza, passaggio in traghetto e tutto il resto.

Maria Teresa si riaffacciò nella mia stanza qualche minuto dopo. Aveva la signora Kawabata in linea. Poteva venire anche subito, se per me andava bene.

Feci finta di pensarci su qualche secondo e poi dissi va bene, possiamo fare anche adesso.

Mentre Maria Teresa spariva dall'altra parte io mi infilai nel bagno. Tentai con mezzi di fortuna di eliminare dalla mia faccia i segni di alcune ore passate su consulenze chimiche e verbali dei nuclei ecologici. Mi sciacquai, mi spazzolai i capelli, mi diedi qualche pizzico in faccia per prendere colore e, dopo una breve esitazione, mi misi un po' del profumo che tenevo lì in studio e che avevo usato pochissime volte. Mai comunque dopo la partenza di Margherita.

Uscendo dal bagno pensai che se avevo esagerato con il profumo avrei fatto una figura di merda, perlomeno con Maria Teresa. Se rientrando nella mia stanza avesse sentito un lezzo da agenzia di collocamento per gigolò avrebbe capito, ne ero sicuro.

Cercai di rimettermi a lavorare, con successo inesistente. Aprii e richiusi per due volte un codice dell'ambiente; sfogliai il fascicolo, alla fine misi un cd, e prima ancora che la musica cominciasse, spensi l'apparecchio. Ancora una volta pensai che Maria Teresa potesse insospettirsi; che ne so: immaginare che avessi messo la musica per creare un'atmosfera o roba del genere.

Alla fine mi stetti buono, seduto sull'orlo della mia sedia girevole, i gomiti appoggiati sulla scrivania, il mento appoggiato sulle mani, lo sguardo sulla porta.

Finalmente sentii il ronzio del citofono. Allora mi accorsi che la scrivania era disordinata e cercai di mettere via un po' di carte, di ammonticchiare qualche libro. Quando sentii il campanello tornai a sedermi, mi diedi ancora qualche pizzico in faccia, assunsi una postura disinvolta. Diciamo così.

Quando Maria Teresa si affacciò nella mia stanza per annunciare la *signora* – mi parve enfatizzasse la parola – Kawabata, io ero ormai trasformato in una mediocre imitazione del protagonista di *Provaci ancora, Sam*. L'unica cosa che non avevo fatto era spargere in giro qualche libro di filosofia teoretica, così, per sembrare un intellettuale.

Natsu entrò, e dietro di lei, attaccata alla sua mano sinistra, una bambina. Aveva la faccia della mamma, con gli stessi zigomi, la stessa bocca, lo stesso colore più da vietnamita che da giapponese. E, nel mezzo di quella faccia, gli occhi blu del padre.

Era bellissima.

Nel momento stesso in cui la vidi ebbi una fitta di nostalgia. Acuta e incomprensibile.

«Lei è Anna Midori» disse Natsu con un leggero sorriso. Per la mia faccia, immagino. Poi si voltò verso la bambina: «e lui...». Ebbe un attimo di esitazione.

«...Guido, sono Guido» dissi mentre giravo attorno alla scrivania cercando di tirare fuori un sorriso del genere: so io come si trattano queste piccole pesti adorabili.

Un perfetto idiota.

Anna Midori tese la mano con aria seria, guardandomi in faccia con quegli incredibili occhi blu.

«Quanti anni hai?» chiesi mentre ancora tenevo la sua mano nella mia.

«Sei. E tu?».

Per un istante fui tentato di togliermi qualche anno.

«Quarantadue».

Seguì una manciata di secondi di silenzio imbarazzato. La prima a parlare fu Natsu.

«Pensa che potremmo lasciare Anna con la sua segretaria per qualche minuto?».

Pensavo di sì. Chiamai Maria Teresa e le dissi se le andava di stare un po' con questa bella bambina.

Questa bella bambina. Come accidenti parlavo? Feci per presentarle, ma Maria Teresa mi interruppe.

«Ah, ma Anna ed io ci conosciamo già. Ci siamo presentate proprio adesso, vero Anna? Anna Midori».

«Sì. Noi abbiamo gli occhi uguali».

Era vero. Maria Teresa non era una ragazza molto bella, ma aveva degli occhi straordinari. Blu, come quelli di Anna Midori. E di Fabio Paolicelli.

«Andiamo di là, Anna. Ti faccio vedere un gioco nel mio computer».

La bambina si voltò verso la mamma che fece un cenno col capo. Maria Teresa le diede la mano e uscirono.

«Davvero ha quarantadue anni?».

«Sì. Perché?».

«Non... non sembra».

Repressi l'impulso di chiederle quanti anni dimostravo e le dissi di accomodarsi. Feci di nuovo il giro della scrivania e tornai al mio posto.

«La bambina... è bellissima. Non ho mai visto una bambina così bella».

Natsu sorrise. «Lei ha figli?».

Mi colse di sorpresa, quella domanda.

«No».

«Non è sposato?».

«Be', è una storia un po' lunga e...».

«Mi scusi, mi scusi. Faccio sempre domande di troppo. Ho sempre avuto questo vizio».

No, non fare così, non importa. Se vuoi te la racconto, la mia storia. Anzi mi piacerebbe molto, stare qui a raccontartela questa storia, e a sentire la tua, invece che parlare di lavoro. E quindi di tuo *marito.*

Oh cazzo, in cosa mi stavo cacciando?

Scossi cortesemente il capo. Non c'è problema, davvero.

«Stiamo cercando di capire chi e come abbia messo la droga sulla vostra macchina. È facile immaginare che il fatto sia accaduto quando l'auto era nel parcheggio dell'albergo. Lei ricorda chi fosse il portiere in servizio l'ultima notte?».

Non se lo ricordava. Era distratta e non badava molto alle persone.

Ottimo, l'aiuto ideale per la nostra cosiddetta indagine.

«A parte il portiere, ha notato qualcosa di particolare durante il soggiorno e durante il viaggio di ritorno? Ha fatto caso sul traghetto a qualcuno che aveva già visto durante la vacanza, nel vostro stesso albergo?».

Non aveva notato niente. Non aveva nemmeno fatto caso a quello che stava nel loro albergo e che aveva viaggiato sullo stesso traghetto nella traversata di ritorno. Mi disse che già suo marito, parlandole del nostro colloquio, le aveva accennato a quel tizio e le aveva chiesto se lo ricordava.

Ma lei non lo ricordava, probabilmente perché non lo aveva proprio visto.

Ci girai ancora un po' attorno. Le feci qualche altra domanda, le chiesi di tirar fuori qualche dettaglio, se ci riusciva. Anche dettagli che le parevano insignificanti, e che invece potevano esserci molto utili. Mi sembrava che un investigatore dovesse procedere in quel modo. In realtà non avevo idea di quello che stavo facendo e, fondamentalmente, imitavo qualche imprecisato personaggio da film giallo.

Alla fine mi arresi. Le dissi comunque di ripensarci anche dopo. Se le fosse venuto in mente anche solo il famoso dettaglio all'apparenza insignificante, mi avrebbe dovuto chiamare.

Fu mentre dicevo questa cosa che ebbi una folgorante sensazione di inutilità. Mista a vergogna. Quella specie di indagine era una pagliacciata. Non sarei riuscito a scoprire nulla, stavo solo cercando di fare colpo su Natsu e così stavo ingiustamente illudendo lei e quel bastardo di suo marito.

Mi dissi che avrei dovuto chiudere al più presto quella buffonata. Avrei aspettato le risposte di Colaianni su Macrì e di Tancredi sulla faccenda della lista dei passeggeri e poi, visto che certamente non ne sarebbe venuto fuori niente, avrei parlato ai Paolicelli e avrei detto che il patteggiamento era purtroppo inevitabile.

Avrei detto che mi rendevo conto della difficoltà di accettare una soluzione del genere, se ci si sente – se si *è* – innocenti, ma purtroppo bisognava essere realistici. Con quelle prove, senza nessun elemento favorevole, senza nulla cui aggrapparsi per invocare il dubbio ragionevole, rinunciare al patteggiamento per andare incontro al normale processo di appello sarebbe stata una follia. Bisognava limitare i danni.

Mi alzai, e anche lei si alzò, dopo un attimo di esitazione.

«Aveva detto che forse le faceva piacere assaggiare la mia cucina».

«Mi scusi?».

«Perché domani sera c'è l'inaugurazione di una mostra». Parlando tirò fuori dalla borsa un cartoncino di carta bianca, ruvida. «C'è un ricevimento e io curo il rinfresco. Tutto cibo giapponese con qualche variante di mia creazione».

Mi tese il cartoncino.

«Se ne ha voglia, questo è un invito per due persone. Può venire con la sua fidanzata, o un'amica, o chi vuole. La serata comincia alle ventuno. Credo che sia una cosa divertente, è in un garage trasformato in spazio per esposizioni».

Ringraziai. Guardai il cartoncino e vidi che non avevo mai sentito nominare né l'artista – la qual cosa era normale – né l'indirizzo. E questo era un po' meno normale visto che era un indirizzo di Bari.

Dissi che avrei fatto di tutto per andarci, a quella inaugurazione, se riuscivo a liberarmi da un impegno precedente.

Naturalmente non avevo nessun impegno precedente e avevo risposto così solo per darmi un tono. Sia ben chiaro che conduco una turbinosa vita mondana. Non sono mica uno sfigato che trascorre le sue serate in studio a leggere fascicoli, in palestra a prendere pugni, o al massimo a cinema da solo, cercando di non pensare alla sua fidanzata che se n'è andata.

Fitta. Negativo fotografico di Margherita. Dissolvenza.

Natsu adesso doveva proprio andare. Accelerò un po' i movimenti come chi si sente in imbarazzo e vuole andarsene per scacciarlo, quell'imbarazzo.

Ci stringemmo la mano, le aprii la porta, vidi la bambina seduta in braccio a Maria Teresa davanti al computer che emetteva degli strani gorgoglii e rumori come di tuffi.

La bambina chiese quando poteva tornare a giocare a *bubbles and splashes*. Maria Teresa le disse che poteva tornare quando voleva e la bambina le diede un bacio prima di saltar giù e raggiungere la mamma. Prima di uscire salutò anche me, con la mano.

«Bella questa bambina, eh?» dissi quando furono andate via.

«Bella? È una meraviglia incredibile» rispose Maria Teresa.

«Sì, è molto bella» dissi rientrando nella mia stanza. Soprappensiero.

Andai a sedermi al mio posto e ci rimasi per almeno cinque minuti, senza fare o dire niente.

Quando mi risvegliai presi lo stradario per trovare quell'indirizzo.

Tredici

Davanti all'ingresso un culturista in abito scuro, microfono e auricolare mi chiese se ero solo. No, sono con la donna invisibile. E dall'espressione intelligente direi che tu devi essere Ben Grimm.

Non dissi così, ma ci andai vicinissimo chiedendomi come poteva finire il successivo scontro. Feci un gesto con la mano, a mostrare che non c'era nessun altro vicino a me e che, quindi, sì, ero solo. Dirlo a voce proprio non mi veniva.

Quello mi lasciò passare, mentre sussurrava nel microfono qualche parola che non capii. Forse stava avvertendo i suoi colleghi all'interno che entrava un elemento sospetto e che era meglio tenerlo d'occhio. Discesi una rampa e mi ritrovai in un posto strano. Era un vero garage, ma senza macchine, ovviamente. Era pavimentato con cubetti di porfido, disseminato di quei funghi caloriferi che usano i bar per far stare la gente all'aperto anche d'inverno. Nel complesso però faceva piuttosto freddo e così mi limitai a sbottonare il giaccone, senza toglierlo.

C'era un sacco di gente e, pensai entrando, sembrava il set di un film di ambientazione vagamente surreale. Gruppi di signore molto *baribene madisinistra*. Gruppi di giovanotti e giovanotte dall'aria inequivocabilmente gay. Gruppi di personaggi dall'età variabile, ma rigorosamente vestiti da artisti. Qualche politico, qualche presunto intellettuale, qualche ragazzo di colore, qualche giapponese. Nessuno che conoscessi.

Il tutto era così bislacco che mi mise addirittura di buon umore. Pensai che avrei dato uno sguardo alle opere, così per non essere impreparato, e poi avrei cercato il cibo. E Natsu.

Su un tavolino, vicino all'ingresso, c'erano dei cataloghi. Ne presi uno e lo sfogliai avvicinandomi alle pareti. Il titolo dell'esposizione era: *Le particelle elementari*.

Mi domandai se fosse una citazione dal romanzo di quel francese. A me il romanzo non era piaciuto ma insomma, probabilmente dovevo tenerne conto per capire le opere.

I quadri esposti ricordavano alla lontana quelli di Rothko e tutto sommato non erano male. Ne stavo guardando uno da vicino, piuttosto concentrato, cercando di capire la tecnica, quando una voce alle mie spalle mi fece sobbalzare.

«Tu sei il ragazzo di Piero?». Aveva i capelli arancio e sembrava l'imitazione di Elton John. Un Elton John bitontino, a giudicare dall'accento.

No guarda, amico, il *ragazzo* di Piero – chiunque cazzo sia questo Piero – sarai tu.

«No signore, temo che si sbagli. Deve avermi scambiato per qualcun altro».

«Ah». Lo disse con un sospiro che poteva significare di tutto. Poi, dopo avermi squadrato, proseguì.

«Ti piace il lavoro di Cazo?».

«Cazo?».

Katso – nome dall'ambigua pronuncia – era l'artista, ma mi ci vollero tre o quattro drammatici secondi per fare mente locale. Elton mi spiegò di avere ideato il titolo dell'esposizione e di essere l'autore dell'introduzione critica al catalogo.

Ah, ottimo. Ci ho dato un'occhiata e non ho capito una sola parola.

Non dissi così, ma quello mi lesse nel pensiero e, non richiesto, cominciò a illustrarmi nei dettagli il contenuto della sua introduzione.

Non ci potevo credere. Non potevo credere che, fra le almeno duecento persone presenti, quel personaggio avesse arpionato proprio me. E non conoscevo nessuno cui fare dei cenni perché venisse a salvarmi, per esempio dando una botta in testa a Elton.

A un certo punto notai che la gente si spostava a gruppi verso il lato del garage più lontano dall'ingresso. Il tipico movimento che in tutte le feste segnala l'arrivo del cibo.

«Credo che stia arrivando da mangiare» dissi, ma lui nemmeno mi sentì.

Era irresistibilmente lanciato in una esegesi metafisica delle opere del signor Katso.

«Cortollasera, gniapro» dissi allora. Così, per vedere se davvero non ascoltava una parola di quello che dicevo. Non ascoltava una parola, infatti. Non mi chiese cosa significasse «cortollasera» e nemmeno «gniapro». Invece insistette sull'archetipo e sull'attitudine di certe manifestazioni artistiche a condensare i frammenti sparsi dell'inconscio collettivo.

Io condensai i *miei* frammenti sparsi; dissi *mi scusi*, ma giusto perché sono un ragazzo beneducato, mi voltai e andai verso il cibo.

C'era un lungo tavolo attorno al quale la gente si stava affollando. Da una stanza immediatamente dietro uscivano camerieri con vassoi pieni di sushi, sashimi e tempura. A una estremità del tavolo c'erano bacchette di legno in bustine di carta, all'altra, per i non esperti, forchette e coltelli di plastica.

Mi feci strada fra la gente senza preoccuparmi troppo della fila, riempii un piatto, ci versai salsa di soia in abbondanza, presi le bacchette e andai a sedermi su uno sgabello in disparte, a mangiare in pace.

Il cibo era buonissimo, chiaramente preparato lì, poco prima di essere servito – niente roba gelata, tenuta per ore in qualche frigorifero –, e me lo gustai come non succedeva da tempo. Passò un cameriere con un vassoio di bicchieri di vino bianco. Ne presi due, bofonchiando che aspettavo una signora. Il vino non era all'altezza del cibo, ma almeno era ben freddo. Bevvi il primo bicchiere e lo feci sparire sotto lo sgabello. Sorseggiai più civilmente il secondo, mentre a poco a poco la folla intorno al tavolo si dissolveva.

Fu allora che Natsu si affacciò dalla stanza dietro il tavolo. Era vestita da cuoco, tutta di bianco, e così la sua carnagione scura e i capelli neri risaltavano in modo spettacolare.

Per prima cosa diede un'occhiata al tavolo, dove sembrava fosse passato uno sciame di locuste. Poi si guardò intorno e io mi alzai senza nemmeno rendermene conto. Dopo qualche secondo i nostri sguardi si incrociarono. Feci un goffo saluto con la mano. Lei sorrise e venne verso di me.

«Buonasera».
«Buonasera».
Momenti di imbarazzo. Ebbi l'impulso di dire che il cibo era buonissimo, che lei era eccezionalmente brava e altre cose molto originali. Fortunatamente riuscii a trattenermi.
«Ho voglia di fumare una sigaretta. Ti va di accompagnarmi fuori?».
Era passata al tu senza preavviso e senza cerimonie. Dissi che l'accompagnavo volentieri e ce ne andammo insieme verso l'ingresso, dove si erano radunati tutti i fumatori della serata. Lei tirò fuori un pacchetto di Chesterfield blu, me ne offrì una, io dissi no grazie, lei prese la sua e l'accese.
«È da molto che hai smesso di fumare?».
«Come sai che ho smesso di fumare?».
«Da come hai guardato il pacchetto. Conosco bene quello sguardo perché ho smesso di fumare un sacco di volte. Cosa ti sembra della serata?».
«Interessante. Non ho capito niente del catalogo e quasi niente delle opere. In compenso uno travestito da Elton John che parlava come Lino Banfi mi ha chiesto se ero il ragazzo di Piero e...».
Scoppiò a ridere. Ma forte, di gusto, da lasciarmi stupito perché non mi sembrava di essere stato così divertente.
«Non sembravi simpatico a vederti sul lavoro – rise ancora –, sembravi uno di quegli avvocati da film americano, del genere efficiente e spietato».
Efficiente e spietato. Mi piaceva. Avrei preferito «bello e spietato», come Tommy Lee Jones ne *Il fuggitivo*, ma andava bene lo stesso.
Fumò ancora.
«Sei venuto in macchina?».
No, certo, siamo solo a otto, nove chilometri dal centro. Ogni sera mi alleno per la maratona di New York. Sono venuto di corsa, in tuta e scarpette, e all'ingresso mi sono cambiato.
«Sì, certo».
«Io qua ho finito. Non ho la macchina, sono venuta con il

furgoncino e i miei collaboratori. Potresti darmi un passaggio a casa, se ne hai voglia».

Dissi che ne avevo voglia, sì. Cercando di nascondere la sorpresa. Mi disse di darle cinque minuti, il tempo di togliersi la divisa da lavoro, dare le disposizioni ai suoi collaboratori per sbaraccare tutto, salutare gli organizzatori della serata.

Rimasi ad aspettarla sull'ingresso, in compagnia del culturista. Ogni tanto lui sussurrava qualche parola nel microfono e, più che altro, aveva lo sguardo bovino proiettato in una turbinosa esplorazione nelle profondità del niente.

Passò almeno un quarto d'ora durante il quale persone entrarono e persone uscirono. Avrei dovuto chiedermi che cosa stavo facendo. Voglio dire: Natsu era la moglie di un cliente, detenuto fra l'altro; e io non avrei dovuto essere lì. Ma non avevo nessuna voglia di farmela, quella domanda.

Natsu sbucò di nuovo dalla porta. Anche nella penombra riuscii a notare che aveva passato parte di quei quindici minuti, o più, a sistemarsi. Trucco e capelli.

«Andiamo?» disse.

«Andiamo» risposi.

Quattordici

Uscimmo rapidamente sulla tangenziale. Mentre imboccavamo la rampa, dal lettore cd partirono le note elettroniche di *Boulevard of broken dreams*, Green Day.

Mi dissi che ero un imbecille e un incosciente, che avevo quaranta anni passati – ampiamente passati – e che mi stavo comportando da irresponsabile e anche da stronzo.

Adesso accompagnala a casa, salutala educatamente e vattene a dormire.

«Facciamo un giro da qualche parte?» dissi.

Lei non rispose subito, come se fosse combattuta e stesse decidendo. Poi guardò l'orologio e infine mi rispose.

«Non ho molto tempo, massimo una mezz'ora. Ho promesso alla baby-sitter che sarei tornata entro l'una. È una ragazza che studia all'università e domani deve andare a lezione».

Capito? Deve andare a casa dalla sua bambina, perché – imbecille – lei è una donna sposata, con una figlia, e un marito in carcere. Con l'ulteriore dettaglio che suo marito è tuo cliente. Portala a casa e facciamola finita.

«Certo, certo. Dicevo così... un giro per sentire un po' di musica... insomma scusa adesso ti accompagno, in cinque minuti sarai a casa... se mi dici per piacere l'indirizzo preciso e...».

Mi interruppe parlando in fretta anche lei.

«Senti se vuoi possiamo fare così. Arriviamo da me, mi lasci e vai a farti un giro, per dieci minuti. Io pago la baby-sitter, lei va e tu vieni a bere qualcosa e facciamo due chiacchiere in pace. Che dici?».

Non risposi immediatamente perché non riuscivo a deglutire. I miei dilemmi morali furono spazzati via come lo sporco in certe pubblicità di prodotti per la pulizia dei lavandini. Dissi che sì, molto volentieri. Potevamo bere qualcosa e fare due chiacchiere.

E magari baciarci, e accarezzarci e fare l'amore.

Dopo facciamo sempre in tempo a pentirci.

Arrivammo a casa sua, a Poggiofranco. Un condominio con il giardino, di quelli che invidiavo da bambino, perché i miei coetanei che ci abitavano potevano scendere a giocare a calcio quando gli pareva, senza che i genitori gli dicessero niente.

Negli anni Settanta Poggiofranco era considerata una zona abitata da fascisti, e comunque un posto dove ai ragazzi di sinistra non conveniva passare. Pensai che forse la casa dove abitavano era quella di Paolicelli da ragazzo. L'idea mi diede fastidio e la feci sparire rapidamente.

Prima di scendere dall'auto, Natsu mi chiese il numero di cellulare.

«Ti chiamo fra dieci minuti». E scese senza dire altro.

Andai a parcheggiare un paio di strade più in là. Spensi la radio e rimasi lì, in silenzio, a godermi quel senso di attesa, vietato e ubriacante. Passarono poco più di quindici minuti – avevo guardato l'orologio almeno una decina di volte – prima che il telefono squillasse. Mi disse che, se volevo, potevo andare. Volevo, mi dissi dopo aver chiuso la comunicazione. Lasciai parcheggiata l'auto lì dove mi ero fermato, feci a piedi qualche centinaio di metri e in cinque minuti ero a casa Paolicelli. Quando arrivai sul pianerottolo trovai Natsu che mi aspettava. Mi fece entrare e chiuse rapidamente la porta.

Dentro c'era l'odore delle case in cui abitano bambini. Non ne frequento molte ma quell'odore è inconfondibile. Un misto di borotalco, latte, una idea di frutta, altro. Natsu mi fece entrare in cucina. Era grande e arredata con mobili di legno verniciati a mano. Giallo e arancione. Era calda e allegra. Dissi che mi piacevano molto quei mobili e lei mi rispose che li aveva verniciati tutti da sola.

Lì dentro l'odore di bambino si sentiva meno, sfumava in odore buono di cibo. Ricordo che pensai proprio che quella casa dava di buono; e poi mi chiesi com'era la camera da letto, e che odore si sentiva lì dentro. E subito mi vergognai e mi costrinsi a pensare ad altro.

Natsu mise un cd. Norah Jones, *Feels like home*. A basso volume, per non svegliare la bambina.

Mi chiese cosa volessi bere e io dissi che avrei preso un po' di rum, se ne aveva. Tirò fuori dalla dispensa una bottiglia di rum giamaicano e ne versò per me e per lei in due bicchieri grandi, di vetro spesso.

Eravamo seduti a un tavolo di legno grezzo verniciato di arancione. Mentre parlavamo io toccavo la superficie del tavolo con la punta delle dita. Mi piaceva il contatto rugoso e liscio insieme con l'arancione brillante. Tutto in quella cucina dava il senso di una concretezza profumata e luminosa.

«Ma tu lo sai che sono venuta ad assistere a un tuo processo, poco prima che Fabio ti nominasse?».

Per un attimo e senza nessun motivo mi venne di dire che no, non lo sapevo. Poi ci ripensai.

«Sì, ti ho vista».

«Ah, ecco. Mi sembrava che a un certo punto i nostri sguardi si fossero incrociati, ma non ero più tanto sicura».

«Come mai sei venuta a vedere quel processo?».

«Fabio mi aveva detto che voleva nominarti e allora avevo pensato di venire a vedere se eri davvero bravo come gli avevano detto».

«E come hai fatto a sapere che quel giorno ero in udienza?».

«Non lo sapevo. Da qualche giorno andavo in tribunale, passavo davanti alle aule di udienza e chiedevo in giro se qualcuno aveva visto l'avvocato Guerrieri. Una volta tu stavi passando proprio in quel momento e il signore a cui avevo chiesto ti stava chiamando, e ho dovuto fermarlo. Poi finalmente quella mattina mi hanno detto che eri in udienza e che il tuo processo stava per cominciare. Così sono entrata e ho assistito a tutta l'udienza. E ho pensato che eri bravo come dicevano».

Mi parve di non riuscire a nascondere il mio compiacimento infantile e così decisi di cambiare argomento.

«Posso chiederti da dove viene il tuo accento?».

Prima di rispondere aprì la finestra, vuotò il suo bicchiere e prese una sigaretta. Era un problema per me, se fumava? No, nessun problema. Vero e falso allo stesso tempo.

Il suo papà, come potevo immaginare, era giapponese; la mamma di Napoli. Maria Natsu, era il suo nome completo, ma nessuno l'aveva mai chiamata così. Maria era solo sui documenti, disse, e si fermò qualche istante, come fosse una cosa importante cui prestava attenzione per la prima volta.

Poi riempì di nuovo il suo e il mio bicchiere e mi raccontò.

L'infanzia e l'adolescenza fra Roma e Kyoto. La morte dei genitori in un incidente stradale, durante un viaggio. L'inizio del lavoro come indossatrice e fotomodella. L'incontro con Paolicelli, a Milano.

«Fabio era socio di uno showroom. Avevo ventitré anni, quando ci siamo conosciuti. Tutte le ragazze andavano matte per lui. Mi sentii così privilegiata quando lui scelse me. Ci siamo sposati un anno dopo».

«E quindi che differenza di età c'è tra te e lui?».

«Undici anni».

«Come mai siete venuti a Bari, da Milano?».

«Per qualche anno il lavoro di Fabio andò benissimo. Poi le cose cambiarono e non ho mai capito bene il motivo. Te la faccio breve perché non è una storia divertente. La ditta fallì e noi in pochi mesi ci ritrovammo senza un soldo. Fu così che decidemmo di venire a Bari, che è la città di Fabio. Lui è nato qui e ci ha vissuto fino a diciannove anni. C'era libera questa casa, che è dei suoi genitori. Così almeno non avremmo dovuto pagare l'affitto».

«È stato allora che hai cominciato a lavorare come cuoca?».

«Sì. Avevo imparato da ragazza. Mio padre aveva due ristoranti a Roma. Arrivati a Bari dovevamo organizzarci una nuova vita. Fabio prese la rappresentanza di alcuni stilisti che conosceva dai tempi di Milano, io trovai lavoro da *Placebo,* dove cercavano un cuoco giapponese per due sere alla settimana. Poi cominciarono a offrirmi di organizzare cene e ricevimenti. E questo è diventato il mio lavoro principale, adesso. A parte il ristorante, sono impegnata almeno otto, nove sere al mese».

«Circolano un sacco di soldi, in questa città. Organizzare un rinfresco come quello di stasera deve sembrare un buon modo per esibirli».

Stavo per aggiungere che molti di quei soldi erano di provenienza quantomeno dubbia. Mi ricordai che suo marito era uno di quelli sui cui soldi si poteva come minimo dubitare e non dissi niente.

«E tu?».

«Io?».

«Tu vivi solo, vero?».

«Sì, solo».

«Sempre stato solo? Niente mogli, fidanzate?».

Feci un rumore, come un abbozzo di risata amara. Una cosa del genere *nobody knows the troubles I've seen.*

«Mia moglie è andata via parecchio tempo fa. Anzi, per la precisione mi ha detto di andare via parecchio tempo fa».

«Perché?».

«Diversi ottimi motivi». Sperai che non mi chiedesse quali erano, quegli ottimi motivi. Non lo fece.

«E dopo cosa è successo?».

Già. Cos'era successo? Provai a dirglielo, tagliando via quello che non avevo capito e quello che faceva troppo male. Cioè un sacco di cose. Quando finii di raccontare toccò di nuovo a lei, e fu così che arrivammo al suo fidanzato Paolo e al gioco dei desideri.

«Era un pittore, Paolo. Per qualche motivo tu me lo ricordi. Sfortunatamente non mi innamorai di lui». Si fermò e per qualche secondo i suoi occhi si mossero alla ricerca di qualcosa che non era in quella stanza.

«Per dirmi che gli piacevo trovò un modo... bello».

«Che modo?».

«Il gioco dei desideri colorati. Lui disse che glielo aveva insegnato un'amica, tanti anni prima. Ma io sono sicura che lo inventò lui in quel momento, per me».

Lasciò passare ancora qualche secondo, probabilmente ricordando altre cose, che non mi disse. Invece mi domandò se avevo voglia di farlo, quel gioco. Risposi che avevo voglia, e lei mi spiegò le regole.

«Si esprimono tre desideri. Due devono essere dichiarati, il terzo può rimanere segreto. Perché i desideri si realizzino, devono avere un colore».

Socchiusi gli occhi e allungai leggermente la testa verso di lei. Come chi non ha sentito, o non ha capito bene.

«Un colore?».

«Sì, è una regola del gioco. Per potersi realizzare i desideri devono essere colorati».

Per potersi realizzare i desideri devono essere colorati. Giusto. Finalmente capivo cosa c'era di sbagliato, con i desideri che avevo espresso fino a quel momento, nella mia vita. C'era questa regola e nessuno me l'aveva detta.

«Dimmi i tuoi desideri».

Di solito non sono capace di rispondere alle domande sui desideri. Non sono capace o non ne ho voglia. Che poi è praticamente la stessa cosa.

Confessare, anche a se stessi, i propri desideri – quelli veri – è pericoloso. Se sono realizzabili, e spesso lo sono, dichiararli ti mette di fronte alla paura di provarci. E dunque alla tua vigliaccheria. Allora preferisci non pensarci, o pensare che hai desideri impossibili, e che è da adulti non pensare alle cose impossibili.

Quella notte risposi subito.

«Da ragazzino dicevo che avrei voluto fare lo scrittore».

«Bello. Che colore è questo desiderio?».

«Blu, direi».

«Che blu?».

«Blu. Non so».

Lei fece un gesto di impazienza con la mano, come una maestra che ha a che fare con un allievo un po' ottuso. Poi si alzò, uscì dalla cucina e ci ritornò un minuto dopo, con un libro. *Il grande atlante dei colori*, si intitolava.

«Ci sono duecento colori, qui. Adesso scegli il tuo desiderio».

Aprì il libro alla prima pagina dei blu. C'erano tantissimi quadratini con le sfumature più incredibili. Sotto ciascuno, i nomi. Alcuni non li avevo mai sentiti, e non conoscendone i nomi non li avevo mai nemmeno visti. Le cose esistono solo se hai le parole per chiamarle, mi dissi mentre cominciavo a sfogliare.

Blu di Prussia, blu turchese, ardesia, azzurro cielo profondo, blu lavanda provenzale, blu topazio, azzurro freddo, azzurro cipria, azzurro bambino, indaco, marina francese, inchiostro, blu mediterraneo, zaffiro, blu regale, ciano chiaro, fiordaliso. Tanti altri.

«Non bisogna essere approssimativi, altrimenti i desideri non si avverano. Scegli il colore esatto del tuo desiderio».

Ci pensai ancora solo qualche secondo.

«Indaco è il colore esatto» dissi poi.

Lei annuì, come se fosse quella la risposta che si aspettava. La risposta giusta.

«Secondo desiderio».

Adesso diventava più difficile, ma anche qui non ebbi esitazioni.

«Vorrei avere un figlio. Al momento direi che questo è addirittura più irrealistico del primo».

Mi guardò con una espressione strana. Non stupita, però. Come se si fosse aspettata anche quella risposta.

«E questo che colore è?».

Sfogliai il libro, poi lo richiusi.

«Tanti colori. Tanti».

Questa volta non insistette perché dicessi il *colore esatto* e non fece commenti. Mi piaceva che non facesse commenti. Mi piaceva quella naturalezza, mi piaceva che fosse tutto esattamente al suo posto, in quel momento.

«Il terzo».

«Hai detto che uno dei desideri può rimanere segreto».

«Sì».

«Questo è quello segreto».

«Va bene. Ma devi dire lo stesso il colore, anche se il desiderio è segreto».

Giusto. Il desiderio è segreto, non il colore. Ok. Presi l'atlante e lo aprii alla sezione dei rossi.

Vino, cinabrese, cremisi, vermiglio, rosa polvere, petalo di rosa rossa, corallo moderno, rosso neon, ciliegia, terracotta, granato, fiamma, rubino, rosso accademia, ruggine, radicchio, rosso scuro, porto.

«Cremisi, direi cremisi. Adesso tocca a te».

«Voglio che Anna Midori sia felice e libera. E questo è verde foglia».

Ci fu qualcosa, nel modo in cui lo disse, che mi diede i brividi.

«Poi vorrei sapere se Fabio è colpevole o innocente. Se mi ha detto la verità, o no. Vorrei sapere». Indugiò su quelle parole, prima di aggiungere: «Questo *volere sapere* è marrone, che cambia continuamente tonalità. Passa dal colore del mogano a quello del cuoio, del tè, del cioccolato amaro. A volte diventa quasi nero».

Mi guardò diritto negli occhi.

«E il terzo?».

«Anche il mio terzo è segreto».

«E il colore qual è?».

Lei non disse niente, sfogliò l'atlante fino alla sezione dei rossi e il mio cuore accelerò dolcemente.

Fu proprio in quel momento che sentimmo un grido prolungato e straziante. Natsu poggiò il bicchiere e si precipitò verso la stanza della bambina. Io le corsi dietro.

Midori era distesa sulla schiena, scoperta, il cuscino per terra. Aveva smesso di gridare e adesso parlava affannosamente una lingua incomprensibile. Tremava. Natsu le mise una mano sulla fronte, disse che c'era la mamma; la bambina però non smise di tremare, non aprì gli occhi, non smise di parlare.

Prima di rendermi conto di cosa stavo facendo presi la mano di Midori e le parlai.

«Va tutto bene, bambina. Va tutto bene».

Fu una magia. La bambina aprì gli occhi, senza vederci, e fece un'espressione di stupore. Ebbe solo un altro tremito, disse ancora qualche parola in quella lingua misteriosa, con un tono tutto diverso, tranquillo, adesso. Poi chiuse di nuovo gli occhi e lasciò andare un respiro, finale, come di sollievo. Come se l'energia maligna che l'aveva scossa fino a quel momento fosse stata risucchiata dal contatto con la mia mano. Dal suono della mia voce.

L'avevo presa al volo. L'avevo salvata. Ero il prenditore nella segale.

If a body catch a body coming through the rye.

Il verso rimase sospeso nella mia testa, come una formula magica, mentre intuivo quello che probabilmente era successo: la bambina mi aveva scambiato per il suo papà e questo aveva scacciato i mostri. Natsu e io ci guardammo, e io mi resi conto che lei stava pensando la stessa cosa. E mi resi conto, con una percezione precisa e lancinante, che pochissime volte avevo provato una simile sensazione di perfetta intimità.

Rimanemmo lì dentro in silenzio ancora per qualche minuto, per sicurezza. La bambina dormiva, la faccia serena, il respiro regolare.

Natsu rimise a posto il cuscino e rimboccò le coperte. Parlammo solo quando fummo di nuovo in cucina.

«Le avevo detto che il papà era dovuto partire per un viaggio di lavoro. Un viaggio molto lungo, all'estero, e non sapevo quando sarebbe tornato. Invece, non so come, lei ha capito tutto. Forse mi ha sentito parlare al telefono con qualcuno, quando credevo che dormisse. Non lo so. Certo è che una sera stavamo vedendo la televisione e in un telefilm c'erano dei poliziotti che inseguivano e arrestavano un rapinatore. Midori, senza guardarmi in faccia, mi ha chiesto se era così che avevano arrestato suo papà».

Si interruppe. Chiaramente non le piaceva raccontare – ricordare – quella storia. Si versò dell'altro rum. Poi si accorse che non mi aveva chiesto se ne volevo. Io ne volevo, sì, e lo presi da me.

«Ovviamente le ho chiesto cosa le passava per la testa. Suo papà era partito, per lavoro, ho detto. Lei ha risposto che non mi credeva, ma non ha mai più chiesto niente. Da quella volta, almeno due o tre notti alla settimana Midori ha gli incubi. La cosa terribile è che non si sveglia quasi mai. Se si svegliasse potrei rassicurarla, parlarle. Invece no. È come se rimanesse prigioniera in quel mondo pauroso. E io non ci posso entrare, non la posso salvare».

Le chiesi se avesse portato la bambina da uno psicologo infantile. Domanda stupida, pensai subito dopo averla fatta. Certo che l'aveva portata da uno psicologo.

«Ci andiamo una volta alla settimana. A poco a poco siamo riusciti a farle raccontare i sogni...».

«Sogna che vengano a prendere anche te?».

Natsu mi guardò stupita per qualche istante. Che ne sapevo io di quello che succede nella testa di una bambina di sei anni? Poi fece debolmente cenno di sì.

«Lo psicologo dice che è un lavoro lungo. Dice che è stato un errore non dire la verità alla bambina e dice che dovremo arrivare a raccontarle che il suo papà è in prigione. A meno che il papà non venga scarcerato prima. Abbiamo deciso di aspettare l'esito del processo di appello, prima di decidere definitivamente come e quando».

Quando disse: *l'esito del processo di appello*, sentii una fitta sorda alla bocca dello stomaco.

«Non è una situazione facile. Lo capisci, vero?».

Feci di sì con la testa, mentre mi ricordavo i miei incubi di bambino. Di certe notti passate con la luce accesa, in attesa di vedere il giorno filtrare dalle tapparelle per potermi addormentare, finalmente. Di altre notti, quelle in cui la paura era insopportabile, passate a dormire su una sedia, vicino alla camera dei miei genitori, avvolto in una coperta. Avevo otto, nove anni. Sapevo benissimo che non potevo chiedere di dormire nel loro letto, perché ormai ero troppo grande. Così, quando gli incubi mi svegliavano, mi alzavo, prendevo la coperta, trascinavo una sedia dal soggiorno fino alla porta della camera da letto dei miei, mi raggomitolavo, mi coprivo e rimanevo lì, fino all'alba, quando tornavo nella mia cameretta.

Mi ritornò tutto insieme alla memoria, con la stessa angoscia di quelle notti. Con la stessa compassione dolorosa e impotente, per il bambino di allora e per la bambina bellissima e infelice di adesso.

Non gliele dissi, a Natsu, tutte queste cose. Avrei voluto, credo, ma non ci riuscii.

Invece mi alzai e dissi che si era fatto molto tardi. Era meglio che andassi via, ché fra l'altro il giorno dopo si lavorava.

«Aspetta un momento» disse lei.

Sparì in cucina, riapparve qualche secondo dopo e mi diede un cd.

«È quello che abbiamo sentito stanotte. Prendilo tu».

Lo tenni in mano, rileggendo il titolo, restando in silenzio, pensando a qualcosa da dire. Alla fine, però, dissi solo buonanotte e scivolai via, rapido come un ladro, per le scale di quel condominio tranquillo. Dieci minuti dopo ero nella mia macchina, ascoltando quel cd nella strada fredda e deserta che mi portava a casa.

Fredda e deserta anche quella.

Quindici

La chiamata di Tancredi arrivò mentre uscivo dalle cancellerie del tribunale, dopo una deprimente consultazione di alcuni fascicoli.

«Carmelo».

«Dove sei, Guerrieri?».

«A Tahiti, in vacanza. Non te l'avevo detto?».

«Stai attento. C'è il rischio che ammazzi qualcuno per le risate, con queste battute».

Mi disse che doveva vedermi. Dal tono era chiaro che si trattava di cose di cui non intendeva parlare al telefono. Così non feci domande, lui proseguì dicendo che potevamo incontrarci in un bar dalle parti del tribunale e venti minuti dopo eravamo seduti davanti a due fra i peggiori cappuccini della regione.

«Hai la lista dei passeggeri?».

Tancredi fece sì col capo. Poi si guardò attorno, come a controllare che nessuno badasse a noi. Nessuno poteva badare a noi, perché il bar era vuoto, a parte la signora grassa dietro il banco. L'autrice di quei prelibati cappuccini.

«Fra i passeggeri che arrivavano dal Montenegro c'è un signore abbastanza conosciuto in certi ambienti».

«In che senso?».

«Romanazzi Luca, classe 1968. È di Bari, ma vive a Roma. Due volte arrestato e processato per associazione mafiosa e traffico di stupefacenti, due volte assolto. Famiglia borghese, padre impiegato comunale e madre maestra di asilo. Fratelli normali. Persone normali. Lui è la classica pecora nera. Siamo sicuri che abbia preso parte a una serie di rapine a furgoni blindati – lo dicono diversi confidenti – e che sia coinvolto in traffici con l'Albania. Droga e macchine di lusso. Ma non abbiamo niente di concreto contro di lui. È bravo, il figlio di puttana».

«Il tipo che potrebbe aver organizzato quella spedizione di droga, con quel sistema».

«Effettivamente potrebbe. Potrebbe anche essere complice del tuo cliente, per completare il ventaglio delle ipotesi plausibili».

«Ho bisogno di farglielo vedere, voglio dire a Paolicelli».

«Già».

«Vuol dire che mi serve una foto, Carmelo».

Lui non disse niente, si guardò di nuovo intorno, muovendo solo gli occhi e alla fine tirò fuori dalla tasca interna del giubbotto una busta gialla e me la diede.

«Ti sarei grato se questa consegna rimanesse riservata, Guerrieri. E dopo che l'hai fatta vedere al tuo cliente ti sarei grato se la bruciassi, o la mangiassi o quello che ti pare».

Io stavo ad ascoltarlo con quella busta in mano.

«E ti sarei grato anche se la togliessi di mezzo. Per esempio facendo una cosa complicata come metterla in tasca prima che tutto il bar si renda conto che l'ispettore Tancredi consegna carte presumibilmente riservate a un avvocato di criminali».

Evitai di dire che «tutto il bar» mi sembrava un'espressione alquanto enfatica, visto che alla signora del bancone si era aggiunto solo un vecchietto che si stava bevendo un doppio brandy senza alcun interesse per noi e per il resto del mondo. Ringraziai e misi la busta in tasca mentre Tancredi già si alzava per tornarsene in questura.

Sedici

Ogni lavoro ha i suoi punti, i suoi indizi di rottura. Delle crepe sul muro della coscienza da cui capisci – dovresti capire – che bisognerebbe smettere, cambiare, fare altro. Se fosse possibile. Naturalmente quasi mai lo è. E comunque quasi mai si ha il coraggio anche solo di pensarci.

Io avevo molti segnali di rottura. Uno di questi era la nausea che mi prendeva andando in carcere. Cominciava come un'ansia strisciante quando ancora ero in studio; proseguiva nel tragitto; si trasformava in disgusto quando ero ai controlli, mentre registravano il mio nome, si facevano consegnare il mio telefono, lo chiudevano in un armadietto, aprivano la prima di tante porte da superare per raggiungere la sala colloqui.

Quel giorno il disgusto fu particolarmente forte, e fisico.

Mentre aspettavo che accompagnassero Paolicelli mi chiesi cosa avrei fatto, se riconosceva quello della foto. Sarei tornato da Tancredi, e lui mi avrebbe detto che non poteva fare altro per me. Già tirare fuori una foto dalla banca dati della squadra mobile era stato un bel favore. Non poteva mica mettersi a fare una indagine – e che indagine, poi? – sulla pura ipotesi che Romanazzi Luca avesse imbottito di droga la macchina di Paolicelli Fabio, direttamente o per interposta persona. Dovevo andare da qualche mago, per quell'indagine, più che da un poliziotto o un investigatore privato.

Se Paolicelli non riconosceva la foto era tutto più semplice. Avevo fatto del mio meglio – nessuno avrebbe potuto negarlo – e non restava che cercare di limitare i danni. Il mio dovere diventava molto più semplice. Il processo in appello era del tutto senza speranza e bisognava patteggiare. Nessun dilemma –

non riuscivo più a reggerli, i dilemmi, e in quel caso meno che in altri –, nessuno sforzo, niente da studiare. Niente.

E fra queste riflessioni si insinuò, come un animaletto veloce e ripugnante si infila nella cucina pulita di una casa di campagna, l'idea che se le cose andavano in quel modo, Paolicelli sarebbe rimasto in carcere per un bel po' di tempo.

Un bel po' di tempo che io avrei saputo come usare.

«Cos'è?» mi chiese lui mentre gli allungavo la foto.

«Dia un'occhiata e mi dica se conosce questa persona o comunque se l'ha mai vista».

La guardò a lungo, ma, da come cominciò a scuotere impercettibilmente il capo, capii che la mia indagine era già terminata. Il movimento del capo diventò più deciso e alla fine alzò lo sguardo verso di me e mi restituì la foto.

«Mai visto. E se l'ho visto me lo sono dimenticato. Chi è?».

Fui tentato di rispondergli che non aveva importanza, visto che non lo conosceva. Ma non feci così.

«È un criminale, un trafficante di buon livello. Almeno stando ai sospetti della polizia, perché in realtà non sono mai riusciti a incastrarlo. Era a bordo del vostro stesso traghetto ed era possibile sospettare che fosse coinvolto nella sua vicenda».

«Perché dice che *era* possibile sospettare? Ora non è più possibile sospettare?».

Era una domanda intelligente, alla quale diedi una risposta stupida.

«Lei non lo ha riconosciuto».

«E cosa significa? Mica io ho visto chi ha messo la droga sulla mia macchina. Come facevo a riconoscerlo? Se c'era motivo di sospettare che questo tizio abbia a che fare con la mia storia, cosa cambia se io non lo riconosco?».

La sua risposta mi seccò moltissimo. Dovetti fare uno sforzo per reprimere l'impulso a rispondergli male, chiarendo che io ero l'avvocato e lui il cliente. Io il professionista e lui il detenuto. Dovetti fare uno sforzo per non fargli pagare il fatto di avere ragione.

«Teoricamente è come dice lei. Nel senso che possiamo sospettare di questo signore, ma non abbiamo nessun appiglio per trasferire questo sospetto nel processo se lei non lo riconosce. Se lei non ha modo di dire che ha notato questo soggetto, che ne so, armeggiare vicino alla sua macchina. O se questo soggetto si è stranamente interessato a lei, a quando sarebbe rientrato...».

Mi interruppi bruscamente, rendendomi conto che quello che stavo dicendo poteva sembrare un suggerimento. Un dirgli che *se* diceva quelle cose, fossero vere o no, poteva esserci uno spiraglio. Poteva sembrare un'istigazione a inventarsi una falsa storia, un falso riconoscimento.

«Insomma, lei non lo ha visto, non lo conosce e io non posso andare dinanzi alla corte di appello a dire: assolvete il signor Paolicelli perché a bordo del suo traghetto viaggiava un signore che la polizia *sospetta* essere un criminale e un trafficante».

«E cosa cambiava se lo riconoscevo?».

Scossi la testa. Aveva ragione di nuovo. Non cambiava un bel niente e io mi stavo rendendo conto di quanto fosse stata stupida, dilettantesca, infantile l'idea di mettermi a fare quella specie di indagine senza sapere in che direzione mi stavo muovendo. Una volta un vecchio maresciallo dei carabinieri mi disse che il segreto per il successo di una indagine consiste nel sapere qual è il proprio obiettivo. Se si va avanti a casaccio non si ottiene nessun risultato e si possono anche fare danni.

Mi sentii molto stanco.

«Non lo so. Era un tentativo. Se lei riconosceva il tizio poteva darmi qualche spunto interessante su cui lavorare. Non so nemmeno come avremmo potuto lavorarci, ma così non vedo prospettive».

«Faccia vedere la foto a mia moglie. Può essere che lei abbia notato qualche dettaglio che a me è sfuggito».

Giusto, ancora una volta. In teoria.

Avrei fatto vedere la foto a Natsu ma, senza sapere perché, ero certo che non l'avrebbe riconosciuto. Ero certo che non avremmo tirato fuori niente da quella storia e che Paolicelli sarebbe finito male.

Mentre percepivo con chiarezza tutto questo mi sentii come uno che sta al sicuro e guarda qualcun altro annegare. Uno che fa finta, anche con se stesso, di essere dispiaciuto per quello che sta succedendo.

Ma non è vero. Perché invece è contento. Schifosamente contento.

Uscendo dal carcere mi dissi che prima o poi avrei dovuto trovarmi un lavoro onesto.

Diciassette

Natsu venne in studio il giorno dopo e, come avevo previsto, non riconobbe il tizio della foto. La prese, mi chiese chi fosse quella persona, la guardò con attenzione, a lungo. Così a lungo che a un certo punto pensai che contro ogni previsione lo avesse riconosciuto. Poi, proprio mentre pensavo questa cosa, mi restituì la foto, serrando le labbra e facendo no con la testa.

Rimanemmo in silenzio. Lei sembrava cercasse con lo sguardo qualcosa in un punto imprecisato in alto a sinistra. Poi lo sguardo cambiò completamente direzione, spostandosi in basso a destra, e sembrava che stesse dialogando con se stessa. Non faceva caso a me e così la osservai a lungo, distraendomi nel seguire i suoi lineamenti e i suoi occhi nocciola. Pensando vagamente molte cose. Troppe.

«Non c'è niente da fare, è vero?». Lo disse con una intonazione strana. Non si capiva se fosse rassegnazione, disperazione tranquilla o altro. Come una inconsapevole nota di attesa.

Scrollai le spalle e scossi la testa.

«Non lo so. Questo era un tentativo. Non riesco a pensare niente altro che abbia senso».

«E allora?».

«Allora aspettiamo l'udienza in corte d'appello, sperando che ci venga qualche idea o che qualcosa succeda».

«Che non succederà».

«Se non succede niente di nuovo l'unica cosa sensata è cercare di ottenere un patteggiamento. Come ti ho già detto. Come ho già detto anche a lui».

«Cioè prendersi uno sconto e rimanere in carcere».

«In teoria dopo il patteggiamento potremmo provare a chiedere gli arresti domiciliari, però...».

Lasciai la frase in sospeso e in qualche istante mi resi conto del perché. L'idea di lui che tornava a casa, anche solo agli arresti domiciliari, era insopportabilmente, inconfessabilmente molesta.

«Però?». La sua domanda si incuneò nel mezzo dei miei pensieri e della mia vergogna.

«Nulla. Una questione tecnica. Dopo il patteggiamento possiamo provare a chiedere gli arresti domiciliari. Meglio non farci troppo affidamento, perché il quantitativo di droga è grosso. Ma possiamo provare».

«E se non gli danno gli arresti domiciliari quanto tempo dovrà rimanere dentro?».

Ancora una volta la strana sensazione di prima. Di non riuscire a decifrare la ragione vera della domanda. Voleva sapere quanto tempo sarebbe rimasta separata dal marito, o voleva sapere quanto tempo aveva a disposizione?

Quanto tempo *avevamo* a disposizione.

Si faceva davvero questa domanda o ero io a proiettarla su di lei?

Perché io certamente me la facevo, questa domanda. Adesso lo so con chiarezza; allora lo percepivo in modo sfocato. Ma abbastanza chiaro da provare una mistura di vergogna e desiderio.

Desiderio di lei – Natsu – e per la bambina. Per la famiglia che non avevo. La famiglia di un uomo che era in carcere, di un uomo che io avrei dovuto proteggere e difendere.

Un desiderio da ladro.

«È difficile dirlo adesso. Dopo il passaggio in giudicato della sentenza è possibile ottenere dei benefici, sconti, riduzioni per buona condotta, semilibertà. Tutte cose che dipendono da molti fattori».

Pausa.

«Certamente ci vorrà qualche anno, anche nell'ipotesi più ottimistica».

Lei non disse niente e io non riuscii a decifrare la sua espressione, mentre cercavo le parole per dirle che avremmo potuto rivederci. Fuori dello studio. Come quella sera. Fare un giro, ascoltare un po' di musica, parlare. Altro.

Un desiderio da ladro.

Non le trovai, quelle parole e la conversazione, e l'incontro, si chiusero con le mie frasi ipocrite sull'ipotesi più ottimistica.

Quando Natsu andò via dissi a Maria Teresa che per una mezz'ora non volevo rispondere al telefono e tantomeno ricevere qualche cliente che fosse passato, come capitava, senza avere un appuntamento.

Poi tornai al mio posto, mi presi la testa fra le mani e pensai che ero in balia delle onde.

Diciotto

Chiusi lo studio dopo che Maria Teresa se ne era andata da un bel po'.

Arrivai a casa, presi un gelato dal frigo, me lo mangiai, poi diedi mezz'ora di pugni al sacco, feci piegamenti fino a quando le braccia non reggevano più, mi andai a ficcare sotto la doccia.

Mi chiesi dove fosse Margherita, in quel momento, e cosa stesse facendo; ma non riuscii a immaginarmela. Non volevo, probabilmente.

Mi vestii e uscii. Da solo e senza una meta, come capitava sempre più spesso.

Ebbi l'impulso di chiamare Natsu, e chiederle se voleva che passassi a trovarla.

Non lo feci e invece me ne andai in giro, per la città battuta dal vento freddo.

Avevo strane, sgradevoli avvisaglie. Forse stava per ricapitarmi quello che era successo quando Sara mi aveva lasciato: insonnia, depressione, attacchi di panico. L'idea fu disturbante, ma nel momento stesso in cui la concepivo mi resi conto che quelle cose non sarebbero accadute.

Ero stabilmente un disadattato, ormai. Mi ero garantito una stabile, mediocre infelicità, mi dissi. Immunizzato da una infelicità devastante in cambio di una insoddisfazione permanente e desideri inconfessabili. Poi pensai che facevo delle riflessioni banali, patetiche, e che mi autocommiseravo. Io ho sempre detestato quelli che si autocommiserano.

Così decisi di andare a comprarmi qualche libro.

A quell'ora – erano le undici – avrei trovato un solo posto dove comprare libri e fare anche due chiacchiere. L'*Osteria del caffellatte*, che nonostante il nome è una libreria.

Apre la sera alle dieci e chiude la mattina alle sei. Il libraio – Ottavio – è un ex professore di liceo con l'insonnia cronica. Aveva tenacemente detestato il suo lavoro di professore per tutti gli anni in cui era stato costretto a farlo. Poi una vecchia zia, senza figli, senza altri parenti, gli aveva lasciato soldi e un piccolissimo palazzo in pieno centro. Pian terreno e due appartamenti, uno sull'altro. L'occasione della sua vita, presa al volo e senza esitazione. Era andato ad abitare al secondo piano. Al pian terreno e al primo piano ci aveva fatto una libreria. Siccome di notte non poteva dormire si era inventato quell'orario. Assurdo, avevano detto in molti, e invece aveva funzionato.

C'è gente a tutte le ore, all'*Osteria del caffellatte*. Non molta, ma a tutte le ore. Tipi strani, ovviamente, ma anche, soprattutto tipi normali. Che poi sono i più strani di tutti se li trovi a comprare libri alle quattro del mattino.

Ci sono tre tavolini e un piccolo banco da bar. Se ne hai voglia puoi bere qualcosa o mangiare una fetta delle torte che Ottavio prepara nel pomeriggio, prima di aprire. La mattina presto puoi fare colazione con le stesse torte e il caffellatte. Se ti trovi in libreria al momento della chiusura, lui ti regala la torta avanzata, ti dice ci vediamo domani, chiude e poi, davanti all'ingresso, si fuma l'unica sigaretta della giornata. Dopo va a farsi un giro per la città che riprende vita e quando gli altri cominciano a lavorare lui se ne va a dormire, perché di giorno ci riesce.

In libreria c'erano tre ragazze che si stavano raccontando qualcosa di divertente. Feci caso al fatto che ogni tanto guardavano verso di me, e poi ridevano più forte. Ecco, pensai. La mia parabola è conclusa. Sono un uomo ridicolo. Anzi, a pensarci meglio, sono un paranoico terminale.

Il libraio era seduto a uno dei tavolini del minuscolo bar e leggeva. Quando si accorse del mio ingresso mi salutò con la mano e poi tornò a leggere. Io cominciai a girare fra banchi e scaffali.

Presi tra le mani *L'uomo senza qualità*, lo sfogliai, ne lessi qualche pagina, lo rimisi a posto. È una cosa che faccio da molti anni. Da sempre, in realtà. Con Musil e soprattutto con l'*Ulisse* di Joyce.

Ogni volta mi confronto con la mia ignoranza e penso che dovrei leggere questi libri. Ogni volta non mi riesce nemmeno di comprarli.

Credo che non conoscerò mai direttamente le avventure – diciamo così – del giovane Dedalus, del signor Bloom, di Ulrich. Me ne sono fatta una ragione, ma in libreria continuo a sfogliare quei volumi, così, come in una sorta di rituale dell'imperfezione. La mia.

Continuando a gironzolare fui attirato da una bella copertina con un bellissimo titolo. *Notti nei giardini di Brooklyn*. Non conoscevo né l'autore – Harvey Swados – né l'editore – Bookever. Lessi qualche rigo della prefazione di Grace Paley, mi convinse e lo presi.

Entrò un giovane poliziotto. Si diresse da Ottavio, gli chiese qualcosa. Fuori lo aspettava, parcheggiata in doppia fila, una volante.

Adocchiai un libro dal titolo *Nulla succede per caso*. Decisi che faceva al caso mio – qualunque fosse, il caso mio – e presi anche quello. Il poliziotto uscì con un libro in un sacchetto, di quelli che si trovano solo nella libreria di Ottavio. Da una parte c'è il disegno di una tazza da caffellatte fumante, azzurra e senza manici, con il nome della libreria. Dall'altra, stampate sulla plastica, una pagina di romanzo, una poesia, una citazione da un saggio. Cose che piacciono al libraio e che lui vuole consigliare ai suoi notturni clienti.

Mi sentivo già molto meglio. Le librerie mi fanno da ansiolitico e anche da antidepressivo. Le ragazze erano uscite senza che me ne accorgessi. Adesso eravamo soli, Ottavio e io. Mi avvicinai.

«Ciao, Guido. Come te la passi?».

«Alla grande, me la passo. Cosa ha comprato il poliziotto?».

«Non ci crederai».

«Tu dimmelo».

«*Poesia ininterrotta*».

«Eluard?» chiesi stupito.

«Già. Sarai uno dei tre o quattro avvocati nel mondo a conoscere questo libro. E lui, l'unico poliziotto».

«Non farà carriera».
«Credo anch'io. Cosa hai preso, tu?».
Gli mostrai i libri che avevo scelto e lui approvò. Swados, soprattutto.
«E tu cosa stai leggendo?».
Il libro che aveva in mano era piccolo, con la copertina color crema, di un'altra casa editrice sconosciuta: Edizioni dell'orto botanico.
Me lo porse. Si intitolava: *La manomissione delle parole*; sottotitolo: *appunti per un seminario sulla scrittura*. Nessun nome di autore in copertina.
Lo sfogliai e ne lessi alcune frasi.
Le nostre parole sono spesso prive di significato. Ciò accade perché le abbiamo consumate, estenuate, svuotate con un uso eccessivo e soprattutto inconsapevole. Le abbiamo rese bozzoli vuoti. Per raccontare, dobbiamo rigenerare le nostre parole. Dobbiamo restituire loro senso, consistenza, colore, suono, odore. E per fare questo dobbiamo farle a pezzi e poi ricostruirle.
Nei nostri seminari chiamiamo «manomissione» questa operazione di rottura e ricostruzione. La parola manomissione ha due significati, in apparenza molto diversi. Nel primo significato essa è sinonimo di alterazione, violazione, danneggiamento. Nel secondo, che discende direttamente dall'antico diritto romano (manomissione era la cerimonia con cui uno schiavo veniva liberato), essa è sinonimo di liberazione, riscatto, emancipazione.
La manomissione delle parole include entrambi questi significati. Noi facciamo a pezzi le parole (le manomettiamo, nel senso di alterarle, violarle) e poi le rimontiamo (le manomettiamo nel senso di liberarle dai vincoli delle convenzioni verbali e dei non significati).
Solo dopo la manomissione, possiamo usare le nostre parole per raccontare storie.
«Hai solo questa copia?».
«Sì, ma puoi prenderla, se vuoi. Perché ti interessa?».
Già. Perché mi interessava?
Ho un vecchio desiderio che ho recentemente tirato fuori, e una amica mi assicura che si avvererà. Il desiderio è diventare

uno scrittore e vedendo questo libro ho pensato di studiare un po'. Così, per facilitare il compito a quelli del dipartimento lampade magiche, quadrifogli e stelle cadenti.

Fantasticai un poco su quelle frasi e su altre cose. Senza rispondere alla domanda di Ottavio. Lui mi lasciò fare e parlò solo quando gli parve che fossi tornato da quelle parti.

«Non vai pazzo per il tuo lavoro, vero?».

Feci una specie di sogghigno. Non andavo pazzo per il mio lavoro, effettivamente.

«E se potessi cambiarlo, cosa ti piacerebbe?».

Ma è un'epidemia, questa dei desideri. Ditelo, che vi siete messi d'accordo.

«Mi piacerebbe scrivere. I libri sono la cosa che mi piace più di tutte. Mi piace leggerli e mi piacerebbe scriverli, se fossi capace. In realtà non lo so se sono capace, visto che non ho mai avuto il coraggio di provarci».

Ottavio fece di sì con la testa, e basta. Mi piacciono quelli che non fanno commenti stupidi. E il modo migliore per non fare commenti stupidi, in certi momenti, è semplicemente tacere.

«Beviamo qualcosa?».

«Sì».

«Rum?».

«Rum».

Prese una bottiglia dal banco bar e versò due doppie porzioni. Bevemmo e chiacchierammo a lungo, di un sacco di cose. Ogni tanto entrava gente. Qualcuno comprava un libro; qualcuno guardava e basta.

Un tizio sulla cinquantina, in giacca, cravatta e cappotto, si infilò nei pantaloni *La trilogia della città di K.*, abbottonò il cappotto e si diresse verso l'uscita. Ottavio se ne accorse, mi pregò di scusarlo un attimo e lo raggiunse sulla porta.

Disse che gli sarebbe piaciuto poterli regalare, i libri. Ma purtroppo davvero non poteva. Era costretto a farseli pagare. Lo disse senza una punta di sarcasmo. L'altro balbettò qualche parola del tipo: non capisco proprio di cosa stia parlando. Ottavio, con il tono paziente di chi ha fatto altre volte lo stesso discorso, disse che c'erano due possibilità. O quello pagava il libro e se lo portava – e avrebbe anche avuto lo sconto – oppure lo rimetteva sullo scaffale, andava a dormire, non era successo niente e poteva tornare quando voleva. Quello allora disse che, va bene, lo prendeva. E in una straordinaria, surreale sequenza andò alla cassa, tirò fuori il libro dalle mutande, pagò – con lo sconto –, prese il suo bravo sacchetto e andò via augurando la buonanotte a tutti.

«Beh, c'è gente che non si vergogna di niente» dissi.

«Non puoi immaginare quanto. Io però non riesco ad arrabbiarmi con quelli che cercano di rubare i libri. Ne ho rubati tanti, io stesso. E tu?».

Dissi che non avevo mai rubato un libro. Non fisicamente. Ne avevo letti tanti abusivamente, in libreria, però. Nessuno da lui, precisai.

Poi guardai l'orologio e mi resi conto di quanto fosse tardi, considerato che il giorno dopo avevo udienza. Chiesi quanto dovevo, per libri e rum.

«La bevuta la offro io. I libri invece me li devi pagare perché, come ho detto al signore, davvero non posso regalarli».

Diciannove

Ero appena arrivato in studio quando Maria Teresa mi passò la telefonata di Colaianni.

Senza troppi preamboli mi disse che doveva parlarmi, ma che era meglio di persona.

Di regola dopo una frase come quella avrei fatto una battuta sull'ossessione dei magistrati per i telefoni sotto controllo. Una sfumatura nel suo tono però mi trattenne. Così mi limitai a chiedere come potevamo fare, a parlarci di persona, visto che lui stava a Roma e io a Bari. Mi disse che sarebbe andato a Foggia, due giorni dopo, per interrogare un detenuto nel carcere di quella città. Se lo raggiungevo lì dopo l'interrogatorio potevamo vederci, mangiare un boccone insieme e parlare. Ok, a dopodomani. Ciao, a dopodomani.

Dopo aver interrotto la comunicazione fui preso da una strana euforia. Dopo tanti anni che facevo l'avvocato difensore ebbi per la prima volta la percezione di cosa provano gli investigatori quando una indagine produce risultati. Perché non c'era dubbio che Colaianni dovesse darmi qualche informazione sull'avvocato Macrì. Qualche informazione importante.

Ebbi l'impulso di chiamare Natsu.

Ciao Natsu, volevo dirti che ci sono novità. Che novità? Beh, a dire il vero questo non lo so, ma lo saprò dopodomani a Foggia. Ah, a proposito, che fai stasera?

I miei sproloqui mentali furono fortunatamente interrotti da Maria Teresa che si affacciò alla porta e mi disse che erano arrivate le signore Pappalepore. Clienti nuove. Avevano telefonato il giorno prima e avevano preso un appuntamento. Dissi di farle accomodare ma appena le vidi varcare la soglia il segnale luminoso «guai in arrivo» cominciò a lampeggiare freneticamente nella mia testa.

La più giovane era una ex ragazza sui cinquanta, con ridicoli occhiali rossi, abiti degli anni Settanta, rossetto vermiglio e capelli gialli. L'altra era una signora anziana, con lo stesso rossetto e occhiali spessi come fondi di bottiglia della coca cola.

Le invitai ad accomodarsi, la più giovane aiutò l'anziana a sedersi, poi si sedette anche lei e mi sorrise con una espressione inquietante.

«In cosa posso aiutarvi?» dissi con un sorriso affabile e vagamente idiota.

«Chi è questo giovane?» disse la vecchia come se io non fossi lì, guardando in direzione dell'altra.

«È l'avvocato, mamma. Ti ricordi che siamo venute per fare la querela?».

«Ma è il cugino di Raffaele?».

«No mamma, il cugino di Raffaele è morto da dieci anni».

«Ah...». Parve acquietarsi. Seguì qualche secondo di silenzio e io cominciai a preoccuparmi.

«E dunque...». Stesso sorriso idiota di prima.

«Avvocato Guerrini, noi dobbiamo fare una querela, per dei fatti gravi».

Repressi l'impulso all'inutile precisazione. Che mi chiamavo Guerrieri e non Guerrini.

«Nel nostro condominio c'è un complotto».

Ah, fantastico, vado pazzo per i complotti. Oggi mi servivano proprio queste due matte.

«Chi è questo giovane?» fece la vecchia, adesso guardando decisamente nel vuoto.

«L'avvocato Guerrini, mamma. Per la querela, hai capito?».

«È sposato?».

«Non lo so, mamma. Sono fatti suoi. Vuoi una caramella?».

La vecchia disse di sì e la giovane prese dalla borsa un sacchetto di pasticceria. Tirò fuori una caramella rosa, la scartò e la diede alla mamma, portandogliela alla bocca. Poi mi chiese se ne volevo una. Sorrisi di nuovo a labbra tirate e dissi no, grazie.

«Ci sono dei fatti molto gravi, avvocato Guerrini. Nel nostro condominio si sono organizzati per distruggerci. È come una specie... come la chiamate voi?».

Come la chiamavamo noi, cosa?
«... come un'associazione mafiosa».
Ah certo, un'associazione mafiosa. Come ho fatto a non pensarci.
«Ci fanno degli attentati tutti i giorni e adesso abbiamo deciso che gli dobbiamo fare la querela».
«Ma questo giovane è il figlio di Marietta?».
«No mamma, il figlio di Marietta sta a Busto Arsizio. Questo è l'avvocato».
«E a chi è figlio?».
«Non lo so mamma. È l'avvocato, siamo venute per la querela».
A quel punto la vecchia decise inopinatamente di rivolgersi a me.
«Giovane, ma voi siete il nipote della signora Marzulli?».
«No signora» risposi educatamente.
«È l'avvocato, mamma. Il nipote della signora Marzulli è infermiere».
«Avvocato. Così giovane. Ma mica è il cugino...».
Di Raffaele? No signora, non sono il figlio di Marietta, che pare sia a Busto Arsizio; non sono il nipote della signora Marzulli, infermiere, mi dicono; e nemmeno il cugino di Raffaele che forse era avvocato e, a quanto mi viene detto, è anche morto. Mi piacerebbe anche potermi sbarazzare di voi e riuscire a lavorare un po', ma mi rendo conto che è una prospettiva irrealistica.
Non dissi così. In realtà non dissi niente, perché mi accorsi che la vecchia aveva cominciato a oscillare lentamente sul lato sinistro, appoggiandosi al bracciolo della sedia. Per un attimo mi parve che stesse cadendo, per un collasso o altro. Mi figurai tutti i problemi logistici per la rimozione del cadavere e mi dissi che quello non era il mio pomeriggio fortunato.
Ma quella non stava morendo. Dopo aver oscillato per una trentina di secondi, con un movimento quasi ipnotico, si aggiustò la gonna e ridiventò immobile.
L'altra intanto continuava a raccontarmi dell'associazione mafiosa insediatasi in quel condominio di via Pasubio.

Le azioni intimidatorie del gruppo criminale consistevano in stenditura abusiva di bucato, detenzione abusiva di impianti stereofonici, atti immorali del geometra Fumarulo, che viveva da solo e portava a casa donne, anche di sera. Una volta, incontrandolo in ascensore, gli aveva detto che doveva smetterla con quelle cose. Quello – come dargli torto – aveva risposto di non rompere i coglioni. Lei aveva ribattuto di stare molto attento a come parlava, e che l'avrebbe querelato assieme a tutti gli altri.

«E così abbiamo pensato, mamma e io, di fare la querela contro tutto il condominio. E poi – questo lo disse allungandosi un po' verso di me attraverso la scrivania, con aria astuta e complice – i soldi del risarcimento li facciamo a metà con lei, avvocato».

Il mio cervello lavorava freneticamente per cercare una via di uscita. Senza riuscire a trovarla. Intanto la vecchia si risvegliò.

«Ma voi siete dentista?».

«No, signora, non sono dentista».

«... perché tengo un ascesso qui...», e aprì la bocca ficcandoci dentro un dito, per farmi vedere bene l'ascesso e tutto il resto.

«Non è il dentista, mamma. È l'avvocato. Vuoi un'altra caramella?».

Durò per almeno una mezz'ora nella quale la vecchia mi chiese altre quattro o cinque volte se fossi il figlio di Marietta o il nipote della signora Marzulli. E soprattutto se fossi sposato.

Quando mi faceva quest'ultima domanda, ammiccava con aria astuta alla figlia.

Finalmente ebbi il colpo di genio.

Volentieri avrei preparato per loro quella querela, dissi. E, certo, era uno scandalo quello che stava succedendo nel loro condominio. Bisognava intervenire al più presto, e lo avremmo fatto. C'era solo una piccola formalità. Per fare una querela bisognava anticipare – mi chiesi quale fosse una cifra davvero deterrente – diciamo cinquemila euro. Purtroppo era la legge, mentii. Pregavo dunque la signora Pappalepore the young di fornirmi questi cinquemila, per procedere. Contanti era meglio ma andava bene anche un assegno. Ma doveva darmeli subito.

La giovane assunse un'aria vaga. Purtroppo non aveva il libretto degli assegni e naturalmente non aveva tutti quei contanti. Dissi che doveva portarmeli al più presto, domani, o al massimo dopodomani. Così dicendo cercai di assumere una espressione da famelico imbroglione. Uno da cui scappare via il più presto possibile, per non farsi mai più rivedere.

«Prendiamo un appuntamento per domani?» dissi con faccia avida.

«Le telefono, domani o dopodomani». Era preoccupata adesso. Era finita nelle mani di un ignobile speculatore e voleva scappare via al più presto.

«Va bene, ma mi raccomando, non più tardi di dopodomani».

Mi assicurò che certamente non sarebbe stato più tardi di dopodomani. E adesso dovevo scusarla, ma dovevano scappare, anche perché c'era da cambiare il pannolone alla mamma.

Non le trattenevo, allora. Buonasera. Buonasera anche a lei signora.

E no, non sono il figlio di Marietta e nemmeno il nipote della signora Marzulli.

E grazie al cielo non sono il dentista.

Venti

Faceva freddissimo a Foggia quella mattina e così fu molto piacevole entrare nel ristorante caldo e pieno di odori buoni. Colaianni era già lì, seduto a un tavolo con due individui dall'aria poco raccomandabile: i poliziotti della sua scorta.

Ci abbracciammo, scambiammo i soliti convenevoli da liceali attempati. I due della scorta, senza una parola, si alzarono e andarono a sedersi a un altro tavolo, vicino all'ingresso del locale.

«Da quanti anni stai a Roma, ormai?».

«Troppi. Mi sono ampiamente rotto le palle. E in particolare mi sono rotto le palle del lavoro dell'antimafia. Continuiamo ad arrestare trafficanti e spacciatori, spendiamo centinaia di migliaia di euro di intercettazioni, continuiamo a interrogare pentiti, o pseudo pentiti, e non cambia assolutamente nulla. Dovrei trovarmi un lavoro onesto».

Ecco, pensai. Esattamente la stessa cosa che mi ero detto qualche giorno prima, uscendo dal carcere. Eravamo gli esponenti migliori di una generazione nel pieno del successo professionale.

Non dissi niente di tutto questo e lui proseguì. Il tono era passato bruscamente dallo scherzo a un'amarezza che non mi sarei mai aspettato, da Andrea Colaianni.

Diversamente da me, lui era uno che aveva sempre avuto passioni e soprattutto certezze. Come per esempio la convinzione che dagli uffici di una procura della repubblica si potesse cambiare il mondo. La vita è un po' più complicata, però.

«Sono sempre più a disagio con questo lavoro. Te lo ricordi com'ero subito dopo il concorso?».

Me lo ricordavo molto bene. Quando aveva vinto il concorso ci frequentavamo tutti i giorni. A venticinque anni lui aveva già raggiunto lo scopo della sua vita. Fare il magistrato, appunto. Io invece ero un ragazzino che cazzeggiava e che avrebbe continuato a farlo ancora per un bel po'.

«Ero impaziente di cominciare. Ero impaziente di fare il pubblico ministero. Ero pronto a cambiare le cose. A fare giustizia».

Mi guardò negli occhi.

«Parole grosse, vero?».

«Come faceva quella canzone di De Gregori? *Cercavi giustizia, incontrasti la legge*».

«Appunto. Quando ho cominciato mi sentivo come un angelo vendicatore. Adesso – potresti crederci? – ogni volta che devo arrestare qualcuno ho la nausea. Qualche giorno fa ho incrociato nei corridoi del tribunale un detenuto in manette accompagnato dalla polizia penitenziaria. Era un signore sui sessanta anni, con l'aria, che ne so, di un cartolaio, di un droghiere. Ne ho viste centinaia, di persone in manette. Di tutti i tipi. Spaventati, arroganti, straniti, indifferenti. Di tutto, e dovrei esserci abituato. Non dovrebbe farmi nessun effetto. L'agente di custodia camminava avanti e quello gli andava dietro. A un certo punto quello in manette ha rallentato, o forse non ce la faceva a tenere il passo. Non lo so. Comunque l'agente gli ha dato uno strappo con la catena, proprio come si fa con un cane che stai portando in giro e che si ferma troppo a lungo ad annusare qualcosa. È stato un attimo, perché quello ha accelerato e si è rimesso al passo. Io sono rimasto fermo nel corridoio a guardarli che se ne andavano. Ho avuto un urto allo stomaco. Anche quello è stato un attimo e poi me ne sono andato, quando già i ragazzi della scorta si stavano chiedendo se ci fosse qualche problema. Tu forse puoi capire».

Capivo perfettamente quello che diceva. Lui fece un gesto che avevo visto diverse volte, nelle ultime settimane. Si passò la mano sulla faccia, con forza, come se cercasse di togliersi qualcosa di vischioso e sgradevole. Non ci riuscì. Non ci riesce nessuno.

«Se potessi, cambierei lavoro. Ovviamente non posso e del resto il mio destino è segnato. Ancora qualche anno e potrò chiedere un bel trasferimento in procura generale, dove andrò finalmente a non fare un cazzo. Allora imparo a giocare a golf, mi faccio un'amante – diciamo una giovane segretaria? – e proseguo allegramente verso l'esito finale».

«Ehi, ehi, frena. Che ti succede?». Domanda idiota. Lo sapevo benissimo cosa gli succedeva.

«Niente. Crisi della mezza età, suppongo. Tu l'hai già avuta? Dicono che poi passa».

L'avevo avuta? Sì, l'avevo avuta e non lo sapevo se passava davvero. Ma rispetto a lui avevo un vantaggio. Per tutta la vita mi ero sempre sentito fuori posto e così c'ero più abituato. Per uno con le sue certezze doveva essere molto dura.

«Vabbe'. Fanculo a tutto».

In quel momento alle mie spalle arrivò il cameriere. Ordinammo mozzarelle di bufala, grigliata di carne, vino rosso di Lucera.

«Ho chiesto a qualche collega, di questo avvocato Macrì, ma nessuno lo conosce. Ho chiesto anche a qualche avvocato amico, ma neanche loro lo conoscono. Di per sé questo non è particolarmente strano in un posto come Roma. Ma non è nemmeno del tutto normale».

Pensai che no, non era normale. L'ambiente degli avvocati e dei magistrati che si occupano di processi penali, anche in un posto grande come Roma, è una piccola comunità. Come un paesino dove tutti si conoscono. Se vivi in quel paesino e nessuno ha mai sentito parlare di te, c'è qualcosa che non va. Significa che lavori poco, o niente. E se è così, da dove li prendi i soldi per vivere?

«Allora ho pensato di fare una piccola ricerca nella nostra banca dati. Contiene tutti gli atti delle indagini e dei processi di mafia e criminalità organizzata da una decina di anni a oggi. In tutta Italia. Mi sono detto: se questo Macrì ha difeso qualcuno in un processo del genere lo troverò e così possiamo farci un'idea».

«Lo hai trovato?».

Arrivò il cameriere con il vino e ci riempì i bicchieri. Colaianni svuotò il suo, in un modo che non mi piacque. E neanche mi piacque come se lo riempì subito, di nuovo. Mi guardò diritto negli occhi.

«Ovviamente questa conversazione non è mai avvenuta».

«Nemmeno ci sono venuto a Foggia, io».

«Ecco, bravo. L'ho trovato, il signor Macrì Corrado. Solo che non era in banca dati come difensore. Ci stava come imputato, arrestato tre anni fa dal giudice per le indagini preliminari di Reggio Calabria, per associazione mafiosa, traffico di stupefacenti e accessori».

«Che cosa ha fatto?». Mentre facevo quella domanda pensai come i ruoli influenzino le cose che diciamo e anche le cose che pensiamo. Se Macrì fosse stato mio cliente avrei chiesto di cosa lo accusavano e certo non avrei dato per scontato che avesse *fatto* qualcosa.

Colaianni intanto tirò fuori dalla borsa alcuni fogli, ne scelse uno e cominciò a leggere il capo di imputazione.

«Dunque... sì, Macrì Corrado, sfruttando la sua qualità di avvocato strumentalmente nominato difensore da alcuni affiliati di spicco – segue elenco – svolgeva mansioni di raccordo fra i vertici detenuti del sodalizio e i soggetti in libertà. In particolare, accedendo nella sua qualità di difensore negli istituti penitenziari – segue elenco – nei quali i predetti erano ristretti, provvedeva a informarli dei fatti più rilevanti della vita associativa verificatisi al di fuori dell'istituto, concordava con loro strategie e azioni criminali, provvedeva a comunicare agli affiliati in libertà le decisioni e gli ordini dei capi detenuti».

Smise di leggere – aveva fatto fatica e pensai che presto avrebbe dovuto mettere gli occhiali da presbite – e mi guardò.

«Faceva il portaordini».

«Già. Vuoi sapere com'è andata a finire?».

Volevo saperlo e lui me lo disse. Il nostro amico Macrì era stato messo dentro in base alle dichiarazioni di due collaboratori di giustizia e a una serie di riscontri. Ci era rimasto qualche mese, fino a quando uno dei collaboratori non si era pentito di essersi pentito e aveva ritrattato tutto. L'accusa era andata in pezzi. Macrì era stato rimesso in libertà per sopravvenuta insufficienza di indizi. Qualche mese dopo aveva chiesto il giudizio abbreviato ed era stato assolto.

«E com'è finito a Roma?».

«Non lo so. Sta di fatto che dopo l'assoluzione si è cancellato dal consiglio dell'ordine di Reggio Calabria e, per ragioni ignote, si è iscritto a Roma. Dove, come ti ho detto, non è un abituale frequentatore del palazzo di giustizia».

Lasciò in sospeso l'ultima frase e vuotò di nuovo il suo bicchiere. Lo riempì di nuovo, e lo stesso fece con il mio.

Il mio cervello lavorava freneticamente. Macrì era la chiave di tutta quella storia, adesso era certo. In un modo o nell'altro la droga trovata sulla macchina di Paolicelli apparteneva a qualche cliente – meglio: a qualche compare – di Macrì. Quando Paolicelli era stato arrestato, avevano messo in campo l'avvocato per controllare cosa succedeva, per verificare cosa ci fosse nel fascicolo, per essere sicuri che l'indagine non arrivasse ai veri proprietari della droga.

E poi c'era quella faccenda del dissequestro della macchina. Il fatto che lui fosse andato personalmente a ritirarla dal deposito. Probabilmente sulla macchina c'era ancora qualcosa, che i finanzieri non avevano trovato, e che bisognava fare sparire al più presto.

Questo se Paolicelli era davvero estraneo a quella storia. Perché poteva anche essere che Macrì fosse stato ingaggiato dall'organizzazione per tutelare un affiliato – Paolicelli – finito per un infortunio nelle mani di sbirri e giudici. Un classico.

Dissi al mio amico quello che stavo pensando e lui fece sì con la testa. Erano le stesse cose che aveva pensato lui.

«E adesso che ci fai con questa informazione?».

Già. Che ci facevo?

Dissi che avrei dovuto pensarci su; verificare se da quella notizia riuscivo a risalire a qualcos'altro, magari incaricando un investigatore privato. In realtà non avevo la minima idea di quello che si poteva fare.

Quando arrivò il momento di salutarci Colaianni mi disse che gli aveva fatto piacere vedermi e parlare con me. Lo disse con un tono vagamente spaurito, come se avesse voluto trattenermi in qualche modo. Ero dispiaciuto e in imbarazzo allo stesso tempo.

E avevo voglia di scappare via, adesso. Via da quella inattesa fragilità, da quella disperazione, da quel senso di sconfitta.

Mentre imboccavo la rampa di accesso dell'autostrada pensavo al mio amico Colaianni.

Alle cose che mi aveva detto – non quelle su Macrì – e al sordo sgomento che lasciava intravedere, che controllava a fatica. Mi chiesi cosa ne sarebbe stato della sua vita – delle *nostre* vite – quando ci fossimo rivisti la prossima volta.

Poi l'autostrada semideserta inghiottì tutto.

Ventuno

Cosa volevo fare con quella informazione?, mi aveva chiesto Colaianni.

Non lo sapevo, avevo risposto. E davvero non lo sapevo. Non avevo idea di cosa potessi farne. Adesso sapevo che Macrì era un fiancheggiatore di mafiosi e trafficanti. Ma questo, a ben vedere, non cambiava molto i termini del mio dilemma.

Non sapevo che fare e fu per questo motivo che non andai da Paolicelli a dirgli cosa avevo scoperto. Se era innocente non volevo produrre delle aspettative infondate. E se era colpevole – il dubbio mi era tornato vigorosamente, parlando con Colaianni – non volevo interpretare più del necessario il ruolo dell'idiota credulone.

Per gli stessi motivi, e per altri dei quali non avevo voglia di parlare con me stesso, non chiamai Natsu. Anche se dovetti reprimere un sacco di volte l'impulso.

Pensai di chiamare Tancredi, ma poi mi dissi che non potevo approfittare ulteriormente dell'amicizia: e comunque non sapevo cosa chiedergli, a parte l'ennesimo consiglio.

In questo modo assurdo passarono diversi giorni.

Poi una sera, uscendo dallo studio per andare a casa, mi sentii chiamare. Alzai lo sguardo e vidi Natsu in un fuoristrada. Mi fece un sorriso timido, un gesto con la mano per invitarmi a raggiungerla. Io attraversai la strada e salii in macchina, dopo essermi guardato attorno come uno che ha qualcosa da nascondere.

Per l'appunto.

Ventidue

«Ti va di vedere il mare?».

Dissi di sì e lei lasciò andare la macchina per strade insolitamente libere dal traffico. Guidava con scioltezza, seduta comoda in fondo al sedile, tutte e due le mani sul volante, lo sguardo sulla strada. Per un attimo pensai che quella poteva essere la macchina su cui era stata trasportata la droga. Poi mi ricordai che il verbale di sequestro parlava di un altro modello e un'altra marca.

«Sei stupito».

Era un'affermazione, non una domanda, e così scrollai appena le spalle e non risposi. Lasciai che parlasse lei.

«Avevo un impegno di lavoro per stasera. Poi è successo un casino ed è saltato. Non facevo più in tempo ad avvertire la babysitter. Così quando è arrivata sono uscita lo stesso, e ho pensato che forse ti andava di fare un giro e due chiacchiere».

Quella sera non ero decisamente Guido il loquace. Per la prima volta lei distolse lo sguardo dalla strada – eravamo ormai fuori città – per vedere se ero morto o mi ero addormentato.

«Non avrei dovuto?».

«Hai fatto benissimo. Sono contento».

Diede un po' di gas. L'auto fece un ronzio, guizzando in avanti, e lei mi chiese se c'erano novità per suo marito.

Ebbi una fitta di fastidio a quella domanda. Era un richiamo brusco al fatto che io ero un avvocato e lei la moglie di un mio cliente detenuto.

Le risposi. Omettendo qualche particolare – da chi e come avevo avuto certe notizie, per esempio – le raccontai quello che avevo scoperto sul loro ex avvocato.

Mi ascoltò disciplinatamente, in silenzio, fino a quando non ebbi finito. Nel frattempo ci eravamo fermati su una piccola scogliera dalle parti di Torre a Mare. La superficie dell'acqua era nera e calma come l'inchiostro. In lontananza si vedeva la luce intermittente di un faro.

Natsu parlò quando fu sicura che non avessi altro da aggiungere.

«E adesso cosa farai?».

«Non ne ho idea. Di per sé il fatto che questo stronzo sia stato arrestato – e poi peraltro assolto – non ci porta da nessuna parte. Voglio dire: non so come usare questa informazione in un processo».

«Ma lui si è presentato senza che nessuno di noi lo chiamasse. Questo avrà pure un significato».

«In teoria sì. In pratica quello che risulta dalle carte del procedimento è che tu lo hai nominato e che tuo marito ha confermato la nomina».

«Ma mi avevano detto...».

«Lo so, lo so. Ma che facciamo? Ti chiamo a testimoniare nel processo di appello per dire che un tizio ti ha fermato per strada, ti ha consigliato di nominare questo sconosciuto avvocato Macrì, e tu hai seguito il consiglio? A parte il fatto che anche se fosse vero – voglio dire, anche se i giudici ci credessero – non saremmo comunque arrivati da nessuna parte. Il pubblico ministero potrebbe tranquillamente dire che i complici di tuo marito ti hanno indicato l'avvocato da nominare. E staremmo come prima, o anche un po' peggio».

Evitai di dire che quella poteva essere l'obiezione del pubblico ministero o più semplicemente la verità. Sicuramente lei però ci pensò da sola.

In quel preciso istante mi venne un'idea. Era un'idea da pazzi, ma mentre Natsu continuava a stare in silenzio, mi dissi che forse si poteva provare, perché forse era l'unica strada possibile. Poi lei interruppe il corso dei miei pensieri.

«Sai qual è la cosa peggiore per me?».

«Non sapere la verità?».

Mi guardò stupita per qualche secondo, prima di ricordarsi il gioco dei desideri. Frugò nella borsa, tirò fuori un pacchetto di sigarette, abbassò il finestrino, ne accese una.

Se la fumò in silenzio, quella sigaretta. Godendosi ogni boccata e lasciando che il fumo fosse risucchiato dalla notte che circondava la macchina. Alla fine richiuse il finestrino ed ebbe un brivido, come se solo in quel momento si fosse resa conto del freddo.

«Ho fame, ma non ho voglia di andare a rinchiudermi in un ristorante».

«Ah» dissi io.

«Naturalmente come tutti gli uomini che vivono da soli avrai la dispensa piena di scatolette e altre porcherie».

Dissi che soffriva di stereotipi e che no, non avevo la dispensa piena di scatolette. Avevo cibi freschi e sani nel frigo e volendo sarei stato capace anche di preparare una rapida cena.

Lei disse semplicemente: va bene, andiamo da te. E io, reprimendo senza pietà la ribellione della mia coscienza, pensai che in fondo non c'era niente di male. Mica doveva per forza succedere qualcosa. E poi, comunque, io non avevo colpa. Aveva fatto tutto lei, voglio dire, venire ad aspettarmi davanti allo studio, portarmi in giro, proporre di andare da me. Davvero non avevo colpa. Fosse stato per me non sarebbe successo niente.

Un divampare di cazzate che mi accompagnò per tutta la strada verso casa mia.

«E quello cos'è?». Fu la prima cosa che disse, appena entrata in casa. Si riferiva al sacco, appeso nel mezzo dell'ambiente unico che faceva da ingresso e soggiorno. Un pezzo di arredo piuttosto bizzarro, devo ammettere.

«Una delle mie nevrosi. Ogni sera torno a casa e lo prendo a pugni per una mezz'ora. In fondo è meglio che ubriacarsi, drogarsi o picchiare la moglie e i bambini. Che non ho».

«Comunque è bello qui. Ti piace tenere libri a terra o sei solo un casinista?».

Si riferiva alle pile di libri intorno al divano e in giro per la stanza. Non ci avevo mai pensato, ma dissi che sì, mi piaceva tenerli a terra perché mi facevano compagnia.

Lei individuò la cucina e fece per entrarci.

«Dove vai?».

«Guardo cosa c'è nel frigo e preparo qualcosa».

Con un certo sussiego dissi che la sua cucina l'avevo già provata e adesso, le piacesse o meno, toccava a lei provare la mia. Entrando da me aveva accettato il rischio. Se voleva, poteva stare con me in cucina mentre preparavo ma, tassativamente, non doveva toccare niente.

In casa non c'era tantissimo e, insomma, avevo un po' esagerato parlando di cibi freschi in abbondanza. Comunque avevo quello che serviva per preparare una mia specialità. Gli spaghetti alla *fumo negli occhi.* Una sobria allusione al fatto che è una ricetta in cui il cuoco – io, nel caso di specie – cerca di apparire più abile di quanto non sia in realtà.

«Un piatto di pasta. È il massimo che posso produrre senza preavviso».

Anche *con* preavviso, per la verità. Ma questo non lo dissi.

«La pasta e il vino vanno benissimo. Cosa prepari?».

«Vedrai» dissi, con un tono che mi fece sentire immediatamente ridicolo. Chi cazzo credi di essere Guerrieri? Il Veronelli del quartiere Libertà? Scemo, questa qua fa la cuoca, di mestiere. Va bene, cucina che è meglio.

Preparai in padella aglio, olio e peperoncino. Mentre cuocevano gli spaghetti grattugiai del pecorino, tritai del basilico, snocciolai e tagliai a pezzetti delle olive nere. Misi in padella la pasta molto al dente. Aggiunsi il pecorino e tutto il resto.

Natsu disse che le piaceva guardarmi cucinare, e io sentii un formicolio bellissimo e pericoloso. Così non risposi nulla, apparecchiai velocemente, le dissi di sedersi a tavola e portai i piatti un po' troppo pieni.

Mangiammo, bevemmo e chiacchierammo di nulla, con il sacco che ci sorvegliava da vicino.

Quando finimmo di mangiare misi *Shangri-la*, di Mark Knopfler. Poi presi il mio bicchiere e andai a sedermi sul divano. Lei rimase al suo posto. Quando capì qual era il disco disse che le piaceva molto *Postcards from Paraguay*. Posai il bicchiere a terra, mi allungai verso la manopola e feci scorrere i pezzi fino al numero sette.

Lei venne a sedersi vicino a me, sul divano, proprio mentre la canzone cominciava.

One thing was leading to the next.

Appunto.

Fu l'ultima cosa razionale che riuscii a dirmi, per quella notte.

Ventitré

Il giorno dopo non avevo udienza. Mandai Maria Teresa in tribunale a sbrigare un po' di faccende di cancelleria. Non che si trattasse di cose urgenti, ma avevo bisogno di rimanere da solo.

In effetti avevo qualche pensiero per la testa. Per così dire.

In primo luogo mi sentivo una merda per quello che era successo la notte prima. Non è che fossi stato preso alla sprovvista, o non avessi avuto le idee chiare su quello che poteva accadere. Se avessi avuto un minimo di senso morale, mi dissi, non avrei dovuto portare Natsu a casa.

Mi chiedevo che cosa avrei detto se qualcuno mi avesse raccontato una storia come quella, e mi avesse chiesto un giudizio. Voglio dire: un giudizio su un avvocato che si fosse scopato la moglie di un suo cliente detenuto.

Avrei detto che quell'avvocato era una merda umana.

Una parte di me cercava delle giustificazioni per quello che era successo; e ne trovava anche qualcuna, ma nel complesso il mio pubblico ministero interno stava stravincendo quel processo. Vinceva così bene che mi veniva da chiedergli dove cazzo fosse andato la sera prima quando c'era davvero bisogno di lui.

Mi ricordai una chiacchierata di tanti anni prima. Fra colleghi, dopo cena. Dopo aver mangiato e bevuto parecchio. Alcuni di noi erano poco più che ragazzi, altri più anziani, quelli da cui avevamo fatto il nostro tirocinio.

Non so chi tirò fuori la storia. Una storia vera di qualche anno prima, disse.

C'era questo tizio in carcere, accusato di omicidio. Quasi senza speranze. Gli serviva un avvocato. Molto bravo, considerata la sua situazione.

Ma non aveva i soldi per pagarne uno bravo. In realtà non aveva i soldi per pagarne nemmeno uno scarso, però aveva una moglie bellissima. Una sera lei si presentò nello studio di un avvocato anziano, famoso, molto bravo, notorio puttaniere. Gli disse che voleva incaricarlo della difesa del marito ma che non aveva i soldi per pagarlo. E gli propose un pagamento in natura. Quello accettò, si scopò – ripetutamente, in studio e fuori – la donna, difese il tizio e riuscì a farlo assolvere.

Fine della storia e inizio della discussione.

«Voi cosa avreste fatto?».

Risposte varie. C'era chi considerava poco elegante l'essersela fatta in studio. E che diamine, ci vogliono modi in tutto. Sarebbe stato meglio andare in albergo o in qualsiasi altro posto. Altri invece ritenevano che scoparsela sulla scrivania fosse coerente con la natura del contratto stipulato. Qualcuno timidamente formulava dei dubbi etici, e veniva seppellito dalle risate.

Il giovane Guerrieri disse che lui avrebbe difeso gratis l'imputato, senza pagamento in natura, e qualcuno gli disse che era un buffone, e che ne avrebbero riparlato quando capitava davvero una cosa del genere.

Precisamente.

E poi pensavo a Macrì, e all'idea che mi era venuta la sera prima. Su come era possibile utilizzare l'informazione che mi aveva passato Colaianni e cercare di scavare un cunicolo di fuga per Paolicelli. A poco a poco, in questo ping-pong di pensieri – che uomo di merda ero, e cosa fare con il mio poco onorevole collega Macrì per salvare il mio ignaro cliente Paolicelli –, la parte professionale prese il sopravvento.

Insomma, mi era venuta l'idea di citarlo come testimone.

Un'idea pazzesca, perché non si cita un avvocato come testimone su cose relative al mandato difensivo. Indipendentemente dal fatto che ci sono casi in cui si può opporre il segreto professionale, citare un avvocato è una cosa che non si fa. Non si usa e basta.

Non mi era mai capitato di vedere una cosa simile. Non sapevo nemmeno se l'aver fatto il difensore nel procedimento costituisse un impedimento formale – una incompatibilità, si dice – a testimoniare.

Così per prima cosa mi diedi un'occhiata al codice. Effettivamente non era prevista una incompatibilità per il difensore dell'imputato e quindi, in via del tutto teorica, era una cosa fattibile.

Era il caso in cui senti il bisogno di un consiglio, del punto di vista di qualcun altro. Come mi era capitato altre volte mi resi conto che non avevo nessun collega con cui consultarmi. Mi fidavo di pochi, non ero veramente amico di nessuno. E quella era una cosa per cui bisognava rivolgersi a un amico che sapesse di cosa si stava parlando. E che sapesse tenere la bocca chiusa.

Riuscii a pensare solo a due persone. Curiosamente tutte e due facevano i pubblici ministeri. Colaianni e Alessandra Mantovani.

Non avevo voglia di chiamare di nuovo Colaianni e pensai invece che poteva essere un'occasione per risentire Alessandra, dopo tanto tempo. Non la vedevo e non la sentivo da quando aveva lasciato Bari, per andarsene in procura a Palermo. Scappava da qualcosa, come molti. Solo che lei lo aveva fatto con maggiore determinazione.

Mi rispose dopo parecchi squilli, quando stavo già per riattaccare. Scambiammo qualche battuta, di quelle che si dicono per ripristinare un contatto, per ricreare una familiarità fuori esercizio.

«Sono contenta di sentirti, Guerrieri. A volte penso che mi sarei dovuta fidanzare con te. Le mie cose sarebbero andate meglio. Invece non faccio che incontrare degli sfigati, il che, per una ragazza di quaranta anni, comincia a essere un problema serio».

Io sono uno sfigato. Sono più sfigato del più sfigato di quelli con cui ti fidanzi tu. Sono anche uno stronzo e se sapessi cosa ho fatto ieri notte saresti d'accordo con me.

Non dissi così. Dissi che eravamo ancora in tempo, se davvero le piacevano gli avvocati dal passato dubbio e dal presente incerto. Andavo lì a Palermo, lei metteva in libertà quelli della sua scorta e vedevamo un po' cosa ne veniva fuori.

Lei rise. Poi ripeté che era contenta di sentirmi e che adesso potevo dirle il motivo della mia telefonata. Glielo dissi. Mi ascoltò con attenzione, chiedendomi solo qualche precisazione, in un punto o un altro del mio racconto. Quando ebbi finito le domandai cosa pensasse della mia idea.

«È vero. In teoria la testimonianza dell'avvocato è ammissibile. In concreto: ho molti dubbi che ti ammettano quella deposizione se non dai loro un buon motivo – un *ottimo* motivo – per farlo. E i tuoi sospetti non sono un ottimo motivo».

«Lo so, il mio primo problema è proprio quello. Trovare il modo di far ammettere la testimonianza».

«Devi chiedere l'interrogatorio dell'imputato e che venga sentita come testimone la moglie. Dovranno raccontare com'è saltato fuori questa specie di avvocato. Dopo, puoi fare un tentativo, anche se non scommetterei sul risultato. I giudici dell'appello non vogliono seccature».

«Ipotizziamo che mi ammettano la testimonianza. Secondo te lui può rifiutarsi di rispondere opponendo il segreto professionale?».

Lei ci pensò un po' su, prima di rispondere.

«Direi di no. Il segreto professionale è nell'interesse del cliente. Lui potrebbe opporlo se la testimonianza fosse *contro* il suo ex cliente. Ma messa in questi termini... chissà se ci sono dei precedenti».

«Certo, io potrei far dichiarare al mio cliente che scioglie il suo ex avvocato dal vincolo del segreto».

«Già. Questo dovrebbe chiudere ogni discorso. Ad ogni modo io mi farei una ricerca di giurisprudenza e comprerei un giubbotto antiproiettile, prima di scatenare questo casino».

Quando chiudemmo il telefono mi sentivo meglio di qualche minuto prima, e la mia idea mi sembrava molto meno assurda.

Ventiquattro

Il pomeriggio presi la bicicletta e andai in carcere. Mi costò uno sforzo notevole perché l'idea di vedere Paolicelli, nemmeno un giorno dopo quello che era successo, non contribuiva a migliorare la mia autostima.

Però dovevo andarci, perché il piano di azione che avevo elaborato era una cosa rischiosa. E il rischio era in gran parte suo. Così dovevo spiegargli tutto, assicurarmi che capisse bene, chiedergli se voleva che facessimo quel tentativo.

Quando lui entrò nella stanza colloqui mi si materializzarono nella testa alcuni fotogrammi sparsi della notte prima, ma fortunatamente fu solo un attimo. Quando cominciammo a parlare svanì tutto.

Gli spiegai qual era l'idea. Gli dissi che era poco più che un tentativo. Gli dissi che non doveva farsi troppe illusioni, perché era improbabile che la corte ammettesse la testimonianza di Macrì, ed era molto improbabile che, se la ammetteva, la cosa fosse risolutiva. Nella situazione in cui eravamo, però, era l'unica alternativa al patteggiamento in appello. Che rimaneva un'opzione aperta fino al giorno dell'udienza.

Lui fece solo un gesto con la mano, come per scacciare un moscerino o spostare un piccolo oggetto. Niente patteggiamento, voleva dire.

Quel gesto mi piacque. Per la dignità. Mi sentii stranamente solidale con lui.

Forse era il mio modo di elaborare il senso di colpa. Finisce che questo mi diventa simpatico, pensai. E mi dissi che sarebbe stato davvero troppo.

Così andai avanti e cercai di spiegargli come avremmo potuto procedere, per cercare di giocarci le poche carte che avevamo in mano.

«La sequenza dovrebbe essere questa: io chiedo il suo interrogatorio e la deposizione di sua moglie. La corte ammette, su questo non dovrebbero esserci problemi. Lei dichiara di non sapere nulla della droga. Ammette di essersi assunto la responsabilità in occasione dell'arresto, perché voleva tenere fuori sua moglie. Fornisce un'ipotesi su come la cocaina potrebbe essere stata messa sulla sua macchina. Poi io le chiedo del suo avvocato e lei ci racconta in che modo è nato questo rapporto professionale. Sua moglie ci racconta la stessa storia, dal suo punto di vista».

Lo guardai negli occhi. Lui sostenne lo sguardo, con una sfumatura interrogativa. Che voleva dire il mio sguardo? Glielo dissi, che voleva dire.

«Naturalmente questo è un gioco, come dire, pericoloso. Camminiamo sul filo. Ha qualche speranza di funzionare solo se lei mi ha detto tutta la verità. In caso contrario sia lei che io corriamo rischi molto seri. Processuali e soprattutto extraprocessuali, tenuto conto delle persone con cui probabilmente abbiamo a che fare».

«Ho detto la verità. La droga non era mia. Ho fatto delle stronzate in passato, ma quella droga non era mia».

Quali stronzate? La domanda balenò per un attimo nella mia testa e poi scomparve, veloce com'era arrivata, per lasciare il posto alla stessa sensazione di poco prima. Una simpatia che non volevo provare e che invece si insinuava attraverso le fessure della mia coscienza, come una specie di fumo leggero.

Ok. Meglio andare avanti.

«Dovrò interrogarla sul contenuto dei colloqui che lei ha avuto con questo avvocato. In particolare, questa è la cosa più importante, dovrò chiederle se lei gli ha chiesto conto della sua apparizione».

«In che senso, scusi?».

«Le domanderò: quando ha incontrato l'avvocato Macrì, la prima volta o le volte successive, gli ha chiesto chi fosse stato a suggerirlo a sua moglie? È chiaro il perché?».

«Sì, sì. Adesso ho capito».

«Anzi, giacché ci siamo, mi risponda adesso a questa domanda. Così cominciamo a fare mente locale».

Si concentrò toccandosi il mento. La stanza era silenziosa e potevo sentire il rumore delle sue dita che passavano contropelo sulla barba.

«Credo sia stato la seconda volta che ci siamo incontrati. La prima volta è stato subito dopo l'arresto, non avevo ancora rivisto mia moglie e quindi lei non mi aveva detto come le era arrivato il suggerimento. E comunque ero ancora sconvolto, non ero lucido. Dopo la convalida ho fatto il primo colloquio e mia moglie mi ha riferito la storia di quello che l'ha fermata per strada, davanti a casa. Così quando Macrì è venuto di nuovo a trovarmi, qualche giorno dopo, gli ho chiesto se sapesse chi aveva suggerito il suo nome a mia moglie».

«E lui cosa ha detto?».

«Lui ha detto di non preoccuparmi di questo. Ha detto che c'erano persone che volevano prendersi cura di me e che avrebbero pensato loro a tutto. Intendeva il suo onorario, e in effetti non abbiamo pagato niente. Qualche volta ho provato a chiedergli quanto, quando dovessi pagare e lui ha sempre detto di non preoccuparmi».

«Ovviamente non ha mai detto, o anche solo fatto capire chi fossero queste persone?».

«Ovviamente no».

«Va bene. Poi dovrà dirmi degli altri colloqui, e in particolare di quello in cui avete litigato. Ho bisogno che lei si ricordi il maggior numero possibile di dettagli e di elementi che rendano credibili le sue dichiarazioni. Tenga un quaderno in cella e annoti tutti i particolari che dovesse ricordarsi. Anche quelli insignificanti. Va bene?».

Il colloquio era finito e chiamammo gli agenti di custodia, che se lo riportarono nelle viscere della galera. Mentre io facevo a ritroso la strada fra cancelli, serrature e porte blindate, verso il mondo esterno. Ero in uno stato d'animo contraddittorio.

Da una parte mi sentivo ancora uno stronzo. Però noi tutti siamo bravi a trovarci giustificazioni, scusanti, vie d'uscita.

Così mi dissi che, va bene, avevo commesso un errore, ma nel bilancio totale eravamo più o meno in pari. Forse ero addirittura in credito. Forse gli stavo salvando la vita, a quello. Quale altro avvocato avrebbe fatto per lui quello che stavo facendo io?

Salendo sulla bicicletta mi chiesi se Natsu sarebbe tornata a prendermi allo studio, o se mi avrebbe chiamato.

O se avrei trovato il coraggio di chiamarla io.

Venticinque

Seguirono giorni strani. Di una consistenza strana. Sospesi e insieme densi.

Ogni tanto pensavo a Margherita. Qualche volta mi chiedevo cosa stesse facendo. Se vedeva qualcuno, se sarebbe mai tornata. I pensieri si fermavano a quel punto. Non mi chiedevo mai cosa sarebbe successo se fosse tornata. Se pensavo che uscisse con qualcuno provavo una fitta di gelosia, ma non durava molto. A volte la sera mi veniva voglia di chiamarla, ma non lo feci mai.

Ci eravamo sentiti nei primi mesi della sua assenza. Non erano state grandi telefonate e spontaneamente, a poco a poco, erano cessate subito dopo le vacanze di Natale. Era rimasta lì, in quelle vacanze, e avevo pensato che questo doveva significare qualcosa. Complimenti Guerrieri, un pensiero acuminato.

Non avevo avuto voglia di approfondirlo.

Pian piano avevo tolto tutte le mie cose dal suo appartamento. Ogni volta che ci andavo mi sentivo osservato, e non era una sensazione piacevole. Così prendevo quello che mi serviva e scappavo via, subito.

La sera, finito di lavorare, andavo in palestra, oppure mi allenavo un po' a casa. Poi cenavo e mi mettevo a leggere, e ad ascoltare musica.

Non vedevo più la televisione. Non che l'avessi mai vista molto, ma ormai non l'accendevo proprio, e avrei potuto vendere l'apparecchio senza accorgermi del cambiamento.

Leggevo anche due ore di seguito, prendendo appunti. Avevo cominciato a farlo dopo la sera a casa di Natsu e dopo la lettura del libro sulla manomissione delle parole, con l'idea che forse, più in là, avrei potuto provarci, a scrivere. Forse.

Quando finivo di leggere e prendere appunti a volte me ne andavo a letto, e mi addormentavo subito.

Altre volte – quando presentivo che il sonno non sarebbe arrivato – uscivo a fare una passeggiata e a bere qualcosa. Andavo in posti dove non mi conosceva nessuno ed evitavo quelli che avevo frequentato con Margherita. Quelli come i *Magazzini d'oltremare*, dove avrei incontrato qualcuno, che mi avrebbe chiesto cosa facevo, dove ero finito, perché non c'era Margherita eccetera.

A volte mi capitò di conoscere gente e di passare qualche ora ad ascoltare le storie di sconosciuti e sconosciute. Ero sospeso in un territorio della mia coscienza del tutto ignoto. Un film in bianco e nero, con una colonna sonora drammatica e malinconica, nella quale campeggiavano i Green Day con *Boulevard of broken dreams*. La sentivo spesso, quella canzone, e mi risuonava quasi ossessivamente nella testa durante le mie passeggiate notturne.

Una volta, in un piccolo bar della città vecchia conobbi una ragazza. Lara. Aveva venticinque anni, piccola di statura, un viso bello e irregolare, lo sguardo arrogante, con lampi febbrili. Faceva un dottorato di ricerca in letteratura tedesca, parlava quattro lingue, il suo fidanzato l'aveva appena lasciata e lei si ubriacava con determinazione e metodo, bevendo una vodka dopo l'altra. Mi raccontò di questo fidanzato, di sé, della sua infanzia, della morte di sua madre. L'atmosfera del bar era leggermente irreale. Poca gente che parlava quasi sussurrando, l'impianto stereo che diffondeva a basso volume la *Sinfonia del nuovo mondo* di Dvořák, nell'aria un odore lieve di cannella di cui non riuscii a individuare la provenienza.

A un certo punto Lara mi chiese di accompagnarla a casa. Dissi va bene e pagai il conto: una vodka per me, cinque per lei. Camminammo per la città fino a casa sua, nel quartiere Madonnella.

Madonnella è un quartiere strano. Vicini fra loro ci sono palazzi bellissimi e orribili casermoni, residenze di miliardari e baracche popolate da spacciatori e altri abitanti del sottomondo. In alcuni angoli di Madonnella ti sembra di essere altrove.

A Tangeri, o a Marsiglia, o a Casablanca. Altrove.

Davanti al suo portone Lara mi chiese se volevo salire. Dissi no, grazie. Un'altra volta, magari, aggiunsi. In un'altra vita, pensai. Lei rimase a guardarmi per qualche istante, stupita, e poi si mise a piangere. Non piangeva per il mio garbato rifiuto, ovviamente. Mi faceva una tenerezza remota; l'abbracciai e lei mi abbracciò e pianse più forte, singhiozzando.

Ciao, disse in fretta, staccandosi da me ed entrando nell'androne. Addio, dissi io qualche secondo dopo, al vecchio portone di legno e alla strada deserta.

Ventisei

Il giorno più difficile, da quando era andata via Margherita, era la domenica. Uscivo, leggevo, me ne andavo a fare una corsa in macchina fuori città e poi a mangiare da solo in qualche ristorante dove non mi conosceva nessuno. Il pomeriggio andavo al cinema e poi a vagabondare da Feltrinelli. La sera a casa a leggere. La notte spesso di nuovo in giro, o a volte di nuovo al cinema.

Fu una domenica mattina – una giornata bellissima, fredda e con un sole accecante, tre giorni prima che cominciasse il processo – che non riuscii a trattenermi e telefonai a Natsu.

«Guido!».

«... ciao. Volevo...».

«Sono contenta che mi abbia chiamato. Mi piacerebbe vederti».

Ho sempre invidiato la naturalezza di certe persone – di certe donne perlopiù – e la loro capacità di dire apertamente quello che pensano e quello che vogliono. Io non sono mai stato capace. Mi sono sempre sentito inadeguato. Un intruso a una festa dove tutti sapevano come comportarsi.

«Anche a me. Molto».

Seguì qualche istante di silenzio. Giustamente lei pensava che se mi faceva piacere vederla, e visto che ero stato io a chiamare, potevo anche sforzarmi di fare una proposta. Alla fine cedette. Dovette concludere che ero un caso incurabile.

«Senti, visto che è una giornata così bella io porto la bambina al parco. Se ti va potresti venire lì».

«Parco di Largo Due Giugno?».

«Sì. Va bene fra un'ora al laghetto?».

Andava bene, fra un'ora al laghetto. Ciao, a fra poco. Ciao.

Mi vestii come uno che se ne va a fare una passeggiata da solo al parco. Cioè secondo la mia idea di uno che se ne va da solo a fare una passeggiata al parco. Jeans, scarpe da ginnastica, felpa, giubbotto di pelle consumata.

Arrivai in anticipo, con la bici. La incatenai a una rastrelliera e attraversai uno dei cancelli di ingresso al parco. Erano le undici e c'era un sacco di gente. Famiglie, ragazzini sui rollerblade, adulti sui rollerblade, gente che faceva jogging e altra che faceva fit-walking, cioè camminava. Però con tute, scarpe costose e facce molto serie. Sia ben chiaro che stiamo facendo dello sport, mica una semplice passeggiata.

I campi di basket erano tutti pieni e su uno spiazzo c'era un gruppo di ragazze in kimono. Erano tutte cinture nere, eseguivano un kata di karate ed erano molto belle da guardare.

Feci per tre volte il giro completo del parco, per far passare il tempo. Poi finalmente vidi Natsu, che era vestita più o meno come me. Vicino a lei la bambina, con un piumino rosa, che si affannava su una bicicletta.

Salutai con la mano e lei mi rispose nello stesso modo, allegramente.

«Ti ricordi Guido, Anna?».

Chissà se si ricordava di quella notte, mi chiesi. Domanda stupida, mi risposi. Non si era mai svegliata e così non poteva ricordare niente.

«Ciao» disse semplicemente.

«Ciao Anna, come stai?».

«Bene. Ti piace la mia bici? Me l'ha regalata mamma e so già andare senza rotelle».

«Ah, ma sei bravissima. Io alla tua età non ci provavo nemmeno a toglierle, le rotelle».

Mi scrutò per qualche istante, per capire se la stavo prendendo in giro. Poi decise che effettivamente sembravo il tipo che ha avuto dei problemi a togliere le rotelline della bicicletta.

«E perché vieni al parco? Hai portato i tuoi figli?».

«Non ne ho, figli».

«Perché?».

Perché sono stato troppo vigliacco per farli, quando era il momento.

«Guido non è sposato, tesoro. Quando deciderà di sposarsi anche lui avrà dei bambini».

Proprio così. Garantito.

La bambina ripartì con la bici. Natsu e io la seguimmo, camminando piano.

Passammo davanti a un chioschetto che vendeva gelati e bibite.

«Mamma, mi compri un gelato?».

«Tesoro, se prendiamo il gelato poi non mangi».

«Dai mammina. Un gelato piccolo. Il più piccolo di tutti. Dai, dai».

Natsu stava per dire qualcosa, e l'espressione era di una che sta cedendo. Allora le chiesi se potevo comprarlo io il gelato, alla bambina. Lei alzò le spalle.

«Ma piccolo».

Va bene. Piccolo.

Dissi alla bambina di venire con me e lei mi seguì docilmente. Natsu rimase a distanza.

Per qualche secondo – il tempo di andare insieme al chioschetto, dirle di scegliere il gelato, pagarlo, prenderlo, darglielo – provai un'emozione comune, assurda e perfetta.

Ero il papà di quella bambina. Eravamo andati tutti insieme – lei, la sua mamma e il suo papà – a fare una passeggiata nel parco. Le stavo comprando il gelato.

Sto diventando matto, mi dissi. E non me ne importava niente. Ero contento di essere lì, che *fossimo* lì, e non me ne importava niente.

La bambina prese il gelato, mi chiese di portarle la bicicletta e così riprendemmo a camminare per i viali, tutti e tre. Come una famiglia.

«Anna ha una festa, oggi pomeriggio» disse Natsu.

«Ah» feci io con la più stolida delle mie espressioni.

«Se non hai altri impegni potrei venire a trovarti, dopo averla lasciata a casa della sua amichetta. Che dici?».

Pensai che fra tre giorni sarebbe cominciato il processo.

Dissi che non ne avevo, altri impegni.

Ventisette

Andai a trovare Paolicelli il giorno prima dell'udienza. Quando entrò nella stanza dei colloqui notai che aveva un'aria particolarmente abbattuta.

«Sono venuto per mettere a punto i dettagli. E prima di tutto per decidere definitivamente il da farsi. Fino a domattina siamo ancora in tempo per il patteggiamento».

«Sto facendo una cazzata, vero? Dovrei patteggiare e limitare i danni, è così? Vado a beccarmi una conferma della condanna, ed esco chissà quando».

«Insomma, non è esattamente così. Ma, certo, le cose stanno come abbiamo già detto più volte. Col patteggiamento fra qualche anno lei è fuori, perlomeno in semidetenzione».

«Nelle settimane passate non vedevo l'ora che arrivasse il momento del processo e mi sembrava di non avere dubbi. Adesso non so cosa fare e ho una paura fottuta. Che devo fare?».

Ah mi dispiace ma certo non posso essere io a dirtelo. Io sono un professionista, devo prospettarti le alternative, da un punto di vista tecnico, con distacco. Devo rappresentarti le probabilità di un risultato piuttosto che di un altro. Poi la scelta deve essere tua. Non posso prendermi questa responsabilità.

Non dissi niente di tutta questa merda. Rimasi solo qualche secondo in silenzio, prima di rispondergli. E quando parlai mi parve non fossero mie, la voce e le parole.

«Io dico: facciamoci il processo. Se la droga non era sua – e io le credo – non è giusto che lei stia in carcere e dobbiamo tirarla fuori. Dobbiamo provarci in tutti i modi possibili. Se la droga era sua, questo è l'ultimo momento buono per dirmelo. Io non sono qui per giudicarla. Me lo dica e domani facciamo il miglior patteggiamento possibile».

Quello mi guardò negli occhi. Io ricambiai lo sguardo e mi parve che i suoi diventassero lucidi.

«Facciamo il processo».

Fu tutto.

Gli spiegai in breve quello che sarebbe successo il giorno dopo e gli dissi che l'interrogatorio si sarebbe svolto all'udienza successiva. Poi gli domandai se avesse domande ma fortunatamente non ne aveva. Così lo salutai – ci vediamo domani in corte – e me ne andai.

Uscendo dal carcere stavo per riaccendere il cellulare. Poi ci ripensai. Meglio evitare ogni rischio, ogni tentazione, almeno quella sera. Per quanto valeva.

Ventotto

Non avevo nemmeno voglia di prendere a pugni il sacco e così, rientrato a casa, mi feci un panino, me lo mangiai e uscii a vagabondare senza neanche cambiarmi.

In breve mi ritrovai per le vie del quartiere Libertà. Posti che mi ricordavano vecchie storie e un'epoca della mia vita, attorno ai vent'anni, in cui le cose sembravano più semplici.

Soprappensiero, mi fermai davanti all'ingresso di una specie di circolo privato. Dall'interno provenivano voci in dialetto. Sette, otto uomini erano seduti attorno a un tavolo. Parlavano a voce alta, uno sull'altro, e gesticolavano, uno sull'altro. Di lato, per terra, due casse di birra Peroni.

Stavano giocando alla birra. Anzi, per usare l'espressione tecnica: stavano *menando la birra.* Una via di mezzo fra il gioco e il rito tribale, che si fa con un mazzo di carte napoletane e svariate bottiglie di birra.

«Avvocato Guerrieri!».

Tonino Lopez, famoso ricettatore del quartiere Libertà con un certificato penale delle dimensioni di un volumetto. Mio cliente da una decina di anni.

Il suo lavoro ufficiale, negli intervalli fra un arresto e l'altro, era quello di fruttivendolo, e – visto che per ignote ragioni gli ero particolarmente simpatico – ogni due o tre mesi mi faceva arrivare in studio una cassa di frutta, o di carciofi, o un barattolo di olive in salamoia, o due bottiglie di vino del contadino. Ogni volta gli telefonavo alla bottega per ringraziarlo e ogni volta, immancabilmente, mi rispondeva nello stesso modo.

«A disposizione, avvoca'. Sempre a disposizione per voi».

Tonino si alzò dalla seggiolina pieghevole di legno chiaro, mi venne incontro e mi diede la mano.

«Stiamo menando la birra, avvoca'. Non è che vi volete accomodare?».

Non ci pensai nemmeno. Dissi grazie ed entrai. L'aria era densa di odore di alcol, di fumo e umanità varia. Lopez mi presentò agli altri. La maggior parte erano facce già viste, per le strade del quartiere e nei corridoi del tribunale. Qualcuno disse buonasera, qualcun altro fece un cenno col capo. Nessuno diede segno di stupirsi del mio arrivo, della mia cravatta, del mio abito grigio da avvocato.

Tonino prese un'altra sedia pieghevole appoggiata al muro, la aprì e la mise vicino alla sua. Poi prese una birra dalla cassa, la stappò e me la diede.

«Accomodatevi, avvocato. Favorite una birra».

Presi la birra e ne bevvi metà in una volta, senza staccare la bocca. Questo piacque a Tonino, lo vidi dalla sua espressione. Avevo bevuto da uomo. Pensai che sarebbe stato meglio togliermi la cravatta. Lo feci, mentre mi guardavo attorno.

Era una stanzetta spoglia con una sola porticina di legno scrostato, sul lato opposto alla strada. Alle pareti sudicie c'erano solo due manifesti calcistici: uno con la foto di una formazione del Bari di tempi migliori; un altro con Roberto Baggio in maglia azzurra, nel pieno di un'azione di gioco.

Finii la mia birra con altri due sorsi. Tonino ne aprì un'altra e me la diede.

«Sapete giocare alla birra, avvoca'?».

Bevvi un bel sorso della seconda birra. Adocchiai le marlboro rosse che erano poggiate sul tavolo ed ebbi l'impulso di prenderne una. Non so come, e soprattutto non so perché non lo feci. A dirla tutta, non ho mai saputo per quale motivo davvero ho smesso di fumare.

Mi voltai verso Tonino.

«Un poco. Ai tempi del militare giocavamo, con dei ragazzi di Iapigia e di San Pasquale».

«Allora giocate con noi. Non ci stanno problemi se entrate adesso nel giro».

Un'idea fantastica. Eravamo praticamente in strada. Poteva tranquillamente passare qualcuno che conoscevo e vedermi, senza cravatta, in mezzo ad alcuni dei migliori pregiudicati della zona. A ubriacarmi di birra, fare rutti e discutere e litigare sulle scelte strategiche di gioco. Alla fine scoppiava anche una bella rissa, volava qualche coltellata e con un po' di fortuna potevo passare la notte in una camera di sicurezza dei carabinieri o della questura. Una perfetta parabola.

«E giochiamo» risposi con un brivido elementare. E chi cazzo se ne frega, pensai contemporaneamente.

Giocai con loro per un paio d'ore; bevvi tante birre, e me ne andai quando se ne andarono tutti gli altri. Ero ubriaco, come tutti gli altri, e mi sentivo libero e leggero.

Tutti furono molto cordiali con me al momento dei saluti. Quasi affettuosi. Era come se avessi superato brillantemente un rituale di affiliazione. Un tipo con una pancia così grande che sembrava finta addirittura mi abbracciò e mi baciò sulle guance. Sentii il contatto elastico del suo pancione, l'odore della birra, del fumo e del sudore.

«Si' prop' fort', avv'cat'» mi disse prima di girarsi e andarsene barcollando.

Anch'io me ne andai barcollando e da qualche parte sulla via di casa cominciai a cantare. Cantavo vecchie canzoni degli anni Settanta e pensavo che doveva esserci un significato, in tutto quello che mi stava accadendo.

Fortunatamente ero troppo ubriaco per trovarlo, quel significato.

Ventinove

Entrai nell'aula della corte di appello dopo aver dato un'occhiata al foglio affisso sulla porta, con l'elenco dei processi che sarebbero stati trattati quella mattina.

C'era il solito carico di frattaglie – piccoli furti, contravvenzioni edilizie, ricettazioni – che sarebbero state sbrigate al ritmo di un processo al minuto, con il presidente che guardava male gli avvocati e lo stesso pubblico ministero se si azzardavano a dire una parola di più dello stretto indispensabile. Che poi era due o tre parole più del silenzio.

Il mio era, a quanto sembrava, l'unico processo con imputato detenuto e quindi, di regola, avrebbe dovuto avere la precedenza. Di regola, perché poi di fatto facevano come gli veniva.

Erano le nove e trenta, cioè l'orario teorico di inizio dell'udienza. Ovviamente non c'era ancora nessuno. Ero voluto arrivare puntuale perché mi piacciono le aule deserte, e starci seduto, senza fare niente, mi aiuta a concentrarmi. Mi piace quel senso di attesa. È come la sensazione che si prova uscendo di casa la mattina presto, quando per le strade non c'è ancora nessuno. Quando ti siedi in un bar dalle parti del mare, prendi il tuo caffè o il tuo cappuccino e aspetti. Le strade si riempiono a poco a poco e tu provi un senso di consapevolezza e di appartenenza a qualcosa di fuggevole ed eterno.

Sedersi nel banco di un'aula d'udienza deserta dà una sensazione simile. Ti sembra di essere parte di qualcosa. Qualcosa di importante, di sano e ordinato.

Non c'è da preoccuparsi però. Scompare rapidamente – attorno alle dieci meno un quarto, volendo indicare un orario – quando l'aula comincia a popolarsi.

«Uhei Guerrie'. Che hai fatto, hai dormito qui?».

Appunto.

La voce in bilico fra un italiano incerto e il dialetto barese era di Castellano. Non riuscivo mai a ricordare il suo nome di battesimo. Difendeva esclusivamente ladri – di tutte le categorie, topi d'auto, di appartamento, borseggiatori, scippatori – e piccoli spacciatori di droga. Era stato mio collega di corso all'università, ma questo non significava assolutamente nulla quanto all'esistenza di un rapporto personale, dato che eravamo più di mille iscritti.

Basso, tarchiato, con un collo taurino, quasi completamente calvo a parte dei ciuffi che dai lati della testa gli ricadevano sulle orecchie. Altri ciuffi uscivano dal colletto della camicia, sempre sbottonata, con la cravatta di sbieco.

Non era esattamente il tipo con cui avresti chiacchierato di Emily Dickinson o del problema estetico in Tommaso d'Aquino. Ogni due o tre parole diceva «cazzo» e nelle pause delle udienze – a dire il vero anche *durante* le udienze – gli piaceva rendere pubbliche le sue fantasie erotiche su qualsiasi creatura di sesso femminile si trovasse nel campo visivo. Non faceva discriminazioni e al centro dei suoi poco romantici sogni potevano trovarsi indifferentemente praticanti, segretarie, magistrate, imputate. Che fossero belle o brutte, giovani o anziane non faceva nessuna differenza.

Gli risposi con un vago sorriso, sperando che si accontentasse e pregando che non decidesse di sedersi vicino a me per iniziare una bella conversazione. Le mie preghiere non furono esaudite. Poggiò la sua borsa sul banco e si sedette sbuffando.

«Che dici Guerrie', tutto a posto?».

Dissi che sì, grazie, era tutto a posto. Lo dissi frugando nella mia borsa, fingendo di essere indaffarato. Fu un tentativo inutile: Castellano nemmeno se ne accorse, mi spiegò che quella mattina aveva un processo a due suoi vecchi clienti che si erano presi quattro anni ciascuno per una serie di scippi e mi domandò se sapessi chi componeva la corte. Se erano giudici buoni avrebbe fatto il processo, se no avrebbe patteggiato. Gli dissi chi erano i giudici e lui, dopo averci pensato un poco, disse che non valeva la pena rischiare con quelli. Avrebbe patteggiato, così si sbrigava anche prima. E io che cosa avevo quella mattina?

Ah, avevo un droghiere? E quanto si era preso in primo grado? Sedici anni? Cazzo, e cosa aveva fatto per prendersi sedici anni? Chi cazzo era, il capo del cartello di Medellin? Vabbe' comunque chi cazzo se ne frega di 'sti bastardi, l'importante è che pagano. Esaurito il tema dei rispettivi impegni processuali, Castellano cambiò argomento.

«Guerrieri, ma lo sai che mi sono messo il collegamento veloce a internet in studio? È incredibile, si possono scaricare anche i film».

Non avevo dubbi sulla categoria di film che Castellano si scaricava da internet.

«Ieri mi sono scaricato un pornazzo bestiale. Poi ho ricevuto un cliente e mentre quello parlava io mi guardavo il film. Avevo tolto l'audio, ovviamente».

Poi mi chiarì nei dettagli, per il caso non fossi stato uomo di mondo, l'uso che faceva di quei film, quando in studio o a casa non c'era nessuno a rompere le palle. E l'ideale erano i computer portatili, che te li potevi portare anche a letto, non so se mi spiego.

Sarò buono, dissi mentalmente. Se qualcuno o qualcosa arriva a salvarmi subito da questo maniaco, giuro che sarò buono. Mangerò gli spinaci, non dirò parolacce, non metterò più le fialette puzzolenti nell'aula del catechismo.

Questa volta fui esaudito. Gli squillò il telefono e si allontanò per rispondere.

Un paio di minuti dopo – erano ormai quasi le dieci – entrò in aula il pubblico ministero.

Montaruli, uno bravo. Prima di essere trasferito alla procura generale aveva fatto per tanti anni il sostituto procuratore di prima linea, facendo arrestare e condannare centinaia di delinquenti comuni e di ladroni in colletto bianco. Alcuni di questi anche difesi da me.

Un lavoro che non si può fare per troppo tempo. Per tutti esiste un punto critico, in cui ti accorgi di averne abbastanza. Ci era arrivato anche lui e così, superati i cinquanta, aveva deciso di andare a riposarsi in procura generale. Un ufficio dove, come dire, non ci si ammazza di lavoro.

Mi alzai per salutarlo.

«Buongiorno consigliere».

«Buongiorno avvocato. Come sta?».

«Ottimamente. È il mio cliente che ha qualche problema».

«Qual è il suo processo?».

«Paolicelli. La droga dal Montenegro».

Fece una faccia eloquente. Certo che il mio cliente era nei guai, significava. Volevamo patteggiare, naturalmente. No? Adesso la sua espressione era moderatamente incuriosita. Cosa pensavo mai di fare in un processo senza storia come quello? Dopo un attimo di esitazione glielo dissi - omettendo qualche particolare -, quello che pensavo di fare. Gli dissi che Paolicelli si proclamava innocente, sosteneva di essere stato incastrato, che io gli credevo e volevo cercare di farlo assolvere.

Mi ascoltò educatamente, senza parlare fino a quando non ebbi finito.

«Se il suo cliente dice la verità è davvero in una brutta situazione. E io non vorrei essere al posto del suo avvocato».

Stavo per rispondere che nemmeno io avrei voluto essere al posto dell'avvocato di Paolicelli, quando il brusio dell'aula fu interrotto dal suono della campanella. Entrava la corte.

Trenta

I tre giudici entrarono dopo aver fatto suonare la campanella una seconda volta. Non era, come dire, un collegio di ragazzini. Il più giovane – Girardi – aveva passato i sessanta, al presidente – Mirenghi – mancava poco più di un anno alla pensione.

Il terzo – Russo – di regola cominciava a dormire qualche minuto dopo l'inizio dell'udienza e si svegliava al momento di andare via. Era piuttosto noto per questo e in una mia classifica della stima professionale per i giudici non si piazzava ai primi posti.

Non erano né buoni né cattivi, dal mio punto di vista. Essenzialmente non volevano seccature, ma in corte d'appello c'era di peggio. Anche di meglio, per la verità, ma, insomma, non potevo lamentarmi.

Sbrigarono rapidamente i rinvii e un paio di patteggiamenti, incluso quello del mio collega Castellano. Poi il presidente chiese alla cancelliera se fosse arrivata la scorta della polizia penitenziaria con l'imputato Paolicelli. La cancelliera disse che sì, erano arrivati e stavano aspettando nelle camere di sicurezza.

Le camere di sicurezza sono nei sotterranei del palazzo di giustizia.

Ogni volta che ne sento parlare mi torna alla memoria l'unica volta che ci sono stato. C'era un mio cliente che aveva chiesto di parlarmi con urgenza prima che cominciasse l'udienza. Il pubblico ministero mi aveva autorizzato a scendere con il personale della scorta per fare questo colloquio. Il mio cliente era un rapinatore che si stava convincendo a collaborare con la giustizia e che però, prima di saltare il fosso, voleva parlare con me.

Ho il ricordo di questo mondo sotterraneo e astratto. C'era un corridoio con un neon difettoso che si accendeva e si spegneva a intermittenza. Sui due lati, celle che sembravano gabbie per animali da batteria. Anfratti di un incubo dai quali poteva improvvisamente uscire una mano artigliata a ghermirti. Odore di umido, di muffa, di nafta. Rumori attutiti e carichi di minaccia. Muri scrostati e sudici. La sensazione che le regole normali non funzionassero, laggiù. Che ce ne fossero altre, sconosciute e angosciose.

Pensai che eravamo solo a pochi metri dal cosiddetto mondo normale e mi chiesi quanti mondi sotterranei e paurosi come quello avessi sfiorato nella mia vita.

Non fu una sensazione piacevole e mi sentii meglio solo quando rientrai nel familiare squallore dell'aula di udienza.

Gli agenti accompagnarono Paolicelli nella gabbia e, quando fu dentro, gli tolsero le manette attraverso le sbarre. Mi avvicinai per salutarlo e mentre gli stringevo la mano gli chiesi, come di regola, se eravamo sempre d'accordo sulla strategia. Lui mi disse che sì, eravamo d'accordo. Il presidente disse che potevamo cominciare, io tornai al mio posto, misi la toga e un attimo prima delle formalità di apertura pensai a Natsu, alla bambina, alla passeggiata nel parco. A quello che era successo dopo.

Fu lo stesso presidente a fare la relazione preliminare e non ci mise più di cinque minuti. Poi si rivolse a me e al pubblico ministero chiedendo se per caso vi fossero richieste di patteggiamento.

Montaruli aprì appena le mani, scosse leggermente la testa. Io mi alzai, aggiustandomi la toga sulle spalle.

«No, signor presidente. Non abbiamo richieste di patteggiamento. Devo invece avanzare alcune richieste di rinnovazione parziale dell'istruttoria dibattimentale».

Mirenghi aggrottò la fronte. Girardi alzò lo sguardo dal fascicolo che stava esaminando. Russo cercava la posizione migliore per assopirsi e non diede segno di aver sentito nulla.

«Il signor Paolicelli, in base a una opinabile strategia difensiva, non ha mai inteso sottoporsi all'interrogatorio. Riteniamo adesso che sia stata una scelta errata. Riteniamo che sia indispensabile far conoscere alla corte la versione dell'imputato, tanto dei fatti oggetto specifico dell'imputazione, quanto di eventi verificatisi successivamente. Nella medesima prospettiva, con le medesime finalità probatorie, richiediamo altresì l'esame testimoniale della signora Natsu Kawabata, coniuge del Paolicelli».

Feci qualche istante di pausa. Il presidente e Girardi mi stavano ascoltando. Russo si stava inclinando lentamente su di un lato. Tutto andava regolarmente, fino a quel momento.

«Oltre alla richiesta di interrogatorio dell'imputato e di esame testimoniale di sua moglie abbiamo però anche un'altra richiesta. È una richiesta che mi costa non poco formulare e tra poco comprenderete perché. Nei giorni scorsi il mio cliente mi ha rivelato alcuni elementi di fatto relativi al suo rapporto con il precedente difensore e in particolare relativi al contenuto di alcuni colloqui con detto difensore. Il signor Paolicelli mi riferisce – e naturalmente riferirà in questa sede, quando sarà interrogato – che il precedente difensore ebbe a fargli intendere di conoscere i veri responsabili del traffico illecito per il quale Paolicelli è stato prima arrestato e poi condannato. È evidente il rilievo di una simile informazione, che naturalmente dovrà essere sottoposta a un attento vaglio di attendibilità. Ma altrettanto naturalmente, per poter essere valutata, dovrà essere acquisita dal diretto interessato, cioè l'avvocato Macrì, che chiedo dunque di sentire in questa sede come testimone.

«Inutile dire che queste richieste di rinnovazione dell'istruttoria dibattimentale non sono state anticipate nell'atto di appello perché esso è stato redatto dal precedente difensore e, dunque, nel quadro di una strategia difensiva radicalmente diversa. In ogni caso, come la corte intuisce agevolmente, si tratta di adempimenti istruttori che potrebbero essere disposti d'ufficio in applicazione del paradigma di cui all'art. 603 comma terzo del codice di rito. In base alle dichiarazioni che l'imputato potrà rendere nel suo esame verificherete infatti voi stessi l'assoluta necessità dell'integrazione probatoria che vi stiamo richiedendo».

Era fatta. Solo dopo aver finito di parlare, mentre il presidente chiedeva al pubblico ministero di replicare sulle mie richieste, mi resi conto, pienamente e con lucidità, di cosa stavo per mettere in movimento.

Oltre alle regole scritte – quelle del codice e delle sentenze che lo interpretano –, nei processi, nelle aule dei tribunali c'è una serie di regole non scritte. Queste ultime vengono rispettate con molta più attenzione e cautela. E fra queste ce n'è una che più o meno dice: un avvocato non difende un cliente buttando a mare un collega. Non si fa, e basta. Normalmente chi viola queste regole, in un modo o nell'altro, la paga.

O perlomeno qualcuno cerca di fargliela pagare.

Montaruli si alzò e fece la sua replica.

«Presidente, direi che si tratta – almeno quanto alla richiesta di audizione del precedente difensore come teste – di una ipotesi alquanto inusuale di rinnovazione del dibattimento. Io credo vi siano diversi ostacoli giuridici, prima ancora che di merito, all'ammissione della richiesta deposizione dell'ex difensore. Enumero in estrema sintesi questi possibili ostacoli giuridici: in primo luogo e se ho inteso bene, dalle sommarie indicazioni forniteci dall'avvocato Guerrieri sembra potersi ipotizzare una fattispecie di infedele patrocinio, di cui il precedente difensore si sarebbe reso responsabile. In questa ipotesi sarebbe impossibile escutere detto difensore come testimone poiché, in definitiva, egli verrebbe chiamato a rendere dichiarazioni autoincriminanti. In secondo luogo credo che sussisterebbe comunque una fattispecie di incompatibilità a testimoniare a norma dell'articolo 197 del codice di procedura penale. Infine e conclusivamente ritengo che comunque il suddetto avvocato potrebbe invocare il segreto professionale a norma dell'articolo 200. Per tutte queste ragioni mi oppongo all'ammissione della testimonianza dell'avvocato Macrì, mentre non ho opposizioni da fare sulle altre richieste. L'interrogatorio dell'imputato e la deposizione della moglie».

Il presidente sussurrò qualcosa all'orecchio del consigliere Girardi. Nemmeno si voltò dalla parte di Russo. Io mi alzai in piedi e chiesi la parola.

«Presidente, vorrei fare qualche osservazione su quello che ha detto il signor procuratore generale».

«Su cosa precisamente, avvocato Guerrieri?».

«Sui profili di presunta inammissibilità della testimonianza dell'avvocato Macrì».

«Se necessario farà queste osservazioni in un secondo momento. Per ora ammettiamo l'interrogatorio del suo cliente e la deposizione della signora. Ci riserviamo all'esito di questi atti per l'altra richiesta istruttoria».

Poi, prima che potessi aggiungere altro, dettò l'ordinanza alla cancelliera.

«La corte, ritenuta l'ammissibilità dell'interrogatorio dell'imputato e della deposizione del coniuge; ritenuto che sulla richiesta deposizione dell'avvocato Macrì non è invece possibile decidere allo stato, occorrendo valutarne i profili di effettiva rilevanza all'esito del suddetto interrogatorio; ammette l'interrogatorio e la testimonianza, riserva all'esito ogni eventuale ulteriore decisione istruttoria».

Tutto sommato era corretto, pensai. Probabilmente al loro posto avrei fatto lo stesso.

Il presidente si rivolse di nuovo a me.

«Avvocato Guerrieri, quanto crede che ci vorrà per l'interrogatorio del suo cliente? Se è una cosa che possiamo sbrigare in pochi minuti procediamo adesso. Altrimenti, siccome oggi dobbiamo chiudere presto l'udienza per un mio impegno personale, conviene fare un rinvio».

«Presidente, non credo sarà un atto molto lungo ma direi che pochi minuti non bastano. È meglio fare un breve rinvio».

Mirenghi non fece commenti, dettò a verbale il rinvio di lì a una settimana e poi disse che la corte si ritirava per una sospensione di cinque minuti.

Stavo andando verso Paolicelli per dirgli che le cose andavano più o meno secondo le previsioni, quando colsi il suo sguardo che si muoveva verso l'ingresso dell'aula. Mi voltai e vidi che stava entrando Natsu.

Non mi succedeva da bambino di arrossire in quel modo. Era la prima volta, da quando tutta quella storia era incominciata, che ci trovavamo tutti e tre nello stesso spazio fisico. Natsu, suo marito e io.

Paolicelli mi chiamò. Io indugiai qualche secondo, per fare sparire o almeno attenuare il rossore, e poi raggiunsi la gabbia.

Voleva salutare la moglie e bisognava che gli agenti della polizia penitenziaria la lasciassero avvicinare. Chiesi a Montaruli e lui autorizzò un breve colloquio fra il detenuto e la moglie. Di regola non si potrebbe – i colloqui sono in numero fisso e si fanno in carcere –, ma per prassi i pubblici ministeri che non siano delle perfette carogne consentono questi piccoli strappi durante le pause delle udienze.

Natsu si accostò alla gabbia e lui le prese le mani attraverso le sbarre. Gliele strinse fra le sue, dicendo qualcosa che per fortuna non potevo sentire. Fui percorso contemporaneamente da due fitte: gelosia e senso di colpa. Erano molto diverse ma facevano male nello stesso modo.

Dovetti uscire dall'aula per vincere la sensazione che tutti stessero guardando la mia faccia e potessero leggerci quello che mi stava succedendo dentro.

Qualche minuto dopo la scorta mi passò davanti, portando via in manette Paolicelli. Mi salutò con una specie di debole sorriso, sollevando le mani tenute unite dai ferri.

Trentuno

Il pomeriggio prima della seconda udienza andai a trovare Paolicelli in carcere. Gli spiegai quello che sarebbe successo la mattina dopo – avrei cominciato con la testimonianza di sua moglie e poi avremmo proceduto al suo esame –, gli dissi come avrebbe dovuto comportarsi, riepilogammo le domande che gli avrei fatto e le risposte che avrebbe dovuto darmi.

Non si trattò di una cosa lunga e in meno di mezz'ora avevamo finito.

Fu quando stavo mettendo in borsa le mie carte, preparandomi ad andare via, che Paolicelli mi domandò se mi dispiaceva restare ancora una decina di minuti, a far due chiacchiere con lui. Disse proprio così: «Non è che resterebbe ancora dieci minuti, a fare due chiacchiere?».

Non riuscii a controllare lo stupore che balenò sulla mia faccia; e ovviamente quello se ne accorse.

«Scusi, scusi. È assurdo, non so come mi sia venuto...».

Lo interruppi con un goffo gesto della mano, come per dirgli di non giustificarsi.

«Non è assurdo. Lo so bene che in carcere ci si può sentire terribilmente soli».

Mi guardò negli occhi; si coprì la faccia con le mani, per qualche secondo; diede un sospiro quasi violento, carico di sofferenza, ma anche di una specie di sollievo.

«A volte mi sembra di diventare pazzo. Penso che non uscirò mai più di qui. Non rivedrò più la mia bambina, mia moglie conoscerà qualcuno e si farà una nuova vita...».

«Ho visto la sua bambina. Una sera sua moglie l'ha portata con sé in studio. È bella da lasciare sbalorditi».

Non so perché lo dissi. Forse era un modo per interrompere

quella frase e rendere più sopportabile il mio senso di colpa. O forse era altro. Certo è che le parole vennero fuori indipendentemente dal mio controllo.

Tutta la situazione era indipendente dal mio controllo.

Quello cercò delle parole per rispondere ma non le trovò. Allora strinse le labbra mentre gli occhi gli diventavano lucidi. Non distolsi lo sguardo, come avrei fatto di regola. Invece allungai un braccio attraverso il tavolo e gli poggiai la mano sulla spalla. Mentre lo facevo pensai distintamente a quante volte avevo fantasticato di potergli mettere le mani addosso, un giorno.

Tutto questo non ha senso, mi dissi.

«Come passa il tempo qua dentro?» gli chiesi.

Prima di rispondere si stropicciò gli occhi e tirò su col naso.

«Sono abbastanza fortunato. Lavoro, nell'infermeria, e questo aiuta. Una parte della giornata passa abbastanza rapidamente. Poi, nel tempo libero...».

Si accorse del paradosso mentre le pronunciava, quelle parole. *Tempo libero.* Sembrò sul punto di fare una battuta, ma poi dovette pensare che non sarebbe stata divertente e nemmeno originale. Allora fece solo un gesto di stanchezza, prima di riprendere a parlare.

«... insomma, quando non lavoro provo a fare un po' di esercizio, sa, flessioni, piegamenti, stretching; queste cose, e poi leggo».

Ecco, pensai. Ci mancava solo questa. Un fascista che legge. Ce l'hanno Julius Evola, qua in carcere? O magari un'antologia di brani da *Mein Kampf*?

«Cosa legge?».

«Tutto quello che mi capita. Adesso sto leggendo la biografia di Nelson Mandela. *Lungo cammino verso la libertà.* Suona bene, per uno nella mia situazione. A lei piace leggere, avvocato?».

Pensai che avrei dovuto dirgli di darci del tu. Che quel lei era così assurdo, considerato, come dire, tutto quello che c'era e c'era stato fra noi. Solo che lui non lo sapeva, quello che c'era e c'era stato, fra noi tutti. Né lo avrebbe mai saputo, probabilmente.

«Sì, mi piace molto».

«E cosa sta leggendo adesso?».

Nulla succede per caso, stavo leggendo. E nel preciso momento in cui rispondevo alla sua domanda e dicevo quel titolo mi parve che tutto acquistasse un significato, chiaro e nitido. Anzi, che quel significato chiaro e nitido fosse sempre stato lì, come la lettera rubata di Poe, e che semplicemente non fossi stato capace di coglierlo. Perché era troppo evidente.

La sua voce dissolse tutto prima che riuscissi a trovare le parole per fissare quel significato, e ricordarlo.

«È un romanzo?».

«No, è un saggio di uno psicanalista junghiano. Parla del caso, delle coincidenze, e delle storie che ci raccontiamo. Per dare senso, appunto, al caso e alle coincidenze. È un bel libro, un libro sulla ricerca del significato, e sulle storie».

E poi, dopo una breve pausa, aggiunsi: «A me piacciono molto le storie».

Perché gli stavo dicendo quelle cose? Perché gli dicevo che mi piacevano le storie? Perché gli raccontavo i fatti miei?

Continuammo a chiacchierare. Ancora un po' di libri, poi di sport. Non avrebbe mai indovinato la faccenda del pugilato – disse –, non sembravo proprio il tipo, e poi non avevo neanche il naso rotto. Lui giocava a tennis, anche abbastanza bene. Solo che in carcere non ce li avevano i campi e perciò forse il suo rovescio non era proprio al meglio. Era più rilassato adesso, e la battuta gli venne fuori con una certa scioltezza. A quel punto pensai che nel nostro primo incontro mi aveva detto di aver ripreso a fumare in carcere, e che però non l'avevo mai visto accendere una sigaretta.

Come mai, gli chiesi. Non voleva mettermi a disagio – rispose –, visto che io avevo smesso di fumare. Dissi che, grazie, ma ormai il fumo non mi metteva più a disagio. *Quasi* mai, pensai senza dirlo. Lui annuì e poi aggiunse che comunque avrebbe continuato a non fumare, nei nostri incontri. Preferiva così.

Dal fumo passammo alla musica.

«È una delle cose che mi mancano di più, la musica».

«Vuol dire: ascoltarla o suonarla?».

Quello sorrise, scrollando leggermente le spalle.

«No, no. Ascoltarla. Mi sarebbe piaciuto molto saper suonare, ma non ho mai provato. Tante altre cose non ho mai provato, ma insomma, lasciamo stare. No, mi piace ascoltarla. Mi piace il jazz».

«Che jazz le piace?».

«Anche a lei piace la musica?».

«Un poco. Ne ascolto molta, anche se non sono sempre sicuro di capirla».

«Mi piace tutto il jazz, ma qui in carcere mi mancano soprattutto certi pezzi classici, che ascoltavo già da ragazzo».

Vuoi dire quando facevi il picchiatore fascista e disegnavi le croci uncinate sui muri? Ma lo sapevi che il jazz è la musica dei neri? Come la mettiamo con la razza eletta e tutte le altre stronzate?

«Mio padre era un grande appassionato di jazz e aveva una collezione incredibile di vecchi dischi. Anche incisioni degli anni Cinquanta, rarissime. Adesso sono miei, e io ho ancora un giradischi vero, per suonarli».

Doveva essere in una delle stanze in cui non ero entrato, quella collezione di dischi, pensai, mentre mi ritornava dolorosamente nelle narici il profumo di quella casa.

«Ha un pezzo preferito?».

Sorrise di nuovo, guardando lontano, facendo di sì con la testa.

«Sì che ce l'ho. *On the sunny side of the street.* Se esco di qui, una delle prime cose che farò sarà andarmi a sentire una vecchissima incisione radiofonica di quel pezzo. Satchmo che suona e canta negli studi RAI di Firenze, nel 1952, credo. Penso a quel pezzo con i fruscii di tanti anni fa e mi vengono i brividi».

Con un fischio leggero, perfettamente modulato, intonò *On the sunny side of the street* e per qualche istante si dimenticò di me e di tutto, mentre riempiva di note quella stanza squallida e silenziosa. E mentre nella mia testa le domande rimbalzavano come biglie.

Chi cazzo sei, tu? C'eri davvero, quando quel ragazzo è morto a coltellate? E sei ancora fascista? Com'è possibile che fossi fascista e ti piacesse il jazz? Com'è possibile che ti piacciano i libri? Chi sei?

La musica sfumò senza che me ne accorgessi, e così i miei pensieri, e le mie domande senza risposta. Alcune delle mie certezze erano sfumate già da un po'.

Paolicelli mi disse di andare, che aveva approfittato fin troppo della mia cortesia e che mi era molto grato per avere chiacchierato con lui. Gli aveva fatto molto piacere.

Gli risposi che anche a me aveva fatto molto piacere.

Non stavo mentendo.

«Allora ci vediamo domani, in aula».

«A domani. E grazie. Di tutto».

Già, di tutto.

Trentadue

Dal carcere andai direttamente in studio, dove avevo appuntamento con Natsu. Le dissi più o meno le stesse cose che avevo detto a suo marito, su come sarebbe andata l'udienza, su come avrebbe dovuto comportarsi e tutto il resto.

Prima di andare in carcere, prima di parlare con Paolicelli, avevo pensato che avrei chiesto a Natsu di vederci, quella sera. Ma dopo quella conversazione, non mi venne di dire niente.

Provavo un misto di tenerezza, di vergogna e nostalgia. Pensai che sarebbe stato bello se quel grumo profondo e limaccioso di dolore per Margherita fosse scomparso, come per magia; e che sarebbe stato bello potermi innamorare spensieratamente di Natsu. Pensai che sarebbe stato bello poter fantasticare sul futuro, su giorni e notti da passare insieme. Su tante cose. Probabilmente non per lei, ma per l'idea stessa dell'amore e del gioco e della vita che non si rassegna.

Ma non si poteva.

Così, quando finimmo di parlare di lavoro, le dissi solo che era più bella che mai, girai attorno alla scrivania, le diedi un bacio sulla guancia e le dissi che avrei lavorato fino a tardi.

Lei mi guardò abbastanza a lungo, come una che non capisce bene. Come darle torto del resto? Alla fine mi diede un bacio sulla guancia anche lei e andò via.

Seguì la solita routine, solo un po' più malinconica. Rientro da studio, pugni al sacco, doccia, panino, birra.

Non era serata da rimanere in casa e decisi di andare a cinema. All'Esedra c'era *The long goodbye* di Altman, in lingua originale con sottotitoli. Ci misi venti minuti per arrivare a quel vecchio cinema, camminando veloce per strade così deserte e spazzate dal maestrale che facevano quasi paura.

Il signore dei biglietti non era contento di vedermi, e non fece niente per nasconderlo. Esitò persino qualche istante a prendere la banconota che gli avevo poggiato davanti e pensai che mi pregasse di andarmene, perché ero l'unico spettatore e dunque l'unico ostacolo alla chiusura anticipata del cinema. Poi prese i soldi, staccò il biglietto e me lo diede sgarbatamente assieme al resto.

Entrai nella sala completamente vuota. Non so se la totale assenza di stimoli sensoriali umani acuiva il mio olfatto o se il cinema aveva bisogno di una buona pulizia, ma sentii distintamente l'odore delle fodere delle poltrone e della polvere che le impregnava.

Mi sedetti, mi guardai attorno, pensai che era una situazione perfetta per un episodio di *Ai confini della realtà*. E in effetti per una manciata di secondi dovetti contrastare l'impulso di andare a controllare che l'uomo dei biglietti non si fosse trasformato in un crostaceo gigante antropofago e che le uscite di sicurezza non fossero diventate varchi spazio-temporali verso l'Altra Dimensione.

Poi entrò una donna. Si sedette vicino all'entrata, una decina di file dietro di me. Se volevo guardarla dovevo girarmi apposta, cosa che, se esageravo, poteva essere sconveniente. Dunque riuscii a farmene solo un'idea sommaria, prima che si spegnessero le luci e cominciasse il film. Era di media statura, infagottata in un grande scialle, o forse un poncho, aveva i capelli cortissimi, sembrava più o meno della mia età.

Durante il primo tempo non seguii il film con molta attenzione, a parte il fatto che l'avevo già visto due volte. Pensavo che mi sarebbe piaciuto attaccare discorso con quella ragazza, signora, quello che era. Mi sarebbe piaciuto parlarle nell'intervallo e poi, finito il film, mi sarebbe piaciuto invitarla a bere qualcosa. Sempre che non se ne fosse andata durante il primo tempo, vinta dall'inquietudine di quella sala deserta e un po' paurosa. E dal timore che l'altro spettatore – che si era voltato un po' troppe volte per guardarla – fosse un molestatore maniaco.

Nell'intervallo lei c'era ancora. Si era tolta il poncho o lo scialle e stava lì, del tutto a suo agio, ma naturalmente io non trovai il coraggio di attaccare discorso.

Nel secondo tempo pensai che un buono spunto poteva essere la presenza del giovane Schwarzenegger nel film. Ha visto, c'era Schwarzenegger ragazzino. Roba da non credersi che adesso faccia il governatore della California. Vabbe', fa schifo, ma per una cinefila – e cazzo, una che va a vedersi da sola *The long goodbye* a quell'ora di notte *è* una cinefila – lo spunto «prime apparizioni di attori allora sconosciuti poi diventati molto famosi» non è male.

Quando le luci si accesero, mentre l'operatore troncava bruscamente i titoli di coda, mi alzai deciso. Non ero mai stato capace di abbordare una ragazza in vita mia, ma adesso ero cresciuto – per così dire – e potevo provarci. In fondo cosa poteva succedermi? Nulla, che diamine.

Lei però stavolta non c'era più. Il cinema era di nuovo vuoto.

Mi affrettai verso l'uscita, pensando che si fosse alzata immediatamente prima dell'accensione delle luci. Ma per strada non c'era nessuno.

Il vento, ancora più forte di quando ero arrivato, creava dei mulinelli di polvere. Come in un sogno o in una apparizione, cinque cani randagi in fila ordinata attraversarono la strada e scomparvero dietro un angolo.

A quel punto mi alzai il bavero, ficcai le mani in tasca e andai a casa.

Trentatré

Il giorno dopo mi alzai tutto indolenzito, e i dolori non mi passarono nemmeno dopo i consueti stiracchiamenti. Inutile dire che, camminando verso il palazzo della corte di appello, il mio umore non era buono. Peggiorò quando, entrato in un'aula già piena di gente e surriscaldata, vidi Porcelli, il pubblico ministero d'udienza.

Era uno con la personalità e il carisma di un calamaro, il consigliere Porcelli. E fra l'altro, avvolto nella toga, alto e con la testa piccola com'era, dava anche fisicamente l'idea di un grande, superfluo invertebrato marino. Uno cui non importava niente di niente. Tutto in lui comunicava un senso quasi disumano di insulsa indifferenza.

Almeno non avrebbe creato problemi per il processo, pensai archiviando la questione mentre i giudici entravano in aula.

L'ufficiale giudiziario chiamò Natsu che aspettava nella stanza dei testimoni. Lei uscì e si guardò attorno per qualche istante, un po' disorientata. L'ufficiale giudiziario la guidò davanti alla corte. Mentre tutti la guardavano.

«Prima di cominciare devo darle un avvertimento previsto dalla legge, signora» disse Mirenghi.

«In quanto moglie dell'imputato lei può astenersi dal deporre. Laddove però decida di non avvalersi di questa facoltà, lei è tenuta a dire la verità come tutti gli altri testimoni. Vuole rispondere?».

«Sì, signor presidente».

«Va bene. Allora legga la formula d'impegno».

Natsu prese il cartoncino plastificato che le porgeva l'ufficiale giudiziario e lesse con voce ferma.

«Consapevole della responsabilità morale e giuridica che assumo con la mia deposizione, mi impegno a dire tutta la verità e a non nascondere nulla di quanto a mia conoscenza».

«Può procedere, avvocato Guerrieri».

«Grazie, presidente. Signora, lei naturalmente sa già qual è l'oggetto della sua deposizione. Evito i preamboli e le domando se fu lei a nominare l'avvocato Macrì perché assumesse la difesa di suo marito, subito dopo l'arresto».

«Sì».

«Lei conosceva già l'avvocato Macrì quando decise di nominarlo?».

«No».

«Per quale ragione lo scelse, allora?».

«Mi fu suggerito di nominarlo».

«Da chi le fu suggerito?».

Natsu rimase qualche istante in silenzio, come per riordinare le idee. Poi rispose.

«Fu il giorno dopo l'arresto di mio marito. Stavo uscendo di casa quando un ragazzo mi si avvicinò. Mi disse che veniva da parte di amici di mio marito e mi diede un foglietto su cui era scritto il nome e il numero di cellulare di Macrì. Mi disse che dovevo nominarlo al più presto e che lui avrebbe tirato mio marito fuori dai guai».

«Lei cosa rispose?».

«Non ricordo precisamente cosa gli dissi, intendo dire le parole esatte, ma cercai di chiedergli spiegazioni».

«Perché dice: *cercai*?».

«Perché lui disse che doveva andare via, che non si poteva trattenere. Mi salutò, raggiunse una macchina a una decina di metri di distanza, con un'altra persona a bordo, e andò via».

«Prese il numero di targa?».

«No, non ci pensai nemmeno. Ero troppo stupita e frastornata».

«Lo ha mai più incontrato, dopo quella volta?».

«No».

«Sarebbe in grado di riconoscerlo se lo vedesse?».

«Credo di sì, ma non sono sicura».

«In seguito parlò con suo marito di questo episodio?».
«Certo».
«E lui cosa disse?».
«Era più stupito di me. Non aveva idea di chi fosse quel ragazzo e tantomeno di chi lo avesse mandato».
«Ho ancora poche domande, signora. Può riferirci le circostanze relative al dissequestro della sua autovettura?».
«Sì. L'avvocato Macrì disse che avremmo dovuto fare una istanza per ottenere la restituzione della macchina. Disse che la macchina era mia, che io ero estranea al fatto e che dunque dovevano restituircela. Effettivamente fece un'istanza e dopo qualche giorno mi disse che il pubblico ministero aveva disposto il dissequestro».
«E poi cosa accadde?».
«Stavamo parlando al telefono e io gli chiesi cosa dovevo fare per riavere l'auto. Lui mi disse che non dovevo preoccuparmi di niente. Sarebbe venuto lui nel giro di pochi giorni, e avrebbe provveduto personalmente a recuperare la macchina».
«E così fu?».
«Sì, me la portò personalmente a casa».
«Un'ultima domanda, signora. Lei ha mai pagato l'avvocato Macrì?».
«No. Lui disse che non ce n'era bisogno, che semmai quando tutto fosse finito gli avremmo fatto un regalo».
«Non lo ha mai pagato, non gli ha nemmeno rimborsato le spese?».
«No».
«Le ha mai detto se c'era qualcun altro che pensava al suo onorario?».
«No, non a me. Credo lo abbia detto a mio marito».
«Grazie. Non ho altre domande».
Il presidente chiese al pubblico ministero se avesse domande. Quello scosse stancamente la testa. Girardi disse allora a Natsu che poteva accomodarsi. La guardarono tutti, mentre percorreva quei pochi metri fino alle sedie del pubblico, e io, per qualche istante, provai un incongruo orgoglio. Giusto il tempo

di ricordarmi che non ne avevo nessuna ragione e comunque nessun diritto.

Gli agenti di custodia accompagnarono Paolicelli davanti alla corte e si disposero attorno a lui, come da prassi di sicurezza. Il presidente gli fece ripetere le generalità e con grottesco puntiglio gli fece precisare di essere residente a Bari ma attualmente detenuto e dunque domiciliato nella casa circondariale. Poi lo avvisò della facoltà di non rispondere e gli chiese se intendeva avvalersene o se invece voleva sottoporsi all'interrogatorio. Liturgia.

«Sì, signor presidente, intendo rispondere».

«Può procedere al suo esame, avvocato Guerrieri».

«Grazie presidente. Signor Paolicelli, la mia prima domanda è molto semplice. Lei si dichiara colpevole o innocente per il reato che le viene contestato e per il quale è stato prima arrestato e poi condannato in primo grado?».

«Innocente».

«Per prima cosa vuole spiegare alla corte per quale motivo, dopo il ritrovamento sulla sua autovettura di un ingente quantitativo di sostanza stupefacente, lei ha fatto la seguente dichiarazione: *Prendo atto del ritrovamento, all'interno della mia vettura, del quantitativo di kg 40 di cocaina. Al proposito spontaneamente dichiaro che la droga è di mia esclusiva pertinenza e che mia moglie Natsu Kawabata, in altri atti compiutamente generalizzata, è del tutto estranea all'illecita operazione di traffico, riferibile solo al sottoscritto. Ho caricato lo stupefacente sulla vettura all'insaputa di mia moglie. Non intendo indicare i soggetti da cui ho acquistato il predetto quantitativo di stupefacente...* eccetera?».

Paolicelli tirò un lungo respiro e si aggiustò sulla sedia prima di rispondere.

«Ero con mia moglie e con la bambina, mia figlia. I finanzieri dissero che avrebbero dovuto arrestarci tutti e due, perché non c'era modo di attribuire il possesso della droga a uno piuttosto che all'altra. Viaggiavamo sulla stessa macchina, eravamo marito e moglie, era più che probabile che fossimo d'accordo, che fossimo complici. E dunque dovevano arrestarci tutti e due».

«E allora cosa successe?».

«Fui preso dal panico. Voglio dire, ero già in preda al panico, ma l'idea che potessero arrestare anche mia moglie, che si dovesse affidare la bambina a terze persone, tutto questo mi terrorizzò. Li pregai, li supplicai di lasciar stare mia moglie, che comunque non sapeva niente di quella droga».

«Perché invece lei sapeva di quella droga?».

«No. Però mi ero reso conto di non avere scampo, di essere finito in un meccanismo infernale. Allora volevo per prima cosa tenere fuori mia moglie e la bambina. Voglio dire: non c'era molta scelta. O ci arrestavano tutti e due o arrestavano solo me».

«Vada avanti».

«I finanzieri mi dissero che c'era solo un modo per tenere fuori mia moglie. Dovevo dire che la droga era mia, solo mia e che l'avevo trasportata a sua insaputa. Solo in questo modo loro avrebbero avuto un appiglio... come si dice... una opportunità per non arrestarla. Potevano motivare...».

«Certo, potevano dare una motivazione nel verbale di arresto, sul perché arrestavano lei e non anche sua moglie. Anche perché la macchina era intestata a sua moglie, vero?».

«Sì, la macchina è sua».

«Quindi lei fece questa dichiarazione e sua moglie poté andare via, mentre lei fu arrestato. Lei, all'inizio dell'esame, si è dichiarato innocente. È corretto dire che fece quella dichiarazione al solo scopo di tenere fuori sua moglie da questa storia?».

«Sì. La droga non era mia. Ho scoperto che era sulla nostra autovettura quando i finanzieri l'hanno trovata».

«Lei è in grado di spiegare, o di fare congetture su quando la droga potrebbe essere stata collocata sulla sua autovettura?».

Era una domanda cui in teoria il pubblico ministero avrebbe potuto opporsi. Di regola non è possibile chiedere la manifestazione di opinioni personali o la formulazione di congetture. Ma questo era un caso particolare e comunque il calamaro gigante era lì come pura presenza fisica. Non diede nemmeno segno di essersi accorto della cosa. Così Paolicelli poté rispondere senza problemi. Raccontò del parcheggio dell'albergo, delle chiavi che venivano lasciate al portiere, di come sarebbe stato facile riempirgli la macchina di droga durante la notte. Rispose bene, con chiarezza e in modo spontaneo. Per quello che valgono queste cose, dava l'impressione di uno che sta dicendo la verità.

Esaurita la parte relativa al Montenegro, passammo a Macrì. Riepilogammo in breve le cose che aveva già detto Natsu e poi ci concentrammo sulla questione dei colloqui in carcere.

«Cosa le disse Macrì quando lei gli chiese chi fossero le persone che erano andate da sua moglie?».

«Mi disse di non preoccuparmi, che c'erano degli amici che lo avevano incaricato di aiutarmi».

«Amici di chi?».

«Non lo so. Lui disse *amici*, senza darmi spiegazioni».

«Ma lei capì, intuì a chi si riferisse?».

«Assolutamente no».

«Avete, avevate amici o conoscenti in comune?».

«No».

«Lei ha mai detto all'avvocato Macrì di essere innocente?».

«No».

«Perché?».

«Perché ebbi la percezione che lui lo sapesse benissimo».

«Cosa le diede questa percezione?».

«Più volte lui mi disse: lo so che sei innocente, è stata una disgrazia ma vedrai che sistemeremo tutto. Non proprio queste parole, ma il senso era questo».

«Cosa le disse Macrì prima dell'interrogatorio di garanzia?».

«Mi disse di avvalermi della facoltà di non rispondere».

«Perché?».

«Disse che c'era il rischio di aggravare la situazione. E aggiunse che non dovevo preoccuparmi, che ci avrebbe pensato lui a sistemare tutto. Dovevo solo avere pazienza».

«Le disse che sarebbe riuscito a farla assolvere?».

«No. Questo non lo ha mai detto. In più occasioni però mi disse che se lo lasciavo fare, se avevo pazienza, sarebbe riuscito a farmi avere una pena molto bassa. Lo diceva con un tono allusivo, come se avesse avuto i canali giusti... non so se riesco a spiegarmi».

«Riesce a spiegarsi» dissi guardando i giudici.

«Lei si è affidato completamente a questo avvocato sconosciuto, apparso nella sua vita in circostanze poco chiare. Può spiegare perché?».

«Mi sentivo – mi sento – nel mezzo di un ingranaggio incomprensibile. Macrì sembrava sapesse bene cosa fare, sembrava sapesse *cose*... non so come dire... sembrava fosse davvero in grado di fare quello che prometteva».

«Non conosceva qualche avvocato di sua fiducia personale, da affiancare a Macrì?».

«Non conoscevo nessuno abbastanza da fidarmi. Come le ho detto Macrì aveva un tono che sembrava alludere...».

Il presidente intervenne.

«Lei non può raccontare di sue impressioni, sensazioni personali. Se ci sono dei fatti li riferisca, le opinioni personali, le congetture le tenga per sé».

«Con il dovuto rispetto, presidente, l'imputato stava spiegando per quale motivo...».

«Avvocato, sul punto ho deciso. Faccia un'altra domanda».

In realtà aveva già detto quello che volevo. Quanto sarebbe servito, era tutto un altro discorso. Adesso potevo, come si dice, avviarmi alla conclusione dell'esame. Feci raccontare a Paolicelli dell'ultimo incontro in carcere con Macrì e della lite che c'era stata fra loro. Gli avevo raccomandato di attenuare i toni, nel racconto di quell'incontro, e in particolare gli avevo detto di non riferire delle minacce di Macrì. Volevo evitare che la corte negasse l'audizione di Macrì con l'argomento – corretto e che avrebbe definitivamente chiuso la nostra causa – dell'impossibilità di convocare qualcuno come teste per riferire di cose potenzialmente autoincriminanti.

Paolicelli fu bravo. Raccontò le cose nel modo giusto, ancora una volta dando l'idea che ci fosse qualcosa che non andava nel comportamento di Macrì, ma senza esagerare, senza accusarlo esplicitamente di nulla. Quando il racconto di quell'incontro finì, mi dissi che fino a quel momento avevamo fatto tutto il possibile, al meglio. La parte più difficile stava per arrivare.

Paolicelli fu ricondotto nella gabbia e il presidente, dopo avere ostentatamente guardato l'orologio, si rivolse a me.

«Abbiamo in sospeso la richiesta di prova testimoniale avanzata dalla difesa alla prima udienza. Lei insiste su quella richiesta, avvocato Guerrieri?».

Mi alzai con il solito gesto, quasi un tic, di tirarmi la toga sulle spalle. Dissi che, sì, dovevo insistere. Per noi quella testimonianza era importante e mi sembrava che l'importanza fosse evidente, dopo le dichiarazioni che avevamo sentito in quell'udienza.

Molto in breve parlai delle obiezioni che il pubblico ministero aveva fatto all'udienza precedente, a proposito dell'ammissibilità di quella deposizione, e cercai di spiegare perché quelle obiezioni non dovevano essere accolte. Poi la corte si ritirò in camera di consiglio per decidere.

Trentaquattro

Il presidente aveva detto che sarebbero rimasti in camera di consiglio al massimo una ventina di minuti. Uscirono dopo un'ora e mezza, mentre mi stavo chiedendo – come avevo già fatto altre volte per analoghi ritardi – se fossero del tutto incapaci di prevedere i tempi del loro lavoro, o se lo facessero apposta. Come un'esibizione di potere, meschina e più o meno consapevole.

Mirenghi si sedette, controllò che il cancelliere fosse al suo posto, diede uno sguardo verso di me e verso il calamaro gigante, giusto per assicurarsi che ci fossimo anche noi, mise gli occhiali e lesse l'ordinanza.

«La corte, sciogliendo la riserva sulle richieste di rinnovazione parziale del dibattimento avanzate dalla difesa e sentito il parere del procuratore generale, osserva quanto segue. La richiesta di audizione in qualità di testimone del precedente difensore dell'imputato Paolicelli non incontra ostacoli di natura formale. Ripercorrendo le obiezioni del pubblico ministero e le conseguenti osservazioni della difesa è possibile affermare che:

«1) stando alla prospettazione difensiva, alla quale occorre attenersi per valutare l'ammissibilità delle richieste, la testimonianza del Macrì non dovrebbe vertere su comportamenti del predetto ma su circostanze a conoscenza dello stesso; entro tali limiti la deposizione è ammissibile;

«2) non sussistono profili di incompatibilità ex articolo 197 del codice di procedura penale: il Macrì non ha infatti svolto attività di investigazione difensiva e non ricade in nessuna delle altre ipotesi previste dalla norma citata;

«3) il segreto di ufficio può essere invocato nel corso della deposizione, ma non costituisce causa di inammissibilità della prova testimoniale.

«Su queste basi è da ritenere dunque ammissibile la richiesta di deposizione dell'avvocato Macrì».

Il presidente concluse la lettura dell'ordinanza con la data del rinvio e le ulteriori formalità e poi dichiarò che l'udienza era tolta.

Mentre i giudici si alzavano per andarsene mi avvicinai alla gabbia, sentendomi addosso gli occhi di Natsu. Dissi a Paolicelli che era andata bene, potevamo essere soddisfatti. Non gli dissi quello che avevo pensato poco prima, quando era terminato il suo esame. La parte più difficile stava per arrivare.

Trentacinque

La telefonata arrivò di pomeriggio, mentre ricevevo un cliente.

Maria Teresa mi chiamò sulla linea interna e, prima che facessi in tempo a dirle che quando ricevevo i clienti non volevo interruzioni, lei mi disse che era l'avvocato Corrado Macrì, da Roma.

Rimasi in silenzio per qualche secondo. Ricordo che mi domandai, testualmente: come diavolo ho fatto a non pensare che poteva telefonarmi?

«Va bene, passamelo». E coprendo la cornetta dissi al cliente davanti a me – il signor Martinelli, un pensionato dall'espressione ottusa cui la forestale aveva sequestrato una bella villetta abusiva costruita nel mezzo di un bosco vincolato – se voleva scusarmi qualche minuto, perché si trattava di cosa molto urgente. Intendevo: se poteva avere la cortesia di uscire per qualche minuto dalla mia stanza, ma quello non capì, disse di non preoccuparmi, di fare con il mio comodo e rimase seduto al suo posto.

«Pronto?».

Pausa, rumore di fondo. Doveva essere in macchina.

Poi una voce piuttosto profonda e pastosa. Con un accento calabrese appena percepibile, molto meno evidente di quanto mi sarei aspettato in base ai miei stereotipi.

«Il collega Guerrieri?».

«Chi parla?».

«Sono il collega Macrì, da Roma».

Collega, certo.

«Dica».

Altra pausa, ma breve. Non ci mise molto a decidere che non gli importava un accidente che io gli avessi dato del lei.

«Senti collega, non voglio girarci troppo attorno. Oggi ho avuto una carta dalla cancelleria della corte di appello di Bari. Una citazione per venire a testimoniare nel processo a carico di un certo Paolicelli, che ho difeso in primo grado, come sai».

Difeso direi che è una parola un po' imprecisa. Diciamo che lo hai fottuto in primo grado.

«Ho saputo che sei tu che lo assisti adesso e ti volevo chiedere per quale motivo mi hanno citato. È stato il pubblico ministero?».

Nota appena percepibile di preoccupazione nel mezzo di quella voce pastosa. Non sapeva per quale motivo era stato citato. Così non sapeva ancora di dover ringraziare me. La parte più divertente della telefonata doveva ancora arrivare.

«Guarda Macrì – e fanculo al lei, visto che era inutile – abbiamo necessità di fare emergere alcuni dettagli...».

«Scusa Guerrieri, abbiamo chi?».

La nota di preoccupazione era diventata una sfumatura aggressiva.

«Io e il mio cliente abbiamo...».

«Tu e il tuo cliente? Vuoi dire Paolicelli? Mi stai dicendo che sei stato tu a chiedere la mia citazione?».

«Come ti dicevo, abbiamo necessità di fare emergere alcune circostanze...».

«Ma che cazzo dici? Mi hai fatto citare tu? A un collega?».

Ecco. La fase delle sfumature era finita. Istintivamente pressai la cornetta sull'orecchio e lanciai un'occhiata al mio cliente. Guardava con scarso interesse una riproduzione incorniciata di Cantatore che avevo attaccato in studio qualche settimana prima.

«Guarda, non sono abituato a parlare con qualcuno che alza la voce – pensai che dicevo veramente delle colossali stronzate – e comunque credo che ti renda conto che non è bene proseguire questa conversazione. Io sono difensore in un processo in cui, ti piaccia o no – provai un piccolo miserabile piacere nel pronunciare quelle parole: *ti piaccia o no* –, dovrai venire a deporre come testimone. Quando verrai in aula...».

«Verrai in aula? Ma sei completamente scemo?». Aveva la voce quasi strozzata dalla rabbia, adesso. «Ma c'hai la merda nel cervello? Tu credi che io venga a fare questa pagliacciata davanti a una corte di appello? Ficcatelo bene in testa che col cazzo che vengo a Bari a fare questa buffonata».

Per qualche istante rimasi in silenzio, in equilibrio fra due tipi di risposta. Poi tirai un respiro e risposi con un tono in apparenza perfettamente calmo.

«Credo che sarebbe una pessima idea non comparire. Se il giorno dell'udienza non sarai in aula io chiederò al presidente di farti accompagnare dai carabinieri. Non so se ho reso l'idea».

Silenzio. Rumore di fondo. Mi parve di sentire il suo respiro affannoso, ma forse me lo immaginai soltanto. Come per un tempo brevissimo mi parve di immaginare i pensieri omicidi che dovevano passargli per la testa. Decisi di approfittare della situazione.

«Adesso se vuoi scusarmi, ma sto ricevendo un cliente...».

Si risvegliò in quel preciso istante. Disse che non avevo capito con chi avevo a che fare e che dovevo stare molto attento. Fu l'ultima cosa che sentii prima di chiudergli il telefono in faccia con un gesto non propriamente controllato. Come quello di chi si chiuda la porta alle spalle per sfuggire a un inseguimento.

«Tutto a posto, avvocato?» mi chiese il cliente con un barlume di curiosità e persino una punta di preoccupazione nella sua espressione stolida.

«Tutto a posto» risposi, e dovetti fare uno sforzo per non dare spiegazioni che, lo sapevo bene, sarebbero state solo un modo per cercare di darmi un tono.

Tutto a posto il cazzo. Mi accorsi che le mani mi tremavano e dovetti appoggiarle sulla scrivania, evitando di sollevarle per non dare spettacolo davanti al signor Martinelli.

In che dannato guaio mi stavo cacciando?

Trentasei

Uscendo dallo studio, quella sera, mi guardai intorno. Destra, sinistra; uno sguardo al portoncino del vecchio palazzo sull'isolato di fronte, caso mai il killer tempestivamente mandato da Macrì si fosse nascosto lì dentro in attesa del mio arrivo.

Poi alzai le spalle e mi incamminai.

Ormai ero maturo per qualche ospedale psichiatrico per lungodegenti, mi dissi sottovoce cercando di sdrammatizzare. In realtà mi sentivo di schifo. Mi dava fastidio avvertire quel senso di insicurezza e di vulnerabilità. Ma poi, che cosa poteva farmi quello stronzo? Mica poteva farmi sparare per davvero. Non poteva, no? Aveva fatto casino per paura di trovarsi lui nei guai, visto che certamente aveva qualcosa da temere. E però cosa fanno i mafiosi quando hanno da temere? Reagiscono, ovviamente.

Andai avanti con questi pensieri un po' sconnessi fin quando arrivai a casa. Poi mi annoiai. Una mia fortuna è che mi annoio di tutto. Anche della paura. Pensai che, a ben vedere, Macrì poteva fottersi insieme ai suoi amici.

E comunque l'indomani, per ogni evenienza, avrei fatto un colpo di telefono a Tancredi.

Trentasette

Tancredi quella mattina era di testimonianza. Il solito processo per lo stupro di una bambina.

Solito. Un bell'aggettivo per certe cose.

A volte mi ero chiesto come facesse Carmelo a occuparsi tutti i giorni di quel letame, da tanto tempo. Quando capitava a me, qualche volta, di costituirmi parte civile per bambini abusati, avevo l'impressione di camminare nel buio, in corridoi pieni di insetti e altre bestie schifose. Non si vedono ma ci sono, e in ogni momento puoi sentire i loro movimenti vicinissimi ai tuoi piedi, l'odore, un contatto viscido sulla tua faccia.

Una volta pensai di chiederlo a lui, come diavolo faceva.

Quando gli feci la domanda, sulla sua faccia guizzò un bagliore cupo e metallico. Fu una cosa fulminea, appena percepibile e quasi paurosa.

Poi, tornato normale, fece finta di pensarci su e rispose qualcosa di ovvio e banale. Sul fatto che qualcuno doveva pur farlo, quel lavoro, che pochi altri poliziotti avevano voglia di lavorare in quella sezione, eccetera.

Entrai nell'aula di udienza. Tancredi era sulla sedia dei testimoni e un giovane, grasso avvocato che non conoscevo lo stava controesaminando.

Mi sedetti ad aspettarlo e, detto per inciso, a godermi lo spettacolo.

«Rispondendo alle domande del pubblico ministero lei ha detto che il mio cliente *si appostava nei pressi della scuola elementare* eccetera. Può spiegarci come fa a dire che *si appostava*? Lei ha usato un'espressione molto precisa e vorrei che la giustificasse. Cosa faceva l'imputato? Si nascondeva dietro le macchine, usava un binocolo, cosa?».

Il grassone finì la domanda con un sorrisetto. Sono sicuro che dovette fare uno sforzo per trattenersi dal mandare uno sguardo d'intesa al suo cliente, seduto vicino a lui.

Tancredi lo guardò qualche istante. Sembrava esitasse, sembrava che stesse cercando le parole per rispondere. In realtà io sapevo benissimo che stava recitando e che quella faccia apparentemente innocua era quella del gatto che sta per prendere un topo. Un *grosso* topo, per la precisione.

«Sì, dunque. Il sospetto, cioè l'odierno imputato, arrivava davanti alla scuola attorno alle ore dodici e venti e si posizionava sull'angolo opposto. I bambini uscivano qualche minuto dopo. Lui osservava l'uscita dei bambini, si tratteneva lì fino a quando non erano andati via tutti».

«Sempre sul marciapiede di fronte».

«Sì, l'ho già detto prima».

«Non ha mai attraversato la strada, avvicinato qualche bambino?».

«Non per la settimana in cui lo abbiamo osservato. In seguito abbiamo acquisito altri elementi...».

«Scusi, ma adesso ci interessa quello che avete visto, e quello che *non* avete visto, in quella settimana. C'è un bar vicino a quella scuola?».

«Sì, il bar Stella di Mare».

«In occasione delle vostre osservazioni il mio cliente è mai entrato in quel bar?».

«Premesso che non ho partecipato a tutti i servizi di osservazione, per quanto mi ricordo, credo sia entrato in quel bar un paio di volte. Si è trattenuto qualche minuto ed è uscito quando i bambini uscivano dalla scuola».

«Lei sa, ispettore, che il mio cliente è rappresentante di generi alimentari e prodotti da bar».

«Sì».

«Sa se il gestore del bar Stella di Mare sia cliente dell'imputato?».

«No».

«Può escludere che il mio cliente si sia trovato a passare dalle parti di quella scuola e quel bar per ragioni di lavoro, e dunque ben diverse da quelle che lei ha ipotizzato nella sua informativa e poi nella sua deposizione?».

Era sicuro di aver piazzato il colpo mortale.

«Sì» rispose semplicemente Tancredi.

Quello rimase interdetto, sembrava quasi fisicamente sbilanciato.

«Sì, cosa?».

«Sì, posso escluderlo».

«Ah sì? E come fa a escluderlo?».

«Vede, avvocato, noi abbiamo pedinato l'Armenise per diversi giorni. Lo abbiamo pedinato anche quando lavorava, quando andava nei bar e nei ristoranti per ragioni di lavoro. Aveva sempre con sé una borsa di pelle e un raccoglitore a fogli mobili. Sa, di quelli che si usano per mostrare le immagini e le caratteristiche del campionario. Nelle osservazioni davanti alla scuola non aveva mai né la borsa né il campionario».

«Scusi, quando Armenise entrava nel bar Stella di Mare, lei o uno dei suoi subalterni era all'interno del locale, in grado di sentire le conversazioni con il gestore?».

«No. Il nostro punto di osservazione era dall'altra parte della strada».

«Quindi è solo in base a una banale congettura che...».

Il pubblico ministero intervenne.

«Opposizione, presidente. Il difensore non deve formulare affermazioni offensive per il teste».

Il grassone stava per replicare ma il presidente fu più rapido.

«Avvocato si astenga dai commenti, per piacere. Faccia domande per il momento. Le considerazioni potrà farle al momento della sua arringa».

«Va bene, presidente. Comunque è corretto dire che nella settimana di osservazione dell'Armenise non avete acquisito nessun elemento di riscontro alle denunce?».

«No, direi che non è corretto. Se dei genitori denunciano molestie da parte di qualcuno a carico dei loro bambini nei pressi di una scuola elementare e io verifico che questo qualcuno ha l'abitudine di piazzarsi all'ora dell'uscita davanti a un'altra scuola elementare, be' questo per me *è* un elemento di riscontro. Poi naturalmente se, quando indaghiamo per trovare riscontri a una denuncia, ci imbattiamo, come accade a volte, nella commissione di un abuso sessuale, procediamo all'arresto in flagranza. Ma sono due cose diverse».

Il ciccione cercò ancora di polemizzare sul fatto che erano opinioni personali ma non ci fu nemmeno bisogno che intervenisse il pubblico ministero, questa volta. Il presidente, con tono niente affatto cordiale, gli chiese se avesse altre *domande* su fatti, perché altrimenti il controesame poteva considerarsi concluso. Quello borbottò ancora qualche parola non udibile e si sedette. Il pubblico ministero non aveva altre domande per Tancredi e così il presidente lo ringraziò e gli disse che poteva andare.

«Il caffè ce lo andiamo a prendere fuori di qui» disse Tancredi. Così uscimmo dal tribunale e ci avviammo per le strade del quartiere Libertà. Camminando gli raccontai degli ultimi sviluppi e in particolare della telefonata con il mio simpatico collega. Tancredi ascoltava senza fare commenti, ma quando gli dissi che quello mi aveva minacciato, fece una rapida smorfia.

«Che cosa pensi di fare?» mi chiese mentre prendevamo il caffè in un bar di contrabbandieri, puttane, avvocati e poliziotti.

Non mi piacque che mi facesse quella domanda. Mi parve fosse un modo di chiedermi se pensavo di lasciar perdere.

Risposi che non avevo molto da pensare. Se veniva in udienza il giorno per cui era stato citato lo avrei interrogato e avrei cercato di far saltare fuori qualche elemento utile al mio cliente. Se non ci veniva avrei chiesto che fosse accompagnato dai carabinieri e sì, lo sapevo bene che si sarebbe incazzato moltissimo, ma non ci potevo fare niente.

«Tu però puoi darmi ancora una piccola mano».

«Posso farti da scorta per quando arrivano i sicari della 'ndrangheta?».

«Spassoso. Mi serve qualche informazione in più su questo Macrì».

«Che genere di informazioni?».

«Materiale da utilizzare quando lo interrogherò. Qualcosa da tirare fuori a sorpresa per cercare di metterlo in difficoltà. Tie-

ni conto che vado abbastanza alla cieca e se quello viene e risponde in modo convincente il mio processo è finito».
Tancredi si fermò, si accese il sigaro, mi guardò in faccia.
«Certo che hai una faccia tosta incredibile».
Io non dissi niente. Non potevo dargli torto.

Trentotto

Il giorno dopo Tancredi passò dallo studio.
Entrò nella mia stanza, si sedette, mi guardò senza dire niente.
«Allora?».
«Non lo so se sei fortunato, o il contrario».
«Che vuol dire?».
«Sai cos'è l'archivio *alloggiati*?».
«Francamente, no. Dovrei?».
«È un archivio del CED del Ministero dell'Interno, quello in cui vengono registrati i pernottamenti in alberghi, pensioni, gli affitti di appartamenti. Ho fatto una interrogazione con il nome del nostro amico Macrì, e indovina cosa ho trovato?».
«Sono sicuro che stai per dirmelo».
«Premesso che il signor Macrì viaggia parecchio – ci sono un sacco di inserimenti a suo nome in *alloggiati* –, ho trovato diversi suoi pernottamenti in albergo a Bari. Prima e dopo l'arresto di Paolicelli. Quelli successivi all'arresto ci interessano poco. Gli altri ci interessano di più. E due di questi, in particolare, possono interessarci moltissimo».
«Perché?».
«Indovina chi ha pernottato, nello stesso albergo, quelle due notti?».
«Sono ottuso. Chi?».
«Romanazzi Luca. E sempre lui – Romanazzi – ha dormito in quell'albergo la notte successiva all'arresto di Paolicelli».
Cazzo. Non lo dissi, ma lo pensai rumorosamente.
«Questa *è* una notizia».
«Già. Adesso però devi trovare il modo di usarla».
«In che senso?».
«Nel senso che non puoi dire che un ispettore di polizia tuo

amico ha fatto per tuo conto una ricerca illegale nel CED del Ministero dell'Interno».

«Giusto».

«Trova un modo di farlo dire a lui quando lo interroghi. Fai credere di avere incaricato un investigatore privato che è riuscito a vedere i registri dell'albergo. Inventati quello che ti pare».

«Grazie, Carmelo».

Fece un cenno col capo, come per dire: prego, ma non so quanto ti servirà davvero, tutto questo. Poggiò sulla scrivania i fogli che aveva tenuto in mano fino a quel momento.

«Memorizza quello che c'è scritto e poi buttali. Tecnicamente sarebbero un corpo di reato».

Trentanove

Il pomeriggio precedente all'udienza in cui avremmo dovuto sentire Macrì non toccai nemmeno il fascicolo. Feci tutt'altro. Scrissi un appello che in realtà scadeva solo una settimana più tardi. Preparai un po' di note spese per clienti riottosi ai pagamenti. Misi a posto fascicoli esauriti.

Maria Teresa si rese conto che qualcosa non andava, ma molto opportunamente non fece domande. Quando arrivò l'orario di chiusura e si affacciò per salutarmi, le chiesi di ordinarmi la solita pizza e la solita birra.

Cominciai a lavorare davvero dopo le nove. Anche quello – lavorare a tempo quasi scaduto – un classico, per me. Uno specialista dell'ultimo momento. Se un compito è difficile, o importante, o possibilmente tutte e due le cose insieme, riesco ad occuparmene solo quando l'acqua mi arriva alla gola, o anche un po' più in alto.

Rilessi tutte le carte – poche – del fascicolo e rilessi tutti i miei appunti. Pochi anche quelli. Cominciai a buttare giù una sequenza di domande; ne scrissi una ventina, articolate secondo una presunta strategia, come suggeriscono certi manuali. Poi mi sentii uno scemo; e soprattutto pensai che mi sarei sentito uno scemo a interrogare Macrì leggendo quelle domande.

Mi dissi che non si prepara un incontro di pugilato facendo l'elenco dei pugni e delle schivate e di tutti i movimenti che si pensa di fare sul ring, dalla prima campanella all'ultima. Non funziona così. Negli incontri di pugilato e nei processi. E nella vita.

Mentre appallottolavo la mia stupida lista di domande e la gettavo nel cestino mi vennero in mente le immagini del combattimento fra Mohammed Alì e George Foreman, nel 1974 a Kinshasa, per il titolo mondiale dei pesi massimi.

Il più straordinario combattimento della storia del pugilato.

Nei giorni precedenti l'incontro Foreman aveva detto che avrebbe messo Alì al tappeto in due o tre riprese. Era in grado di farlo e cominciò l'incontro picchiando come un ossesso. Sembrava che non sarebbe durata. Che non potesse durare. Alì cercava di schivare, si riparava, andava alle corde, prendeva pugni al corpo, come sassate.

Senza reagire.

E però, parlava. Non si potevano sentire le parole, ma era chiarissimo a tutti che, nel mezzo della tempesta di violenza scatenata da Foreman, le labbra di Alì si muovevano continuamente. E la sua faccia non era quella di uno che sta prendendo un sacco di pugni e sta perdendo l'incontro.

Contro ogni previsione Alì non andò al tappeto nelle prime riprese, e nemmeno dopo. Foreman continuava a picchiare con rabbia, ma i suoi colpi erano sempre meno devastanti. Alì continuava a schivare, a ripararsi, a incassare. E a parlare.

Nel mezzo dell'ottava ripresa, quando ormai Foreman respirava dalla bocca e alzava le braccia a fatica dopo centinaia di colpi inutili, Alì uscì all'improvviso dalle corde e piazzò una incredibile combinazione di colpi a due mani. Foreman andò al tappeto, e quando si rialzò l'incontro era finito.

Chiusi il fascicolo e lo misi in borsa. Poi cercai fra i cd una raccolta di Bob Dylan che ricordavo di aver lasciato in studio. C'era. E fra le canzoni c'era *Hurricane*.

Spensi la luce, feci partire il cd, andai a sedermi al mio posto, sprofondato nella poltrona, i piedi incrociati sulla scrivania.

La ascoltai tre volte quella canzone. Nella penombra, pensando a tante cose.

Pensando che a volte ero contento di essere un avvocato.

Pensando che a volte quello che facevo poteva addirittura avere a che fare con la giustizia. Qualunque cosa significhi la parola.

Poi spensi le luci e me ne andai a casa. A dormire, o a provarci.

Quaranta

Arrivai nei pressi dell'aula di udienza qualche minuto prima delle dieci. Avvicinandomi avevo sentito un leggero cambio di ritmo del battito e un formicolio in gola. Come se stesse per partire un colpo di tosse, direttamente dal cuore accelerato. Una cosa che mi capitava a volte ai tempi dell'università, negli ultimi giorni prima di un esame importante.

Mi guardai attorno cercando Macrì, anche se non avevo idea di come fosse fatto. Tutti quelli che stavano davanti all'aula però li conoscevo, almeno di vista. Solita fauna di avvocati, ufficiali giudiziari, praticanti e segretarie.

Sulla strada per il tribunale avevo scommesso con me stesso che sarebbe venuto. Guardandomi ancora una volta attorno prima di entrare in aula mi dissi che avevo perso. Evidentemente non aveva creduto alla minaccia di farlo accompagnare dai carabinieri.

Poggiai borsa e toga sul banco. Pensai che non sarebbe stato piacevole chiederlo, quell'accompagnamento coattivo. Mi chiesi quale sarebbe stato il sostituto procuratore generale per quell'udienza.

Poi, come per un richiamo, mi girai verso l'ingresso dell'aula e vidi Macrì. Non so per quale motivo, ma fui certo immediatamente che fosse lui. In realtà non corrispondeva per niente allo stereotipo fisico che mi ero figurato andando in tribunale, cercando di immaginarmi cosa stava per accadere. Avevo pensato a un signore di statura media, carnagione scura, capelli nerissimi, leggermente sovrappeso, forse con i baffi.

Corrado Macrì era biondo, più alto di me e molto più robusto. Un metro e novanta per almeno cento chili, con l'aria di uno che non ha un filo di grasso, si nutre di frullati proteici e passa buona parte del suo tempo a sollevare manubri e bilancieri.

Era molto ben vestito – abito grigio antracite, cravatta regimental, impermeabile poggiato sul braccio – e considerate le sue proporzioni doveva trattarsi di abiti fatti su misura.

Venne diritto verso di me. La camminata era elastica, da atleta in forma.

Un pensiero molesto mi attraversò velocemente il cervello. Su come e quando e da chi avesse saputo che ero io.

«Guerrieri?».

«Sì?».

Mi tese la mano, cogliendomi di sorpresa.

«Sono Macrì» disse sorridendo. Pensai che doveva piacere alle donne – perlomeno a certe donne – e che lo sapeva benissimo.

Risposi alla stretta di mano e, mio malgrado, anche al sorriso. Mi venne indipendentemente dal mio controllo. Perché quel tipo aveva qualcosa che suscitava simpatia. Sapevo benissimo chi era – un trafficante camuffato da avvocato – eppure non riuscii a evitare di trovarlo, in qualche modo, simpatico.

«Ci siamo già sentiti per telefono» disse, e sorrise ancora, con l'aria di uno che sta abbozzando delle scuse, questa volta.

«Già» risposi io. Non sapendo esattamente cosa dire. La situazione non mi era chiara.

«Abbiamo avuto un primo contatto... come dire... mal riuscito. Probabilmente per colpa mia».

Questa volta non dissi nemmeno *già*. Mi limitai ad annuire. Sembrava fosse l'unica cosa che mi riusciva in quella specie di conversazione. Quello indugiò qualche secondo, prima di parlare di nuovo.

«Andiamo a prendere un caffè?».

Avrei dovuto dire che no grazie, meglio di no. L'udienza sta per cominciare, è meglio che non ci allontaniamo. E poi tieni presente che devo interrogarti e chiederti anche delle cose quantomeno imbarazzanti, non è il caso che facciamo gli amiconi e colleghi.

Dissi che andava bene, potevamo prendercelo quel caffè, visto che i giudici non sarebbero arrivati prima di un quarto d'ora, venti minuti.

Uscimmo dall'aula e, mentre ci incamminavamo verso il bar, mi accorsi di un tizio che ci veniva dietro, a qualche metro di distanza. Mi voltai per guardarlo, capire chi fosse.

«Non ti preoccupare Guerrieri. È il mio autista. Si tiene a distanza perché sa che dobbiamo parlare ed è un ragazzo discreto. Sa come si deve comportare».

Pronunciò l'ultima frase – *sa come si deve comportare* – in un modo un po' diverso. Con una inflessione diversa. Da quel momento in poi cominciai a fare caso ai carabinieri in giro per il palazzo di giustizia. Il fatto che ce ne fossero tanti mi rassicurò. Un poco.

«Tutti uguali sono, i tribunali. Stesso casino, stesso odore, stesse facce. Vero, Guerrieri?».

«Non so, non ci ho mai pensato».

Arrivammo al piano interrato, prendemmo il caffè facendoci strada fra la calca dell'ora di punta. Macrì pagò e poi uscimmo di nuovo. Alle nostre spalle sempre quello che sapeva come comportarsi.

«Guerrieri, te lo voglio dire di nuovo. Penso di avere sbagliato nella nostra telefonata. Ho usato un tono che non si usa fra colleghi, e poi tu stai solo facendo il tuo lavoro. Come io ho fatto il mio, del resto».

Feci di sì con la testa, chiedendomi dove volesse arrivare.

«Siccome stai facendo il tuo lavoro non ti voglio creare difficoltà. Però nemmeno tu le devi creare a me».

«Cosa vuoi dire?».

«Che cosa mi devi chiedere, adesso che comincia l'udienza?».

Non avrei dovuto rispondergli. Gli avrei dovuto dire che lo avrebbe saputo presto, quello che dovevo chiedergli. Non appena fosse cominciata la deposizione. Invece, con un tono nel quale scoprii con fastidio accenti di giustificazione, gli dissi che mi servivano alcuni chiarimenti sull'inizio del rapporto con Paolicelli.

Mentre gli rispondevo in quel modo mi sentii un coglione.

Lui assunse un'espressione inutilmente intensa rispetto al contenuto insignificante della mia risposta. Fece finta di pensare a quello che doveva dire e poi, sempre camminando, mi prese sottobraccio.

«Ascoltami Guerrieri. Naturalmente io risponderò solo alle domande che non mi costringono a violare il segreto professionale. Ad alcune non potrò rispondere e questo tu lo capisci benissimo, vero? Ma la questione importante è un'altra. C'è gente che si vuole prendere cura di questo Paolicelli. Adesso lasciamo perdere se è colpevole o innocente. Sta in galera, e ci resterà per un po', anche se tu ti stai dando molto da fare per lui. E questo è bello, ti fa onore. Significa che sei un professionista serio».

Si fermò un attimo per guardarmi in faccia. Per vedere se recepivo il discorso. Non so se la mia faccia gli diede l'impressione che riuscivo a seguire, ma comunque continuò.

«Ha una moglie – una *bella* moglie, non so se l'hai conosciuta –, una bambina. Insomma ha problemi e gli serve aiuto. Gli servono soldi. Adesso in appello comunque gli daranno un bello sconto, vedrai. Poi la sentenza diventerà definitiva e nel giro di pochi anni potrà cominciare ad avere i benefici penitenziari. E in tutto questo un aiuto – un *bell'aiuto* – economico non guasterebbe, vero?».

La mia voce rispose da sola.

«Non guasterebbe, no».

Lui sorrise, girando leggermente il capo verso di me. Quella risposta gli dava l'idea che cominciavamo a intenderci. Finalmente. Ero uno che sapeva stare al mondo, uno che sapeva come comportarsi.

«Bravo. Naturalmente è una cosa che dobbiamo discutere tu e io. Adesso, dobbiamo discuterla e definirla. Mica sono venuto a mani vuote». Così dicendo si toccò la giacca all'altezza della tasca interna.

«E naturalmente non ci dimentichiamo di te. Del tuo lavoro, del tempo che hai dedicato a questa storia. E poi devi tenere presente che questa gente – questa di cui sto parlando, che si vuole prendere cura del nostro cliente – ha spesso bisogno di avvocati. Di avvocati bravi come te. Certi clienti possono fare la fortuna di un professionista in gamba. Ovviamente sai di cosa parlo, vero?».

Continuava a dire: *vero?* C'era il punto interrogativo, ma non era una domanda.

Un flusso incontrollato di pensieri mi attraversò il cervello. Tutto più facile. Soldi per lui, soldi chiaramente per me – quanti soldi hai in quella giacca? quanti soldi possono fare la fortuna di un professionista come me? mi chiesi senza riuscire a bloccare quelle domande oscene –, lui dentro ancora per qualche anno. O qualcuno di più.

Io fuori.

Natsu e la bambina fuori, con me.

Uno che sa come comportarsi. Questa frase mi si materializzò nella testa. Ma adesso non riguardava lo scagnozzo di Macrì. Era la nuova definizione di Guerrieri Guido, avvocato in gamba. Pronto a vendere un cliente per denaro, amore e brandelli di una vita che non era stato capace di costruirsi.

Pronto a rubarsi la vita di un altro.

Durò qualche secondo, credo. O di più.

Poche volte – forse mai – ho provato tanto schifo per me stesso.

Macrì si accorse che qualcosa era fuori posto. Stavo lì, con una faccia strana, senza rispondere alla sua domanda.

«Mi sono spiegato bene, vero?».

Gli dissi che si era spiegato bene, sì. Poi per qualche istante cercai una battuta adeguata, ma non la trovai. Allora dissi solo che avremmo preso in esame la sua generosa offerta se davvero ci fosse stata la conferma della sentenza di condanna.

Che, a pensarci bene adesso, forse *era* una battuta adeguata.

Quello si fermò per guardarmi, con una espressione interrogativa. Mi guardava e voleva capire. Se ero scemo, se dicevo spiritosaggini idiote, se ero pazzo.

Non decifrò niente nella mia faccia, e quando riprese a parlare il tono era diverso.

«È una bella battuta. Forse però, visto che l'udienza sta per cominciare, è meglio che parliamo seriamente. Qui con me ho portato...».

«Hai ragione, l'udienza sta per cominciare. Meglio che io entri in aula».

Feci per girarmi ma quello mi trattenne, poggiandomi una grossa mano sul braccio. Notai *quello-che-sapeva-come-comportarsi* fare qualche passo verso di noi. Scostai il braccio e lo guardai negli occhi.

«Stai attento, Guerrieri».

«Attento a cosa?».

«Questo è un gioco in cui ci si può fare molto male».

Ero calmo, adesso. E gli risposi a voce bassa. Quasi sussurrando.

«Bravo. Così mi piace di più. Questa parte ti riesce meglio».

«Stai attento – ripeté – io ti spezzo in due».

Aspettavo da una vita che qualcuno – qualcuno come lui – mi dicesse quella battuta.

«Provaci» risposi.

Poi mi girai e andai verso l'aula.

Quarantuno

Salutai meccanicamente il sostituto procuratore generale che era ancora il calamaro gigante e poi, dopo aver indossato la toga ed essermi seduto al mio posto, tenni gli occhi ostinatamente fissi sui banchi della corte. Li tenni fissi quando ancora i giudici non erano entrati e li tenni fissi – sul legno dei banchi, non sui giudici – anche dopo l'ingresso della corte e l'inizio dell'udienza. Senza girarmi mai.

Mi chiedevo che nome avrei potuto dare alle varie sfumature del legno. Mi domandavo a cosa fossero dovute alcune macchie nere, formate al crocevia delle venature. Non pensavo a nient'altro, e immagino fosse una forma di autodifesa mentale. Svuotare la mente, e tenerla vuota, per non farci entrare la paura.

Come nella boxe. La sola parte della mia vita da cui riuscissi a tirare fuori spunti di saggezza e cose munite di senso. Metafore.

Mi interruppi solo per qualche secondo, il tempo di rispondere con la mano al saluto di Paolicelli quando la scorta della polizia penitenziaria lo portò in aula. Poi ritornai ai disegni del legno sui banchi della corte.

Mi ero così concentrato sulle venature del legno che non sentii il presidente che si rivolgeva a me. O meglio: sentii la sua voce lontana; una cosa che non mi riguardava, nella leggera trance in cui ero sprofondato.

«Avvocato Guerrieri, è fra noi?» chiese il presidente alzando leggermente il tono di voce. Così, tanto per chiarire garbatamente che quella era la sua aula e non un tempio per meditazioni zen.

«Sì, presidente, chiedo scusa. Stavo riordinando alcune idee e...».

«Va bene, va bene. È pronto per cominciare l'esame del teste di cui ci ha chiesto la citazione?».

«Sì, presidente».

«... perché a rigore dovrebbe esaminarlo prima la corte, visto che la deposizione è stata disposta a norma dell'articolo 603 comma terzo del codice di procedura penale, ma direi che potremmo evitare questo passaggio formale e lasciare cominciare lei, che in concreto sa cosa chiedere al teste. Se le parti sono d'accordo, naturalmente».

Le parti erano d'accordo. Nel senso che io ero d'accordo e il pubblico ministero era altrove. Da almeno dieci anni.

Il presidente disse all'ufficiale giudiziario di chiamare il teste Macrì Corrado.

Quello arrivò con l'impermeabile sotto braccio, salutò educatamente la corte, si sedette e lesse con calma la formula dell'impegno a dire la verità. Comunicava un senso di sicurezza e padronanza.

«Lei è un avvocato e quindi non devo spiegarle niente – gli disse il presidente. – La difesa dell'imputato ha chiesto il suo esame su alcune specifiche circostanze e adesso le rivolgerà le sue domande. Naturalmente se rispetto ad alcune di queste domande lei ritiene di dover invocare il segreto professionale, considerato il ruolo che lei ha svolto nelle fasi precedenti di questo processo, lo faccia e di volta in volta valuteremo. Va bene?».

«Sì, presidente, grazie».

Mirenghi si rivolse a me e disse che potevo procedere. Macrì guardava fisso davanti.

Io lo guardai in faccia per qualche secondo. Poi mi dissi che si cominciava.

«Avvocato Macrì, lei è stato il difensore del signor Paolicelli, nel primo grado del processo che adesso celebriamo in corte di appello?». Domanda del tutto inutile, visto che la circostanza risultava pacificamente dagli atti. Ma da qualche parte dovevo pur cominciare. Lui non fece commenti né cercò risposte sarcastiche.

«Sì» rispose semplicemente.

«Quando ha conosciuto il signor Paolicelli?».

«Quando sono andato a trovarlo in carcere la prima volta».

«Si ricorda quando era, questa prima volta?».

«Non ricordo la data precisa, ma lui era stato arrestato da due giorni e doveva rendere l'interrogatorio di garanzia. È facile risalire alla data da questi elementi. Ammesso che la cosa abbia una qualche importanza».

Appena una sfumatura aggressiva nella voce. Ignorai il tentativo di provocazione. Macrì continuava a guardare avanti.

«Fu il signor Paolicelli a nominarla?».

«No, fu la moglie del signor Paolicelli».

«Lei conosce la moglie del signor Paolicelli?».

«La conobbi personalmente dopo essere stato nominato, in occasione della mia seconda visita a Bari, quando ci fu l'udienza al tribunale della libertà. Anche questo lo si può ricavare dagli atti».

«Lei conosce il motivo per cui la signora Paolicelli nominò proprio lei?».

«Suppongo che lei debba chiederlo alla signora».

«Per il momento lo chiedo a lei. Conosce il motivo...».

«Posso ipotizzare che qualche conoscente le abbia fatto il mio nome. Anche lei è un avvocato, sa bene come funziona».

«Mi faccia vedere se ho capito bene. Lei viene nominato da una persona che non conosce, da una città lontana quattrocento chilometri dalla sua sede... A proposito, lei esercita a Roma, vero?».

«Sì».

«Ha sempre esercitato a Roma?».

Lo stavo guardando fisso in faccia e così riuscii a notare la contrazione della mascella, mentre facevo la mia domanda. Era sicuro che di lì a poco sarei passato a chiedergli delle sue disavventure giudiziarie. Non è così semplice, amico mio. Ci starai molto più a lungo su questa graticola, brutto figlio di puttana, pensai, e figliodiputtana me lo dissi ad alta voce, nel cervello.

«No».

«Va bene. Riepiloghiamo: lei viene nominato da una sconosciuta, che vive a Bari, lontano dalla sua sede di lavoro, per una emergenza: il marito è stato appena arrestato per un reato gravissimo. Si precipita a Bari, prende contatti con l'arrestato, imposta la difesa, alla sua seconda visita conosce anche la signora. E non avverte la curiosità di chiedere perché ha nominato proprio lei, e nemmeno tocca l'argomento con la signora, o con il cliente. È così?».

Fece finta di pensare e lasciò passare una ventina di secondi.

«Può anche darsi che ne abbiamo parlato. Non me lo ricordo ma è possibile. Mi avranno detto che era stato qualcuno che mi conosceva a fare il mio nome».

«Ma lei in precedenza aveva già avuto qualche cliente di Bari?».

«Probabilmente sì, adesso non ricordo».

«Lei ha molti clienti, dunque?».

«Parecchi, sì».

«Uno studio ben avviato».

«Non mi lamento».

«Quanta gente lavora nel suo studio?».

«Ho un segretario, per il resto ho sempre preferito lavorare da solo».

E magari il segretario è il gorilla che ti ha accompagnato, vero?

«Qual è l'indirizzo del suo studio?».

Il presidente intervenne. Giustamente.

«Avvocato Guerrieri, cosa c'entra l'indirizzo dello studio del teste con l'oggetto della prova?».

Mi parve di cogliere un movimento lievissimo nella faccia di Macrì, come un principio di sorriso cattivo.

«Presidente, mi rendo conto che la domanda può suscitare qualche perplessità. Effettivamente è un dettaglio che mi servirà a chiarire altre cose più immediatamente pertinenti all'oggetto della prova».

Mirenghi roteò impercettibilmente gli occhi. Girardi sembrava seguisse la scena con attenzione. Russo – e questa era la cosa singolare – non aveva ancora preso sonno.

«Vada avanti avvocato. Tenendo conto del fatto che abbiamo anche altri processi per questa udienza e che prima o poi vorremmo rivedere le nostre famiglie».

«Grazie presidente». Tornai a rivolgermi a Macrì. L'abbozzo di sorriso era scomparso, o forse me l'ero solo immaginato. «Vuole dirci l'indirizzo del suo studio... e giacché ci siamo anche il numero di telefono e del fax?».

Questa volta si voltò verso di me, prima di rispondere. Lo sguardo era pieno di odio autentico. Provaci, mi dissi nella testa. Provaci, figliodiputtana.

Disse l'indirizzo dello studio. E poi, dopo un attimo di esitazione che sicuramente notai solo io, disse che non aveva un telefono fisso, perché preferiva usare il cellulare per tutto.

«Mi scusi, se ho capito bene, lei non ha un telefono fisso, e dunque nemmeno un fax?».

«Come le ho detto – parlava scandendo le parole, adesso, e lo sforzo di controllare l'irritazione era più percepibile –, preferisco usare il cellulare, per tutto. Abbiamo dei computer con scheda per la connessione internet, e per i fax, quando ce n'è bisogno, usiamo il computer e la stampante».

Dopo aver risposto si rivolse al presidente.

«Signor presidente, io non so dove l'avvocato Guerrieri voglia arrivare, e nemmeno mi interessa molto. Devo dire però che mi colpisce questo tono inutilmente aggressivo e intimidatorio. Non credo sia il tono da usare nei confronti di un collega...».

«Va bene avvocato Macrì. Sulla interpretazione del tono potremmo trascorrere molte ore senza arrivare a un risultato accettabile. Le domande finora sono ammissibili e, a parere della corte, non lesive della dignità del teste, cioè la sua. Se lei la pensa diversamente potrà rivolgersi al consiglio dell'ordine per farsi tutelare. Adesso l'avvocato Guerrieri può proseguire, sempre tenendo conto dell'avvertimento che gli ho dato prima e del fatto che vorremmo che si arrivasse al punto il più presto possibile».

Mirenghi si era innervosito con Macrì. Non era necessariamente una buona cosa. Quando si innervosiva tendeva a farla pagare a tutti quelli che gli venivano a tiro, indipendentemente da chi avesse per primo causato il fenomeno. Pensai che dovevo stringere.

«Lei ci ha detto di non avere sempre esercitato a Roma, ho capito bene, vero?». Mi resi conto che ripetevo «vero?» alla fine delle mie domande, come aveva fatto lui poco prima, quando parlavamo nei corridoi.

«Io lo so bene dove vuole arrivare».

«Mi fa piacere. Forse potrei risparmiarmi la fatica delle domande, allora. Vuol dirci dove esercitava prima di Roma e per quale motivo, in occasione di quale evento si è trasferito?».

«Mi sono trasferito da Reggio Calabria per ragioni personalissime, sentimentali, per capirci».

«Ah. Era successo qualcosa prima di...».

Mi interruppe parlando velocemente.

«Ho avuto un procedimento penale dal quale sono stato assolto per non aver commesso il fatto. Ma questo non ha niente a che fare con il mio trasferimento a Roma».

A quel punto mi parve di notare, con la visione periferica, che addirittura Porcelli avesse preso un po' di vita e manifestasse un primordiale interesse per quello che stava succedendo.

«Ha subìto una restrizione della libertà personale?».

«Sì».

«Arresti domiciliari, custodia in carcere, altro?».

«Sono stato arrestato e poi, come le ho detto – ma immagino che lei lo sapesse già molto bene –, sono stato prosciolto da ogni accusa. Per non aver commesso il fatto, ripeto».

«Può dirci quali erano le imputazioni?».

«Le imputazioni erano associazione mafiosa e associazione finalizzata al traffico di stupefacenti. E per questa falsa accusa, e per tutta questa storia ho anche ricevuto un indennizzo dallo stato a titolo di riparazione per ingiusta detenzione. Così la sua informazione è più completa».

Stavo per chiedergli in base a quali elementi fosse stato arrestato e in base a quali fosse stato poi prosciolto. Mi resi conto però che il presidente non mi avrebbe lasciato arrivare fin là e che c'era il rischio di compromettere tutto. Era ora di arrivare al punto.

«Ha mai detto al signor Paolicelli di *sapere* che lui era innocente?».

«Può darsi. Diciamo tante cose ai clienti, soprattutto a quelli che si lamentano più degli altri, che non reggono il carcere. Paolicelli era così. Molto lamentoso, me lo ricordo bene».

«Ci racconta il contenuto delle sue conversazioni con Paolicelli? Quante volte vi siete incontrati, come prima cosa?».

«Non ricordo quante volte ci siamo incontrati, cinque, sei, sette. Ma le dico sin d'ora che per rispetto della dignità della professione io non intendo parlare dei colloqui avuti con un cliente, indipendentemente dalla loro rilevanza. Io su queste domande mi avvalgo del diritto di non rispondere in base al segreto professionale».

Mirenghi si voltò verso di me, lanciandomi uno sguardo interrogativo.

«Presidente, io credo che la norma sul segreto professionale del difensore sia posta a tutela del libero esercizio della professione e più in concreto del cliente. Essa non è un privilegio personale per i singoli avvocati. Cerco di spiegarmi. La legge consente ai difensori di rifiutarsi di deporre su quanto hanno conosciuto in contesti professionali per una ragione precisa. La norma mira a garantire ai *clienti* degli avvocati la massima libertà di confidare ogni cosa al proprio difensore senza timore che lo stesso possa in seguito essere obbligato a deporre sul contenuto di quelle conversazioni. La ragione della facoltà di astenersi dal rispondere per i difensori è, in estrema sintesi, tutta qui. Un mezzo di tutela del cliente, della riservatezza del suo rapporto con il difensore e non un privilegio indiscriminato per gli avvocati».

Mi stavano ascoltando tutti e tre. Russo mi guardava, e la sua faccia sembrava – come dire – diversa.

«Se questa impostazione è corretta, come io credo, la facoltà di astenersi dal deporre invocando il segreto professionale cade ogniqualvolta il cliente, a tutela del quale la legge pone la facoltà suddetta, dichiari di sciogliere il suo difensore – o il suo ex difensore – dal vincolo della riservatezza. In questo caso il signor Paolicelli, che lei potrà in questo momento stesso interpellare per conferma, scioglie l'avvocato Macrì dal vincolo suddetto. Effettuata questa verifica, vi chiedo di dichiarare insussistente la facoltà di astensione e vi chiedo di ordinare al teste di rispondere».

Macrì cercò di dire qualcosa.

«Presidente, vorrei fare delle osservazioni su quello che ha detto l'avvocato Guerrieri».

«Avvocato Macrì, in questa sede lei è un testimone e non ha titolo a interloquire su richieste o su osservazioni delle parti. Paolicelli, lei conferma quello che ha detto l'avvocato Guerrieri, cioè, per quanto la riguarda dichiara di sciogliere il suo ex difensore dal vincolo della riservatezza sulle conversazioni che ci sono state fra voi e aventi per oggetto i fatti di causa?».

Paolicelli confermò. Il presidente chiese al sostituto procuratore generale se avesse osservazioni. Quello disse che si rimetteva alla corte. Il presidente disse a Macrì di accomodarsi nella stanza riservata ai testimoni. Poi i tre giudici si alzarono e andarono in camera di consiglio.

Anch'io mi alzai, e voltandomi mi accorsi che in aula, lontani qualche sedia l'uno dall'altra, c'erano Tancredi e Natsu.

Quarantadue

Natsu si alzò, io mi avvicinai a lei e le strinsi la mano, per fare un po' di sceneggiata. Mi sentivo addosso gli occhi del mondo e di Paolicelli in particolare. Le tenni la mano per pochissimo, evitando di guardarla negli occhi.

Poi le chiesi scusa, dissi che dovevo parlare con una persona e raggiunsi Tancredi mentre facevo caso al fatto che *quello-che-si-sapeva-comportare* era scomparso. La qual cosa mi diede contemporaneamente un senso di sollievo e una specie diversa di inquietudine.

«Che ci fai qua?» gli chiesi.

«Sono andato in procura, mi sono sbrigato prima del previsto e allora, giacché mi hai tirato in mezzo a questa storia, sono venuto a vedere cosa succedeva. Che farà la corte? Gli ordinerà di rispondere?».

«Non lo so. E non so che cosa ci convenga di più, a dire la verità».

«Che vuoi dire?».

«Se la corte gli ordina di rispondere e quello ci dice delle bugie senza troppe contraddizioni abbiamo la parola di Paolicelli contro la sua».

«E se invece dicono che può opporre il segreto professionale?».

«Posso sempre giocare su questa reticenza, al momento dell'arringa. Avete visto, signori giudici, il teste Macrì si è rifiutato di parlarci dei colloqui con il suo ex cliente. Ha opposto il segreto. Formalmente è tutto a posto, stando alla vostra ordinanza. Ma noi dobbiamo chiederci: perché? Perché, se lo stesso cliente voleva che riferisse del contenuto di quei colloqui, lui non ha voluto farlo? Evidentemente perché c'erano informazioni che *lui* aveva interesse a non rivelare».

Finita la spiegazione tecnica, pensai che avrei fatto bene a dirgli dello scagnozzo che Macrì si era portato appresso.

«In ogni caso il signor Macrì non è venuto da solo».

Tancredi ruotò lentamente la testa, per ispezionare l'aula. L'amico di Macrì però si era allontanato e così gli raccontai quello che era successo prima dell'udienza.

«Adesso chiamo qualcuno dei miei. Quando finisce la deposizione ci mettiamo dietro al tuo simpatico collega e al suo amico. Se vanno via in macchina li facciamo fermare in autostrada dalla stradale. Sembrerà un controllo casuale, così non si insospettiscono. Facciamo la stessa cosa con i colleghi della polizia di frontiera, se i due tornano a casa in aereo. Così lo identifichiamo e vediamo se questo signore è solo un autista portaborse o qualcosa di peggio».

Ecco, adesso mi sentivo un po' meglio. Un po' rassicurato, direi. Tancredi continuò a parlare.

«Così, se qualcuno ti fa sparire, puoi stare tranquillo, la cosa non resterà impunita. Quei due saranno i primi che andremo a prendere».

Chissà perché, ma non riuscii a cogliere l'aspetto divertente della battuta. Stavo cercando una replica efficace, quando suonò la campanella e la corte rientrò.

Quarantatré

Il presidente lesse l'ordinanza con l'aria di uno che pensa che una certa faccenda sta andando troppo per le lunghe e vorrebbe che anche gli altri lo capissero.

«La corte, preso atto della dichiarazione del teste di volersi avvalere del segreto professionale su tutte le domande relative ai suoi colloqui con l'imputato Paolicelli in costanza di mandato difensivo; preso atto della dichiarazione del Paolicelli e delle osservazioni del suo attuale difensore, che richiede venga ordinato al teste di rispondere essendo questi stato sciolto dall'obbligo di riservatezza nei confronti del cliente, che solo giustificherebbe la facoltà di astensione in discorso; rilevato che non si può condividere la prospettazione suddetta, poiché la facoltà di opporre il segreto professionale è posta a tutela tanto del cliente quanto del difensore e mira a garantire in generale il sereno e riservato svolgimento del delicato compito professionale dell'avvocato; rilevato dunque su tali basi che la dichiarazione del Paolicelli non è sufficiente a far venire meno la facoltà di astensione suddetta, la quale è prevista anche a tutela del difensore; per tali motivi rigetta l'istanza dell'avvocato Guerrieri, dichiara che il teste Macrì ha facoltà di opporre il segreto professionale su tutte le domande attinenti il suo rapporto con il suo ex cliente Paolicelli e dispone procedersi oltre».

Poi si rivolse a me. Io lo guardavo e contemporaneamente osservavo l'espressione di Macrì. Era di nuovo quella di prima. Era soddisfatto e pensava che nel giro di qualche minuto se ne sarebbe andato a casa.

«Avvocato Guerrieri, lei prende atto della decisione della corte e se non ha altre domande, intendo domande che non riguardino il contenuto dei colloqui fra il teste e l'imputato, direi che potremmo...».

«Prendo atto della decisione, presidente. Ho solo qualche domanda ancora. Naturalmente su temi non coperti dal segreto professionale».

Quello mi guardò. Cominciava a spazientirsi e non fece niente per nasconderlo.

«Faccia queste domande, ma tenga conto che la questione della loro rilevanza verrà affrontata con il massimo del rigore, da questo momento in poi».

«Grazie presidente. Avvocato Macrì, ancora qualche domanda se non le dispiace».

Lo guardai, prima di andare avanti. La sua faccia diceva diverse cose. Fra queste: Guerrieri, sei un perdente. Ti avevo offerto una occasione di uscirne con eleganza ma per tua sfortuna sei un coglione e così fra qualche minuto io me ne andrò via, fresco, disinvolto e pure con i soldi.

«La moglie dell'imputato, signora Paolicelli, ci ha riferito che, quando fu disposto il dissequestro della sua autovettura, lei – intendo lei avvocato Macrì – si occupò personalmente di andarla a ritirare presso l'autorimessa in cui era custodita. Può confermarci la circostanza?».

«Sì. La signora mi chiese di farle questa cortesia e considerato che era sola, in una situazione difficile...».

«La signora veramente ha riferito una cosa diversa. La signora ha riferito che fu lei a offrirsi di andare a ritirare la macchina».

«Credo che la signora ricordi male. O *qualcuno* le ha suggerito di ricordare in questo modo».

Sentii il sangue salirmi alla faccia. Dovetti fare uno sforzo per non abboccare alla provocazione.

«Bene. Prendiamo atto che lei e la signora raccontate cose diverse. Adesso volevo chiederle se conosce un signore di nome Romanazzi Luca».

Si controllò, ma non riuscì a evitare di trasalire leggermente. La domanda sulla macchina se l'aspettava. Questa, no. Ebbi l'impressione che facesse un velocissimo, nervoso calcolo mentale su cosa fosse più conveniente dire. Si rispose – giustamente –

che se avevo tirato in ballo Romanazzi dovevo avere qualche elemento per provare che si conoscevano. E dunque era una idea stupida negare.

«Lo conosco, sì. È un mio cliente».

«Vuol dire che lo ha difeso in qualche procedimento penale?».

«Credo di sì».

«Crede? E presso quale autorità giudiziaria?».

«Che vuol dire?».

«Dov'era il processo? Reggio Calabria, Roma, Bari, Bolzano?».

«Ma non ricordo adesso, come faccio... e poi che c'entra Romanazzi con tutto questo?».

Adesso il momento era delicatissimo. Se il presidente interveniva e mi chiedeva spiegazioni, con ogni probabilità andava tutto a rotoli.

«Non ricorda quale autorità giudiziaria, dunque. È sicuro di averlo difeso in qualche processo o è possibile che gli abbia fornito solo servizi di consulenza?».

«È possibile».

«Bene».

«Ma io ripeto che vorrei sapere cosa c'entra Romanazzi con tutto questo. Fra l'altro anche in questo caso lei mi fa domande sul rapporto con un cliente, domande alle quali non intendo rispondere».

Feci per replicare ma Mirenghi mi precedette. Qualche istante prima avevo notato che Russo gli sussurrava qualcosa nell'orecchio.

«A dire la verità, avvocato Macrì, non è la stessa cosa. In questo caso le viene chiesto di riferire se conosce una certa persona e le circostanze di questa conoscenza. Non le viene chiesto di riferire circostanze interne a un rapporto professionale. Non c'è materia di segreto professionale qui. Risponda alla domanda, per piacere».

«Forse non c'è stata occasione di una difesa processuale».

«Quindi una consulenza, esatto?».

«Esatto».

«Quando ancora lei lavorava a Reggio Calabria?».

«No. Certamente dopo, a Roma».

«Bene. Suppongo vi siate incontrati al suo studio».

Quello fece un movimento con la testa. Poteva significare sì, ma io volevo che risultasse nel verbale. E in ogni caso, nel giro di pochi minuti, l'umore di Macrì era molto mutato. La seccatura non era affatto finita, anzi.

«Vuol dire sì?».

«Sì».

«È corretto dire che lei e il signor Romanazzi vi siete incontrati solo al suo studio per ragioni professionali?».

«Adesso come faccio a escludere un incontro fuori del mio studio, un incontro casuale...».

«Va bene, ha ragione. È corretto dire però che i rapporti fra lei e Romanazzi sono sempre stati solo professionali?».

E adesso la sua faccia diceva altre cose, oltre all'odio, naturalmente. Fra queste cose c'era un principio di paura. Non rispose a quella domanda, ma mi andava bene così e proseguii.

«Sa dirci se il signor Romanazzi abbia precedenti penali?».

«Io credo che Romanazzi sia incensurato».

«Non sa se abbia avuto, o abbia attualmente, procedimenti per traffico internazionale di stupefacenti?».

Avrei voluto saper leggere nel cervello, per vedere cosa stava succedendo nella sua testa. Che acrobazie frenetiche stava facendo per decidere come doveva comportarsi; per capire cosa poteva negare e cosa invece era costretto a dire per non correre il rischio di essere smentito.

«Credo che abbia dei procedimenti per stupefacenti, ma nessuna condanna».

Aveva il labbro superiore coperto di goccioline di sudore. Lo stavo braccando.

«Adesso volevo chiederle se lei sia a conoscenza del fatto che il signor Romanazzi era a bordo dello stesso traghetto su cui ha viaggiato l'imputato Paolicelli, prima di essere arrestato».

Come cazzo facevo a saperlo?

«Non ne so assolutamente niente».

«Prendo atto. Ha mai avuto occasione di frequentare il signor Romanazzi al di fuori del rapporto professionale? Per ragioni, come dire, private?».

«No».

Feci un respiro profondo, prima di piazzare il colpo successivo. Prima di colpire duro si inspira e poi si butta fuori l'aria quando il pugno arriva a bersaglio.

«Ha mai fatto dei viaggi con il signor Romanazzi?».

Il colpo arrivò al plesso solare e gli tolse il respiro.

«Viaggi?».

Un indicatore del tutto attendibile della difficoltà di un teste è il fatto che a una domanda risponda con un'altra domanda. Vuole guadagnare tempo.

«Viaggi».

«Non credo...».

«È mai stato a Bari con il signor Romanazzi?».

«A Bari?».

Altra contro-domanda, per guadagnare tempo. Non volevi spezzarmi in due, figlio di puttana?

«Ha mai alloggiato all'Hotel Lighthouse insieme con il suo *cliente* Romanazzi Luca?».

«Sono stato a Bari a volte, a parte la difesa di Paolicelli, e credo di aver preso una stanza proprio in quell'albergo che ha detto lei. Ma non con Romanazzi».

Mentre finiva di rispondere l'impermeabile gli scivolò di mano e cadde per terra. Dovette raccoglierlo e notai che i suoi movimenti erano molto meno elastici di prima.

«Lei sa bene che possiamo verificare con facilità, dai registri dell'albergo, se quando lei ha pernottato in quell'albergo c'era anche il suo *cliente,* signor Romanazzi».

«Potete verificare quello che volete. Io non lo so se Romanazzi si è trovato in quell'albergo quando c'ero anch'io, ma non ci siamo andati insieme».

Non ci credeva nemmeno lui. Come quei pugili che alzano le braccia meccanicamente, perché glielo dice l'istinto. Ma non parano più niente, ormai. Prendono pugni dappertutto e si preparano ad andare a terra.

«Si stupirebbe se saltasse fuori che non in una, ma in due occasioni lei e il signor Romanazzi avete pernottato la stessa notte in quello stesso albergo, l'Hotel Lighthouse?».

«Presidente – la sua voce era più alta, ma non fermissima –, io non so di cosa stia parlando l'avvocato Guerrieri e soprattutto però mi piacerebbe sapere da dove sono state acquisite queste notizie, se sono state acquisite legittimamente e...».

Lo interruppi.

«Presidente, non devo dire alla corte che ci sono le investigazioni difensive. E questa *è* materia coperta dal segreto professionale. Comunque, per evitare equivoci, il problema adesso non è: *come l'avvocato Guerrieri si è procurato certe informazioni?* Il problema è: *queste informazioni sono vere o no?*».

Guardai in faccia Mirenghi, prima di proseguire.

«Vada avanti, avvocato Guerrieri».

«Grazie, presidente. Dunque riassumo: lei nega di essersi portato a Bari unitamente al signor Romanazzi e di avere alloggiato, in entrambe le occasioni, all'Hotel Lighthouse...».

«... io non so se per una casualità...».

«... e non sa se per una casualità, nelle due occasioni in cui è venuto a Bari, pernottando presso il Light-house, in quell'albergo era alloggiato anche Romanazzi».

Dovette suonargli troppo assurda, a sentirla pronunciare. Così non disse niente, allargò soltanto le mani.

«E ci conferma di non sapere che il signor Romanazzi era a bordo dello stesso traghetto su cui ha viaggiato l'imputato Paolicelli, prima di essere arrestato».

«Non ne so niente».

«E dunque non sa che il Romanazzi, rientrando dal Montenegro, pernottò a Bari, guarda caso, ancora una volta all'Hotel Lighthouse?».

«Non so di cosa sta parlando».

Lasciai in sospeso le sue ultime parole. Come se fossi stato sul punto di fare un'altra domanda. Lo lasciai lì per qualche secondo, ad aspettare un altro colpo. Mi godetti il momento, tutto da solo. Perché io sapevo che la partita era finita e gli altri, tutti gli altri presenti nell'aula, no.

Ti spezzo in due.

Provaci.

Mi domandai se Natsu fosse rimasta in aula, e avesse visto

tutto quanto. Mi ricordai fisicamente il suo profumo e la sua pelle, compatta e liscia. Come una vertigine.

«Grazie presidente, non ho altre domande».

Mirenghi chiese al pubblico ministero se avesse domande per il teste. Quello disse che no, grazie, non ne aveva.

«Lei può andare, avvocato Macrì».

Quello si alzò, disse buongiorno, andò via senza guardarmi. Senza guardare nessuno.

Nell'aula c'era elettricità. Una energia che si avverte ogni tanto, quando i processi deragliano dai binari delle soluzioni precostituite e viaggiano verso luoghi imprevisti. Ogni tanto capita, e allora se ne accorgono tutti.

Se ne stava accorgendo anche Russo e forse anche il pubblico ministero.

«Ci sono richieste ulteriori, prima che dichiariamo chiusa l'istruttoria dibattimentale?».

Mi alzai lentamente.

«Sì presidente. All'esito dell'esame del teste Macrì devo chiedervi l'acquisizione di alcuni documenti. Per ragioni che non credo sia necessario illustrare, chiedo vengano acquisiti i tabulati con i precedenti di polizia del Romanazzi Luca; copia della lista dei passeggeri del traghetto su cui viaggiò il Paolicelli; copia dei registri dell'Hotel Lighthouse relativi agli anni 2002 e 2003».

Il presidente scambiò qualche parola con gli altri due giudici. Parlava sottovoce ma riuscii a sentire che chiedeva agli altri due se dovevano ritirarsi in camera di consiglio, per decidere sulla richiesta. Non sentii quello che dissero gli altri, ma non si ritirarono in camera di consiglio e lui dettò una rapida ordinanza con cui accoglieva le mie richieste e rinviava il processo di lì a una settimana, per il deposito di quegli atti e per la discussione.

Quarantaquattro

La settimana del rinvio passò velocissima, senza che me ne accorgessi.

Il giorno prima dell'udienza, mentre riguardavo le carte e cercavo di buttare giù uno schema di quello che avrei detto nella discussione, un pensiero estraneo e incongruo si materializzò nella mia testa. Pensai che la molla del mio tempo era stata compressa fino al limite della resistenza e adesso era pronta per essere finalmente rilasciata. E per lanciarmi chissà dove.

Mi chiesi cosa significasse questa immagine, comparsa senza una ragione, in modo così vivo, improvviso ed enigmatico nella mia testa, e non riuscii a trovare una risposta.

La sera verso le otto Natsu venne in studio. Giusto una scappata per salutarmi e per sapere come andava la preparazione per il giorno dopo, disse.

«Sembri stanco. Hai una faccia sciupata».

«Intendi che sono meno bello del solito?».

Un mediocre tentativo di essere spiritoso. Lei rispose seriamente.

«Sei anche più bello, così». Stava per aggiungere qualcos'altro ma poi decise che era meglio di no.

«Devi lavorare ancora a lungo?».

«Credo di sì. Camminiamo sul filo e il problema è selezionare, fra le varie cose che si potrebbero dire, gli argomenti giusti. Quelli che potrebbero fare effetto sui giudici. In un processo come questo non è affatto scontato quali siano questi argomenti».

«Quante possibilità ci sono per una assoluzione?».

Ecco, proprio questa domanda ci voleva, a qualche ora dalla maledetta discussione, con la mia testa che produceva immagini incomprensibili e leggermente inquietanti.

Ci sono processi in cui sai per certo che il cliente verrà condannato, e lavori solo per limitare i danni. Ce ne sono altri in cui sai per certo che verrà assolto, indipendentemente dal tuo lavoro e indipendentemente dall'esistenza stessa di un avvocato. In questi processi lavori solo per far credere al cliente che l'assoluzione dipenda dalla tua straordinaria abilità, e per giustificare l'onorario.

In tutti gli altri casi è meglio, molto meglio non azzardarsi a fare previsioni.

«È difficile rispondere. Certo non partiamo favoriti».

«Sessanta e quaranta? Settanta e trenta?».

Diciamo novanta e dieci. Ottimisticamente.

«Sì, direi che settanta e trenta è una approssimazione realistica».

Forse mi credette, forse no. Dalla sua faccia non c'era modo di capirlo.

«Posso fumare?».

«Sì. Andando via, però, dillo a Maria Teresa, che sei stata tu. Sai, per l'odore. Da quando ho smesso mi controlla come un ufficiale dell'esercito della salvezza».

Accennò un sorriso. Poi accese una sigaretta e ne fumò metà, prima di parlare ancora.

«Spesso mi ritrovo a pensare a come poteva essere, fra noi. In circostanze diverse».

Non dissi niente, cercai di mantenere una faccia inespressiva. Non so se ci riuscii, ma certo fu uno sforzo inutile, perché lei non mi stava guardando. Guardava da qualche parte dentro di sé, e fuori da quella stanza.

«E spesso penso a quella notte, quando sei venuto a casa. Quando Midori aveva gli incubi e tu le hai preso la mano. È strano, sai. Quando penso a te mi torna in mente soprattutto quella notte. Molto più delle volte che siamo stati insieme, a casa tua».

Be', fantastico. Grazie per la precisazione. Il mio orgoglio maschile ne vien fuori veramente alla grande.

Non dissi così.

Risposi che a me capitava qualcosa di simile e che oltre a quella notte ripensavo a quella domenica mattina, al parco. Lei annuì, come se le avessi detto una cosa che sapeva già. Una cosa cui nessuno dei due poteva aggiungere altro.

«Devo farti ancora una domanda, Guido, e tu devi dirmi la verità».

Le dissi di farmela, quella domanda, e intanto mi veniva in testa, in modo del tutto indipendente dalla mia volontà, una cosa letta anni prima in un libro sui paradossi.

La parola che viene fuori dall'anagramma di «la verità» è «relativa».

La verità-relativa.

«Fabio è innocente? A parte tutto il processo, le carte, le tue indagini, la difesa. Voglio sapere se tu sei convinto della sua innocenza. Voglio sapere se mi ha detto la verità».

No, non puoi chiedermi questo. Non posso rispondere a questa domanda. Non lo so. Probabilmente ha detto la verità, ma io non posso escludere con certezza che fosse d'accordo con Romanazzi, con Macrì e con chissà quali altri trafficanti. Non posso nemmeno escludere che, tanto per dire, tuo marito abbia fatto cose anche peggiori, nel suo passato remoto di giovane fascista.

Avrei dovuto risponderle così, e che non rientrava fra i miei compiti di avvocato scoprire se un cliente dice la verità. Ma c'erano altre cose che avevo fatto, e che non rientravano nei miei compiti di avvocato.

«Ti ha detto la verità».

In quel preciso istante vidi le nostre traiettorie, che si erano toccate per quel breve periodo, separarsi per andare verso punti diversi, e sempre più lontani, dello spazio. Passò qualche minuto, senza che nessuno dei due dicesse una parola. Forse anche lei aveva avuto una percezione simile alla mia, o forse pensava solo alla risposta che le avevo dato.

«Allora ci vediamo domani in aula?».

«Sì» risposi.

Domani, in aula. Dissi di nuovo, ad alta voce, una volta rimasto solo.

Quarantacinque

Il sostituto procuratore generale quella mattina era di nuovo Montaruli.

Due udienze per il peggiore magistrato della procura generale e due per il migliore, pensai senza un particolare sforzo di originalità.

Avrei dovuto restarci male. Se ci fosse stato Porcelli, o qualcuno come lui, non avrei dovuto preoccuparmi anche della requisitoria del pubblico ministero. Alcuni sostituti procuratori generali, quando il presidente dà loro la parola, si alzano e dicono: «conferma dell'impugnata sentenza», e così ritengono di essersi guadagnati lo stipendio.

Alcuni hanno anche il coraggio di lamentarsi per il troppo lavoro.

Montaruli, nonostante la stanchezza, la disillusione e tutto il resto, non faceva parte di quel club. Avrei dovuto restarci male che ci fosse lui, e invece mi fece piacere.

«Ha fatto un ottimo lavoro in questo processo» mi disse avvicinandosi al mio banco. Mi alzai e quello proseguì.

«Ieri leggevo i verbali e pensavo proprio questo. Un ottimo lavoro. Chiederò la conferma della condanna ma ci tenevo a dirle che ho dovuto pensarci molto. Molto più di quanto mi succede di solito in casi analoghi».

Mentre la corte entrava in aula lui mi diede la mano, e non so per quale motivo la sua stretta mi comunicò una tristezza leggera, una nostalgia indecifrabile. Poi si girò per tornare al suo posto, e così non vide il leggerissimo inchino che feci con la testa, toccandomi il pugno chiuso. Un saluto e un segno di rispetto che mi aveva insegnato Margherita.

Dov'era lei in quel momento?

Per qualche istante – su quella domanda – le cose intorno si fecero sfuocate e le voci confuse. Quando recuperai una percezione accettabile Montaruli aveva già cominciato a parlare.

«... e dunque apprezziamo lo sforzo difensivo. Uno sforzo non comune per impegno e qualità, è giusto riconoscerlo. Nonostante questo sforzo difensivo non comune, il processo non si è però arricchito di acquisizioni determinanti in favore dell'imputato.

«A fronte di un dato probatorio di straordinaria importanza – il reperimento della droga sulla macchina privata dell'imputato –, lo sforzo difensivo è riuscito solo a sollevare spunti congetturali, insufficienti come tali a inficiare il quadro probatorio posto a base della sentenza di condanna. Inutile dire, infatti, che non basta ipotizzare genericamente delle alternative all'ipotesi accusatoria perché detta ipotesi venga automaticamente a cadere.

«Se così fosse non esisterebbero le sentenze di condanna. È sempre possibile formulare delle alternative ipotetiche alle ricostruzioni contenute nelle sentenze di condanna. Perché queste alternative possano costituire un valido supporto a una richiesta di assoluzione, e a maggior ragione a una sentenza di assoluzione, esse devono avere però un grado minimo di plausibilità.

«La cassazione ha più volte chiarito che la prova indiziaria deve consentire la ricostruzione del fatto e delle relative responsabilità in termini di certezza tali da escludere la prospettabilità di ogni altra ragionevole soluzione. Non deve invece escludere anche le possibilità più astratte e remote, frutto di speculazioni congetturali. Altrimenti sarebbe sufficiente suggerire al giudice: *guarda che le cose potrebbero non essere andate come dice l'accusa, perché tutto è possibile*, ed ottenere solo per questo l'assoluzione dell'imputato.

«Se così fosse non si dovrebbe più parlare di prova indiziaria, ma di dimostrazione *per absurdum* secondo regole che sono proprie solo delle scienze esatte, la cui osservanza non può essere pretesa nell'esercizio dell'attività giurisdizionale.

«Nei processi si valuta il grado di accettabilità delle ipotesi esplicative proposte dalle parti. L'ipotesi più plausibile, quella cioè in grado di inglobare in un quadro coerente e persuasivo *tutti* gli elementi emersi dall'indagine e dal processo, deve essere posta a fondamento della decisione.

«In questo caso tutte le nuove emergenze probatorie proposte dalla difesa non si pongono come elementi incompatibili con l'ipotesi accusatoria. Al contrario possono essere agevolmente inglobati in essa. Vediamo molto velocemente come».

Spiegò molto velocemente come. Dicendo cose sensate, in modo convincente.

Mi distrassi per qualche minuto, provando a immaginare che requisitoria avrebbe fatto un altro pubblico ministero. Porcelli, per esempio. Quando tornai concentrato sulle parole di Montaruli, lui stava parlando di Macrì.

«Non vi è dubbio che il teste-avvocato Macrì non ha tenuto un comportamento trasparente, nel corso della sua deposizione e in generale nel corso di tutta la vicenda.

«Certamente non ha detto tutta la verità sui suoi rapporti con Romanazzi Luca. E certo è possibile che in qualche modo questo Romanazzi sia coinvolto nel traffico illecito per il quale stiamo celebrando questo processo.

«Ma nessuno degli elementi emersi a seguito dell'integrazione probatoria proposta dalla difesa è incompatibile con l'impianto accusatorio. Diamo per scontato che Romanazzi sia coinvolto nell'importazione della cocaina. Diamo cioè per scontato ciò che è una semplice, anche se ragionevole congettura. Ebbene? Questo esclude la responsabilità di Paolicelli?

«Il fatto che Paolicelli venga successivamente difeso dallo stesso avvocato legato a Romanazzi non potrebbe costituire invece, a voler ben vedere, un indizio ulteriore dell'inserimento di Paolicelli in un gruppo criminale articolato e ben organizzato, capace, come tutti questi sodalizi, anche di fornire assistenza legale agli affiliati in difficoltà?

«Facciamone un'altra, di ipotesi. Paolicelli e Romanazzi viaggiano assieme sul traghetto, perché sono complici nell'operazione di trasporto della cocaina. Alla dogana Paolicelli viene intercettato dalla finanza. Romanazzi vuole aiutarlo e lo fa nell'unico modo possibile, vista l'evoluzione dei fatti e visto che non può assaltare la caserma della finanza e liberare il suo amico. Fa in modo che intervenga l'avvocato di cui si fida e che, in ipotesi, si occupa di garantire assistenza legale ai membri del sodalizio che siano incappati nelle maglie della giustizia».

Si fermò qualche istante, per riprendere fiato. Non credo anche per riordinare le idee, perché quelle sembravano molto chiare.

«Adesso voglio chiarire bene il mio punto di vista. Non sto dicendo che è successo questo, perché non ho elementi sufficienti per affermarlo categoricamente. Dico che *potrebbe* essere successo questo. Dico che questa è una congettura ragionevole, che ingloba perfettamente nell'originaria ipotesi accusatoria gli elementi indiziari emersi nel processo di appello su iniziativa della difesa. È una congettura almeno altrettanto ragionevole rispetto a quella che fra poco, nella sua arringa, certamente vi proporrà la difesa dell'imputato.

«Almeno altrettanto ragionevole, dico per essere cauto. Ma in realtà è una congettura *molto* più ragionevole dell'ipotesi di un complotto, di una macchinazione a danno del Paolicelli.

«Abbiamo dunque, e mi avvio alla conclusione, due ipotesi esplicative dei nuovi elementi emersi nell'istruttoria integrativa svolta dinanzi alla corte. Una, quella che porta alla conferma della sentenza di condanna, pienamente compatibile con lo schiacciante quadro probatorio già emerso in primo grado.

«L'altra, della cui fondatezza fra poco la difesa cercherà di convincervi, si basa su un castello di congetture ipotetiche e fantasiose. Ciò che vi verrà proposto per richiedere l'assoluzione dell'imputato non è un dubbio ragionevole ma un dubbio, mi si passi l'espressione, fantastico. Cioè generato dalla fantasia e non dal rigoroso esercizio del metodo probatorio.

«Sono sicuro che il difensore sarà capace di proporvi in modo suggestivo e seducente questa ricostruzione fantasiosa. Voi però terrete bene in mente quel rigoroso metodo probatorio al di fuori del quale c'è solo l'arbitrio.

«E in nome di questo metodo vi chiedo di confermare la sentenza di primo grado».

Quarantasei

Rallentatore.

Un fotogramma alla volta.

Il pubblico ministero conclude la sua requisitoria e si siede. Il presidente mi dice che posso procedere alla mia discussione. Mi alzo lentamente dopo avere indugiato un po'. Mi sistemo la toga sulle spalle con il solito gesto. Poi mi aggiusto il nodo della cravatta. Prendo un foglio con i miei appunti. Poi ci ripenso e lo rimetto sul banco, fra le altre carte. Sposto indietro la sedia, giro attorno al banco, fin quando me lo ritrovo alle spalle.

I giudici sono davanti a me, e mi guardano.

Io penso a molte cose che con il processo non hanno niente a che fare. O forse sì, ma in un modo che è difficile spiegare, anche a me stesso.

Penso che comunque vadano le cose, dopo il processo mi ritroverò solo. Penso che non rivedrò mai più la bambina.

Mai più come bambina, almeno.

Magari la incontrerò fra molti anni, per strada, casualmente. La riconoscerò di sicuro. Io avrò i capelli bianchi – ne ho un po' già adesso, del resto – e lei mi passerà davanti senza nemmeno accorgersi di me. E perché dovrebbe, poi?

Dov'è Margherita, adesso? Che ore sono a New York?

Rallentatore.

Il presidente si schiarì la gola con un colpetto di tosse. E d'un tratto il tempo riprese a muoversi normalmente. Anche le persone e gli oggetti di quell'aula ripresero una consistenza reale.

Diedi un'occhiata all'orologio e cominciai a parlare.

«Grazie presidente. Il pubblico ministero ha ragione. Dovete decidere applicando, come sempre, un criterio rigoroso di valutazione delle prove. Ha ragione quando vi parla, in termini *teorici*, di metodo. Cercheremo adesso di verificare in concreto, rispetto allo specifico caso di cui ci stiamo occupando, se da premesse condivisibili sia giunto a conclusioni accettabili».

Mi voltai verso il banco e ripresi il foglietto con i miei appunti.

«Il pubblico ministero, citando la cassazione, ci ha detto... mi sono annotato le sue parole... *la cassazione ha chiarito che la prova indiziaria deve consentire la ricostruzione del fatto in termini di certezza tali da escludere la prospettabilità di ogni altra ragionevole soluzione. Non deve invece escludere anche le possibilità più astratte e remote. Se così fosse non si dovrebbe più parlare di prova indiziaria, ma di dimostrazione* per absurdum *secondo regole che sono proprie solo delle scienze esatte, la cui osservanza non può essere pretesa nell'esercizio dell'attività giurisdizionale.*

«Giusto.

«Non è possibile, in sostanza, per escludere la fondatezza di una ipotesi d'accusa, concepire alternative di fantasia, o comunque di pura congettura. Il pubblico ministero, sviluppando questo concetto, ha affermato che davanti a una astratta pluralità di spiegazioni è necessario preferire quella capace di inglobare tutti gli indizi in modo coerente. Tagliando fuori cioè le ricostruzioni fantasiose o meramente congetturali in base a – attenzione perché è qui che si annida la debolezza dell'argomentazione dell'accusa – un criterio di plausibilità elaborato in termini statistici, cioè di probabilità.

«La plausibilità, nell'accezione del pubblico ministero, significa compatibilità con una sorta di copione della normalità, elaborato in base a ciò che avviene di regola, o meglio *di solito*.

«Ciò che avviene di solito, in presenza di dati elementi di fatto, diventa dunque il criterio per decidere in un ulteriore specifico caso che cosa può essere accaduto».

Mi stavano ascoltando, tutti e tre. E, incredibilmente, il più attento sembrava Russo.

Passai a riepilogare tutto quello che era emerso nell'istruttoria, davanti alla corte. Non ci misi troppo. Erano prove acquisite davanti a loro, le conoscevano bene quanto me, e quel riepilogo mi serviva solo per introdurre il mio argomento principale.

«Che facciamo, alla fine dei conti, nei procedimenti penali? Noi tutti, dico. Poliziotti, carabinieri, pubblici ministeri, avvocati, giudici? Tutti raccontiamo storie. Prendiamo il materiale grezzo costituito dagli indizi, lo mettiamo insieme, gli diamo struttura e senso in storie che raccontino in modo plausibile fatti del passato. La storia è accettabile se spiega tutti gli indizi, se non ne lascia fuori nessuno, se è costruita in base a criteri di congruenza narrativa.

«E la congruenza narrativa dipende dall'attendibilità delle regole di esperienza che utilizziamo per risalire dagli indizi alle storie che raccontano i fatti del passato. Storie che in un certo senso – in senso etimologico – dobbiamo *inventare*.

«Vediamo in breve quali sono le due storie che si possono raccontare in base al materiale narrativo emerso dal processo.

«La storia raccontata nella sentenza di primo grado è semplice. Paolicelli si procura un grosso quantitativo di droga in Montenegro; cerca di introdurre questa droga sul territorio nazionale avendola nascosta sulla sua autovettura. Viene scoperto e arrestato. E fra l'altro confessa.

«Questa storia viene costruita in base a un solo significativo dato: il reperimento della droga sulla macchina di Paolicelli al posto di frontiera. Per passare dal fatto certo (presenza della droga sulla macchina di Paolicelli) alla sequenza incerta di fatti del passato, che costituisce la storia raccontata nella sentenza di primo grado, è necessario compiere una operazione logica.

«Come faccio a dire che la storia accaduta nel passato è quella che ho raccontato? Applicando al fatto certo del reperimento della droga sulla macchina di Paolicelli una regola di esperienza, che potremmo sintetizzare in questo modo: se qualcuno ha un quantitativo di droga a bordo della sua macchina, quella droga è sua.

«Si tratta di una regola di esperienza altamente affidabile. Corrisponde al senso comune. Normalmente se ho qualcosa a bordo della mia autovettura (e in particolare qualcosa di grande valore) questo qualcosa mi appartiene. È una regola di esperienza. Ma non è una legge scientifica, e *ammette delle alternative*.

«La pubblica accusa aggiunge poi, e ha ragione, che i nuovi

elementi emersi nel dibattimento di appello non sono incompatibili con questa storia».

Lanciai uno sguardo al pubblico ministero, prima di proseguire.

«Vediamo adesso quale altra storia è possibile raccontare in base agli elementi a nostra disposizione.

«Una famiglia va a trascorrere una settimana di vacanza in Montenegro. Di notte la loro autovettura rimane nel parcheggio dell'albergo e – per il caso ci sia bisogno di spostarla – le chiavi vengono lasciate al portiere. La notte prima della partenza le chiavi vengono prese da qualcuno.

«Qualcuno che certamente sa che Paolicelli e la sua famiglia l'indomani torneranno in Italia, con quella macchina.

«Questo qualcuno, con i suoi complici, smonta la scocca della macchina di Paolicelli – della moglie di Paolicelli, per la precisione – e la riempie di droga. Poi rimette tutto a posto, macchina e chiavi. È un buon sistema per effettuare una operazione molto lucrosa riducendo al minimo i rischi. Un'operazione che coinvolge un gruppo organizzato, dedito a questi traffici in modo professionale, con ripartizione di ruoli e compiti. E certamente fra questi compiti c'è quello di controllare che il trasporto vada bene, seguire il corriere inconsapevole, provvedere al recupero della droga una volta giunta in Italia. Recupero verosimilmente da effettuare con un furto mirato della vettura stessa.

«Al posto di frontiera, a Bari, qualcosa non va per il verso giusto. I finanzieri trovano la droga e arrestano Paolicelli che, detto per inciso, rende una dichiarazione confessoria in totale assenza di garanzie e dunque del tutto inutilizzabile, al chiaro, unico scopo di evitare almeno l'arresto della moglie.

«Subito dopo l'arresto qualcuno, in circostanze quantomeno bizzarre, suggerisce alla moglie di Paolicelli di nominare un avvocato di Roma. Questo avvocato ha vissuto una brutta vicenda processuale in cui è stato arrestato, imputato e poi assolto per il reato di associazione finalizzata al traffico di stupefacenti. Questo stesso avvocato ha frequentazioni private non chiare con un signore che – ce lo dice lo stesso Macrì – è coinvolto in procedimenti per traffico di stupefacenti. Questo signore, singolarissima coincidenza, viaggiava sullo stesso traghetto di Paolicelli.

«Potrebbe essere, certo, come ipotizza il pubblico ministero, che questo signore e Paolicelli fossero complici nel traffico illecito.

«Anche se dobbiamo dire che esiste almeno un elemento forte che contrasta con questa ipotesi. Nel fascicolo sono contenuti i tabulati del telefono cellulare dell'imputato e anche di quello della moglie, per tutta la settimana precedente l'arresto. Furono giustamente acquisiti per tentare l'identificazione di possibili complici, ma dal relativo esame non è emerso niente di rilevante. Ci sono pochissime telefonate in quella settimana, quasi tutte fra i telefoni dei due coniugi, nessuna verso numeri montenegrini. E nessuna verso utenze riferibili a Romanazzi, ché se i finanzieri ne avessero trovate, essendo il Romanazzi soggetto schedato per fatti di droga, non avrebbero mancato di evidenziarlo. Invece nella nota di trasmissione alla procura di quei tabulati c'è scritto semplicemente che nulla di rilevante è emerso dal relativo esame.

«È dunque possibile spiegare la presenza di Romanazzi a bordo di quel traghetto con l'esigenza di sorvegliare da vicino, senza rischi, il trasporto da parte dell'ignaro Paolicelli, per curare poi le fasi del recupero.

«E potrebbe essere che sia stato proprio Romanazzi, servendosi di una sorta di messaggero, a suggerire alla moglie di Paolicelli di nominare Macrì.

«Perché lo avrebbe fatto? Ad esempio, per seguire e controllare da vicino con persona di massima fiducia lo svolgimento del procedimento. Per evitare che Paolicelli rendesse agli inquirenti dichiarazioni pericolose per l'organizzazione, per esempio relative all'albergo in Montenegro, alla persona cui aveva lasciato le chiavi della macchina, eccetera. E infatti Macrì consiglia a Paolicelli di avvalersi della facoltà di non rispondere e tutto il processo si svolge in primo grado senza le dichiarazioni dell'imputato, a parte la pseudo confessione resa nell'immediatezza dell'arresto.

«Non dimentichiamo che Macrì si occupa di ottenere il dissequestro della vettura, di proprietà della moglie di Paolicelli.

E soprattutto si preoccupa di andare personalmente a ritirare la macchina dalla rimessa dove era in custodia giudiziale.

«Quale avvocato fa una cosa del genere? E perché la fa? Di regola, come tutti sappiamo, l'avvocato ottiene il provvedimento di dissequestro e poi il cliente si interessa di recuperare fisicamente la macchina.

«Macrì si comporta in modo molto inusuale, per cui dobbiamo perlomeno ipotizzare una spiegazione ragionevole. Non è possibile che sulla macchina ci fosse qualcosa che gli inquirenti non avevano trovato e che i responsabili della spedizione erano *fortemente* interessati a ritrovare? Altra droga, forse. O per esempio un GPS installato sulla macchina contemporaneamente alla collocazione della droga. Sono convinto che voi sappiate bene cos'è un GPS».

Naturalmente ero convinto che *non* lo sapessero.

«Un GPS è un segnalatore satellitare. Viene usato per i dispositivi antifurto delle auto di lusso e viene usato dalle forze di polizia per controllare le autovetture di soggetti sottoposti a indagini. Con un GPS è possibile, da una postazione remota, localizzare una autovettura con approssimazione di pochi metri. E l'operazione si realizza utilizzando linee telefoniche cellulari. Se si recupera l'apparecchio installato sulla macchina è possibile risalire alle utenze cellulari utilizzate per la localizzazione. C'è bisogno di aggiungere altro? È davvero privo di senso ipotizzare che la banda di trafficanti che piazzò la droga sulla macchina di Paolicelli si sia preoccupata, per maggiore sicurezza, di installare anche un segnalatore GPS, che i finanzieri non trovarono? È privo di senso ipotizzare che il Macrì abbia provveduto *personalmente* a ritirare la vettura, per recuperare un eventuale ulteriore quantitativo di droga o quell'apparecchiatura compromettente? Quell'apparecchiatura che, se ritrovata dagli inquirenti, avrebbe consentito di risalire alle linee telefoniche dei trafficanti? E altrimenti come spiegare il comportamento di un avvocato che si preoccupa non solo di ottenere il provvedimento di dissequestro – cosa del tutto normale –, ma anche di recuperare materialmente la vettura, cosa invece del tutto anormale?».

Fu a questo punto che dovetti reprimere l'impulso a girarmi, per vedere chi fosse presente in aula. Per controllare se ci fosse qualche viso sconosciuto e sospetto. Qualcuno mandato da Macrì a controllare quello che dicevo. A verificare *quanto* ero stupido e quanto mi piaceva il rischio. A chi ascoltava parve sicuramente una pausa tecnica, di quelle che servono per tenere viva l'attenzione.

Non mi girai, ovviamente. Ma quando ripresi a parlare mi rimase uno sgradevole sottofondo, un senso di disagio. Una paura strisciante.

«È una storia fantasiosa? Forse, nel senso che è il risultato di una sequenza di ragionevoli ipotesi. È una storia assurda? No di certo. E soprattutto è una storia che – perlomeno quanto al trasporto di droga con le modalità che stiamo ipotizzando – è stata già raccontata in passato, in altre indagini. In altri casi i nostri investigatori e quelli di altri paesi hanno scoperto analoghe operazioni di illegale trasporto di stupefacenti, con queste stesse modalità.

«Mi si potrebbe rispondere: questo lo dici tu, Guerrieri.

«È vero, lo dico io, ma certo è che, laddove nutriate dubbi sulla esistenza di un simile *modus operandi,* farete sempre in tempo, anche dopo essere entrati in camera di consiglio, a disporre una ulteriore integrazione dell'istruttoria assumendo – faccio per dire – la deposizione del dirigente della sezione narcotici della squadra mobile di Bari, o di qualsiasi altro ufficiale di polizia giudiziaria addetto a unità operative antidroga, che potrà confermarvi l'avvenuto accertamento investigativo di una simile prassi criminale».

Fu a quel punto che guardai l'orologio e mi resi conto che parlavo da un'ora. Troppo.

Dalle loro facce sembrava mi stessero ancora seguendo, ma certamente non mi restava molto tempo di attenzione. Dovevo cercare di chiudere. Tornai rapidamente ai temi generali, al metodo; alla mia interpretazione, a quella del pubblico ministero.

«Ogniqualvolta sia possibile costruire una *pluralità di storie* capaci di inglobare tutti gli indizi in un quadro di coerenza narrativa, bisogna arrendersi al fatto che la prova è dubbia, che non vi è certezza processuale, che bisogna pronunciare la sentenza di assoluzione.

«Inutile dire che in questo campo non si tratta di una competizione fra livelli di probabilità delle storie. Per dirla in altri termini: al pubblico ministero non basta proporre una storia *più* probabile per vincere il processo.

«Il pubblico ministero per vincere il processo, per ottenere cioè la condanna, deve proporre l'*unica* storia accettabile. Cioè l'unica spiegazione accettabile dei fatti di causa. Alla difesa basta proporre una spiegazione possibile.

«Lo ripeto: non si tratta di uno scontro fra livelli di probabilità. Lo so bene che la storia del pubblico ministero è più probabile della mia. Lo so bene che la regola di esperienza posta a base della storia del pubblico ministero è più forte della mia. Ma questa regola di esperienza non è la vita. È, come tutte le regole di esperienza, *un modo di interpretare i fatti della vita*, nel tentativo di dare loro senso. Ma la vita, anche e soprattutto quei pezzi di vita che finiscono nei processi, è più complicata dei nostri tentativi di ridurla a regole classificabili e a storie ordinate e coerenti.

«Un filosofo ha detto che i fatti, le azioni in sé, non hanno alcun senso. Può avere senso solo il testo della narrazione degli eventi e delle azioni compiute nel mondo.

«Noi, non solo nei processi, costruiamo storie per dare senso a fatti che in sé non ne hanno nessuno. Per cercare di mettere ordine nel caos.

«Le storie, a ben vedere, sono tutto quello che abbiamo».

Mi fermai, attraversato da un pensiero improvviso. A chi stavo dicendo quelle cose? A chi stavo parlando, veramente?

Stavo davvero parlando ai giudici davanti a me? O a Natsu che era alle mie spalle anche se non potevo vederla? O a Paolicelli, che comunque fosse finita non avrebbe mai conosciuto il senso di quella storia? O parlavo a me stesso e tutto il resto – *tutto* – era solo un dannato pretesto?

Per qualche istante mi parve di capire, e mi venne un sorriso, lieve e malinconico. Solo per qualche istante. Poi quel senso, se davvero ne avevo trovato uno, scomparve.

Mi dissi che dovevo riprendere a parlare, e dovevo chiudere. Ma non sapevo più cosa dire. Anzi no, non avevo più voglia di dire niente. Volevo solo andarmene via, e basta.

Così il mio silenzio si prolungò, troppo. Vidi una sfumatura interrogativa, un principio di impazienza nelle espressioni dei giudici.

Dovevo chiudere.

«La vita non funziona attraverso la selezione della storia più probabile, più verosimile o più ordinata. La vita non è ordinata e non risponde alle nostre regole di esperienza. Nella vita ci sono i colpi di fortuna, e le disgrazie. Si vince al superenalotto o si prendono malattie rarissime e fatali.

«O si viene arrestati per colpe non commesse».

Feci un respiro profondo mentre mi sembrava che tutta la stanchezza del mondo mi fosse piombata sulle spalle.

«Vi abbiamo detto molte cose, il pubblico ministero e io. Cose che sicuramente servono per discutere le cause e per scrivere le sentenze. Servono a giustificare i nostri argomenti e le nostre decisioni, a darci l'illusione che siano argomenti e decisioni razionali. A volte lo sono, altre volte no, ma non è questa la cosa davvero più importante. La cosa più importante è che al momento di decidere siete – *siamo* – soli di fronte alla domanda: sono sicuro che quest'uomo sia colpevole?

«Siamo soli di fronte alla domanda: che cosa è giusto fare? Non in astratto, nel rispetto del metodo e della teoria, ma in concreto, in *questo* caso, per la vita di quest'uomo».

Avevo detto le ultime parole quasi sottovoce. E poi ero rimasto in piedi, in silenzio. Inseguendo un pensiero, credo. Forse cercavo una frase per concludere. O forse cercavo il senso di quello che avevo detto, lasciando che le parole andassero da sole.

«Ha finito, avvocato Guerrieri?».

Il tono del presidente era cortese, quasi cauto. Come se si fosse reso conto di qualcosa e non volesse apparire importuno o indelicato.

«Grazie presidente. Sì, ho finito».

Lui allora si rivolse a Paolicelli, che stava con le mani aggrappate, la testa appoggiata alle sbarre.

Gli chiese se avesse qualche dichiarazione da fare, prima che la corte si ritirasse in camera di consiglio per la decisione. Quello si voltò verso di me, poi di nuovo verso i giudici. Sembrava stesse per dire qualcosa. Alla fine invece scosse il capo e disse che no, grazie presidente, non aveva altro da dire.

Fu in quel momento, mentre i giudici raccoglievano le loro carte per ritirarsi in camera di consiglio, che mi colse la sensazione di essere in bilico fra sogno e realtà.

I fatti degli ultimi quattro mesi erano veramente accaduti? Natsu e io avevamo davvero fatto l'amore, due volte, a casa mia? Avevo passeggiato per il parco di Largo Due Giugno con Natsu e la piccola Midori, interpretando abusivamente per qualche minuto il ruolo di padre, o me l'ero solo immaginato? E ancora: l'imputato Fabio Paolicelli era davvero il Fabio Raybàn che aveva ossessionato la mia adolescenza? E davvero mi importava ancora scoprire la verità sui fatti di quel remoto passato, ammesso che una verità da scoprire ci fosse mai stata? In base a cosa possiamo dire con certezza che una immagine nella nostra testa è il risultato di una percezione o di un atto di immaginazione? Cosa distingue *davvero* certi sogni da certi ricordi?

Durò qualche secondo. Quando i giudici scomparvero nella camera di consiglio i miei pensieri tornarono alla normalità.

Qualunque cosa significhi la parola.

Quarantasette

Quel giorno c'erano diversi processi con detenuti, in varie aule, e pochi agenti di polizia penitenziaria. Così il caposcorta aveva chiesto al presidente l'autorizzazione a riportare Paolicelli nelle camere di sicurezza per utilizzare gli uomini nelle altre aule di udienza. Quando fosse arrivato il momento della decisione il cancelliere avrebbe chiamato il caposcorta e Paolicelli sarebbe stato accompagnato in aula per la lettura della sentenza.

In aula rimanemmo solo Natsu e io. Ci sedemmo dietro il banco del pubblico ministero.

«Come sta la bambina?».

Scrollò le spalle, sulle labbra un sorriso sforzato.

«Bene. Abbastanza bene. Stanotte ha avuto gli incubi, ma sono durati poco. È un po' che sono diventati più brevi, meno violenti».

Ci guardammo per qualche secondo e poi lei mi accarezzò una mano. Più a lungo di quanto la prudenza avrebbe consigliato.

«Bravo. Non era un discorso facile, ma ho capito tutto. Sei molto bravo – esitò qualche istante. – Non credevo che ti saresti impegnato così».

Toccò a me fare un sorriso sforzato.

«E adesso che succede?».

«Impossibile fare una previsione. O almeno io non sono capace. Può succedere tutto».

Annuì. Non si aspettava davvero una risposta diversa.

«Possiamo uscire di qui a prendere un caffè, o qualcosa?».

«Certo, ci vorrà un bel po' prima che vengano fuori con la sentenza».

Stavo per aggiungere che se venivano fuori subito era una cosa non buona. Significava che avevano confermato la condanna senza prendere nemmeno in considerazione le cose che avevo cercato di dire. Mi trattenni. Era una informazione inutile, a quel punto.

Uscimmo dal tribunale, prendemmo un caffè, facemmo una passeggiata. Rientrammo. Parlammo pochissimo. Lo stretto indispensabile per inserire qualche coordinata nel silenzio. Non so cosa provasse lei. Non me lo disse e io non riuscii a intuirlo. O forse non volli. Sentivo una tenerezza triste e sospesa. Una rassegnazione impalpabile. Un fruscio remoto.

Alle cinque il palazzo si spopolò. Porte che si chiudevano, voci, passi affrettati.

E poi il silenzio, strano e inconfondibile, degli uffici deserti.

Fu poco prima delle sei che vedemmo rientrare in aula gli uomini di scorta con Paolicelli. Ci passarono vicinissimi. Lui mi guardò, cercando un messaggio nei miei occhi. Non trovò niente. Poche volte nella mia vita di avvocato sono stato così incerto sull'esito di un processo, così incapace di fare previsioni.

Raggiunsi il mio posto mentre gli agenti della polizia penitenziaria facevano entrare Paolicelli nella gabbia, il sostituto procuratore generale rientrava in aula e Natsu tornava nella zona deserta destinata al pubblico.

Poi i giudici vennero fuori, senza nemmeno suonare la campanella.

Mirenghi lesse velocemente la sentenza. Prima ancora che riuscissi ad aggiustarmi la toga sulle spalle. La lesse con una faccia tesissima, e io ebbi la certezza che non avevano deciso all'unanimità. Ebbi la certezza che il presidente si era battuto per la conferma della sentenza di condanna, ma gli altri due avevano votato per l'assoluzione e l'avevano messo in minoranza.

In riforma dell'impugnata sentenza, la corte assolve Paolicelli Fabio dall'imputazione ascrittagli perché il fatto non costituisce reato.

Nel nostro gergo l'espressione «il fatto non costituisce reato» può significare molte cose, anche piuttosto diverse fra loro. In quel caso significava che Paolicelli aveva effettivamente, materialmente trasportato la droga – il fatto esisteva, non c'era dubbio – ma senza esserne consapevole. Mancanza della componente psicologica del reato. Assenza di dolo.

Fatto non costituisce reato.

Assoluzione.

Immediata scarcerazione dell'imputato se non detenuto per altra causa.

Mirenghi prese fiato un attimo e poi riprese a leggere. C'era qualcosa d'altro.

«Dispone la trasmissione della sentenza e dei verbali di dibattimento alla direzione distrettuale antimafia, per le determinazioni di competenza».

Significava che la faccenda non finiva lì. Significava che la direzione antimafia avrebbe dovuto occuparsi del mio collega Macrì e del suo amico Romanazzi.

Significava guai per me, forse. Ma non avevo nessuna voglia di pensarci.

Il presidente disse che l'udienza era tolta e si voltò per andare via. Si voltò anche Girardi.

Russo invece indugiò qualche istante. Mi guardò e io lo guardai. Gli occhi erano vivi, e intensi. Aveva le spalle diritte e sembrava dieci anni più giovane, come non lo avevo mai visto. Fece un cenno col capo, appena percettibile.

Poi si voltò anche lui e seguì gli altri nella camera di consiglio.

Quarantotto

Fecero uscire Paolicelli dalla gabbia, senza mettergli le manette, perché ormai era un uomo libero, anche se c'erano ancora le formalità da sbrigare in carcere. Mi venne incontro circondato dagli agenti, mi raggiunse e mi abbracciò.

Risposi dignitosamente all'abbraccio, battendogli una mano sulla spalla e sperando che finisse presto. Dopo di me abbracciò sua moglie, la baciò sulla bocca, le disse che si sarebbero visti a casa, quella sera.

Lei disse che sarebbe andata a prenderlo ma lui rispose che no, non voleva.

Non voleva che nemmeno per un'altra volta lei andasse in *quel posto*. Sarebbe tornato a casa a piedi, da solo.

Voleva prepararsi a rivedere la bambina – la *sua* bambina –, e una camminata sarebbe stata l'ideale.

E poi era primavera. Era una cosa bella tornare libero di primavera, aggiunse.

Aveva il labbro inferiore che tremava e gli occhi lucidi, ma non pianse. Almeno non fino a quando rimase in quell'aula.

Poi il caposcorta gli disse, gentilmente, che dovevano andare.

Un agente anziano, con una faccia da duro, occhi azzurrissimi, una cicatrice che gli attraversava le labbra partendo dal naso e arrivando al mento, mi venne vicino. Aveva una voce arrochita dalle sigarette e da tanti anni in mezzo a ladri, stupratori, trafficanti e assassini. Detenuto anche lui, con il fine pena fissato al giorno della pensione.

«Complimenti avvocato. Vi ho ascoltato e ho capito tutto. A quello là – indicò Paolicelli che già si stava allontanando con gli altri agenti – lo avete salvato».

E poi scappò via a raggiungere i colleghi.

Così ancora una volta rimanemmo soli, Natsu e io. L'ultima volta.

«E adesso?».

«Addio» le dissi.

Mi venne bene, credo. Addio è una parola difficile da dire. C'è sempre il rischio di essere patetici, ma in quel momento la dissi nel modo giusto.

Lei mi guardò a lungo. Se sfocavo un po' la sua immagine e al posto dei suoi occhi mettevo due grandi cerchi blu, potevo vedere la bambina Midori, come sarebbe stata fra vent'anni.

Nel 2025. Evitai di fare il calcolo di quanti anni avrei avuto io, nel 2025.

«Non credo che lo incontrerò un altro come te».

«Be', spero proprio di no» dissi io. Voleva essere una specie di battuta, ma lei non rise.

Si guardò intorno invece, e quando fu sicura che l'aula era davvero deserta, mi diede un bacio.

Un bacio vero, intendo.

«Addio» disse anche lei prima di scomparire nei corridoi deserti.

Le diedi cinque minuti di vantaggio e poi me ne andai anch'io.

Quarantanove

Avevo le finestre di casa tutte aperte e dalla strada venivano rumori stranamente attutiti. Sembravano suoni di tanti anni prima, di quando ero bambino e nei pomeriggi di maggio si andava ai giardini per giocare a pallone.

Misi un cd, e solo dopo diverse canzoni e parecchi minuti mi resi conto che era lo stesso della prima notte a casa mia, con Natsu.

These days miracles don't come falling from the sky.

Sentendo la musica mi preparai un whisky col ghiaccio, e lo bevvi masticando mais tostato e pistacchi. Poi feci una lunga doccia con l'acqua fresca e non mi asciugai. Girai per casa godendomi il profumo del bagnoschiuma sulla pelle, la musica, il leggero giramento di testa per il whisky, i brividi di freddo per la brezza che entrava dalle finestre aperte.

Una volta asciutto mi vestii, misi anche dell'inutile profumo e uscii.

Per strada c'era un'aria mite e prima di andare a cena pensai di fare una passeggiata fino a piazza Garibaldi, dov'era la casa in cui avevo abitato da bambino, con i miei genitori.

Quando ci arrivai fui preso dall'allegria impalpabile e struggente che sanno dare solo certi vortici del tempo. I giardini di piazza Garibaldi, quel tardo pomeriggio di maggio, erano uguali a quelli di tanti anni prima, e fra i ragazzini che giocavano a calcio c'erano i fantasmi di noi stessi bambini, con i pantaloni corti, le bretelle, il pallone supersantos comprato alla bottega facendo una colletta.

Mi sedetti su una panchina e rimasi lì a guardare cani, bambini e vecchietti fino a quando fu buio e quasi tutti furono andati via. Allora andai via anch'io, a cercare un posto dove mangiare. Stavo camminando verso il mare quando il telefono squillò. Numero privato, diceva il display.

«Pronto?».

«Ce l'hai fatta. Questa volta davvero non avrei scommesso un centesimo».

Mi ci vollero un paio di secondi per rispondere, perché non avevo riconosciuto Tancredi.

«Chi te lo ha detto?».

«Ehi, fratello, hai capito chi sono? Sono la Polizia, io so tutto quello che succede in città. A volte lo so ancora prima che succeda».

Mentre Tancredi parlava pensai che in fondo non avevo poi tutta questa voglia di andarmene in giro, cenare, magari ubriacarmi da solo.

«Sei ancora in ufficio?».

«Già. Ma direi che adesso chiudo la baracca e me ne vado».

«Ti va di venire a cena? Stavolta pago io davvero».

Disse che gli andava e ci demmo appuntamento di lì a mezz'ora in piazza del Ferrarese, all'inizio della Muraglia.

Arrivammo contemporaneamente, da diverse direzioni, puntuali tutti e due.

«Allora avevi ragione tu. Adesso dovrei anche farti i complimenti».

«Lo sapevi benissimo che avevo ragione, se no non mi avresti aiutato. E se non mi avessi aiutato non avrei concluso niente».

Fece per dire qualcosa, ma poi probabilmente pensò che non aveva la battuta buona. Così alzò le spalle. Ci mettemmo in cammino.

«La corte ha anche disposto la trasmissione degli atti alla direzione distrettuale antimafia. Per Macrì e Romanazzi, evidentemente. Domani chiedo il porto d'armi».

«Non ne avrai bisogno».

«Certo che ne avrò bisogno. Se vogliono farla pagare a qualcuno, io sono il primo della lista».

«Ti ho detto che non ne avrai bisogno. Fra pochissimo Romanazzi, Macrì, il suo autista e i loro amici avranno altro di cui preoccuparsi».

«In che senso?».

«Nel senso che fra qualche settimana andranno in vacanza a spese dello stato. Una vacanza lunga, credo».

«Li arrestate». Bravo Guerrieri, mi dissi mentre pronunciavo quelle parole. Veramente una deduzione brillante.

«L'indagine non è di Bari e dunque non li arrestiamo noi. Lo farà qualcun altro. Gente più cattiva di noi. E direi che per oggi come violazione del segreto d'ufficio può bastare. Possiamo cambiare argomento e andarcene a mangiare».

Andammo in un ristorante di fronte al porto. Era di un mio cliente, Tommaso detto Tommy. Uno cui qualche anno prima avevo risolto un problema molto serio. Dissi a Tommy che volevamo sederci all'aperto e che non avevamo voglia di ordinare. Pensava a tutto lui, rispose secondo copione.

Ci portò frutti di mare crudi, pesce alla griglia, dolci con la crema fatti da sua madre che lavorava in cucina da quaranta anni. Ci bevemmo due caraffe di vino bianco. Alla fine uno dei camerieri portò una bottiglia di liquore di limone gelato, Carmelo accese il suo sigaro e io pensai che, cazzo, una dannata sigaretta potevo anche fumarmela. Così chiamai Tommaso e gli chiesi se mi trovava una marlboro. Lui ritornò un minuto dopo, con un pacchetto nuovo e un accendino. Li poggiò tutti e due sul tavolo e fece per andarsene.

«No, Tommy, non lo voglio tutto» dissi scartando il pacchetto.

Lui insisté, disse che poteva venirmi voglia di fumarne un'altra, dopo. Io pensai che *certamente* mi sarebbe venuta voglia di fumarmene un'altra, dopo. E poi un'altra e un'altra ancora. Per questo era meglio che non tenessi il pacchetto.

«Grazie, Tommy. Una basta».

Mi accesi la sigaretta, la fumai in silenzio e poi chiesi a Tancredi se gli andava di sentire una storia. Lui non fece domande. Si versò ancora un po' di liquore e con un gesto della mano mi invitò a cominciare. Fu così che gli raccontai tutto, da quel pomeriggio di settembre fino all'ultimo atto, di poche ore prima.

Quando finii di raccontare i camerieri stavano mettendo le sedie rovesciate sui tavoli e nel locale eravamo rimasti solo noi.

La mattina dopo lavoravamo tutti e due, ma decidemmo lo stesso di andare a fare una passeggiata sul lungomare deserto.

«Carmelo?» dissi dopo una decina di minuti che camminavamo in silenzio.

«Sì?».

«Te lo ricordi *Casablanca*?».

«Vuoi dire il film?».

«Sì».

«Certo che me lo ricordo».

«E te la ricordi la battuta finale?».

«No. Mi ricordo benissimo la scena, ma non la battuta».

«*Louis, credo che questo sia l'inizio di una bella amicizia.* Fa così».

Lui si fermò e rimase qualche secondo assorto, come cercasse di afferrare esattamente il significato di quello che avevo detto, per rispondere in modo appropriato. Alla fine però annuì soltanto, senza guardarmi.

Anch'io annuii, e poi ci avviammo barcollando, uno vicino all'altro, senza dire più niente, verso i confini della città.

Là dove finiscono le case, i ristoranti, le insegne, e rimangono solo le luci cordiali ed enigmatiche dei lampioni di ghisa.

Indice

Questo volume è stato stampato
su carta Palatina
delle Cartiere Miliani di Fabriano
nel mese di novembre 2007

Stampa: Legoprint S.p.A. - Lavis (TN)
Legatura: I.G.F. s.r.l. - Aldeno (TN)